O MUNDO É O QUE VOCÊ COME

O MUNDO É O QUE VOCÊ COME

Barbara Kingsolver

Uma família prova que você pode comer cuidando da sua saúde e da saúde do planeta

Tradução
Lourdes Sette

Título original: ANIMAL, VEGETABLE, MIRACLE: A YEAR OF FOOD LIFE

EDITORA NOVA FRONTEIRA S.A.
Rua Bambina, 25 – Botafogo – 22251-050
Rio de Janeiro – RJ – Brasil
Tel.: (21) 2131-1111 – Fax: (21) 2286-5755
http://www.novafronteira.com.br
e-mail: sac@novafronteira.com.br

CIP-Brasil. Catalogação-na-fonte
Sindicato Nacional Dos Editores De Livros, RJ

K64 Kingsolver, Barbara
O mundo é o que você come / Barbara Kingsolver, Steven Hopp, Camille Kingsolver ; tradução Lourdes Sette. – Rio de Janeiro : Nova Fronteira, 2008.

Tradução de: Animal, Vegetable, Miracle: A Year of Food Life
Inclui bibliografia
ISBN 978-85-209-2110-4

1. Kingsolver, Barbara, 1955-. 2. Hopp, Steven L., 1954-. 3. Vida rural – Appalachi, Região (Estados Unidos). 4. Agricultura – Appalachi, Região (Estados Unidos). 5. Hábitos alimentares – Appalachi, Região (Estados Unidos). I. Hopp, Steven L., 1954-. II. Kingsolver, Camille, 1987-. III. Título.

CDD 307.720973
CDU 316.334.55(73)

Em memória de Jo Ellen

Sumário

1

O chamado de volta para casa

Esta história sobre comida saudável começa numa parada rápida em uma loja de conveniência. Era o nosso último dia no Arizona, onde vivi metade da minha vida e criei duas filhas. Agora, estávamos partindo de vez, fazendo nosso inventário nostálgico das coisas que nunca mais veríamos: o arbusto onde o pássaro papa-léguas construiu seu ninho e alimentou seus filhotes esquisitos com lagartos; a árvore em que Camille bateu quando aprendia a andar de bicicleta; o ponto exato em que Lily tocou acidentalmente em uma cobra morta. Nosso caminho era apenas o primeiro afluente em um rio de memórias que nos arrastava.

O que é um cartão-postal para algumas pessoas é uma imagem corriqueira para outras. Essa era uma paisagem cujas faces conhecíamos todas: cactos saguaros gigantes, coiotes, montanhas, o sol abrasador refletindo no cascalho sem vegetação. Estávamos deixando esse lugar em um de seus momentos mais feios, o que por um lado tornava a despedida mais fácil, mas que por outro parecia ser um golpe baixo — como terminar um relacionamento justamente quando seu companheiro acaba de acordar todo descabelado. Naquele dia, o deserto parecia um caso feio de irritações de pele causadas pelo calor, dessas que fazem a gente estremecer de aflição.

Era fim de maio. Desde o Dia de Ação de Graças, chovera menos de três centímetros. Os cactos, mesmo adaptados à privação, pareciam prontos para arrancar suas raízes e pegar uma carona para longe dali, se fosse possível. Os figos-da-índia davam adeus com suas folhas cinzentas e enrugadas. Os saguaros altos e desidratados estavam postados, cambaleantes e esquálidos, como *top models* muito arredias. Mesmo nos melhores momentos, as criaturas do deserto vivem no limite da sobrevivência, mantendo-se, na maioria das vezes, apenas de vapor e de suas próprias reservas de energia acumuladas. Agora, enquanto a região sul dos Estados Unidos entrava no terceiro ano consecutivo de seca, por todos os lados se debatia a seriedade do aquecimento global. Nós o estávamos encarando bem de frente.

Lá se foi nossa família, como ratos saltando de um navio em chamas. Dói pensar em tudo ao mesmo tempo: nossos amigos, nosso deserto, a casa antiga, a casa nova. Estávamos atordoados e deprimidos quando paramos em um pequeno mercado em um posto de gasolina nas cercanias de Tucson. Antes de partirmos para encontrar nossos destinos, tínhamos que abastecer, claro, e comprar lanches para a viagem. Havia uma caixa de isopor no banco de trás, cheia de lanches que davam muito bem para o gasto. No entanto, tínhamos mais de 3.200 quilômetros pela frente. Antes de cruzarmos algumas divisas estaduais, precisávamos dar ao nosso carro um tratamento anticorrosão, além de saborearmos coisas mais crocantes.

Essa era a viagem de nossas vidas. Estávamos encerrando nossas existências nos arredores da cidade de Tucson, Arizona, para começar uma vida rural no sul de Appalachia. Vendemos nossa casa e entulhamos o carro com as coisas mais importantes: certidões de nascimento, audiolivros e um cachorro drogado pelo efeito de calmantes (somente durante a viagem, eu juro). Todas as outras coisas viriam no caminhão de mudança. Para o bem ou para o mal, logo estaríamos morando em uma fazenda.

Há vinte anos, Steven possui um pedaço de terra em Appalachia, com uma casa de fazenda, um celeiro, orquídeas e campos, e ainda com uma isenção fiscal denominada “uso agrícola”. Ele vivia lá quando nos conhecemos, lecionava na universidade e consertava sua velha casa, uma janela restaurada de cada vez. Eu cheguei como escritora visitante, recentemente divorciada, com experiência em reformas. Acabamos, de modo previsível, destruindo nossos planos ao nos apaixonarmos um pelo outro. Minha filha mais nova e eu éramos ligadas à nossa comunidade em Tucson; Steven era igualmente ligado aos seus pastos verdes e ao coro de passarinhos das florestas caducifólias do Leste. Meu então futuro sogro, ao ouvir as emocionantes notícias sobre nós, perguntou a Steven:

— Você não poderia escolher alguém de um lugar mais próximo?

Aparentemente não. Conseguimos manter a posse da fazenda ao alugar a casa para outra família e preservamos a felicidade conjugal migrando como pássaros: durante o ano escolar, vivíamos em Tucson, mas todo verão rumávamos de volta para nossa rica fonte de comida, a fazenda. Três meses ao ano, vivíamos nos bosques atrás da casa na fazenda, em uma cabana feita de toras de madeira, minúscula e extremamente desnivelada, ouvindo os tordos-dos-bosques e plantando nossa própria comida. As meninas (a outra criança veio logo em seguida) adoravam brincar no riacho, pegar tartarugas, sentir lama de verdade. Eu gostava de trabalhar a terra e, cada vez mais, passava a considerar esse lugar como a minha casa também. Quando todos nós ficamos prontos, decidimos que iríamos morar lá para sempre.

Tínhamos muitas razões convencionais para a mudança, entre elas o aumento da família. Meus antepassados Kingsolver vieram daquela parte da Virgínia; eu cresci a apenas poucas horas dali, do outro lado da divisa com o Kentucky. Voltar agora proporcionaria às minhas crianças um contato maior com os avós e os primos do que elas tinham nas rápidas férias. Durante minha vida adulta, quase nunca compartilhei uma lista telefônica com alguém que tivesse o mesmo sobrenome que eu. Agora, eu poderia passar o Memorial Day, feriado em que se homenageiam os militares mortos em defesa da pátria, enfeitando as sepulturas de meus ancestrais com peônias retiradas de meu jardim. Tucson tinha aberto meus olhos para o mundo, me proporcionado uma carreira de escritora, legiões de amigos e um gosto para a extravagância sinestésica dos pimentões vermelhos picantes e pores-do-sol extremamente coloridos. Porém, após 25 anos no deserto, fui chamada de volta para casa.

Há uma outra razão que fez da mudança a coisa certa a se fazer, e esse é o cerne deste livro. Queríamos viver em um lugar onde pudéssemos alimentar a nós mesmos: onde a chuva cai, as plantas crescem e a água potável borbulha do solo. Isso pode parecer uma razão abstrata demais para deixar nossos queridos amigos e uma das cidades mais idílicas dos Estados Unidos. Mas era concreto para nós. À medida que sua população se aproxima do marco de um milhão de almas, os charmes de Tucson a transformam em uma das cidades que crescem mais rápido neste país. Ela oferece à sua população um espectro muito amplo de prazeres cotidianos, incluindo bancos, lojas, sinfonias, faculdades, galerias de arte, parques e mais campos de golfe do que se pode contar. Todos concordam que ela é uma fonte abundante de todos os itens na lista de necessidades humanas, salvo por uma única coisa — aquilo que colocamos em nossas bocas, várias vezes ao dia, para nos mantermos vivos. Como qualquer outra cidade moderna dos Estados Unidos, Tucson poderia muito bem ser uma estação espacial, onde a subsistência humana é uma das preocupações mais relevantes. Quase toda unidade de comida consumida lá chega à cidade em recipientes refrigerados, vindos de algum lugar muito distante. Cada litro de água para beber, lavar e encher o aquário é bombeado de uma fonte não renovável — um aqüífero fóssil que está desaparecendo tão rapidamente que, por muitas vezes, faz o chão se esfarelar. Depois de uma modificação mais recente, parte da água da cidade agora chega por um canal aberto, com quase quinhentos quilômetros de comprimento, através do deserto, vindo do rio Colorado, que — devido à nossa sede — é um rio que não chega mais ao oceano, mas se esvai em um banco de areia perto da fronteira com o México.

Se passa por sua cabeça que água correndo por centenas de quilômetros de dutos abertos em um deserto vai evaporar e terminar cheia de sujeira e sais concentrados, permita-me lhe dizer que esse tipo de pensamento negativista nunca irá lhe ajudar a se eleger para um cargo público no estado do Arizona. Quando essa torneira gigante foi aberta, empresas imobiliárias formularam planos para criar condomínios de estuque rosa pelo deserto, em todas as direções. Nós deveríamos nos regozijar com o novo fluxo empurrado para dentro de nossos canos, mesmo quando a cidade nos avisava que essa água era muito especial. As autoridades nos disseram que ela era potável, mas que não poderíamos colocá-la em aquários porque *mataria os peixes.*

Nós a bebemos, enchemos as máquinas de café e também preparamos sucos concentrados para nossos filhos com um fluido que faria um girino ficar enjoado. Ah, Bela América, onde estão nossos padrões? Como os europeus, culturas ancestrais para a maioria de nós, cujos típicos países populosos caberiam dentro de um de nossos parques, mantiveram de alguma forma uma fatia de mercado da beleza? Eles se dispõem a derrubar um McDonald's com uma máquina de terraplanagem porque a loja ameaça a soberania de seus queijos finos. Eles nos enfrentam nas rodadas de negociação de comércio internacional quando tentamos enfiar genes modificados em seus pães. Eles obtêm seu presunto favorito diretamente de Parma, Itália, juntamente com seu queijo favorito, sabendo que esses alimentos estão vinculados por uma conexão antiga que os fazendeiros estabeleceram entre o leite e o porco. Ah. Nós achamos que *parmesão* significa não "vindo de Parma", mas "vindo de uma latinha verde com furinhos". Será que eles nos expulsaram por causa de nosso mau gosto?

Não, foi, em grande parte, por vadiagem, pobreza ou por sermos religiosos demais. Viemos para cá pela liberdade de fazer uma cultura estilo *Leaves of Grass* (obra do escritor Walt Whitman, *Folhas de relva* em português) e ouvir a América cantar com uma boa cadência, perfurar nossos umbigos conforme necessário e comer o que quisermos sem nenhum chato nos repreendendo: "Você não sabe de onde isso veio." E, de fato, não sabemos.

Um item típico de comida na prateleira de um mercado norte-americano percorreu uma distância maior do que a maioria das famílias em suas férias anuais costuma percorrer. Fato comprovado. Combustíveis fósseis são consumidos no transporte, na refrigeração e no processamento da comida, com conseqüências ambientais evidentes. A opção de obter nossa comida caseira de um lugar mais próximo de casa, em Tucson, não parecia ser viável para nós. Historicamente, o deserto de Sonora ofereceu aos humanos sujeira cozida como material de construção e, para comer, uma dieta de milho e grãos organizada com base nas monções de fim de verão, enfeitada na primavera com frutas de cactos e tubérculos selvagens. Os Hohokam e os Pima foram os últimos povos a viver naquela terra sem criar uma enorme dívida com o meio ambiente. Quando os espanhóis chegaram, eles não correram para adotar a dieta popular dos Hohokam. Em vez disso, começaram uma dívida monumental: plantar laranjeiras e alfafa, cavar poços de irrigação, retirar milhões de litros do lençol aqüífero a cada ano, uma quantidade que dezenas de milímetros de água de precipitação anual nunca poderiam compensar. O Arizona ainda é um estado agrícola. Mesmo após a explosão demográfica de meados da década de 1990, 85% da água do estado ainda eram utilizados em culturas sedentas, como algodão, alfafa, árvores cítricas e árvores de pecã. Os invernos, quando são amenos, podem parecer um verão prolongado, se pudermos fazer surgir água e sustentar a ilusão de haver uma camada arável do solo quimicamente induzida.

Comida oleosa

Os americanos colocam quase tanto combustível fóssil dentro das geladeiras quanto dos carros. Nossa agricultura consome cerca de 1.500 litros de petróleo por ano por cidadão — aproximadamente 17% do consumo de energia da nação —, quase tanto quanto o consumo veicular, item mais importante na utilização de petróleo. Tratores, ceifadeiras, colheitadeiras, irrigadores, borrifadores, embaladoras e outros equipamentos são todos movidos a petróleo. Ainda assim, os mais responsáveis pelo consumo de petróleo nas fazendas não são as máquinas, mas os chamados insumos. Fertilizantes, pesticidas e herbicidas artificiais têm no petróleo e no gás natural seus materiais básicos, além de os utilizarem em sua manufatura. Mais de 25% de toda a energia agrícola vai para os fertilizantes sintéticos.

Porém, cultivar as sementes até o momento da colheita consome apenas 20% do total de petróleo usado em nossa comida. A maior parte é consumida durante o percurso entre a fazenda e o prato. Cada item alimentar de uma típica refeição americana viaja, em média, 2.500 quilômetros. Além do transporte direto, existem outras etapas com alto consumo de petróleo, como processamento (secagem, beneficiamento, corte, seleção e cozimento), embalagem, armazenagem e refrigeração. As calorias energéticas consumidas na produção, embalagem e transporte superam, em muito, as calorias energéticas que recebemos da comida.

Uma maneira rápida de melhorar a economia de combustível ligado ao transporte de alimentos seria comprar uma lata de óleo de motor e bebê-la. Existem opções mais palatáveis. Se cada cidadão norte-americano comesse apenas uma refeição por semana (qualquer refeição), composta por carnes e produtos criados local e organicamente, reduziríamos o consumo de petróleo do país em mais de 1,1 milhão de barris de petróleo *por semana.* E não estamos falando em litros, mas em barris. Pequenas mudanças nos hábitos de consumo podem fazer uma grande diferença. Simplesmente começar com um bom café-da-manhã pode tornar uma nação menos dependente de energia.

STEVEN L. HOPP

Viver no Arizona com água emprestada me deixava nervosa. Pertencíamos a uma pequena e dispersa comunidade de fazendeiros de Tucson, descendentes de beneficiados do *Homestead Act*, que criavam galinhas em nossos quintais e cultivavam legumes para consumo próprio em pequenas porções de terra. Eles também freqüentavam feiras de fazendeiros (também chamadas de mercado do produtor) para comprar dos agricultores do Arizona, na tentativa de reduzir o coeficiente de quilômetros por litro de nossas dietas, em um mundo viciado em petróleo. No entanto, nossos jardins "bebiam" um pouco demais. Assim como as fazendas do Arizona. É uma escolha diabólica: roubar água do México ou ingerir petróleo da Arábia Saudita?

Tradicionalmente, emprego e família ditam as escolhas do lugar onde viver. É também legítimo considerar o clima, as escolas e outros índices de qualidade de vida. Acrescentamos um desejo à nossa lista: mais de um em três dos elementos básicos necessários à vida humana — *oxigênio* o Arizona tem. Se tivéssemos laços de família, talvez nos sentíssemos mais justificados a reivindicar um lugar na magra mesa de jantar de Tucson. Porém, mudei para lá quando era uma jovem adulta, depois adquiri, por nascimento e casamento, três bocas a mais para alimentar. Como convidada, provavelmente exagerei no tempo de estadia. Portanto, enquanto a população americana se engaja em uma corrida sem precedentes rumo ao Cinturão do Sol — aqueles estados ensolarados do sul e sudoeste dos EUA —, um carro com todos nós dentro nada contra a maré, rumando para a Terra Prometida, onde a água cai do céu e o verde cresce por todos os lados. Estamos prestes a começar a aventura de realinhar nossas vidas com a cadeia alimentar.

Naturalmente, nossa primeira parada foi para comer besteira e abastecer o carro com combustível fóssil.

No complexo de concreto, cheio de lojas de conveniência, vasculhamos os corredores procurando biscoitos salgados e cranberries da *Craisins*. A adolescente "natureba" da família pegou uma grande pilha de barras energéticas, o suficiente para servir de plano de previdência para um *hamster*. A mãe de família, desde sempre frugal, torrou dois dólares em uma elegante garrafa verde de chá gelado que valia cerca de cinco centavos. Já que estávamos todos enlouquecendo naquele momento, acrescentamos algumas garrafas de 99 centavos do produto encontrado de graça em bebedouros de lugares como Perrier, na França. Na região onde estávamos, 99 centavos por água boa pareceram uma pechincha. O peixinho de aquário deveria ter a mesma sorte.

Repentinamente, enquanto arrumávamos nossas compras no balcão, o céu escureceu. Após duzentos dias seguidos sem nuvens, é fácil esquecer a aparência de uma nuvem que tapa o sol. Todos piscamos. A moça do caixa franziu a testa em direção à janela de vidro e metal.

— Droga — disse ela. — Vai chover.

— Espero que sim — disse Steven.

Ela transferiu seu olhar zangado da janela para Steven. A frentista de cabelos oxigenados não parecia muito feliz.

— É melhor não, é só o que digo.

— Mas precisamos de chuva — enfatizei. Não sou de discutir com caixas, mas o deserto estava morrendo, e esse era o meu último minuto como tucsana. Detestaria estragá-lo com uma maldição para uma chuva tão necessária.

— Sei que é isso que eles estão dizendo, mas não me importo. Amanhã é meu primeiro dia de folga em duas semanas e quero lavar meu carro.

Naquele dia, dirigimos quinhentos quilômetros pelo deserto de Sonora, desesperadamente ressecado, mastigando as salgadas castanhas de caju com uma culpa um tanto peculiar. Compartilhávamos o desejo, de uma forma ou de outra, de que não chovesse em nosso dia de folga. As nuvens de trovão se dissolveram à nossa frente, como se respeitar o desejo de nossa compatriota de lavar o carro fosse a bênção final pronunciada sobre uma terra à beira da morte. Em nosso deserto, não veríamos chuva novamente.

LEVAMOS CINCO DIAS PARA CHEGAR LÁ. Em nosso primeiro dia, passamos dez horas cortando grama e mato e trabalhando na casa da fazenda. Cansados demais para cozinhar, fomos à cidade para jantar, optando por uma lanchonete do tipo sulista, que coloca canjica em seu prato até o meio-dia e biscoitos depois desse horário, peça você por eles ou não. Nossa garçonete era jovem e falante, aluna de uma faculdade de enfermagem próxima ou algo assim, mas que, se não passasse em química, viraria uma apresentadora de televisão. Ela disse que esperava ansiosamente pelo fim de semana, mas sorriu largamente, mesmo assim, para as nuvens agrupadas sobre as montanhas lá fora. As encostas de montanha cheias de árvores e os pastos aveludados do sudoeste da Virgínia pareciam extraordinariamente verdes para nossos olhos flagelados pelo deserto, mas as florestas e os campos também estavam sofrendo aqui. A seca assolara grande parte do sul dos Estados Unidos naquela primavera.

Um relâmpago alto ribombou, e a chuva caiu logo que a garçonete retornou para levar nossos pratos.

— Escutem isso — Ela riu. — Precisamos muito dela!

Precisamos mesmo, concordamos. Os campos de feno não eram a metade do que deveriam ser.

— Tomara que dure bastante — disse ela, pausando, com nossos pratos equilibrados em seus braços, e continuando a olhar para fora da janela durante um longo intervalo. — E que essa não seja tão forte que carregue tudo com ela.

Não é minha intenção aqui enaltecer a sabedoria do interior em detrimento da ambição urbana. Apenas sugiro que os filhos dos fazendeiros provavelmente sabem de onde vem a comida e que o resto de nós faria bem se prestasse atenção a isso também. Para nossa família, algo tinha virado de cabeça para baixo no jantar daquela noite. A maldição da moça do caixa do posto de gasolina em prol da seca fora neutralizada pela simples ânsia agrícola por chuva de uma garçonete. Pensei comigo mesma: ainda há esperança para nós.

QUEM SOMOS NÓS, EXATAMENTE? VIVO agora em um condado cuja base econômica é a agricultura. Um verão desastroso significará que alguns de nossos vizinhos perderão suas fazendas. Outros precisarão continuar cultivando *além de* procurar por um emprego a muitos quilômetros de distância. Nós sentiremos os efeitos nas matrículas escolares, nos negócios locais, nas mudanças de uso da terra e na estrutura dos impostos. A saúde de nossos rios, solos e florestas também corre perigo à medida que fazendas perdidas são vendidas para empreiteiros cujo negócio é rearrumar (drasticamente) o solo e tudo que se encontra em cima dele. Quando reconheço o bom senso agrícola, no entanto, não estou pensando apenas em minha cidade, mas também em minha espécie. Não é uma diferença trivial: pregar a favor ou contra a chuva durante uma seca. Você pode argumentar que os desejos não contam, mas os humanos são bons em realizar sonhos e, do ponto de vista histórico, obtemos o que queremos. Qual é a recompensa justa para uma espécie egoísta ou preocupada demais para torcer pela chuva quando a terra lá fora está morrendo? Deveríamos ser enterrados sob o solo em nossos próprios carros limpos para abrir espaço para criaturas mais inteligentes?

Certamente faríamos melhor se *soubéssemos* mais. Em duas gerações, deixamos de ser uma nação rural para nos transformarmos em uma urbana. As crianças norte-americanas começam o ano escolar no início de setembro e o terminam no início de junho, sem se darem conta de que esse esquema foi planejado para possibilitar o trabalho infantil, quando este era necessário na fazenda. A maioria das pessoas da geração de meus avós tinha uma intuição sobre os fundamentos de uma vida agrícola, sabiam quando as várias hortaliças e frutas entravam em estação, quais podiam ser mantidas durante o inverno e como preservar as outras. Sabiam também em que dia a primeira geada do inverno provavelmente cairia em seu condado e quando esperar pela última na primavera; que cultivos podiam ser plantados antes da última geada e quais deveriam ser plantados mais tarde; que grãos são plantados no outono; qual a aparência de uma plantação de aspargos em agosto. E, mais importante, sabiam quais animais e hortaliças cresciam na região vizinha e como viver apenas consumindo-os, acrescentando pouco mais à mistura do que um saco de farinha, uma pitada de sal e um punhado de café. Algumas pessoas de minha geração, e quase todos os nossos filhos, teriam problemas em responder a qualquer uma dessas perguntas, quanto mais a todas. Esse conhecimento evaporou de nossa cultura.

Em grande parte, nos convencemos de que isso não tinha grande importância. Imagine como os americanos responderiam à proposta de que agricultura deveria se tornar uma matéria obrigatória em todas as escolas, juntamente com literatura e matemática. Um grande número de pais ficaria irado ao ver a atenção dos filhos desviada dos fundamentos da gramática e da importante trigonometria para dar lugar a assuntos agrícolas. A psique das gerações pós-guerra sustenta uma pressuposição poderosa de que a educação é a chave para *nos livrarmos* do trabalho manual e sujo — dois ingredientes inegáveis à agricultura. Basta para nós que alguém, em algum lugar, conheça a produção de alimentos suficientemente bem para servir o resto de nós com tudo que precisamos comer, todos os dias de nossas vidas.

Se isso é verdade, por que não é suficiente que as pessoas saibam as regras de multiplicação e conheçam o conteúdo da Constituição? A história do pão e do solo cultivado até a nossa mesa é menos relevante para nossas vidas do que a história das 13 colônias norte-americanas originais? Não se poderia defender a relevância de um assunto que diz respeito a escolhas que fazemos *todo dia?* — como em "O que vamos comer no jantar?" Ignorar nossas fontes alimentícias não causa problemas tão diversos quanto a dependência excessiva do petróleo e uma epidemia de doenças relacionadas à dieta alimentar?

Se este livro não é exatamente um argumento a favor da reinserção de disciplinas de produção alimentícia nas escolas (e talvez seja), ele contém boa parte do que você deveria aprender lá. Desde que minha família parou naquele posto de gasolina, fomos longe o suficiente para descobrir formas de assumir a responsabilidade pelos nossos próprios alimentos, e até mesmo saber de onde vieram. Esta é a história de um ano durante o qual fizemos todos os esforços para nos alimentar com animais e hortaliças cuja procedência efetivamente conhecíamos. Tentamos retirar grande parte do petróleo presente em nossa cadeia alimentar, mesmo que isso implicasse abrir mão de certas coisas. Nosso maior objetivo era obter nossa comida de tão perto de nossa casa que fosse possível conhecer a pessoa que a plantou. Freqüentemente, essa pessoa acabou sendo *nós mesmos*, à medida que aprendemos a produzir o que precisávamos em maior quantidade, começando com terra, sementes e conhecimento suficiente para improvisar uma solução. Ou começando com filhotes de animais e aprendendo o suficiente para evitar dar nomes a eles.

Este não é um manual para você produzir sua própria comida. Nós mesmos vivemos em uma região em que toda casa tem um jardim ao fundo, mas para muitas pessoas urbanas a idéia de plantar a própria comida deve ser tão plausível quanto escrever e reger uma sinfonia para seu deleite pessoal. Se esse for o seu caso, pense nas partes agrícolas de nossa história como um curso de avaliação musical da comida — familiarizar-se com os compositores e os regentes pode melhorar a qualidade de sua experiência. Saber a secreta história natural das batatas, dos melões ou dos aspargos lhe confere a vantagem de detectar se os produtos no seu mercado são crianças saudáveis da fazenda vizinha, ou vagabundos que gastam sua preciosa juventude em um vagão de carga fechado. Saber como os alimentos são produzidos significa saber como e quando procurá-los; tal conhecimento especializado é útil para certos tipos de pessoas, a saber, aqueles que comem, independentemente do lugar em que vivem ou de onde compram seus alimentos.

A ausência desse conhecimento nos tornou uma nação de leitores de rótulo desconfiados, estranhamente desconfortáveis em nossa relação obrigatória com tudo que comemos. Chamamos nossa comida de origem animal por nomes diferentes depois de morta, presumivelmente nos poupando da idéia de que as vacas e os porcos que enchem nossos pratos são os mesmos que outrora corriam vivos lá fora. Nossas palavras para a contaminação pouco saudável — "maculado" ou "sujo" — sugerem que todos iríamos direto para a terapia se realmente soubéssemos o principal ingrediente de uma horta. Eu costumava levar os amigos de meus filhos para a horta, para os habituar à idéia de comer hortaliças, mas essa estratégia nem sempre dava certo: eles retrocediam devagar dizendo: "Ah, *cara*, aquelas coisas estão no meio da *sujei-*

ra!" Os adultos fazem o mesmo ao fingir que tudo vem de uma loja limpa e bem iluminada. Somos como adolescentes petulantes rejeitando nossa mãe. *Sabemos* que saímos dela, mas *eca!*

Não sabemos "bulhufas" sobre os grãos. Aspargos, batatas, pernas de peru — seja lá o que for —, não temos a menor idéia de como o mundo fabrica isso. Em geral, acho que exagero a extensão do problema, mas, em seguida, encontro uma editora (de uma revista bem conhecida) que corta a parte da minha história que se refere a abacaxis crescendo do chão. Ela insiste que essas frutas crescem em árvores. Ou então tenho uma conversa como esta:

— Quais as novidades da fazenda? — pergunta minha amiga, que morou na cidade a vida inteira e gosta que eu a mantenha informada por telefone. Ela é uma cozinheira sofisticada, se preocupa com o mundo e está viva há muito mais tempo do que eu. Essa conversa ocorreu no início da primavera, portanto informei-lhe o que estava acontecendo na horta: ervilhas, batatas, espinafre.

— Espere um minuto — disse ela —, quando você diz "os pés de batata estão crescendo", o que você quer dizer com isso? — Ela pausa, reformulando a pergunta: — Que parte da batata cresce?

— Ué, a parte da planta — disse. — Os talos e as folhas.

— Uau — retrucou ela. — Nunca soube que uma batata *tinha* uma parte de planta.

Muitas pessoas inteligentes realmente estão no escuro no que se refere à vida vegetal. Professores de biologia enfrentam crianças na sala de aula que talvez nem acreditem na metamorfose do botão em flor e depois em frutas e sementes, mas, ao contrário, acreditam em algum plano contínuo em que petúnias se tornam crisântemos; essa é a única realidade que eles testemunham quando paisagistas vêm para os *campi* universitários e parques urbanos e sorrateiramente removem uma flor antes que ela passe de seu auge, substituindo-a por outra. (Meu irmão, um professor de biologia, me contou sobre essa prática.) A mesma desconexão dos processos naturais pode estar no cerne do distanciamento da crença na evolução em nosso país. No passado, os princípios da seleção natural e da mudança ao longo do tempo faziam sentido para crianças que haviam observado tudo se desenvolver. Conhecessem ou não os termos, as famílias do interior entendiam os processos suficientemente bem para imitá-los: eliminação dos exemplares menos viáveis, seleção e melhora dos rebanhos e dos cultivos. Para as crianças modernas, que intuitivamente acreditam na geração espontânea de frutas e hortaliças na seção de hortifrúti do supermercado, tentar fazer com que suas mentes compreendam a lenta formação das espécies do reino das plantas pode ser um grande desafio.

Steven, também professor de biologia, cresceu no Cinturão de Milho de Iowa, mas encontrou seu quinhão de agnósticos agrícolas no mundo. Como estudante universitário, viveu em um bairro urbano onde seu pequeno jardim de hortaliças no pátio dos fundos foi uma aberração curiosa para os meninos que corriam soltos pela região. Ele ficou amigo dessas crianças, sobretudo de Malcolm, conhecido em toda a vizinhança como "Malcolm, venha cá agora ou você não vai jantar!" Malcolm gostava de ver Steven trabalhar no jardim, mas, como era previsível, tinha uma relação de amor e ódio com a idéia de as hortaliças tocarem a terra suja. A primeira vez que ele viu Steven arrancar compridas cenouras coradas do chão, ele perguntou:

— Como você as enfiou *aí*?

Steven deu uma aula resumida de botânica para iniciantes. Começa com uma semente, cresce e vira uma planta. Água, luz solar, folhas, raízes.

— Uma cenoura — concluiu Steven — é, na verdade, uma raiz.

— Hum... — disse Malcolm, cheio de dúvidas.

Uma multidão se juntou naquele momento. Steven instigou sua platéia perguntando:

— Vocês conseguem lembrar de outros alimentos que sejam raízes?

Malcolm consultou seus colegas, aproveitando a experiência alheia antes de submeter confiantemente sua resposta final:

— O espaguete?

Não podemos saber o que não nos foi ensinado. Steven não conseguia reconhecer uma planta de fumo antes de mudar, aos vinte anos, para o sudoeste da Virgínia, onde as folhas de fumo bem poderiam ser a bandeira estadual. Um sábado de manhã, logo após se mudar, ele estava em pé, no portão de uma fazenda, quando um campo de pálidas folhas gigantes e altas flores cor-de-rosa atraiu sua atenção. Ele perguntou ao fazendeiro o nome daquela planta exuberante. O homem abriu um sorriso largo e perguntou:

— Você não é *daqui*, é, filho?

Aquele fazendeiro provavelmente ainda conta essa história; Steven é seu Malcolm. Cada um de nós é o Malcolm de outro alguém. As pessoas do interior podem ter tantos problemas com a cadeia alimentar quanto os camundongos da cidade, cada um a seu modo. A culinária rural sulista é famosa pelas receitas que fazem uso de ingredientes processados, como bolo de Coca-Cola, e muitas crianças do interior sentem um forte temor com adubo orgânico e minhocas da terra. Tudo que ignoramos sobre agricultura seria suficiente para manter os fazendeiros gargalhando até a hora de dormir. Exceto pelo fato de que eles quase não conseguem se equilibrar financeiramente, enquanto o resto de nós brinca de fingir que a parte mais importante é fazer compras no mercado.

À medida que, como nação, nos afastávamos da terra, nossos conhecimentos sobre a produção dos alimentos foram sendo eliminados como a sujeira em um anúncio de sabão em pó. Agora, é justo dizer que a maioria de nós não quer ser fazendeiro, ver fazendeiros, pagar fazendeiros ou ouvir suas reclamações. Com exceção das figuras que mastigam palha nos livros de histórias infantis, não acreditamos mais neles. Quando pensamos no assunto, em geral, enxergamos a indústria de alimentos como uma *coisa,* em vez de formada por pessoas. Obrigatoriamente, entregamos 85 centavos de cada um dos nossos dólares alimentares para essa coisa também — os processadores, mercadores e transportadores. Ainda reclamamos do alto preço das carnes e hortaliças orgânicas, que provavelmente devolvem pouco mais do que 15 centavos por dólar aos fazendeiros: aqueles seres humanos autênticos que colocam sementes no solo, colhem, assistem ao nascimento do rebanho e ficam nos campos ao amanhecer lançando suas sombras sobre nosso sustento. Parece haver alguma razão para não querermos compensar ou pensar sobre essas pessoas tão trabalhadoras. Na fila do caixa, é mais fácil saber quais artistas de TV transam às escondidas do que perguntar sobre o paradeiro das pessoas que plantam os pepinos e melões colocados em nossos carrinhos.

Esse desvio de nossas raízes agrícolas é uma conseqüência natural da migração da terra para a fábrica — tão antiga quanto a Revolução Industrial. Porém, fomos inteiramente desenraizados pela reconfiguração drástica da agricultura americana, iniciada logo após a 2ª Guerra Mundial. Nossas fábricas de munição, desafiadas a transformar suas espadas em arados, se prepararam para transformar os excedentes de nitrato de amônia em fertilizantes químicos, ao invés de explosivos. As explosões seguintes aconteceram na produtividade dos campos de milho e de soja do Meio Oeste. Parecia uma coisa boa, mas algumas autoridades viram esses novos excedentes como uma razão para desmontar as políticas do *New Deal* que ajudaram os fazendeiros a enfrentar as incertezas econômicas notórias de sua vocação. Ao longo das décadas seguintes, cutucado pela indústria, o governo reescreveu as regras dos subsídios de produtos primários para que esses recursos não protegessem os fazendeiros, mas, ao contrário, garantissem o fornecimento de milho e soja a preços baratos.

Essas duas culturas, anteriormente o alimento de pessoas e animais, se tornaram algo inteiramente novo: uma matéria-prima padronizada para uma nova indústria extrativista, não muito diferente das indústrias de corte de madeira e de mineração. Moinhos e fábricas foram projetados para uma linha de produção multifacetada, tão complexa quanto aquela que transforma o minério de ferro e o alumínio em coisas como automóveis, clipes de papel e antitranspirantes. Porém, ao invés disso, essa nova fábrica faz montes de milho e soja virarem xarope de milho rico em frutose, óleos hidrogenados e milhões de outros produtos químicos de amido ou com base em óleo. O gado e as galinhas foram levados para longe do pasto e incluídos em Operações de Alimentação Animal Concentrada (CAFOs, na sigla em inglês), onde o milho — que não faz parte da dieta natural da vaca, vale lembrar — poderia ser transformado rápida e economicamente em carne animal. Todos esses produtos, por sua vez, foram utilizados em diferentes etapas da nova indústria para serem processados e virarem refrigerantes, hambúrgueres e outras comidas baratas sobre as quais nossa nação agora se apóia fortemente — ou repousa seu traseiro, conforme o caso.

Foi assim que 70% de toda a terra agrícola do Meio Oeste mudaram gradualmente para fazendas de um único cultivo, de milho ou soja, sendo cada uma delas agora, em geral, do tamanho de Manhattan. Devido aos fertilizantes e pesticidas sintéticos, à modificação genética e a uma conversão das fazendas de um sistema com bases naturais para uma produção extremamente mecanizada, os fazendeiros americanos agora produzem 3.900 calorias por cidadão americano, todos os dias. Isso é duas vezes o que precisamos, e setecentas calorias por dia a mais do que produziam em 1980. Os fazendeiros de produtos primários só conseguem sobreviver se atingirem a produtividade máxima, e isso é o que fazem. E aí vem o artifício mais chocante: enquanto os fazendeiros produziram essas calorias extras, a indústria de alimentos encontrou maneiras de colocá-las dentro dos corpos de pessoas que na verdade não *queriam* consumir mais setecentas calorias por dia. Essa é a máquina bem lubrificada que chamamos de capitalismo tardio.

A maioria dessas calorias entra em nossas bocas em formas que poucos reconheceriam como sendo milho e soja, ou até mesmo algo de origem vegetal: o xarope de milho rico em frutose (HFCS) mostra seus antecedentes de maneira explícita; no entanto, a lecitina, o ácido cítrico, a maltodextrina, o sorbitol e a goma xantana, por exemplo, também são produzidos a partir do milho. Assim como são a carne bovina, os ovos e as aves domésticas, em um processo diferente, mas nem por isso menos artificial. A soja também se transformou em uma carne animal ou mesmo uma categoria de ingredientes conhecidos como "gorduras acrescidas". Se todos os produtos que contêm milho ou soja fossem retirados das prateleiras, os mercados pareceriam mais com lojas de ferragens. Surpreendemente, as lâmpadas talvez também ficassem expostas, uma vez que muitos materiais de embalagem agora contêm amido de milho.

Com tantas calorias a mais para serem distribuídas, as embalagens cresceram. A formosa garrafa de 225ml da Coca-Cola de antigamente virou 600ml de xarope de milho rico em frutose e água gaseificada; a refeição que a acompanhava também mudou. E, da mesma forma, a cintura dos americanos. O consumo americano de "gorduras acrescidas" aumentou em um terço desde 1975, e nosso consumo de HFCS subiu em mais de 1.000%. Aproximadamente um terço de todas as nossas calorias agora deriva do que é conhecido, pelo consenso da comunidade, como *junk food.*

Nenhum caixa aponta uma arma para nossas cabeças e nos obriga a comprar essas porções gigantescas, é bem verdade. Porém, os humanos têm uma fraqueza inerente pelas gorduras e pelo açúcar. Evoluímos em ambientes com pouca gordura, em que se empanturrar de alimentos muito calóricos sempre que os encontrávamos constituía uma grande vantagem para a sobrevivência. Entendam eles ou não de biologia, os anunciantes de alimentos estão a par dessa fraqueza e a têm explorado sem piedade. A obesidade é, em geral, vista como um fracasso de determinação pessoal, sem reconhecimento da autêntica conspiração que existe por trás desse esquema histórico. Pessoas realmente participaram de reuniões de estratégia para discutir maneiras de fazer com que todas aquelas calorias excedentes sejam ingeridas por pessoas que não precisam delas, e nem desejam consumi-las. As crianças, em especial, se transformaram em alvo perfeito; as indústrias alimentícias gastam mais de dez bilhões de dólares por ano vendendo marcas de alimentos para crianças, e não são brócolis que elas empurram. Crianças com excesso de peso são uma faixa demográfica que é, sob vários aspectos, semelhante aos menores viciados em cigarros, com uma exceção notável: seus pais são, em geral, os fornecedores. Todos nós subsidiamos as calorias baratas com nossos impostos, os estrategistas fazem fortunas, e os consumidores acima do peso são culpados pela violação. O crime perfeito.

Todos os países industrializados experimentaram uma espécie de "comoditização" da agricultura e um aumento no consumo de comidas processadas. Porém, em nenhum outro lugar da terra tornou-se tão normal o acúmulo de pneuzinhos de gordura quanto por aqui. (As praias de nudismo ainda são populares na Europa.) Outras populações bem alimentadas tiveram mais sorte ao controlar as calorias em excesso por meio da cultura e dos costumes: os italianos se alimentam com comida italiana, os japoneses possuem a culinária japonesa, e assim por diante, honrando sinergias antigas entre o que sua terra pode fornecer e o que seus corpos precisam. As culturas alimentares fortes são tanto estéticas quanto funcionais, mantendo a qualidade e a quantidade dos alimentos consumidos relativamente consistentes, de uma geração para a outra. Portanto, enquanto as economias de muitos países ocidentais se expandiram imensamente na segunda metade do século XX, seus cidadãos não o fizeram.

Aqui nos Estados Unidos, parecemos intrigados com aquelas pessoas que evitam a glutonaria na presença da abundância. Até mesmo atribuímos um nome a uma coisa que denominamos o Paradoxo Francês: como pessoas podem se divertir tanto comendo queijo e fígado de ganso gorduroso e ainda permanecerem magras? Após passar algum tempo na França, tenho alguma idéia: eles não sorvem refrigerantes gigantescos; consomem muitos pratos em uma só refeição, mas as porções de comida gordurosa tendem a ser minúsculas; fumam como chaminés (embora isso esteja mudando); e prolongam as refeições de uma forma social, portanto não se trata apenas de se empanturrar. O bufê "coma-quanto-quiser" é um empreendimento quase que selvagem ao gosto dos franceses, para dizer o mínimo. Devido a certas regras de bom gosto e civilidade em suas mentes, seus corpos parecem saber quando parar. Quando perguntados, meus amigos franceses me disseram, com graus diferentes de tato, que o verdadeiro paradoxo é como as pessoas conseguem consumir a comida apavorante norte-americana tanto quanto consomem.

Por que o fazemos? Onde estão *nossas* regras de bom gosto e civilidade, nossos acordos antigos entre os desejos humanos e a gordura específica que nossa terra produz? Teriam voado pela janela enquanto comíamos dentro de um carro em alta velocidade?

Há muito, a cultura dos alimentos nos Estados Unidos é vista como propriedade de uma classe privilegiada. Não é nada disso. A cultura é propriedade de uma espécie. Os humanos não fazem tudo que anseiam fazer — isso é discutivelmente o que faz de nós humanos. Somos geneticamente predispostos a certos comportamentos que, coletivamente, decidimos serem pouco úteis; adultério e racismo são possíveis exemplos. Com sucesso razoável, mitigamos tais impulsos por meio de códigos civis, rituais religiosos, conselhos maternais — todo o conjunto de mecanismos que denominamos cultura. As culturas alimentares concentram a sabedoria coletiva de uma população sobre as plantas e os animais que crescem em um determinado lugar, e as formas complexas de torná-las saborosas. Esses são os costumes da sobrevivência, da boa saúde e do controle do excesso. Viver sem tal cultura seria arriscado.

E cá estamos, certamente, cheios de problemas. A culinária nativa norte-americana encontrou o mesmo destino desafortunado de seu povo, com exceção de algumas relíquias, como o peru do Dia de Ação de Graças. Certamente, ainda existem especialidades regionais, mas o churrasco do estado da Carolina muito provavelmente terá tomates da Califórnia em seu molho (talvez também porcos gordurosos, criados em confinamento vindos de Nebraska) e é igualmente provável que o *gumbo* (cozido tradicional) da Louisiana contenha camarão da Indonésia cultivado em viveiro. Se qualquer um desses aparece em um cardápio de fast-food com muitas gorduras acrescidas ou com HFCS, parecemos incapazes de perceber tanto que somos vítimas de uma corrupção quanto de resistir a ela. No entanto, ainda não estabelecemos um conjunto forte de normas generalizadas, transmitidas pelas famílias, para saborear e consumir com sensibilidade o que nossa terra e nosso clima nos oferecem. Temos, em vez disso, uma sucessão de dietas da moda convulsionando nossas barrigas e livrarias, uma após a outra, na lista dos livros mais vendidos no país. Nove em dez nutricionistas (pesquisa não oficial) encaram isso como uma prova de que perdemos totalmente o bom senso. Uma visão mais otimista pode ser a seguinte: esses conjuntos de instruções nos cativam porque buscamos, avidamente, uma cultura alimentar própria. Uma indústria alimentícia orientada para o lucro explorou e levou à falência, do ponto de vista nutricional, nossa oferta de calorias, e ansiamos por um Levítico dos alimentos para nos salvar da atração pecaminosa das gorduras e dos carboidratos baratos.

O que as dietas gordurosas não oferecem, no entanto, é qualquer senso de integridade nacional e biológica. Uma cultura alimentar não é algo que possa ser *vendido* às pessoas. Ela surge de um lugar, um solo, um clima, uma história, um temperamento, um senso coletivo de identidade. Todo conjunto de regras das dietas da moda é essencialmente estruturado com base na subtração, ditando o que se deve deixar de comer. Juntos, eles nos ajudaram a formar poderosas associações negativas ao próprio ato de comer. Nossos modelos de beleza mais celebrados são pessoas famintas. Mas ainda somos animais que precisam comer para viver. Para parafrasear um famoso bordão de campanha: "é a biologia, estúpido." Uma cultura alimentar anticomida é pior do que inútil.

As pessoas mantêm seus costumes alimentares por causa dos pontos *positivos*: conforto, nutrição, aromas deliciosos. Uma tradição alimentar vigorosa é até capaz de atrair estrangeiros; muitos americanos cheios de vigor consumirão alegremente comida italiana, francesa, tailandesa, chinesa, o que você imaginar. Porém, tente o contrário: entregue o cardápio Atkins para um francês e saia correndo para seu próprio bem.

Terão os norte-americanos uma cultura alimentar para chamarem de sua algum dia? Podemos encontrar ou estabelecer um conjunto de rituais, receitas, éticas e hábitos de compra que nos permitirá amar nossa comida e comê-la também? Alguns sinais apontam que sim. Uma comida melhor — mais local, mais saudável, mais sensível — é uma novidade muito poderosa nas conversas americanas. Ela abrange desde o convívio epicúrio dos adeptos do *slow food* a efetiva secretaria de saúde pública; de shows beneficentes em prol das fazendas a programas de merenda escolar. Das estradas rurais em direção aos bairros mais desfavorecidos das cidades, estamos olhando para nossos pratos e nos perguntando de onde aquilo *veio*. Pela primeira vez, desde que a comida de nossa nação é universalmente local, o ponto de origem agora assume novamente importância para alguns consumidores. Estamos cada vez mais desconfiados de uma indústria que coloca coisas em nosso jantar, as quais não conseguimos identificar como sendo animal, vegetal, mineral ou o que quer que seja. A promessa otimista do pós-guerra de "viver melhor por meio da química" caiu em desgraça. "Sem aditivos" é um aviso que agora é freqüentemente considerado um ponto favorável, em vez do fator negativo que ele, do ponto de vista técnico, é.

Somos uma nação com distúrbio alimentar e sabemos disso. Os múltiplos males causados pela má alimentação estão corroendo nossa saúde — mais tragicamente a de nossas crianças, que estão condenadas a serem a primeira geração de nosso país a ter uma expectativa de vida mais *curta* do que a de seus pais. Esse fato isolado é suficientemente chocante para nos fazer parar e pensar. Assim como uma política governamental que nos aconselha a comer mais frutas e legumes, enquanto entrega subsídios *não* aos produtores de frutas e legumes, mas aos cultivadores de produtos básicos destinados a se tornarem refrigerantes e hambúrgueres baratos, é capaz de causar o mesmo tipo de reflexão. A Lei das Fazendas (*Farm Bill*), em sua atual versão, poderia muito bem ser chamada de Lei de Extinção das Fazendas (*Farm Kill*), tanto por seus efeitos sobre os pequenos fazendeiros como pelo que ela faz conosco, os consumidores que a financiam. A Revolução Verde, da década de 1970, prometeu que a agricultura industrial tornaria a comida mais barata e disponível a um número maior de pessoas. Ao invés disso, ela contribuiu para que nos tornássemos cada vez menos saudáveis.

A maioria dos norte-americanos de fato entende, até certo ponto, que nossas escolhas relacionadas à alimentação envolvem questões políticas que afetam arenas desde a cultura rural até os cartéis de petróleo internacionais e a mudança global do clima.

Muitos consumidores estão tentando saltar do vagão industrial alimentício propelido pelo petróleo: banindo o fast-food de suas casas e escolas, evitando as listas de ingredientes impronunciáveis. No entanto, *banir* é negativo e, portanto, fracassa como uma cultura alimentícia por si só.

Mundo faminto

Todos esses queijos caseiros e berinjelas de linhagem herdada, vindos das feiras de fazendeiros, são ótimos para jantares festivos de fim de semana, mas será que nós ainda não precisamos das fazendas industriais para saciar a fome?

Na verdade, atualmente, todas as fazendas do mundo, juntas, produzem comida suficiente para tornar todas as pessoas gordas, muito embora oitocentos milhões de pessoas sejam cronicamente subnutridas (seis morrerão de causas relacionadas à fome enquanto você lê este texto) porque lhes faltam dinheiro e oportunidade, e não porque a comida não esteja disponível em seus países. A Organização das Nações Unidas para Agricultura e Alimentação (FAO) informa que a produção alimentar atual pode sustentar as necessidades de comida do mundo, mesmo para os oito bilhões de pessoas que, se estima, habitarão o planeta em 2030. Essa afirmação se mantém mesmo em caso de aumentos antecipados no consumo de carne, e sem acrescentar culturas geneticamente modificadas.

Seria tudo isso o resultado confiável da produção industrial? Sim e não — sendo o "não" bem mais problemático em um futuro próximo. Os métodos de cultivo industrial, onde quer que sejam praticados, promovem a erosão, a salinização, a desertificação e a perda de fertilidade do solo. A FAO estima que mais de 25% da terra arável do mundo já está comprometida por um ou mais desses problemas. As áreas mais afetadas são aquelas com climas mais áridos ou terrenos mais íngremes. Inúmeros experimentos de campo nos Estados Unidos e no Reino Unido mostraram que as práticas orgânicas podem atingir uma produtividade no plantio de produtos básicos (milho, soja, trigo) comparável àquela das fazendas industriais. O uso de plantios de sombra ou de estrume animal como adubo melhora a fertilidade do solo e sua capacidade de conservar a umidade ao longo das estações, trazendo benefícios cumulativos. Essas técnicas são especialmente vantajosas nas regiões em que não há dinheiro nem tecnologia para investimentos industriais.

Definitivamente, os métodos convencionais conseguem produzir grandes volumes de milho, trigo e soja, mas não para alimentar os pobres. A maioria desses grãos é destinada à alimentação de animais voltados para a produção de carne, ou aos ingredientes de comidas processadas para consumidores mais abastados que já ingerem calorias suficientes. Os negociantes de alimentos preferem vender mais comida para pessoas que possuem muito dinheiro, do que para as que possuem pouco. As políticas mundiais de comércio alimentício muitas vezes favorecem os países desenvolvidos à custa de países em desenvolvimento; distribuidores, processadores e transportadores colhem a maioria dos benefícios. Mesmo a distribuição direta de alimentos em casos de desastres (uma parcela pequena de toda a fome do mundo) é muito lucrativa para as companhias de grãos e para os transportadores. Por lei, 75% de tal ajuda enviada pelos Estados Unidos para outras nações devem ser plantados, embalados e embarcados por companhias americanas. Essa prática, denominada "ajuda vinculada", atrasa os embarques de alimentos em até seis meses, aumenta o custo dos alimentos em mais de 50% e encaminha mais de 66% do dinheiro de ajuda para os distribuidores.

Se a questão for eficiência, os recursos rendem mais quando as pessoas produzem sua própria comida, perto de onde é consumida. Muitas organizações de luta contra a fome fornecem assistência não na forma de cestas básicas, mas em programas que ensinam e fornecem apoio tecnológico para uma agricultura local apropriada e sustentável. Esses programas fazem mais do que reduzir a fome por um dia e enviar um cheque de pagamento a uma multinacional. Eles fornecem sustento para os necessitados, abordando a verdadeira raiz do problema, que não reside na produção de comida, mas sim na pobreza.

Para obter mais informações, visite www.wn.org, www.journeytoforever.org ou www.heifer.org.

Steven L. Hopp

Algo positivo também está acontecendo sob a superfície do paradigma das preferências alimentícias americanas. Isso poderia ser chamado de um movimento. Ele inclui os jardineiros que cultivam parte de sua própria produção — um quarto dos lares americanos, de acordo com o Departamento de Censo dos Estados Unidos. Igualmente importantes são os habitantes das cidades grandes que arrancam seus filhos da cama, nas manhãs de sábado, e vão às feiras de fazendeiros para apertarem os tomates e cheirarem os melões agridoces — Nova York, sozinha, tem 250 mil desses compradores. Esse movimento envolve as próprias feiras de fazendeiros, juntamente com uma nova espécie de proprietários (e clientes) de restaurantes dedicados a comprar comida produzida localmente. O movimento foi abraçado pelos fazendeiros que conseguiram manter fazendas familiares por pensarem de forma pouco ortodoxa, aprendendo a plantar pimentões orgânicos ou cogumelos sofisticados. E envolve estudantes e professores que estão levando os ensinamentos acerca do plantio de alimentos para dentro das salas de aula e dos refeitórios, desde Berkeley, Califórnia, até a minha própria cidade de interior, no sul de Appalachia. Inclui as crianças que se sujam em salas de aula ao ar livre, plantam tomates e pimentões no final da terceira série, depois os colhem e os assam em pizzas quando atingem a quarta série. E deve-se aos pais que agüentam ver essas crianças se sujando sem fazer estardalhaço.

No fundo, uma cultura alimentícia autêntica significa uma afinidade entre as pessoas e a terra que as alimenta. O primeiro passo, provavelmente, é *viver* nessa terra, ou, pelo menos, no mesmo continente e, idealmente, na mesma região. O segundo passo é ser capaz de suportar as idéias de "comida" e "terra suja" juntas na mesma sentença, e o terceiro é começar a se intrometer na cadeia de suprimentos para aprender de onde vêm as coisas. Com esse espírito de aventura, nossa família partiu em busca de uma verdadeira cultura alimentar americana, ou, pelo menos, uma parte dela — a que funcionou para nós —, e para descrevê-la para qualquer um que possa estar procurando por algo semelhante. Este livro conta a história do que aprendemos, ou não aprendemos; do que comemos, ou não conseguimos comer; e de como nossa família mudou, em um ano, ao ingerir comida deliberadamente produzida no mesmo lugar onde trabalhávamos, amávamos nossos vizinhos, bebíamos a água e respirávamos o ar. Não é de forma alguma necessário viver em uma fazenda que produz alimentos para participar dessa cultura. Mas é necessário saber que tais fazendas existem, entender um pouco o que elas fazem e, basicamente, se posicionar a seu favor. Este livro trata dessas coisas.

A história usa como referência, como nós também usamos, o ciclo anual de como e quando os alimentos se tornam disponíveis em um clima temperado. Já que as culturas alimentícias afetam todos os que vivem sob o mesmo teto, assumimos esse projeto — tanto o de comer quanto o de escrever — como uma família. As intervenções de Steven são, em suas próprias palavras, "baldes de cinqüenta centavos cujo conteúdo vale um dólar" sobre vários tópicos que mencionei na narrativa. Os ensaios de Camille oferecem a perspectiva de uma jovem de 19 anos sobre um projeto de alimentação local, além de informações nutricionais, receitas e plantas comestíveis para cada estação. As contribuições de Lily foram muitas, incluindo mais de cinqüenta dúzias de ovos e uma disposição para abrir mão das tortas prontas durante o projeto, mas ela era jovem demais para assinar um contrato com uma editora.

Será que a decisão pura e simples de nossa família de sair da cadeia alimentar não sustentável representa um soco no estômago daquele ogro faminto de petróleo? Continue a leitura, mas não prenda a respiração. Nós sabíamos apenas, ao começar, que escolhas semelhantes feitas por muitas famílias simultaneamente já faziam diferença: agricultores de produtos orgânicos, feiras de fazendeiros e pequenos produtores de alimentos nos arredores das cidades agora constituem o setor da economia alimentar americana que cresce mais rapidamente. Muitas pessoas estão acordando ao mesmo tempo para uma verdade perturbadora sobre os combustíveis fósseis baratos: eles irão se esgotar. Nossa dependência de petróleo para a distribuição dos alimentos é uma solução com dias contados. Cada caloria alimentar que ingerimos hoje utilizou dezenas, ou mesmo centenas, de calorias de combustível fóssil em sua confecção: a moagem dos grãos, por exemplo, que transforma o milho em ingredientes de comida embalada, custa dez calorias por caloria de comida produzida. Isso ocorre *antes* de ele ser embarcado para qualquer lugar. Quando meus filhos tiverem a minha idade, essa versão de jantar certamente será uma extravagância impensável.

Como qualquer pessoa, eu não gosto de privação, mas isso não é ciência esotérica: nossos filhos terão, mais adiante, de fazer comida de forma diferente. Eles poderiam ser ajudados por alguma familiaridade com a forma como os legumes e verduras brotam das sementes, como os animais crescem no pasto e como ingredientes inteiros podem se transformar em refeições, olhem só, bem ali na cozinha. Meu marido e eu decidimos que nossos filhos não cresceriam desconhecendo que uma batata tem uma parte planta. Faríamos um período alimentar sabático, sujando as mãos em algumas das verdadeiras artes agonizantes da produção de comida. Esperávamos provar — pelo menos para nós mesmos — que uma família que vive ou está perto da terra verde não precisa depender de comida industrializada para viver. Escrevíamos nossa carta de despedida para um companheiro que cheirava a fumaça de descarga e a animais criados em confinamento.

Mas atacar o Sistema (qualquer que seja) pode não ser o princípio mais inspirador ao redor do qual se pode organizar a vida. Procurávamos também prazeres tangíveis e saudáveis. Da mesma forma que boicotar o tabaco, por exemplo, traz outros benefícios além da satisfação de não entregar o seu dinheiro à Philip Morris. Esperávamos que um ano longe das comidas industrializadas tivesse um sabor tão bom que seria uma experiência realmente prazerosa. Os pontos positivos, em vez dos negativos, por fim nos incentivaram a largar a cadeia de fornecimento do agronegócio e a explorar a paisagem alimentícia local. Fazer a coisa certa, nesse caso, não é apenas se abster, jogar fora o pão, apertar o cinto, vestir um cinto de couro falso, ou se arrastar por aí e se sentir correto e lúgubre. A comida é a rara arena moral na qual a escolha ética é, em geral, a mais capaz de fazer você gemer de prazer. Por que resistir a isso?

No romance de Nikos Kazantzakis, *Zorba, o Grego*, o narrador pálido queixa-se muito de suas fraquezas da carne. Ele fica deitado à noite se preocupando com as infinitas variedades de prazer que esse mundo lhe oferece, como, por exemplo, as cerejas. Ele adora demasiadamente as cerejas. Zorba então lhe diz: "Muito bem, acho que você precisa ficar embaixo da árvore, encher uma tigela grande com cerejas e se fartar com elas. Comer como se a estação das cerejas estivesse acabando."

Essa é aproximadamente a base de nosso plano: a dieta de Zorba.

2

À espera dos aspargos

FINAL DE MARÇO

Uma questão importunava nossa família nesse momento, e não era mais "Quando chegaremos lá?", mas "Quando começaremos?".

Viemos para a fazenda com a intenção de comer. Discutimos por vários anos o que isso significaria em termos práticos. Sabíamos apenas que, de uma forma um tanto abstrata, passaríamos um ano integrando nossas escolhas alimentares aos valores de nossa família, que incluem tanto o "amor pelo próximo" quanto "tente não destruir todas as coisas vivas do planeta enquanto estamos aqui".

Demo-nos aproximadamente um ano para nos acomodarmos na fazenda e darmos conta de algumas prioridades impostas por nossa centenária casa da fazenda, como o também centenário encanamento. Depois de uma reforma drástica, nos mudamos para a casa, que ainda precisava de alguns detalhes de acabamento, como maçanetas. E de uma porta dos fundos. Pregamos uma placa de compensado sobre a abertura para que não encontrássemos mamíferos da floresta vagando pela cozinha.

Entre os projetos de melhoria da casa, encontramos algum tempo no primeiro verão para plantar um jardim modesto e enlatar alguns tomates. Em outubro, as florestas sóbrias ao nosso redor de repente revelaram uma tendência ao transformismo. (As árvores de Tucson simplesmente não se tornam escarlates e laranjas dessa forma.) Em seguida, veio uma série de nevascas que se transformou no primeiro inverno inclemente da vida de nossas filhas. Uma de nossas meninas, criada em Tucson, ficou tão desanimada com o frio que adotou botas forradas de lã o tempo inteiro, até dentro de casa; a outra ficou tão entusiasmada com a idéia das aulas do terceiro ano serem canceladas por causa da neve que passou a manter seu trenó estacionado na varanda e a desenvolver rituais para aumentar as chances de isso ocorrer novamente.

Com o projeto de comida local ainda por iniciar, usamos o tempo para conhecer nossos vizinhos e saber o que eles plantavam, mas ainda fizemos nossas compras no mercado de modo bastante convencional. Confiamos, o máximo possível, na seção de produtos orgânicos e pulamos a comida *junk*, mas obtínhamos grande parte de nossa alimentação de *algum outro lugar*. De uma certa maneira, pretendíamos abrir mão do duto de alimentos. Nosso plano era passar um ano inteiro adquirindo conhecimento genuíno sobre nossas fontes de energia. Se algo em nossas dietas viesse de fora de nosso condado ou estado, precisaríamos de uma razão extraordinária para comprá-lo. ("Eu quero comprar" não é extraordinário.) Outros, antes de nós, publicaram experiências com comida local: um casal de Vancouver tinha anunciado a mesma intenção pouco antes de nós, e agora dizia estar comendo dentes-de-leão. Nosso amigo Gary Nabhan, em Tucson, escreveu um livro otimista sobre suas aventuras com comida local, mesmo após se envenenar com farinha de algarobeira mofada e comer animais atropelados na estrada. Pensávamos em um cenário diferente. Esperávamos estabelecer que uma família americana mais ou menos normal poderia ficar satisfeita com os frutos do mercadinho local.

Parecia burrice começar no primeiro dia de janeiro. Fevereiro, quando chegou, pareceu igualmente árido. Quando chegou março, a pergunta insistente martelava em nossas cabeças: o que estamos esperando? Precisávamos de uma data de início oficial para começar nossos 365 dias de experiência. Parecia inteligente começar com a estação do cultivo, mas o que isso significava, exatamente? Quando cebolas selvagens e verduras enrugadas começassem a brotar ao longo das beiras de estrada? Eu proibi nossa família de catar nas sarjetas, como acontece em *Os miseráveis*. Tenho absoluta certeza de que nossa vizinhança já nos encarava como pessoas necessitadas. O chalé onde moramos antes de mudar para a casa de fazenda era uma moradia extremamente primitiva para uma família de quatro pessoas. Em um verão, quando Lily começava a andar, fui à loja de ferragens comprar um balde grande, para lhe dar banho ao ar livre, porque não tínhamos uma banheira ou pia de bom tamanho. Após os prestativos funcionários da loja oferecerem algumas coisas que não eram muito apropriadas, cometi o erro de explicar que uso eu faria do balde. A loja inteira ficou em silêncio, enquanto todos os olhos penalizados convergiram para mim, a mãe appalachiana com a estereotípica criança no quadril.

Portanto, nada de catar verduras enrugadas em público. Decidi que deveríamos definir o dia de Ano-Novo do nosso ano de comida local com algo cultivado e maravilhoso, o primeiro, verdadeiro e muito esperado legume do ano. Se os europeus eram capazes de transformar sua chegada em um grande evento, nós também seríamos: esperávamos pelos aspargos.

DUAS SEMANAS ANTES DE A primavera começar no calendário, eu estava ao ar livre, com minhas botas na lama e a gola do meu casaco levantada até as orelhas, observando com atenção a plantação de aspargos. Quatro verões atrás, quando Steven e eu decidimos que esta fazenda algum dia seria nossa casa permanente, trabalhamos para criar o jardim que nos alimentaria em anos futuros, pelo menos era o que esperávamos. "Criação" é uma palavra grande o suficiente para o suado e trabalhoso projeto que tomou a maior parte de nosso verão, além de muita ajuda de um amigo com equipamentos de terraplanagem. Nosso desafio era o mesmo de todas as fazendas do sul da Appalachia: a topografia. Nossa fazenda fica em uma serra montanhosa em forma de "U". As laterais arborizadas se inclinam em direção ao vale íngreme com um riacho correndo ao centro. Isso é conhecido como um *hollow* (cavidade). No Oeste, eles o chamariam de um cânion, mas estes têm menos árvores e são muito mais ensolarados.

Na boca da cavidade fica nossa casa de fazenda, com telhado de estanho, alguns pomares e campos desmatados, o velho celeiro e o aviário, construídos em pinhão, e um caminho de cascalho que desce pela cavidade até a estrada. O chalé (agora nossa casa de visitas) fica no meio da floresta, assim como também a origem de nosso suprimento de água — um riacho alimentado por uma fonte que corre perto da casa e ao longo da travessa, que se junta a um córrego maior na altura da estrada principal. Temos mais de quarenta hectares aqui, quase todos eles íngremes demais para serem cultivados. Meu avô dizia que, em fazendas como essas, era possível cortar uma fileira plantada e deixar as batatas rolarem para dentro da cesta. Uma imagem linda, mas a realidade é menos divertida. Tentamos cultivar o trecho estreito de terra quase plana ao longo do córrego, mas o solo no fundo, entre as montanhas altas, pega sol diretamente apenas do final da manhã até o início da tarde. Não era o bastante para amadurecer um melão. Durante anos, estudamos o formato de nossa terra para chegar a um plano melhor.

Por fim, decidimos estabelecer nosso jardim na encosta da montanha virada para o sul, no meio do declive atrás da casa da fazenda. Após limpar a vegetação rasteira, construímos dois longos terraços que acompanham o contorno da montanha — juntos, eles têm menos do que um hectare —, o que constitui nossa única propriedade verdadeiramente nivelada. Ano após ano, enriquecemos o solo com adubo orgânico e cultivos de cobertura e plantamos canteiros entre os terraços com mirtilos, pessegueiros, ameixeiras, aveleiras, nogueiras-pecã, amendoeiras e framboeseiras. Portanto, iniciamos a supervisão de quarenta ou mais hectares de bosques que exalam oxigênio e filtram a água para o bem comum, e aproximadamente quatrocentos metros quadrados de terra lavrável, que são destinados a alimentar nossa família. E, em um pequeno canto *dessa parte*, em um dia de junho, três anos antes, eu havia apostado meu futuro em aspargos. Passei um dia inteiro cavando e plantando, para estabelecer o que espero ser a última de uma longa lista dessas plantações que deixei no rastro da minha vida.

Agora, em março, enquanto esperávamos por um sinal para começar a viver da terra, esse trecho completamente nu de chão não sinalizava um crescimento "fervilhante". (Embora estivesse negro de cinzas — havíamos queimado os caules mortos das plantas do ano anterior para matar os besouros que atacavam a plantação de aspargos.) Dois meses mais tarde, quando estivesse quente o suficiente para plantar milho e feijões, o evento culinário dos aspargos seria uma memória; esse trecho seria uma floresta alta, na altura da cintura, de folhas emplumadas. Ao final do verão, elas lembrariam árvores de Natal anãs, cobertas com minúsculas bolas vermelhas. Depois, as geadas as derrubariam. Por cerca de 48 semanas ao ano, uma plantação de aspargos é irreconhecível para qualquer um, exceto para um plantador de aspargos. Muitos veranistas que visitam nosso jardim ficam no meio da plantação e perguntam:

— O que é isso? É lindo!

Dizemos a eles que são aspargos e eles retrucam:

— Não, *isso aqui*, essas pequenas árvores emplumadas?

Um broto de aspargo só se parece com sua imagem em um único dia de sua vida, em geral em abril — acrescente ou diminua um mês caso esteja mais para o norte ou para o sul. O broto emerge do solo como uma cobra verde de nariz achatado, em busca da luz do sol, subindo tão rapidamente que é quase possível vê-lo crescer. Se ele não tiver o pescoço cortado ao emergir do solo, ele continuará a crescer. Cada ponto triangular no broto se desenrola e vira um galho, até a cobra se tornar uma árvore de mais de um metro de altura com agulhas delicadas. Ao contrário do que se pensa, os brotos gordos não são mais tenros ou maduros do que os finos; cada broto começa a vida com seu diâmetro próprio e específico. Horas após emergir, ele se estende, mas não engrossa significativamente.

Para entrar em uma outra controvérsia polêmica sobre o aspargo, os brotos brancos não são botanicamente diferentes de seus colegas verdes. Os brotos brancos foram privados da luz do sol por uma camada de adubo orgânico amontoado até a coroa da planta. Os cultivadores europeus se dão a esse luxo para atender aqueles consumidores que preferem os brotos antes da primeira fotossíntese. A maioria dos americanos prefere o gosto mais acentuado do verde. (Contrariando o nosso costume, estamos optando pelo melhor em termos nutricionais também.) A mesma planta pode produzir brotos brancos e verdes em anos alternados, dependendo de como for cultivada. Se permitirmos aos brotos prosseguir além de seus primeiros 15 centímetros exploratórios, eles ficarão verdes, altos e emplumados, como a planta doméstica conhecida como samambaia de aspargos, sua parente próxima.

Os aspargos mais velhos e saudáveis produzem brotos mais parrudos e múltiplos. Embaixo fica uma coisa com formato de polvo e raízes gorduchas (denominada coroa) que armazena amido suficiente durante o inverno para preparar a subida fálica que acontece quando a estação está perto do fim. O efeito é bastante sensual, se você for do tipo que vê as coisas dessa forma. Os europeus do Renascimento juraram que era afrodisíaco, e a Igreja baniu os aspargos dos conventos.

As receitas mais antigas para esses legumes têm aproximadamente 2.500 anos, foram escritas em grego antigo e em hieróglifos egípcios e sugerem o Mediterrâneo como terra natal da planta. Os imperadores romanos levaram sua paixão por aspargos às últimas conseqüências, fretando navios para percorrer o império em busca dos melhores brotos e levando-os para Roma. Os aspargos inspiraram até mesmo a primeira indústria de alimentos congelados, no primeiro século, quando cocheiros romanos transportavam aspargos frescos do vale do rio Tibre até os Alpes e os mantinham enterrados lá, sob a neve, por seis meses, para que pudessem ser servidos com grande pompa na festa outonal de Epicuro. Portanto, não somos os primeiros a chegar ao ridículo de ingerir alimentos fora da estação.

Os europeus do norte não aderiram aos aspargos durante muito tempo, mas quando vieram para o Novo Mundo, não conseguiram deixá-los para trás. O aspargo é uma planta de vida longa cujas sementes são espalhadas pelos pássaros de jardins até cercas vivas, o que faz com que se tenha populações selvagens deles crescendo em todas as partes temperadas da América do Norte, onde há chuva suficiente para mantê-los vivos. Ele gosta de solos leves, onde os poucos centímetros da superfície congelam no inverno. É comum, sobretudo, ao longo dos acostamentos de estradas e ferrovias sem vegetação excessiva. Os aspargos selvagens nem sempre são saborosos, mas oferecem a vantagem de serem gratuitos. Meu pai adorava levar para casa sacolas cheias deles durante a primavera, quando tinha de fazer visitas domésticas que o levavam pelos caminhos onde a planta crescia. O maior problema é encontrá-los, entre as altas ervas daninhas, no primeiro dia após emergirem, quando precisam ser cortados. Papai fazia questão de observar os talos altos de aspargos selvagens no final do verão, sempre que balançavam ao vento. Ele parava o carro, descia e marcava o trecho com aspargos com uma fita de sinalização laranja, que ele carregava para esse propósito. Se o departamento de estradas ou o clima do inverno não derrubasse as fitas, teríamos pontos de aspargos bem demarcados em todo o condado na primavera seguinte. Nós crianças adorávamos comer qualquer coisa roubada, sobretudo com muita manteiga em cima.

Em minha vida adulta, plantei aspargos em toda casa que possuí e em algumas que aluguei — até mesmo em lotes urbanos minúsculos e em guetos estudantis —, sempre deixando para trás um legado vegetal que acenava no rastro de minha vida de sementeira. Suponho que, naqueles anos turbulentos, eu aspirava a uma estabilidade que ainda não tinha meios de adquirir. Uma plantação bem administrada de aspargos pode se manter produtiva durante vinte ou trinta anos, mas é uma idéia ridícula fazer uma no pátio de um imóvel alugado para estudantes. É trabalho pesado cavar uma trincheira, enchê-la com adubo e enfiar uma fileira de coroas de aspargos encomendadas de uma distribuidora de sementes. Depois, é preciso esperar *três* anos por uma colheita. Uma planta jovem demais fica desencorajada se todas as suas tentativas de enviar novos brotos na primavera forem cortadas, o abuso dessa prática fará a planta perder as esperanças e acabar morrendo.

Depois que a planta passar por dois verões inteiros ganhando corpo, será possível começar a cortar seus primeiros esforços, mas apenas por duas semanas no primeiro ano de colheita. Mesmo com plantas plenamente maduras, o colhedor deve por fim recuar nessa guerra entre produtor e consumidor e deixar a planta vencer. Depois de cerca de oito semanas de cortes diários, o cultivador de aspargos larga a faca, para finalmente deixar os brotos passarem além de sua fase comestível e se tornarem plantas propriamente. Para a maioria das espécies cultivadas, a estação termina quando todas as unidades de legumes foram colhidas e a planta mãe morre ou é arada. Os aspargos são diferentes: sua estação termina quando o agricultor decide, por pura consideração à planta. A chave para os resultados da primavera seguinte é o amido que ele armazenou embaixo do solo, o que acontece somente quando a planta tem uma vida longa o suficiente no verão para engordar sua própria conta bancária. De todos os nossos legumes mais conhecidos, a estação dos aspargos frescos e locais é a mais curta, por essa razão.

Não espere brotos de aspargos em qualquer outra época que não seja março, abril ou maio, a menos que você viva na Nova Zelândia ou na América do Sul. Alguns fazendeiros da Califórnia encontraram uma maneira de fazer uma segunda breve colheita no final do outono, mas isso é um caso excepcional. Para a maioria de nós, aspargos em qualquer mês que esteja muito longe de abril significa que a planta enfrentou uma viagem muito dura. Em nossa casa, comemos aspargos somente durante as semanas que a planta está na estação, mas durante essas semanas comemos *muito* — os brotos precisam ser cortados todos os dias. Assim, quando a planta começa a ficar farta de nosso plano de gestão, já estamos começando a nos sentir da mesma forma. Funciona.

Desde as colheitas ilegais de minha infância, venho contando meus anos através dos aspargos. Suei para colocá-los em inúmeros pátios que estava destinada a deixar para trás, por nenhuma razão melhor do que a de acreditar nos legumes em geral, e neste em particular. Os agricultores são muito famosos e desprezados por causa desse fanatismo. Mas outras pessoas fazem jejum ou saem em grandes peregrinações para honrar o espírito do que eles acreditam tornar nosso mundo íntegro e agradável. Se nós jardineiros pudermos, no mesmo espírito, apoiar nossos calcanhares nas pás, ajoelhar em frente a uma trincheira segurando raízes tenras e depois esperar três anos por uma encarnação comestível do equinócio da primavera, quem vai decidir o que é ridículo e o que merece reverência?

A HISTÓRIA DE VIDA DA planta do aspargo se destaca, o que lhe dá uma vantagem especial por ser o primeiro importante comestível do ano. O aspargo é conhecido botanicamente como uma planta perene, com uma expectativa de vida de muitos anos. O resto das nossas plantas comestíveis são quase sempre as folhas, flores, frutas ou sementes de plantas que começam a vida na primavera, como sementes, e sucumbem poucos meses mais tarde, quando são congeladas pelo outono, ou então comidas, o que vier primeiro. (As exceções são o que chamamos "frutas", que crescem em arbustos, como a cereja, ou em árvores, ou então são cultivadas como raízes, que operam de forma um pouco diferente; veremos mais sobre isso adiante.) As plantas anuais tendem a crescer mais rapidamente do que as perenes e são cultivadas para fins de alimentação por milhares de anos. A família das gramíneas (cujas cabeças de semente são nossos grãos) é especialmente rápida, sendo o milho o vencedor evidente na corrida para fixar carbono. Porém, o aspargo ganha o prêmio entre os legumes por viver mais do que um ano. Essa é a razão pela qual ele é o primeiro a aparecer na primavera, oferecendo biomassa comestível quando outros legumes ainda estão no estágio de semente; ele sai na frente.

A vida da porção comestível da planta, no entanto, é terrivelmente curta. No momento em que o pescoço do aspargo vai para baixo da faca, um mecanismo é acionado e a decomposição começa, metabolizando seus próprios açúcares e tentando — por desconhecer qualquer outro plano — continuar a crescer. O melhor é comê-lo no mesmo dia em que é cortado, sem dúvida. Quando transportado, mesmo como carga refrigerada, as escamas rígidas da planta afrouxam e começam a revelar os braços embrionários que deveriam se tornar galhos. Os brotos frescos têm uma sensualidade condensada e reluzente como matronas em roupas elegantes, na pista de dança de um clube noturno latino, que perdem seu brilho e frescura muito rapidamente após o fim da canção. A doçura vira amido.

Nós sequer sabemos todas as coisas que dão errado no último sopro de um legume, uma vez que o sabor e o valor nutricional resultam das interações complexas entre sistemas fitoquímicos vivos. No início do século XX, o cientista de alimentos japonês Kikunae Ikeda foi o primeiro a documentar que o aspargo tinha um sabor que fica fora da gama dos quatro gostos bem conhecidos: doce, azedo, amargo e salgado. Seu gosto singular é derivado do ácido glutâmico, que o dr. Ikeda denominou "o quinto gosto" ou *umami*. Isso foi, nesse caso, a descoberta genuína de uma sensação de gosto. (Mais tarde, veio a invenção de um sabor *umami* artificial, conhecido como monóxido de glutamato.) No entanto, os produtos químicos responsáveis pelo sabor perdem rapidamente sua sutileza. Os aspargos que não são frescos têm sabor simples ou até mesmo amargo, sobretudo quando cozidos demais.

Empurrar um legume verde refrigerado de uma ponta da terra para outra é, francamente, uma utilização bizarra de combustível. Porém, há uma razão simples para desprezar os aspargos fora da estação: eles são inferiores. Respeitar a dignidade de uma comida espetacular significa desfrutá-la em sua melhor forma. Os europeus celebram a curta estação dos aspargos abundantes com uma espécie de feriado. Na Holanda, o primeiro corte coincide com o Dia dos Pais, no qual os restaurantes destacam os cardápios constituídos inteiramente de aspargos e distribuem gravatas decoradas com brotos deles. Os franceses fazem uma festa anual semelhante no lançamento anual do vinho Beaujolais; os italianos rastejam pelas florestas como formigas colheteiras na estação dos cogumelos, no outono, e entram em êxtase com o primeiro tomate do verão.

Esperar que os alimentos entrem em estação significa prová-los quando estão bons, mas esperar também faz parte da maioria das equações de valor. Tratar a comida dessa forma pode ajudar a mudar o significado de "comer", na mente do consumidor, saindo do Departamento de Manutenção Rotineira em direção à Divisão de Recreação. É difícil reduzir nosso complexo de escolhas alimentares moderno a princípios unificadores, mas essa é uma tática que, em geral, funciona: comer refeições preparadas em casa, feitas com ingredientes inteiros e da estação, obtidas da fonte mais local disponível, é comer bem, em todos os sentidos. Bom para o meio ambiente, bom para o corpo.

Um punhado de *chefs* criativos tem trabalhado há anos para estabelecer essa noção incipiente de uma cultura alimentar americana positiva — uma culinária baseada em nossos próprios ingredientes. Alguns pioneiros notáveis são Alice Waters, do Chez Panisse, em San Francisco, e Rick Bayless, do Frontera Grill, em Chicago, juntamente com a diva dos livros de receitas Deborah Madison. Entretanto, à medida que é compreendida, essa culinária é, em geral, considerada propriedade da elite. É verdade que quando consumida em restaurantes pode ser bem cara, mas a versão "faça você mesmo" não é. Não tenho certeza da razão pela qual muitos americanos passaram a acreditar que apenas os ricos são capazes de honrar uma estética alimentar. Qualquer um que pense dessa forma deveria dar uma olhada nas cozinhas dos imigrantes da classe trabalhadora da Índia, do México, ou de qualquer outro lugar. Cozinhar em casa é mais barato do que comprar comida embalada ou comer refeições de qualidade questionável em restaurantes. Cozinhar alimentos *bons* é, na maioria das vezes, uma questão de ter paladar e habilidade.

A principal barreira entre nós mesmos e uma cultura alimentar local não é o preço, mas a atitude. As exigências mais difíceis são paciência e um pouco de abnegação — virtudes que não são propriedade exclusiva dos ricos. Essas virtudes parecem encontrar pouca, se é que alguma, receptividade em qualquer parte moderna desta nação fundada pelos puritanos. Ademais, as aplicamos seletivamente: martelando nossos adolescentes com a idéia de que eles deveriam esperar para fazerem sexo, por exemplo. Se ao menos eles esperassem para experimentar o ato sexual em circunstâncias ideais (assim é a ladainha), eles entenderiam seu verdadeiro valor. “Bla, bla, bla”, ouve o adolescente: palavras emitidas de uma boca que nem mesmo espera a hora certa para comer tomates, mas, em vez disso, consome exemplares insípidos durante o inverno inteiro para satisfazer uma ânsia por ter tudo *agora*. Estamos criando nossos filhos com base na definição de promiscuidade ao alimentá-los com uma mistura casual e indiscriminada de alimentos de estações diversas arrancados de um supermercado, ignorando a maneira com que nosso sustento é adulterado pelos desejos de venda a atacado.

Esperar por uma experiência de qualidade parece ser o artigo constitucional que desapareceu dos hábitos alimentares norte-americanos. Se quisermos reivindicá-lo, os aspargos parecem ser o ponto de partida. E daí se o objeto de nossa gratificação adiada é suspeito de ser um afrodisíaco? Esse é o paradoxo sublime de uma cultura alimentar: a restrição é igual à indulgência.

Em um domingo, no início de abril, sentamos à mesa da cozinha para elaborar nossa lista de compras para a semana seguinte. Nosso humor era de uma sobriedade pouco característica. Em tempos normais, simplesmente escrevíamos nossas necessidades em um bloco grudado na geladeira. Antes de comprar, consolidamos nosso plano de buscar nosso próprio alimento. O problema agora era que queríamos ser um tipo diferente de animal — um que não pula a cerca por qualquer coisinha. Adiamos várias vezes nossa data de início até que o jardim parecesse mais hospitaleiro, mas se estávamos dispostos a fazer isso por um ano inteiro, teríamos de comer em abril, mais cedo ou mais tarde. Havíamos então colhido e comido aspargos por duas vezes. Esse era nosso tiro inicial: preparar, apontar... fogo?

Como tantas outras grandes idéias, essa era mais fácil de apresentar à diretoria do que aos acionistas. Nossa família se reuniu ao redor da mesa de carvalho da cozinha; o lustre antigo da casa da fazenda acima de nós projetava um brilho dramático. O relógio de pêndulo badalava sonoramente na sala ao lado. Havíamos consertado nossa velha casa em um estilo arquitetônico conhecido como reciclado: reunimos pontos de iluminação antigos, ferragens, até mesmo pias e banheiras de prédios demolidos; nossa geladeira era uma pequena Kelvinator, de 1932, recondicionada. Tudo isso deu à nossa cozinha um charme doméstico confortável, mas, naquele momento, me parecia um cenário onde eu fazia um teste para o elenco de *Little House on the Prairie*, série de TV que se passa em uma fazenda, ou *Mamãezinha querida*, filme baseado no livro homônimo da filha de Joan Crawford sobre a infância traumática da autora.

Eles estavam todos sentados, olhando para mim. Steven: meu ajudante fiel, agora bastante feliz por me deixar bancar a durona. Ele que havia sido o responsável por toda essa idéia, tenho bastante certeza. Camille: nossa adolescente de cabelos ruivos que, desafiando todos os estereótipos, tem o temperamento mais equilibrado da família. Desde que nasceu, essa criança tem estudado e superado calmamente cada problema em seu caminho, nunca pedindo ajuda especial ao universo ou a seus pais. Aos 18 anos, ela agora tinha funções de uma completa adulta em nosso lar, freqüentemente cozinhando e planejando as refeições; e ela era uma dançarina que alimentava sua paixão pelas calorias com comida absolutamente saudável. Se esse projeto fosse impor um fardo, ela o sentiria. E, finalmente, Lily: uma pessoa séria, persuasiva e política, de rabo-de-cavalo escuro, e é capaz de, como diria meu avô, ser extremamente charmosa a ponto de conquistar qualquer um. Eu tinha um pressentimento de que ela realmente não sabia o que estava por vir. Do contrário, ela já estaria procurando exceções.

Seis olhos, todos grudados em mim, me olhavam sem piscar enquanto eu marcava os exóticos itens de nossa lista de compras, um por um. Todos os outros pastos de repente pareciam bem mais verdes do que o nosso. Parece que todos os lanchinhos vinham da terra de Oz, até mesmo os mais saudáveis. Pepinos, em abril? Não. Eles precisariam de passaportes para chegar até nós nessa época, ou, pelo menos, uma carteira de motorista do estado da Califórnia. Idem para aquelas pequenas cenouras de mentira que, na verdade, são cenouras adultas reduzidas em um torno mecânico. Todas as verduras para salada pré-lavadas vêm da Califórnia. Até mesmo o molho da salada era problemático por causa de todos os ingredientes — mais de uma dezena de produtos diferentes percorrendo quilômetros para chegar à fábrica de molhos de salada, e depois até nós. Em termos da economia de combustível, suponho que os produtos tropicais refrigerados, como as bananas e os abacaxis, são os Humvees (utilitário usado pelo Exército norte-americano de alto consumo de combustível) do mundo da cozinha, mas as misturas com múltiplos ingredientes são carros esportivos perigosos. Risquei com um lápis um item após outro.

— Molho de salada é fácil de fazer — disse eu. O vinagre e o óleo em nossa dispensa não eram locais, claro, mas com um pequeno esforço, mais trinta segundos gastos remexendo coisas em uma vasilha, poderíamos melhorar a economia de combustível de nosso molho vinagrete. Em nossa horta, já tínhamos dentes de alho e um pouco de orégano, o mais resistente dos temperos perenes mediterrâneos, que enfrentou as nevascas do último inverno.

Conseguíamos obter muitos ovos locais também. Portanto, em um rompante imprudente de confiança, prometi preparar maionese. Teoricamente, é bastante fácil. Eu tinha uma receita que guardava desde as minhas aulas de francês no ensino médio, esperando pela hora certa para experimentar, por causa de uma etapa irresistível que se traduzia assim: "Bata vigorosamente por dois minutos e mantenha apenas pensamentos prazerosos em sua mente."

De volta para a lista de compras, tentando estabelecer uma atitude positiva: alguns itens adicionais foram descartados sem provocar protestos significativos. Então, cheguei às letras em negrito e sublinhadas escritas por Camille: FRUTAS FRESCAS, POR FAVOR????

Estávamos prestes a atravessar o Rubicão.

Mudei de tática. Em vez de listar o que não poderíamos comer, disse que deveríamos delinear o que sabíamos *ser possível* obter localmente. Hortaliças e carne — que constituíam o grosso da dieta familiar — estariam disponíveis, de alguma forma, durante o ano que estava por vir. Havíamos encontrado ou conhecido fazendeiros de nosso condado que vendiam carne de frango, peru, vaca, carneiro e porco criados no pasto. Um número ainda maior produzia hortaliças. Como tantas outras vilas, grandes e pequenas, a nossa tem uma feira de fazendeiros onde produtores locais montam barracas duas vezes por semana, de meados de abril até outubro. Em breve, nossa plantação nos alimentaria. Nosso ponto de partida seria o seguinte: juraríamos lealdade à carne e aos produtos de nosso condado, abrindo mão de quaisquer outros, por mais atraentes que fossem as hortaliças e a carne da Califórnia.

Do que mais necessitaria uma família? O mel substituiria o açúcar, em um condado que conta com um número grande de apicultores. Os ovos locais também eram fáceis de encontrar. Já evitávamos as comidas de conveniência com alto grau de processamento, portanto essas não seriam um grande problema. Os outros grupos alimentares que utilizamos em grande volume são os grãos, os produtos lácteos e o azeite de oliva. Conhecemos vários laticínios no estado, mas as oliveiras não crescem em nosso clima. Não existe substituto razoável, e nenhum outro tipo de óleo é produzido aqui. Da mesma forma, conhecíamos um moinho local que moía milho, trigo e outras farinhas, mas seu trigo era proveniente de outros estados. Se comprássemos apenas esses dois alimentos — grãos e azeite de oliva — de fontes parcial ou totalmente não locais, estaríamos instituindo uma mudança de vulto em nossa economia doméstica, já que mantivemos local a maioria esmagadora de nossas transações alimentares. Tentaríamos comprar os grãos na forma menos processada e mais fácil possível de ser transportada (farinha a granel e algum arroz norte-americano), para que os dólares alimentares se destinassem, em sua maioria, aos fazendeiros.

Coloquei a lista na mesa, tentei não roer o lápis, e conscientemente excluí de minha mente a imagem de minhas filhas passando fome... Lily pedindo sobras do lanche de alguém na escola.

Que um assunto fique bem claro: não tenho o mínimo interesse em brincar de ser pobre. Passei vários anos em situação financeira apertada. Primeiramente, porque nasci em uma família modesta do interior e, posteriormente, devido a anos de baixa remuneração. Sei que a carne embutida da Spam é uma fonte razoável de proteína. Ambos, Steven e eu, vivemos com bolsas de estudo e alimentação do governo e passamos anos como profissionais iniciantes comendo arroz e feijão. Ficou gravado em minha memória o dia em que, aos trinta e poucos anos, entrei em um supermercado e me dei conta de que poderia comprar quaisquer dez itens que eu quisesse. Talvez não as lagostas no aquário, é verdade, mas também não apenas as latas amassadas da liquidação. Aprecio o privilégio de poder escolher meus alimentos.

Portanto, por que abrir mão desse privilégio voluntariamente? É, ao mesmo tempo, extraordinário e nada compassivo deixar de ter tudo que se possa comprar. Porém, certas pessoas fazem isso, principalmente porque têm alergias, ou por motivos religiosos. Olhamos uns para os outros, ao redor da mesa, sabendo que tínhamos nossas razões também. Ficou uma sensação estranha, como se embarcássemos em uma espaçonave e trancássemos a escotilha.

— Não será tão ruim assim — disse eu. — A primavera está chegando.

No entanto, a primavera ainda não havia chegado. Enfrentaríamos ainda alguns meses magros antes que o tesouro do meio do verão começasse a nos afogar com as verdadeiras recompensas da cor e do sabor de uma comida local. Mas abril é a época do ano para se pensar no futuro, quando se está em uma fazenda, uma época cheia de trabalho e promessas. Começar agora parecia ser a melhor opção. Era nadar ou se afogar.

Para compensar um pouco, decidimos autorizar um artigo de luxo, em quantidades limitadas, para cada um de nós, sob a condição de que aprenderíamos a comprá-lo pelo meio mais benéfico para o produtor e para a terra onde ele cresce. A escolha de Steven foi óbvia: café. Se ele fosse forçado a escolher entre a família e o café, seria uma decisão difícil. A escolha de Camille foram frutas desidratadas; Lily optou por tomar chocolate quente. Todos esses produtos poderiam ser adquiridos junto a organizações de comércio justo que trabalham com produtores na África, na Ásia e na América do Sul. Usaríamos as mesmas fontes para os temperos que não podiam ser produzidos localmente; dizem que uma pessoa pode viver sem açafrão da terra, canela e cravos, mas não estou convencida de que isso seja possível. Ademais, produtos secos como esses, utilizados nos lares em quantidades relativamente minúsculas, não pesam muito na conta mundial de consumo de combustível.

Com tudo combinado, nossas regras de conduta e salvaguardas devidamente estabelecidas, voltamos uma última vez à nossa lista de compras. Quase tudo que restava caía na categoria dos grãos; farinha branca e aveia moída, já que o mingau de aveia é nosso cereal matutino predileto e Steven é quem faz quase todo o nosso pão. Em geral, compramos amêndoas e passas para colocar no mingau de aveia, mas risquei-as da lista, na esperança de encontrar substitutos locais. Aí voltamos à questão mais difícil: FRUTAS FRESCAS, POR FAVOR????

Naquela estação, as frutas amadureciam apenas em lugares onde as pessoas usam biquínis. A correlação não implica causalidade: vestir nossas roupas de praia não iria fazer com que isso acontecesse aqui.

— Os morangos começarão a aparecer logo — disse eu, reconhecendo que esse seria o primeiro em uma série de discursos de motivação.

A questão permanecia: o que faríamos agora?

— Olhem — continuei —, a feira dos fazendeiros abre este sábado. Vamos dar uma olhada lá para ver o que há.

Ao redor da mesa surgiu aquela cara de *Ah, que legal, hem, mãe* que todas as mães conhecem e não gostam.

O sábado amanheceu escuro, com muito vento e frio. Na previsão meteorológica havia a possibilidade de *neve*. A primavera havia sido nocauteada por aquilo que chamam aqui de "inverno dos cornisos", uma geada forte que atinge os cornisos floridos — e *você* estava pensando em guardar os suéteres no baú de cedro. Tolinho.

A frente fria era preocupante para as hortas locais, uma vez que as macieiras e os pessegueiros haviam saído da dormência e florescido nas últimas duas semanas ensolaradas. Essas árvores poderiam ter sua produtividade do ano inteiro comprometida devido a essa única fase de frio. Se alguém estivesse vendendo frutas na feira dos fazendeiros hoje, no meio dessa droga de "inverno dos cornisos", minha avó seria uma bicicleta. Mesmo assim, nos agasalhamos e fomos lá. Temos amigos que comercializam seus produtos na feira, alguns os quais não víamos há bastante tempo. Em um dia como esse, precisariam de nosso apoio moral.

Ao entrarmos no estacionamento, nos deparamos com uma cena deprimente. Alguns dos vendedores se protegiam atrás de toldos que sacudiam e torciam como velas de um navio que afunda em meio a uma tempestade. Outros haviam desmontado suas barracas e permaneciam em pé, perto de seus caixotes, com os braços cruzados e de costas para o vento cortante. Apenas oito vendedores estavam presentes, certamente os mais destemidos agricultores do condado, e nenhum outro cliente estava à vista. De qualquer maneira, o que eles teriam tão cedo na estação — as últimas batatas ressecadas do ano passado?

Perseguida pela fúria do *Ah, que legal, hem, mãe*, decidi que compraria ao menos uma coisa de cada um dos presentes, apenas para encorajá-los a retornar na semana seguinte. Minha boa ação em prol das fazendas daquele dia.

Saímos do carro, tiramos os capuzes e começamos a cumprir nosso dever. Todos os vendedores tinham alguma coisa melhor do que batatas encolhidas. Charlie, um velho enrugado que se auto-intitulava o comediante de nosso mercado, não estava de bom humor, dadas as circunstâncias, mas tinha cebolas verdes. As cebolas da horta que armazenáramos no ano anterior tinham acabado e sentíamos falta delas. Pelo menos metade dos pratos favoritos da família começa com pingos de azeite na frigideira, seguido de um punhado de alho e de cebolas picadas. Compramos seis feixes gordos de cebolas do Charlie. Tão cedo na estação, os bulbos brancos eram apenas do tamanho de meu polegar, mas quando bem cortados e com as pontas verdes ajudam a acrescentar um gosto especial às sopas e saladas.

De Mike e Paul, nas duas barracas seguintes, compramos salsicha de peru e presunto. Na posterior, as pilhas de mini-alfaces pareciam para mim uma boa reserva para contingências, então as comprei. Mesmo sem frutas, teríamos grandes saladas durante a semana, com lascas de salsicha, ovos cozidos e vinagretes experimentais. Em seguida, encontramos nozes pretas, pacientemente descascadas à mão. A nogueira cresce selvagem por todo lado aqui, mas quase ninguém se dá ao trabalho de descascar as nozes, em nenhum lugar — a não ser na feira dos fazendeiros é possível encontrar nozes locais como essas. O vendedor nos ofereceu uma prova, e ficamos surpresos com sua doçura resinosa. Elas seriam uma boa adição a nosso mingau de aveia e ficariam espetaculares no pão integral de Steven.

Como encontrar um agricultor

Seja você um consumidor urbano ou rural, é cada vez mais fácil encontrar alimentos produzidos local ou regionalmente. Após a aprovação da Lei de Comercialização Direta entre o Fazendeiro e o Consumidor, em 1976, as feiras de fazendeiros ativas nos EUA subiram de 350 para mais de 3.500 hoje, ou seja, uma média de 75 por estado. A maioria das áreas urbanas organiza feiras de fazendeiros da primavera ao outono; algumas funcionam o ano inteiro. As regras dos mercados geralmente asseguram que os produtos são frescos e locais.

As feiras são também um bom lugar para se informar sobre as vendas diretas do produtor ao consumidor. As opções incluem barracas de beira de estrada, operações "colha-você-mesmo", produtos artesanais, clubes de compra e a agricultura apoiada pela comunidade (CSA, na sigla em inglês). Em uma CSA típica, os assinantes pagam a um produtor no começo da primavera e depois recebem um quinhão semanal do produto durante toda a estação.

Não deixe de perguntar aos produtores se eles têm outros produtos. Alguém que vende ovos nas manhãs de sábado provavelmente também tem ovos nos outros dias da semana. Os agricultores podem lhe dizer quais lojas da região vendem seus ovos, sua carne ou seus produtos hortigranjeiros. Muitos mercados e lojas de produtos naturais passaram a oferecer alimentos locais, por causa da demanda. As lojas de proprietários locais são uma boa aposta, já que as cadeias privilegiam a distribuição regional. E não se esqueça dos pequenos produtores étnicos ou de especialidades.

As feiras de fazendeiros e os produtores locais mais próximos podem ser encontrados na internet, na página do Departamento de Agricultura dos Estados Unidos: www.ams.usda.gov/farmersmarkets. Confira também em: www.localharvest.org e www.csacenter.org.

Steven L. Hopp

Até agora, todas as nossas compras haviam ficado na faixa de um a três dólares, com exceção das nozes, que custavam 14 dólares o quilo, porém meio quilo já dura muito tempo. Para ser franca, me senti culpada por conseguir comprar tanta comida fresca e boa por tão pouco, de pessoas que obviamente trabalharam duro para trazê-la. Continuei até o fim, onde Lula vendia diversas geléias e mel. Já tínhamos bastante desses artigos, presentes de amigos ou feitos por nós mesmos no outono passado. Os três filhos de Lula tremiam de frio no chão, envoltos em cobertores. Examinei bem a mesa; não queria deixar essas crianças sem comprar nada.

Foi nesse momento que vi o ruibarbo. Grandes feixes vermelhos de ruibarbos, arrumados na mesa, cheios de vitamina C e de uma doçura ácida e quase gritando "Olhe para mim, sou uma fruta!" Comprei tudo que estava disponível, três grandes feixes a três dólares cada: minha compra extravagante do dia.

Do ponto de vista técnico, o ruibarbo não é uma fruta, é um pecíolo de folha gigante, mas é um bom substituto em abril. Mais tarde, em casa, ao consultar *Chez Panisse Fruit*, livro de Alice Waters, em busca de algumas boas receitas, descobri que a autora concordava conosco a esse respeito. "O ruibarbo", escreve ela, "é uma ponte leguminosa entre as frutas de árvore do inverno e as do verão". Essa instrução poética nos fez mergulhar no congelador para pegar o último pacote de fatias de maçã amarelo transparente congeladas desde o verão passado. Aos convidados de um jantar, fizemos uma torta de maçã e ruibarbo para nos despedirmos do ano que havia passado e cumprimentarmos o que estava à nossa frente. Ruibarbo, a fruta primaveril. Minha avó é uma bicicleta.

Não fosse a quebra de rotina causada pelo compromisso de comprar alimentos locais, duvido que a família tivesse fôlego para ir à feira naquela manhã deprimente. A maioria de nós é composta por criaturas tão apegadas aos hábitos que necessita de algo com a força da religião para invocar comportamentos novos e mais conscientes — por mais felizes que ficássemos mais tarde com o resultado de nosso esforço. Tradição, juramentos, algo *parecido* com religião estava trabalhando a nosso favor agora, em nossa busca por uma nova maneira de comer. Tudo pareceu arbitrário quando estávamos ao redor da mesa com a lista de compras, concebendo nossas regras. De fato, soava quase como uma tolice para nós, como pode soar agora para você. Por que impor restrições a nós mesmos? Quem se importa?

No entanto, a verdade é que milhões de famílias têm juramentos alimentícios pendurados em suas cozinhas — regras sutis sobre ter mais cuidado, cortar a massa à mão, como enrolar sushi, fazer com carinho em vez de fazer de qualquer jeito. Embora também estejam ocupadas com os empregos e a vida moderna, pessoas no mundo inteiro ainda gastam tempo para encontrar vias alimentícias que tragam felicidade e saúde para suas famílias. Por acaso, minha família mora em um país onde a via alimentícia principal tem uma faixa amarela pintada no meio. Se precisássemos de regras, teríamos que conceber nossas próprias, tendo fé de que isso poderia nos levar a algum lugar que valesse a pena.

Na manhã de sábado na feira, enquanto enfrentávamos o vento e andávamos em direção ao carro, segurei minhas sacolas com um sentimento de satisfação e dever cumprido. Havíamos encontrado muito mais do que esperávamos. Conversamos um pouco mais com nossos amigos produtores, que fechavam suas barracas enquanto íamos embora, prontos para voltar para casa também. De volta a cozinhas quentes, com os dedos cruzados no "inverno dos cornisos" e torcendo pelas frutas do ano que estava por vir.

A verdade sobre os aspargos

Por Camille

Quando eu era criança, a estação dos aspargos não era minha época do ano favorita. A cena era a mesma toda primavera: meus pais traziam, com grande cerimônia, a primeira leva de aspargos para a mesa, delicadamente cozidos e dispostos em um prato, e eu, como sempre, torcia o nariz.

— Experimente ao menos um, Camille, talvez, este ano, você goste — dizia mamãe, entusiasticamente me servindo um único broto verde.

"Hunf, com certeza!", eu pensava. Com grande cuidado, eu pegava o legume ameaçador com o garfo e trazia-o até minha boca. Era o máximo que conseguia fazer antes de estremecer e descartar o aspargo com nojo.

— Muito bem — respondia ela, com os olhos brilhando. — Assim sobra mais para nós.

Decidi que mesmo que passasse a adorar os aspargos, sempre diria a mamãe que os detestava. Não queria que ela tivesse razão sobre minhas preferências pessoais. Minha conspiração teimosa, no entanto, caiu por terra algumas primaveras mais adiante, quando mordi um broto tenro de aspargo e me dei conta de como era delicioso. Decidi que uma vida inteira de mentiras e subterfúgios não valia a pena.

As crianças pequenas parecem decidir arbitrariamente que comidas comerão ou não (no meu caso, foi o aspargo; no da minha irmã, são os pimentões). A maioria de nós acaba deixando de chupar o dedo, por persuasão ou gozação, mas é fácil prorrogar as decisões infantis sobre comida na vida adulta. Tenho sorte por ter sido induzida a sair dessa autolimitação. Sem levar golpes de porrete, mas continuamente exposta por adultos que obviamente desfrutavam de alguma coisa a qual eu era jovem demais para apreciar. Agora minha família ri quando se lembra dos dias em que eu detestava os aspargos, sobretudo agora que como tantas verduras que eles precisam afastar o prato de mim para que os outros possam repetir. Acho que meu corpo ganhou de minha cabeça ao reconhecer que as verduras são muito importantes para a boa saúde. O aspargo é uma das melhores fontes naturais de ácido fólico, vitaminas A, C e K, algumas vitaminas B, potássio, fósforo e glutationa, que é um antioxidante e anticarcinógeno poderoso. Os benefícios nutricionais podem motivar alguns a incorporar as verduras em suas dietas, mas o paladar é fundamental para a maioria das pessoas. Fico feliz por meus pais terem feito seu proselitismo das verduras em uma casa onde estas frescas eram a regra. Se tentassem isso com o tipo transportado e insosso de verduras que predomina nesse país, talvez ainda fosse a rainha das caretas para os aspargos.

Quando os aspargos chegam todo dia do jardim, a maneira mais fácil de saboreá-los é um *sauté* rápido em fogo alto. Essa técnica carameliza os açúcares e faz soltar o melhor do sabor dos aspargos. O uso de manteiga na frigideira (isoladamente ou em combinação com azeite de oliva) fornece a água suficiente para cozinhar os brotos a vapor enquanto eles estão sendo preparados. Suavemente, coloque-os na frigideira, cozinhando-os até ficarem verde-escuro, com as partes inferiores ligeiramente enegrecidas. Fritar aspargos em uma cesta de fritura também produz bons resultados. Cozidos no vapor também são gostosos, se quiser dar-lhes um tratamento minimalista. Os aspargos que acabam de ser colhidos são tão tenros que nunca nos preocupamos em descascá-los.

Naturalmente, em abril, não é possível viver apenas de aspargos. No fim do inverno e na primavera, o entusiasta das comidas locais dependerá de alguns alimentos guardados desde o ano anterior — nós usamos raízes, abóboras de inverno, tomates secos armazenados e alguns pacotes congelados de produtos da plantação passada para complementar as verduras de primavera. Algumas ervas, como o coentro e o orégano, podem começar a aparecer, junto com verduras em miniatura, brócolis verdes, ervilhas e cebolas. A típica programação semanal de refeições pode seguir o seguinte formato. Sempre leve em conta, nessa e em outras programações, que as sobras e a reciclagem criativa são opções. Toda refeição à base de frango em nossa casa, por exemplo, acaba com a carcaça jogada em uma grande panela de caldo, que é fervida durante várias horas. Quando o caldo fica grosso e dourado e a carne desprende dos ossos, ambos estão prontos para serem congelados ou apenas refrigerados por alguns dias para fazermos um molho ou uma salada de fácil preparo.

PROGRAMAÇÃO DE REFEIÇÕES DE FIM DE INVERNO

Domingo — Frango assado temperado com ervas, acompanhado de batatas, beterrabas e cenouras.

Segunda-feira — salada do *chef* com ovos cozidos ou salsichas, cebolinhas e tomates secos, com pão.

Terça-feira — Sopa de galinha com cenouras, couve e arroz (ou pão fresco).

Quarta-feira — Batatas duas vezes cozidas, recheadas com cebolinhas *sauté*, brócolis e queijo.

Quinta-feira — Omelete ou fritada de aspargos e salada de verduras em miniatura.

Sexta-feira — Pizza com tomates secos, azeitonas, queijo feta e cebolas *sauté.*

Sábado — Costeletas de carneiro, salada mesclada, aspargos e torta de ruibarbo e maçã.

3

O salto primaveril

"Abril é o mais cruel dos meses", escreveu T.S. Eliot. Entendo com isso que ele quis dizer (entre outras coisas) que a primavera leva as pessoas à loucura. Temos esperança demais, o mundo sempre promete coisas que não conseguirá cumprir, toda paixão é na verdade um engodo e estamos sempre fadados a partir nossos corações, de qualquer maneira. Concordo com tudo isso e, ainda assim, acrescentaria: E daí? A primavera acontece todo ano, e sempre enlouqueço incondicionalmente. Sou uma alma congelada, jogada em cima de uma pedra ao sol, onde as agulhas que me perfuravam começam a derreter, todas ao mesmo tempo.

No limiar da primavera, quando fico na varanda da frente protegendo meus olhos da fraca luz matinal, sentindo o cheiro do verde que começa a aparecer na colina e o odor das minhocas ainda bocejantes, só *então*! saio andando como um urso que acaba de acordar da hibernação. Os brotos de bordo têm um brilho róseo, as forsítias inauguram sua ária amarela resplandecente. Nesses dias, é difícil ficar dentro de casa, mal acreditamos no que nossos olhos insistem em nos dizer a respeito da terra a nosso redor, isto é, que a região ainda é um gigantesco lamaçal, tendo agora apenas perdido sua capa protetora de gelo. A partir daí, um par de botas atrás do outro sai limpo e volta para casa pesado de lama — mais sapatos do que cogitávamos existir na casa, proliferando como cogumelos selvagens em uma pilha de adubo orgânico ao lado da porta da frente. Que importa? Os filhos de Noé devem ter se sentido da mesma maneira quando o dilúvio estava *prestes* a secar: botas lamacentas que se danem. Quando chega o fim dos dias sombrios do inverno, fico mais do que feliz. Fico em êxtase.

Após uma semana de loucura primaveril, Lily e eu decidimos que já era suficientemente seguro levarmos para fora algumas das mudas que começáramos a cultivar dentro de casa, em prateleiras improvisadas, sob lâmpadas florescentes. A idéia de comer de nosso próprio jardim nos motivara a começar um depósito de sementes. Desde janeiro, colocamos tomates em bandejas de sementes, evoluindo para verduras folhadas, brócolis, berinjelas, pimentões, quiabos e alguns produtos misteriosos do catálogo de sementes que nos sentimos tentados a experimentar: meloas e campânulas! Quando março chegou, nossas prateleiras de sementes estavam lotadas.

Então começou aquele joguinho amoroso que fazemos com a meteorologia em março. Durante o dia, o clima nos dá confiança, com sorrisos, luz solar e temperaturas máximas, acima de 15 graus, apenas para nos esbofetear com uma geada forte quando chega a noite. Em nossa fazenda, temos uma pequena estufa sem aquecimento que serve como um local de transição, onde as pequenas mudas podem se deleitar ao sol, com a vantagem de estarem protegidas das noites frias em cerca de dois graus. Em geral, essa é uma margem segura o suficiente. Mas depois vem aquela noite sombria quando o rádio anuncia, *Temperaturas abaixo de zero esta noite*, e corremos para levar tudo de volta para casa, passando pela porta traseira, colocando as mudas em cima da mesa e das bancadas até a cozinha parecer a garganta e as adenóides de uma baleia Chia Pet.

Esse é o lado cruel da primavera: independentemente de como ela nos trata, é impossível deixar de amá-la. Se o calendário disser que é o primeiro dia da primavera, *então é*. Lily e eu fomos enganadas ao literalmente carregarmos as mudas de brócolis, espinafre e coentro para a estufa, na encosta logo acima de nossa casa.

As maiores recompensas de se viver em uma casa de fazenda antiga são as histórias e os jardins, caso estejam preservados de alguma forma. Tínhamos a sorte de ter ambos. Os canteiros à nossa volta estão cheios de arbustos em plena florada e os montinhos com plantas bulbosas perenes sempre nos surpreendem e nos deixam maravilhados, como se fossem amigos antigos pulando de trás dos móveis e gritando "Surpresa!". Essas flores são presentes de um século anterior, de um ex-morador daqui — uma história, contada através das flores, da afeição de uma mulher de fazendeiro pela beleza e por este lugar. Em poucos meses, estaríamos embriagados com o cheiro dos arbustos floridos de Lizzie Webb em tons de laranja e lilás, mas o espetáculo começa modestamente em abril, com minúsculas rosas de quaresma, anêmonas de pétalas brancas, junquilhos e narcisos semi-selvagens, que se espalharam pelas encostas gramadas. Enquanto Lily e eu subíamos pelo caminho até a estufa, notei que estes últimos já tinham dado sinal de vida, empurrando seus narizes achatados com ponta amarela através da franja de folhas.

— Olha, mãe! — exclamou Lily. — Veja o que está prestes a florescer, os *tranqüilos*.

Lá se foram as últimas agulhas de gelo que espetavam o meu coração, e me dei conta de que estava destinada a chamar os junquilhos de *tranqüilos* pelo resto de minha vida. Lily é minha filha mais nova. Você deve entender como essas coisas acontecem. Na minha família, aqueles pássaros rosas com pescoços compridos são chamados de *flengmos*, porque seu verdadeiro nome foi mudado de forma engraçada pelo filho mais novo de meu irmão — e lá se vão, nossa!, vinte anos.

Foi assim que a primavera nos encontrou: sorrindo de orelha a orelha, retirando mudas, tudo isso na mesma época em que o restante de nossa vizinhança começava a recolocar nos gramados os *flengmos* de plástico, as criancinhas holandesas se beijavam e aquelas ameaçadoras silhuetas de caubóis eram vistas encostadas em árvores. A decoração de quintais é uma arte de alta envergadura no sul dos Estados Unidos, não tenha dúvida disso. Nessa parte do país, as pessoas não se limitam a expor dois ou três fios de luzes piscantes no Natal para encerrar o ano, *nem pensar*. Em nossa vila, é uma prática corriqueira as pessoas exibirem seus quintais mesmo em ocasiões decorativas menos importantes, como o Dia dos Namorados e o Dia da Independência; e na Páscoa existe uma tradição perturbadora de pendurar coelhos de pelúcia nas macieiras (pelo pescoço, até a morte, pelas aparências externas). Quando muito sérios, eles se reúnem em volta do bicho infeliz para uma colheita determinadamente feliz de ovos plásticos pendurados.

Cresci nessa região, e minha recordação da infância é que toda comunidade tinha no máximo uma pessoa com o quintal decorado — tal como minha avó paterna, que era conhecida por seus dotes decorativos —, mas para o cidadão comum, bastava jogar um pneu e plantar umas petúnias no buraco central. Ou calêndulas em um vaso sanitário antigo, nos bairros com maneiras um tanto diferentes. Mas aqueles dias se foram, e nunca mais será tão fácil concorrer com os vizinhos.

Nosso recente trabalho de construção na casa de fazenda havia transformado o quintal dianteiro em algo que poderia ser eufemisticamente chamado de uma tábula rasa. (Menos eufemisticamente: lama.) Com as mãos cheias de mudas de verduras e o chamado selvagem da primavera em minha cabeça, cogitei plantar alfaces e repolhos russos vermelhos em vez de um gramado, talvez no formato da Mona Lisa. Ou então como letras que formassem alguma mensagem, como "Me corte". Mas acabou que, após levar em conta que ninguém consegue enxergar nossa casa da rua, desisti de me considerar o Michelangelo do repolho. Essas verduras fariam parte do canteiro de legumes, embora, confesso, não seja avessa a enfiar um tomate ou outro em uma linda bordadura de perenes. As hortaliças são estonteantes, sobretudo as verduras de primavera, entrando em cena tão coloridas após o longo inverno de grãos visualmente pouco atraentes e de culturas de raiz armazenadas.

Alfaces Ponta de Flecha de Bronze e alfaces Romanas Manchadas, repolho vermelho — esse é o arco-íris do meu jardim de abril, e é possível encontrar artigos similares em feiras de fazendeiros ou no mercado. Esta é a razão pela qual cultivo hortaliças desde a semente, em vez de plantar o que estiver disponível no viveiro local: a variedade e o esplendor das verduras. Já vi mulheres examinando anúncios de jóias com os olhos marejados e uma mão sobre o coração, e só entendo seus sentimentos porque é dessa forma que leio os catálogos de sementes em janeiro. Em minha cabeça, o jardim cresce e cresce, enquanto marco com uma etiqueta adesiva cada página onde encontro algo de que preciso. Nomes como melancia Lua e Estrelas, quiabo Jóia Cajun, feijão trepador Ouro de Bacau, pimentão Chocolate Doce, melão Fazenda Coletiva das Mulheres, alho Cristal da Geórgia e "madretomilho" me entusiasmam. Steven passa, olha o bolo de etiquetas amarelas colantes saltando por cima do catálogo e pergunta atenciosamente:

— Por que você não marca apenas aquelas que você *não* deseja encomendar?

Os legumes de linhagem herdada são irresistíveis, não apenas pela poesia de seus nomes, mas por essas denominações representarem histórias verdadeiras. Os legumes adquirem uma história ao serem guardados como sementes por várias gerações, cuidadosamente tratados e passados das mãos de um jardineiro para o outro. As hortaliças de linhagem herdada são polinizadas naturalmente — ao contrário dos híbridos, que são produtos únicos oriundos de um cruzamento forçado de variedades dissimilares de uma planta. Esses cruzamentos dependem dos órgãos sexuais da planta para levarem o pólen aos ovários, portanto continuam limitados a membros de uma mesma espécie: milho alto com milho precoce, por exemplo, ou pepinos prolíficos com os não espinhentos, em misturas que combinam as melhores características de ambos os pais para gerar um filho único. Essas sementes híbridas especiais lentamente colonizaram e, mais tarde, vieram a dominar nossos catálogos e terras cultiváveis. Em função de sua ascendência pouco natural, elas oferecem um vigor excepcional, mas a próxima geração derivada desses cruzamentos tem uma natureza instável e, em geral, indesejável. Assim sendo, as sementes híbridas precisam ser compradas novamente, a cada ano, das companhias que as criam.

A modificação genética (GM) distancia em mais um passo esse controle do agricultor. As companhias de sementes produzem e comercializam híbridos desde a década de 1920 (começando com a Hybrid Corn Company, hoje uma subsidiária da DuPont), mas a GM é um processo mais recente que envolve a manipulação direta de genes em laboratório. Libertado dos limites do sexo natural, o engenheiro genético pode combinar características de criaturas que não se comunicam em um ambiente natural: genes de animais ou bactérias enxertados nos cromossomos de plantas, por exemplo, e vice-versa. O principal produto não natural da engenharia genética é o "gene exterminador", que leva uma cultura a cometer suicídio genético após uma geração só para evitar que algum fazendeiro malandro queira usar as sementes de seu cultivo caro e patenteado, em vez de comprá-las novamente da companhia produtora.

Em contraste com a GM e com a hibridização, os legumes de linhagem herdada com polinização aberta são criados da mesma maneira que a natureza opera: guardando e reproduzindo os espécimes que apresentam as melhores características de sua geração, assim gradativamente aumentando esses traços na população. Quando são criados até o ponto de atingirem uma determinada qualidade, essas variedades reproduzem as mesmas características de quando suas sementes são guardadas e cultivadas, ano após ano. Como a luz solar, as sementes dessas hortaliças não atraem o interesse do capitalismo, pois não podem ser patenteadas ou virar propriedade de alguém. No entanto, elas granjearam admiradores entre aqueles que as cultivam, compram e consomem. Os agricultores as colecionam como se fossem jóias de família, e a Whole Foods Market não consegue evitar um tom poético em seus anúncios de verduras de linhagem herdada, afirmando que os tomates, sobretudo, fazem uma entrada teatral, "dominando o cenário das hortaliças de verão. Seu charme é verdadeiramente irresistível. Apenas o som da palavra 'herdada' basta para nos remeter a imagens de uma avó carinhosa de óculos tricotando meias e assando bolos".

A Whole Foods contratou escritores primorosos, é verdade, mas as afirmações exageradas se baseiam em uma diferença genuína. Até uma criança que detesta tomates provavelmente seria capaz de notar a diferença entre um tomate aguado de um mercado convencional e um de linhagem herdada com jeito da vovó (mesmo que ela não faça bolos). As hortaliças somente adquirem o status de linhagem herdada quando merecem. Os fazendeiros não são uma classe conhecida pela sentimentalidade ou por ficar de brincadeira. As sementes são guardadas por gerações devido a uma razão, ou a muitas. No caso das hortaliças, uma delas é sempre o sabor. As de linhagem herdada são os tomates mais saborosos ou doces, os melões mais cheirosos, e as berinjelas não têm qualquer ranço de azedume.

A maioria das variedades-padrão de hortaliças vendida nas lojas foi cultivada para favorecer uma aparência uniforme, a colheita mecanizada, a conveniência de embalagem (tomates quadrados, por exemplo) e uma tolerância a viagens longas e difíceis. Na prática, nenhum desses fatores pode ser confundido com o sabor autêntico. É notório que os tomates cultivados em casa são superiores a seus equivalentes de supermercado, mas a disparidade é igualmente grande (em minha experiência) com relação a melões, batatas, aspargos, milho doce, brócolis, cenouras, certas cebolas e grãos de soja japoneses chamados de *edamame*. Já examinei minha lista de produtos que precisam ser cultivados em busca de possíveis itens a serem descartados por serem razoavelmente semelhantes à versão de supermercado. Ainda não achei tal hortaliça.

Como é que as hortaliças de supermercado perderam seu gosto, com tantas pessoas bem ali vigiando? O caso do Sabor Assassinado foi um crime encomendado, como foi revelado, e o transporte por longas distâncias desempenha um papel central no enredo. A noção estranha de transportar produtos agrícolas frágeis data do início do século XX, quando alguns empresários experimentaram enviar alfaces e alcachofras geladas, em vagões ferroviários, da Califórnia em direção ao leste, por sobre as montanhas, como uma novidade de meio de inverno. Alguns ricos se entusiasmaram com a idéia de servir produtos alimentícios fora de estação (e a um custo absurdo) para os convidados de seus jantares. Até meados do século, continuava sendo uma extravagância cara, enquanto a maioria das frutas e hortaliças consumidas na América do Norte ainda era produzida em fazendas vizinhas.

Então, a moda e o marketing intervieram. O sistema de rodovias interestaduais se tornou uma prioridade nacional altamente subsidiada, os caminhões de fretes de longa distância foram equipados com refrigeração e o custo da gasolina passou a ser nominal. O estado da Califórnia fez um trabalho de marketing agressivo, se posicionando como um produtor de alimentos fora da estação, e a classe média americana abriu sua goela larga. Em poucas décadas, as hortaliças fora de estação passaram da condição de novidade para serem tão comuns que a maioria dos norte-americanos hoje não sabe o que significa "fora de estação".

Enquanto os responsáveis pela comercialização calcularam a logística de transportar cada hortaliça conhecida de cada canto do planeta para todos os outros lugares, o agronegócio aprendeu a cultivar variedades que tolerariam a viagem em vagões ferroviários, caminhões ou porões de navios. Hortaliças *indestrutíveis*, ou seja: criações que ainda mantinham uma aparência decente após uma viagem rodoviária. Os produtores de hortaliças não tiveram outra escolha a não ser cultivar aquilo que o mercado demandava. Na segunda metade do século XX, eles gradualmente eliminaram de seu repertório milhares de variedades saborosas, tradicionalmente cultivadas para a mesa, e concentraram-se em um punhado de novas variedades compradas por transportadores, cadeias de restaurantes e fabricantes de comida processada. Os consumidores americanos modernos experimentam menos de 1% das variedades de hortaliças que eram cultivadas aqui há um século atrás. Esses sobreviventes vivem apenas em hortas de quintal e nas fazendas especializadas em vendas diretas — se é que sobrevivem. Muitas hortaliças de linhagem herdada foram inteiramente perdidas.

A mesma tendência ocorre em outros países, em qualquer lugar onde predomina a influência da agricultura em escala industrial. No Peru, o lar original das batatas, os agricultores andinos chegaram a cultivar quatro mil variedades de batata, cada uma com seu próprio nome, sabor e uso, variando em tamanho, do minúsculo ao gigantesco, e abrangendo o espectro de cores, desde o índigo-púrpura ao vermelho, laranja, amarelo e branco. Hoje, até mesmo nas regiões do Peru menos afetadas pelo mercado moderno, apenas algumas dezenas de tipos são amplamente cultivados. Outros cultivos indígenas no mundo inteiro seguiram o mesmo caminho, com a redução das variedades de milho e amaranto na América Central, as abóboras na América do Norte, as maçãs na Europa e os grãos no Oriente Médio. E não somente as variedades de plantas, mas espécies inteiras foram perdidas. Há apenas dez anos, os agricultores na Índia ainda cultivavam um grande número de oleaginosas indígenas, incluindo gergelim, linhaça e mostardas; em 1998, todos os pequenos moinhos que processavam esses óleos foram forçados a fechar, no mesmo ano em que se proibiu a importação do óleo de soja. Um milhão de vilarejos perdeu seus moinhos, dez milhões de agricultores perderam sua fonte de sustento e a soja GM encontrou um imenso mercado novo.

De acordo com a ecologista de cultivos indiana Vandana Shiva, os humanos consumiram cerca de oitenta mil espécies de planta em nossa história. Após as recentes mudanças de grande vulto, 75% de toda a comida humana agora advém de oito espécies, com a gama se reduzindo rapidamente a milho, soja e canola geneticamente modificados. Se os pica-paus e os ursos panda gozam do status de celebridades na lista daqueles que correm risco de extinção (por mais dúbia que seja essa fama), as culturas alimentícias são os plebeus esquecidos. Eles se perdem na mesma velocidade em que perdemos as florestas tropicais. Um grande fator para essa perda é a idéia recente de que as variedades de planta são propriedades patenteáveis, em vez de presentes de Deus para a humanidade, ou seja lá qual for o acerto que anteriormente prevalecia, durante toda a história pregressa. Nessa questão, Deus foi derrotado em 1970, pela aprovação da Lei de Proteção às Variedades de Planta. Qualquer coisa que pertence a um humano, é lógico, pode ser tirada de outro; a transferência do controle sobre as culturas dos fazendeiros para o agronegócio tem sido rápida e poderosa. Seis companhias — Monsanto, Syngenta, DuPont, Mitsui, Aventis e Dow — controlam agora 98% das vendas mundiais de sementes. Essas companhias fazem investimentos pesados em pesquisa, com o propósito de aumentar a capacidade de produção de alimentos apenas em maneiras que possam ser rigidamente controladas. A tecnologia exterminadora é apenas um exemplo (extremo). As modificações genéticas mais comuns contidas na maior parte do milho, da soja, do algodão e da canola norte-americanos desempenham uma de duas funções: (1) inserção de um gene bacterial que mata lagartas na planta, ou (2) alteração da fisiologia da planta para resistir ao herbicida Roundup, para que produtos químicos possam ser borrifados na plantação. (A planta permanece viva, as ervas daninhas morrem.) Se você apostou que a Monsanto controla tanto as sementes resistentes quanto o Roundup, acertou em cheio. Se você acha que nunca comeria esse troço, você provavelmente está errado. As plantas GM estão presentes em toda a cadeia de alimentos americana, mas não precisam ser identificadas nos rótulos e, claro, não o são. Os lobistas da indústria pretendem manter a situação dessa forma.

O caso estranho de Percy Schmeiser

Em 1999, um pacato fazendeiro de meia-idade, de Bruno, Saskatchewan, foi processado pelo maior produtor de sementes biotecnológicas do mundo. A Monsanto Inc. alegou que Percy Schmeiser causara-lhe danos no valor de 145 mil dólares, por ter genes patenteados por ela em algumas das plantas de canola em seus quinhentos hectares. Não se alegava que Percy havia efetivamente plantado as sementes, ou mesmo que ele as tivesse obtido ilegalmente. O argumento da Monsanto era simplesmente que as plantas na terra de Percy continham genes pertencentes a ela. O gene, patenteado no Canadá no começo da década de 1990, dá às plantas de canola geneticamente modificadas (GM) a força para resistir à pulverização com herbicidas glyphosate, tais como o Roundup, comercializados pela Monsanto.

A canola, uma variedade cultivada de semente de colza, é uma das três mil espécies da família das mostardas. O pólen da mostarda é transferido por insetos, ou pelo vento, por uma distância inferior a um quilômetro. Será que o gene patenteado viaja junto com o pólen? Sim. Será que as sementes são viáveis? Sim, e têm uma vida útil de até dez anos. Se sementes de anos anteriores permanecerem no solo, é ilegal colhê-las. Ademais, se qualquer uma das sementes em um campo contiver genes patenteados, é ilegal guardá-la para o uso. Percy guarda sementes de canola há cinqüenta anos. A Monsanto abriu um processo para proteger sua propriedade intelectual que foi levada até as plantas dele. As leis protegem a posse do próprio gene, não obstante o modo de condução. Por causa do fluxo de pólen e da contaminação das sementes, os genes da Monsanto estão fortemente presentes na canola canadense.

Percy perdeu a disputa na justiça: foi declarado culpado pelo Tribunal Federal do Canadá, sendo a decisão mantida por uma margem estreita no tribunal de recursos. O Supremo Tribunal do Canadá manteve a decisão por maioria apertada (cinco a quatro), mas sem compensação para a Monsanto. Esse caso assombroso atraiu a atenção para os problemas associados à disseminação dos cultivos GM. Fazendeiros orgânicos de canola em Saskatchewan estão em litígio contra a Monsanto e a outra companhia, a Aventis, por impossibilitarem o cultivo de canola orgânica pelos agricultores canadenses. A Associação Nacional dos Agricultores do Canadá solicitou o embargo temporário de todos os alimentos GM. A questão ultrapassou as fronteiras do país. Quinze países proibiram a importação de canola GM e a Austrália baniu toda a canola canadense devido à contaminação inevitável, tornada óbvia pelo caso judicial da Monsanto. Os fazendeiros estão preocupados por correrem o risco de serem responsabilizados, assim como os consumidores, com relação à escolha. Vinte e quatro estados americanos propuseram ou aprovaram leis diversas para bloquear ou limitar produtos GM específicos, atribuir responsabilidade pelo fluxo aéreo de GM aos produtores de sementes, defender o direito dos fazendeiros de guardar sementes e exigir que os rótulos de sementes e produtos alimentícios indiquem ingredientes GM (ou então a sua ausência, com os rótulos "não contém GM").

O governo dos Estados Unidos (sempre tratando com carinho os interesses empresariais) tomou providências para driblar essas medidas pró-consumidor. Em 2006, o Congresso aprovou a Lei de Uniformidade Nacional de Alimentos, que derrubaria mais de duzentas leis estaduais de rotulagem e de segurança dos alimentos que diferem das federais. Dessa forma, prevaleceria a proteção mais débil ao consumidor (embora sejam *uniformemente* débeis). Aqui está uma dica sobre quem apoiou e de fato se beneficia dessa lei: o Instituto Americano de Comida Congelada, ConAgra, Cargill, Dean Foods, Hormel e a Associação Nacional de Criadores de Gado. Ela foi contestada pela Associação dos Consumidores, Sierra Club, Associação de Cientistas Preocupados, Centro de Segurança dos Alimentos e por 39 procuradores-gerais estaduais. Manter as patas "intelectuais" da GM longe de nossos corpos e de nossa terra é responsabilidade dos consumidores que exigem informações completas sobre o que contém em nossa comida.

Para obter outras informações, visite www.biotech-info.net ou www.organicconsumers.org.

Steven L. Hopp

A Monsanto vende muitos pacotes de acordo de sementes e agroquímicos co-dependentes, incluindo as assim chamadas tecnologias traidoras, nas quais a resistência de uma planta a pragas depende de muitos genes modificados residentes em seu tecido. Genes esses que só podem ser acionados à medida que cada praga surge e pelo produto químico certo comprado da Monsanto.

É quase impossível ser mais cínico que essa indústria. Em seus relatórios internos, a Monsanto afirma que "os agricultores que guardam sementes de um ano para o outro" constituem concorrentes significativos, e aloca um orçamento de dez milhões de dólares para investigar e punir esses guardadores de semente. As empresas do agronegócio podem patentear variedades de plantas com o propósito de tirá-las de produção (a Seminis cortou 25% de toda sua linha de produtos em um ano, como uma medida de "contenção de custos"), deixando os fazendeiros com menos escolhas a cada ano. O mesmo fenômeno acontece com os jardineiros domésticos, que raramente suspeitam que, ao encomendarem sementes da Johnny's, Territorial, Nichols, Stokes e de dezenas de outros catálogos, é provável que estejam comprando da Monsanto. Em seu relatório anual de 2005, a Monsanto descreve a criação da American Seeds Inc. como um canal de licenciamento que "nos permite juntar nossa tecnologia ao relacionamento pessoal e local das empresas de semente regionais". O casamento recebeu um dote magnífico naquele ano, quando a Monsanto adquiriu o controle da Seminis, uma companhia que já controlava 40% do mercado norte-americano de sementes de hortaliças. Os inventários de sementes mostram que, enquanto cerca de cinco mil variedades de hortaliças não-híbridas estavam disponíveis em catálogos em 1981, o número delas em 1998 era de seiscentos.

Jack Harlan, geneticista e autor do clássico *Crops and Man* [Os cultivos e o homem], escreveu sem meias palavras sobre a perda da diversidade genética: "Esses recursos nos protegem da fome catastrófica em uma escala inimaginável... A linha entre a abundância e o desastre se torna cada vez mais tênue."

Os "recursos" a que Harlan se refere são as variedades antigas, as linhagens herdadas e as raças territoriais — as milhares de variedades de todas as plantas de cultivo importantes para os humanos adaptadas ao local (principalmente, mas não só trigo, arroz, milho e batatas), que historicamente foram cultivados na região em que cada cultivo foi domesticado a partir de seu progenitor selvagem. O Peru tinha uma vastidão de batatas; o México, incontáveis tipos de milho; o Oriente Médio, uma infinidade de trigos; cada cultivo sutilmente diferente do outro, estreitamente adaptado aos diversos microclimas, pragas e doenças da região e às necessidades dos seres humanos que os cultivavam. Essas raças territoriais contêm um amplo patrimônio genético que as prepara para evoluir junto aos desafios de seus ambientes.

As pragas e sua plantação hospedeira, como todos os predadores e suas presas, estão envolvidos em uma contínua dança evolucionária um com o outro, mudando e melhorando incessantemente, à medida que um desenvolve uma vantagem mínima sobre seu oponente, apenas para vê-lo responder a esse desafio ao desenvolver sua própria vantagem. Os ecologistas evolucionários chamam a isso de Princípio da Dama Vermelha (assim denominado por Leigh Van Valen, em 1973), em homenagem à Dama Vermelha em *Alice no país do espelho*, que disse para Alice: "Pois bem, aqui, veja, tem de se correr o mais depressa que se puder, quando se quer ficar no mesmo lugar." Tanto o predador quanto a presa precisam mudar continuamente, ou serão extintos. Assim, tanto o coelho quanto a raposa se tornam mais rápidos ao longo das gerações, à medida que seus filhotes mais bem-sucedidos passam adiante um número maior de genes de velocidade. Os humanos desenvolvem remédios novos e cada vez mais fortes contra as bactérias, que são um de nossos predadores, enquanto estas continuam a desenvolver linhagens cada vez mais resistentes a antibióticos. (As pessoas que não acreditam na evolução, incidentalmente, são tão suscetíveis quanto nós a essa ocorrência observável da evolução. A ignorância da lei não constitui uma defesa.)

As pragas podem atacar as plantas hóspedes de formas ligeiramente diferentes em cada estação, encorajadas pelas mudanças nas condições predominantes do clima. É nesse ponto que a variabilidade genética se torna importante. A engenharia genética não consegue prever ou dar conta de tais desafios de amplo espectro. Em condições ambientais altamente variadas, a resistência das raças territoriais de polinização aberta pode ser comparada, a grosso modo, à saúde robusta de um cão vira-lata em contraste com a personalidade estressada de um cachorro criado por meio do intercruzamento intensivo. O vira-lata talvez não tenha um desempenho previsível em condições perfeitamente controladas, mas tem a combinação de esperteza e longevidade de todos seus antepassados que pularam a cerca. Alguns desses genes diferentes terão alguma utilidade, nas circunstâncias certas.

A perda desse vigor do vira-lata coloca em risco os sistemas de alimentos. A quebra de safra é uma possibilidade que todos os agricultores entendem, e uma razão pela qual as fazendas familiares tradicionais cultivavam tantos produtos diferentes, animais e vegetais, em contraste com as monoculturas que tomaram conta da faixa central de nosso continente. A história nos mostra, em intervalos regulares, que é drasticamente imprudente que uma população dependa de um número reduzido de variedades para a maior parte de seu sustento. Os irlandeses dependiam de um único tipo de batata até que a Grande Fome da Batata reescreveu a história e truncou a árvore genealógica de muitas famílias. Hoje dependemos, de forma semelhante, de poucas linhagens de milho e de soja para a maior parte das calorias (tanto de animais quanto de plantas) consumidas pelos cidadãos americanos. Nosso vício em apenas duas culturas nos tornou as pessoas mais obesas da história, jantando a uma distância de apenas alguns elementos patogênicos da fome.

AMALDIÇOADOS SOMOS NÓS, CIDADÃOS AMERICANOS, que comemos demais e nos nutrimos de menos — estamos comendo de modo errado por uma infinidade de razões. Uma indústria alimentícia mecanizada e motivada pelo lucro restringiu a variedade e produziu milho e soja em demasia. Mas deixamos as outras hortaliças desaparecerem de nossos pratos sem maiores protestos. Em nosso moderno Café Disfuncional, "coma legumes e verduras" se tornou um grito de guerra de mães contra sujeitos presumivelmente contrariados. Na minha experiência observada, os meninos em refeitórios de ensino médio tratam as saladas exatamente como se fossem um produto de higiene feminina, e quase ninguém toca nas vagens. O mais alto mandatário do país condenou publicamente o brócolis durante a década de 1990. O que pode fazer uma mãe? Aparentemente, ela deveria se lixar e dar às crianças um copo gigante de xarope de milho gaseificado. O milho é um vegetal, certo? Ainda bem, porque consumimos 210 litros de refrigerante, por pessoa, ao ano.

A mamãe está perdendo, sem dúvida, já que os legumes e verduras perderam duas características de nosso interesse: nutrição e sabor. A armazenagem e o transporte afetam, de forma previsível, os compostos voláteis das plantas que, sutilmente, contribuem para o gosto e para o valor alimentar. Os cruzamentos para prolongar a vida na prateleira também tendem a reduzir o paladar. Por mais bizarro que pareça, aceitamos um sistema de compensação que se resume a "Dê-me todas as hortaliças em todas as estações, mesmo que tenham o gosto de uma imitação de papelão de sua essência anterior". Seria de se esperar que nos preocupássemos mais com a *idéia* do que estamos comendo, em vez de com aquilo que estamos comendo. Mas então, se alguém examinasse a história dos sapatos femininos, poderia-se pensar que estamos mais interessadas em mostrar os pés do que, por exemplo, andar. Os seres humanos podem ser animais bastante ridículos.

Não tenho a mínima idéia de qual será a próxima moda em sapatos femininos, mas soube recentemente que o último fabricante de sapatos para pés amarrados na China vai fechar as portas (seus últimos clientes estão na casa dos noventa anos). E espero, em um surto de semelhante bom senso, que a moda em termos de hortaliças volte a ser algo mais comestível. As linhagens herdadas às vezes aparecem por nome nos cardápios de restaurante e estão se tornando um produto padrão a um preço acessível nas feiras locais. A comida com sabor é uma novidade que parece fazer do consumidor um verdadeiro cliente.

Em parte para saciar essa demanda e em parte porque certas pessoas sempre se mostraram solidárias, existem redes nacionais e internacionais somente para permitir que fazendeiros e jardineiros troquem e guardem as linhagens herdadas uns dos outros. A Seed Savers' Exchange [Bolsa de Guardadores de Sementes], com sede em uma fazenda em Decorah, Iowa, foi fundada por Diane e Kent Whealy, após o avô de Diane doar a ela as sementes de um tomate rosa que seus pais haviam trazido da Bavária, na década de 1870. As sementes são unidades vivas, não peças de museu; em jarras sobre uma prateleira, sua viabilidade se reduz com o tempo. Diane e Kent acharam que seria interessante mover as coleções de sementes para plantações verdadeiras. Sua idéia se transformou em uma rede de oito mil membros que cultivam, guardam e trocam mais de 11 mil variedades de seu patrimônio de cultivo, formando uma coleção viva bastante abrangente. O *Anuário dos Guardadores de Semente* disponibiliza a seus membros sementes de cerca de duas vezes o número de variedades de hortaliças oferecidas por todos os catálogos de sementes dos Estados Unidos e do Canadá em conjunto. A Native Seeds/SEARCH é uma rede similar focada em culturas americanas nativas; a North American Fruit Explorers [Exploradores de Fruta da América do Norte] promove frutas de linhagem herdada e coleções de nogueiras. Graças a esses e outros seres dedicados, a diversidade das culturas alimentícias nos Estados Unidos começa a subir.

A maior e mais conhecida organização defensora das comidas em perigo é a Slow Food International. Fundada na Itália, em 1986, tem como objetivo declarado "proteger os prazeres da mesa da homogeneização do fast-food e da vida moderna". O grupo possui 83 mil membros na Itália, Alemanha, Suíça, Estados Unidos, França, Japão e Grã Bretanha. A organização promove a cultura gastronômica, conserva a biodiversidade da agricultura e as identidades culturais vinculadas à produção de alimentos e protege comidas tradicionais ameaçadas de extinção. Suas iniciativas Ark of Taste (Arco do Sabor) catalogam e divulgam comidas esquecidas — um feijão grego cultivado apenas na ilha de Santorini, por exemplo, ou os últimos remanescentes do gado indígena irlandês. Menos de dez anos após seu lançamento, o Arco Italiano já abrange cerca de quinhentos produtos. Uma comissão nos Estados Unidos é atualmente responsável por catalogar variedades de hortaliças, animais e produtos especificamente americanos que estejam ameaçados pela extinção, tornando o Arco do Sabor um projeto de amplitude mundial.

Não é possível salvar as baleias comendo-as, porém, paradoxalmente, *é possível* ajudar a salvar raras comidas domesticadas ao comê-las. Elas são mantidas vivas por agricultores que gostam delas e por fazendeiros que têm certeza de seu potencial comercial. O consumidor se torna um elo nessa cadeia de conservação, ao procurar os lugares onde as linhagens herdadas são vendidas, levá-las para casa, cortá-las com facas e aprender a incorporar seu gosto excepcional em suas expectativas pessoais e nas da família. Muitas das comidas introduzidas no Arco do Sabor passaram por recuperações fantásticas, graças aos guardadores de sementes e aos desbravadores epicúrios que desafiam os agentes do controle genético ao provarem frutas proibidas e plantarem mais delas.

Se pudesse salvar apenas um pacote de sementes do dilúvio, a linhagem herdada que provavelmente pegaria é o *five-color silverbeet* [beterraba ou acelga prateada de cinco cores]. Ela não é prateada (a palavra *silverbeet* é uma invenção australiana para "acelga"), mas tem caule grosso e as costelas das folhas em cores vivas de vermelho, amarelo, laranja, branco ou rosa. Cada planta tem uma cor de caule, mas todas as cinco cores permanecem em equilíbrio nessa variedade tão estimada. Foi a primeira variedade de semente que aprendi a guardar, e se eu acabar em um asilo de idosos e tiver direito a cultivar apenas uma hortaliça no jardim, será essa. Ela começa cedo, produz durante meses, parece um buquê quando cortada e é consumida avidamente por minhas filhas. Elas juram que cada cor tem seu próprio gosto, e quando eram mais jovens faziam concursos para distinguir as cores de olhos vendados. (É isso que dá privar crianças do acesso fácil aos doces M&M.) Uma das primeiras receitas que inventamos em família, que chamamos de "ovos em um ninho" foi inspirada pelos ovos do primeiro bando de galinhas de Lily e pela acelga de cinco cores do jardim.

Presume-se, lógico, que as crianças detestam as verduras tão assiduamente que, para inspirá-las a comê-las, inventaram uma personagem de desenho animado com força derivada do espinafre. Suspeito que a razão para a aversão seja uma questão de preparo. Até mesmo o pobre Popeye recebe apenas um troço meio aguado, direto de uma lata. (Talvez chupá-lo através do cachimbo dê ao espinafre um sabor especial.) A regra das verduras é que devem ser *verdes*, cozidas com um toque tão leve que a folha fique com a cor verde de um sinal de trânsito e conserve uma certa personalidade. Cozinhar em excesso as torna quase negras. Sou forçada a admitir, com a possível exceção do alcaçuz, que concordo com todas as crianças que suspeitam de comidas pretas.

As verduras folhosas são a tônica primaveril da natureza, chegando em grande quantidade aos mercados locais em abril e maio e diminuindo em seguida, rapidamente, à medida que a temperatura sobe. A acelga ainda resiste às temperaturas de verão, mas a alface desiste logo no final de maio, no sul dos Estados Unidos. Como tudo que é bom dura pouco, a estação das verduras folhosas termina quando a planta recebe um sinal do termômetro: 30°C parece ser suficiente para a maioria das variedades. Então, elas passam pelo equivalente da puberdade de uma planta: sobem rapidamente, transformadas quase da noite para o dia de pequenas e gordas em altas e elegantes, e é lógico que tudo está relacionado a sexo. Em botânica, o termo utilizado é *bolting* (florescimento prematuro). O resultado é a formação de uma penca de flores nas pontas dos caules finos; nas alfaces, essas flores são versões minúsculas e amarelas de seu primo, o dente-de-leão. Como qualquer adolescente, a planta, nesse estágio, tem produtos químicos voláteis correndo pelo corpo; no caso das alfaces, a planta fabrica um jato de lactonas sesquiterpenas, os compostos que fazem com que uma alface quebrada emita uma seiva branca e leitosa, e que a torna tão fortemente amarga a ponto de ser cuspida. Quando a estação das alfaces termina, ela *termina*.

Esses compostos são uma característica da família das alfaces e são responsáveis pelo gosto forte das endívias, da rúcula e do *radicchio* (tipo de chicória com folhas vermelhas), enquanto a alface clara tipo *iceberg* perdeu, pela seleção, todos esses produtos químicos (juntamente com a maior parte dos nutrientes). Quando começa a ficar comprido e longilíneo, até o mais inocente *iceberg* se torna intocável. Esse processo químico é um vestígio da vida selvagem da planta, uma adaptação para desencorajar qualquer um a comê-la naquele momento importante, quando a reprodução sexual está prestes a ocorrer.

Mas, em um dia frio de abril, quando os tranqüilos estão crescendo e a geada ainda ameaça sair da aposentadoria sem avisar, o calor é um sonho. Esta é a estação perfeita para o espinafre, couve, endívia e para a mini-alface. A acelga cresce tão vermelha e laranja quanto às folhas das árvores do fim do outono que passou. Despertamo-nos da hibernação e enchemos as bocas com folhas, como os veados ou as preguiças gigantes. Como os primatas apaixonados pela terra que um dia fomos, e que poderíamos aprender a ser novamente. Em abril, o auge da minha felicidade é sentar, com lama nos joelhos do meu jeans, para o almoço mais inebriante do ano: um prato de verduras crocantes e aquecidas pela luz do sol no jardim, com algumas nozes e um queijo de cabra esfarelado. Esse é o início de uma verdadeira comida cheia de vida.

Quando a alface começa a florir e fica amarga, ninguém se importa. Até lá, teremos brócolis frescos. Quando você avistar coelhos de pelúcia pendurados nas macieiras, os meses de clima bom já terão começado.

Primeiro, coma suas verduras

Por Camille

Cresci em um mundo que parece ter um comprimido para tudo. Os universitários tomam pílulas de cafeína para virar a noite fazendo trabalhos, enquanto nossos pais ficam em casa se entupindo de soníferos para evitar as noites em claro. Tomamos comprimidos para dor de cabeça, dor de barriga, sintomas de gripe e sinusite, para que possamos trabalhar mesmo quando doentes. Se não temos tempo para comer direito, temos comprimidos nutritivos também. É só tomar algumas vitaminas e você estará novinho em folha, certo?

Tanto os comprimidos de vitaminas quanto as hortaliças estão cheios de nutrientes essenciais, porém não nas mesmas combinações. O espinafre é uma boa fonte de vitamina C e de ferro. Por acaso, a vitamina C promove a absorção de ferro, permitindo ao corpo ingerir um volume maior do que se o mineral fosse introduzido isoladamente. Quando comecei a estudar nutrição, fiquei fascinada com essas coincidências, enquanto me dava conta de que, obviamente, não eram coincidências. O corpo humano e sua complexa química digestiva evoluíram ao longo de milênios, em resposta a todos os alimentos diferentes — principalmente plantas — cultivados ou coletados nas redondezas. Pode ser que os humanos morressem ainda jovens, de picadas de cobra ou trauma contundente, mas eles não tinham doenças relacionadas à dieta, tais como doenças coronárias e diabetes tipo 2, que atualmente estão cada vez mais presentes em nossa sociedade, até mesmo em alguns jovens adultos e crianças.

Nossos corpos não são projetados para absorver grandes cargas de nutrientes de uma só vez (muitos suplementos excedem a dosagem diária recomendada em 200% ou até mais), mas quantidades pequenas deles em combinações — exatamente como no caso das plantas. Ingerir uma grande variedade de diferentes produtos químicos contidos nas plantas é uma idéia muito boa, segundo a Sociedade Americana das Ciências Nutritivas. Não é preciso ser formado em química, mas prestar atenção às cores ajuda. Ao comer plantas das mais diferentes cores, você receberá carotenóides que protegem os tecidos do corpo contra o câncer (produtos amarelos, laranjas e vermelhos); fitoesteróides que bloqueiam a absorção do colesterol e inibem o crescimento de tumores (plantas e sementes verdes e amarelas); e fenóis para antioxidantes que desafiam o envelhecimento (frutas azuis e púrpuras). Milhares dos fitoquímicos que comemos jamais foram estudados ou identificados, por existirem tantos e com funções tão variadas, precisamente projetados para servirem de combustível para nossos corpos vivos. Um broto de brócolis contém mais de mil compostos desse tipo.

As multivitaminas são claramente um substituto pouco adequado para as incontáveis combinações sutis de fitoquímicos e enzimas contidas nas comidas integrais. Uma maneira de encarar esses comprimidos pode ser como uma medicação de emergência para a má nutrição induzida pelo estilo de vida. Estou chegando à maioridade em uma sociedade onde a maioria dos adultos está comprometida, do ponto de vista médico, por uma doença específica. Não alguns, mas a *maioria*; isso é uma realidade assustadora para um jovem. É útil ter idéias de como agir preventivamente. Meus amigos às vezes riem com as estranhas combinações de alimentos presentes em minha busca diária para enfiar ainda mais verduras em uma refeição, enquanto estou me arrumando às pressas para ir à escola. (Sanduíches de manteiga de amendoim e espinafre?) Mas todos temos interesse em manter uma boa saúde, cada um de seu jeito.

As verduras folhosas, como todas as plantas, anunciam seu valor nutricional por meio da cor: as folhas verde-escuro ou vermelhas e de gosto ácido trazem mais antioxidantes à mesa. Ademais, a maioria delas fornece ácido fólico ("fólico" tem a ver com folha), um nutriente crucial para as grávidas e também necessário para todos por seu papel na produção da hemoglobina. Desde Popeye ao coelho Thumper, a mensagem de que você "precisa comer as verduras" está profundamente enraizada na cultura das crianças, por ótimas razões. Os pais não precisarão se empenhar tanto para subornar os filhos com sobremesas para que comam verduras gosmentas. Quando frescas e no ponto certo de cozimento, o espinafre, a acelga, a couve, o *bok choy* e outras verduras são algumas das minhas comidas favoritas.

Aqui estão algumas receitas que aproveitam ao máximo as características das verduras folhosas e escuras. São refeições padrão em nossa família durante a estação em que as verduras estão crescendo aos montes em nosso jardim.

OVOS EM UM NINHO

(Essa receita rende um jantar para quatro pessoas, mas pode ser facilmente dividida pela metade.)

2 colheres de arroz marrom não cozido

Cozinhe o arroz com 4 xícaras de água em uma panela coberta enquanto são preparados os outros ingredientes.

Azeite de oliva — algumas colheres de sopa

1 cebola média picada e alho a gosto

Refogue a cebola e o alho com azeite de oliva em uma frigideira grande até que fiquem ligeiramente dourados.

Cenouras cortadas em cubinhos

½ xícara de tomates secos

Acrescente ao refogado e mexa por mais alguns minutos, acrescentando água suficiente para reidratar os tomates.

Um feixe bem grande de acelga, cortada em grandes pedaços

Misture com as outras hortaliças na panela e tampe-a por alguns minutos. Destampe, misture bem e utilize as costas de uma colher para fazer depressões nas folhas cozidas, circulando a panela como os ponteiros de um relógio.

8 ovos

Quebre um ovo em cada depressão, tomando cuidado para que a gema fique inteira. Tampe novamente a panela e permita que os ovos sejam cozidos de 3 a 5 minutos. Tire do fogo e sirva sobre o arroz.

LASANHA DE ESPINAFRE

500g de massa de lasanha integral

Preparar de acordo com as instruções do pacote.

4 xícaras de espinafre picado

Cozinhe no vapor de 2 a 3 minutos, deixe escorrer o excesso de água.

450g de molho de tomate

2 xícaras de queijo ricota fresco

2 xícaras de queijo mussarela

Espalhe uma camada fina de molho de tomate no fundo de uma caçarola grande. Cubra a superfície com uma camada de massa, metade da ricota, metade do espinafre, um terço do molho restante e um terço da mussarela. Espalhe outra camada de massa, o resto da ricota, o resto do espinafre, um terço do molho e um terço da mussarela. Espalhe uma camada final de massa, o restante do molho e da mussarela; leve destampado ao forno a 180°C durante 40 minutos.

Baixe da internet essas e todas as receitas do livro em www.animalvegetablemiracle.com.

PLANO DE REFEIÇÕES NA ESTAÇÃO DAS VERDURAS

Domingo — Frango assado à grega e batatas, folha de acelga ao molho bechamel.

Segunda-feira — Ovos em um ninho.

Terça-feira — Salada de frango (dos restos do frango de domingo) em um leito de verduras em miniatura.

Quarta-feira — Massa misturada com salmão, acelga refogada e tomates secos.

Quinta-feira — Salada com ovos cozidos, brócolis, nozes e queijo feta; pães frescos.

Sexta-feira — Pizza com espinafre picado refogado, cogumelos e queijo.

Sábado — Lasanha de espinafre.

4

Em busca da "hortaliçanual"

SE AS BATATAS CONSEGUEM SURPREENDER alguns em sua platéia por terem uma parte constituída de folhas, talvez não tenha ocorrido a todos que a alface tem uma parte que é flor. Tem sim, todas têm. Quase todos os alimentos de origem não animal que ingerimos derivam de plantas com flores. As exceções são os cogumelos, as algas marinhas e as nozes de pinheiro. Se existirem outros alimentos exóticos chamados por você de comida, eu o saúdo.

As plantas com flores, conhecidas botanicamente como angiospermas, evoluíram de ancestrais similares às atuais coníferas. A flor é um órgão reprodutivo útil que ganhou importância durante o período Cretáceo, justo na época em que os dinossauros, seja qual tenha sido a razão, começaram a ter seu tamanho reduzido. Nos milhões de anos desde então, as plantas com flores se estabeleceram como as formas de vida terrestre mais visivelmente bem-sucedidas da história, entrando em cada tipo de *habitat*, em variações infinitas. As plantas com flores desempenham papéis-chave em todos os tipos ecológicos do mundo: florestas decíduas, florestas tropicais e savanas. Elas são os cactos do deserto e a vegetação rasteira da tundra. São pequenas e grandes, enchem pântanos e toleram a seca, se estabeleceram em quase todos os nichos em quase todos os lugares. Parece simplesmente razoável que as comamos.

As plantas com flores se dividem em grupos tão diferentes como o carvalho e a violeta, mas todas têm uma história de vida básica em comum. Elas brotam, desenvolvem folhas, florescem e fazem sexo ao esfregar, de alguma forma, as partes masculinas de uma flor contra as partes femininas de outra. Já que não conseguem correr atrás de seu objetivo, atraem terceiros, tais como as abelhas, para participar do ato sexual — ou então (dependendo da espécie) esperam pelo vento. Dessa união resulta o evento abençoado, a formação de bebês, na forma de sementes aninhadas em algum tipo de fruta. Finalmente, mais cedo ou mais tarde — já que após tudo *aquilo*, que outra razão ainda resta? — elas morrem. Entre as plantas conhecidas como anuais, essa história de vida compreende uma única estação de crescimento, em geral começando na primavera e terminando na época do frio. A planta aguarda o inverno em forma de semente, bem protegida do clima, esperando até que as condições estejam boas para recomeçar. As hortaliças que comemos podem ser folhas, brotos, frutas ou sementes, mas tudo vem de algum ponto ao longo dessa seqüência contínua, normas seguidas por todas as plantas anuais. Nenhuma variação é tolerada. Elas não podem gerar frutas, por exemplo, antes de florescer. Por mais óbvio que isso pareça, é fácil esquecer isso em uma cultura de supermercado em que as etapas das plantas são constantemente apresentadas em uma ordem aleatória.

Para recuperar um sentimento intuitivo do que estará em estação ao longo do ano, imagine uma estação de alimentos se desenrolando, como se fosse de uma única planta. Reserve uns minutos para estudar essa criação — uma planta imaginária que produz, ao longo de uma estação de cultivo, uma cornucópia de todos os produtos verdes diferentes que podemos colher. Vamos chamá-la de "hortaliçanual". Imagine a vida dela passando diante de seus olhos, como uma animação em *time-lapse*: primeiro, no frio do começo da primavera, brotos começam a surgir da terra. Aparecem folhas pequenas, e depois maiores. À medida que a planta cresce à luz do sol e os dias ficam mais longos, botões de flores aparecem, seguidos por pequenas frutas verdes. Embaixo do sol quente do meio do verão, as frutas se tornam maiores, mais maduras e coloridas. Quando os dias ficam mais curtos, com a chegada do outono, elas amadurecem e se tornam frutas com cascas rijas e sementes significativas em seu interior. Finalmente, à proporção que os dias esfriam, a hortaliçanual pode acumular os açúcares produzidos por suas folhas, levando-os a algum tipo de unidade de armazenagem: uma tuberosidade, um bulbo ou uma raiz.

Assim passa o ano. Primeiro as folhas: espinafre, couve, alface e acelga (em minha região, isso ocorre em abril e maio). Em seguida, as cabeças de folhas e cabeças de flores mais maduras: repolho, alface romana, brócolis e couve-flor (maio-junho). Depois, o grupo de frutas jovens e tenras: ervilha, abobrinha, pepino (junho), seguidas por vagem, pimentão verde e pequenos tomates (julho). Então, vêm as frutas mais maduras e coloridas: tomate, berinjela, pimentão vermelho e amarelo (fim de julho-agosto). Posteriormente, as frutas de casca rija com sementes desenvolvidas em seu interior: melão *cantaloupe* e *honeydew*, melancia, abóbora, abobrinha de inverno (agosto-setembro). Por fim, chegam as raízes, e assim termina o desfile das plantas.

É claro que não são todas derivadas da mesma planta, mas cada uma vem de uma *planta*, e esse é o ponto essencial — uma planta predestinada a iniciar a vida na primavera e morrer no outono. (Algumas poucas, como a cebola e a cenoura, tentam ser bienais, mas vamos ignorar essa questão por enquanto.) Cada parte de planta que comemos precisa chegar à sua vez — folhas, botões, flores, frutas verdes, frutas maduras e frutas rijas —, pois essa é a ordem necessária de as coisas acontecerem para uma planta anual. Por mais que quisessem, não poderiam agir de forma diferente.

Algumas sobreposições e pequenas variações são permitidas, mas, em geral, criar uma representação de uma planta hortaliçanual imaginária é um guia bastante confiável para os produtos que estarão em estação, onde quer que você viva. Se você se deparar comendo uma melancia em abril, é possível fazer uma contagem regressiva de três meses e imaginar um lugar quente o bastante em janeiro para essa planta ter dado o primeiro passo rumo a seu destino. Talvez o México ou o sul da Califórnia. O Chile também é uma possibilidade. Se você pensa dessa forma, imagine o que foi necessário para transportar uma fruta delicada, do tamanho de um bebê, desde seu lugar de origem até a porta de sua casa.

Nossos antepassados agricultores queriam que a melancia fosse um marco suculento do fim do verão, para ser consumida descalço, curtindo o clima fresco bem à vontade, assim como a abóbora marca o final de outubro. A maioria de nós aceita essa última, e limitamos nossas decorações de Halloween feitas com abóboras à estação botânica apropriada. Ficar esperando por uma melancia é mais difícil. É tentador desfrutar de melões, pimentões vermelhos, tomates e outros deleites de fim de verão, antes mesmo da chegada do verão propriamente dito. Mas, é possível esperar, celebrar cada estação que chega, sem se preocupar com ausências em outras épocas, porque sempre teremos alguma outra coisa boa à mão.

Muitos de nós consideraríamos esse estilo de alimentação como uma privação. Contudo, isso ocorre apenas por estarmos acostumados a essa condição ultrajante, do ponto de vista da botânica, de ter tudo a qualquer hora. Isso pode ser o mais próximo que temos hoje de uma culinária autenticamente nacional. Os epicúrios abastados da América do Norte tendem a se reunir em torno de mesas onde continentes inteiros se reúnem discretamente em cima de uma toalha de mesa branca: carneiro neozelandês com *porcinis* italianos, aspargos peruanos e um vigoroso vinho francês Bordeaux. A data no calendário é totalmente irrelevante.

Já comi, com satisfação, essas refeições, mas, ao menos, comecei a notar quando consumo as Nações Unidas (ou talvez a Organização Mundial do Comércio, OMC, seja mais apropriada) das plantas e dos animais comestíveis de uma só vez. Não faz muito tempo, em um dia de inverno, me serviram uma refeição suntuosa desse tipo, que terminou com uma sobremesa de framboesas. Por crescerem apenas em zonas temperadas, não nos trópicos, elas teriam que ter vindo de algum lugar do extremo do Hemisfério Sul. Fiquei impressionada de como frutas pequenas e vulneráveis a manchas pudessem sobreviver a uma viagem de milhares de quilômetros e manter uma aparência tão boa (eu própria fico toda amassada quando pego um vôo noturno da Califórnia para casa) e registrei meu espanto acerca do fato. Acho que minha anfitriã se divertiu com minha ingenuidade de interiorana.

— Estamos em Nova York — assegurou-me ela. — Aqui podemos conseguir o que quisermos, qualquer dia do ano.

E assim é. Não quero parecer descortês, mas conseguimos isso a um certo preço. Deste, a maior parte não pode ser calculada em dinheiro, mas em dívidas que serão pagas por nossas crianças na forma de extinções, turbulência econômica e mudança do clima global. Bem sei que não é polido levantar tais objeções ao redor da mesa de jantar. Sete framboesas não são (tentarei algum dia explicar para meus netos) o fim do mundo. Comi-as e disse:

— Muito obrigada.

Os costumes humanos são extremamente inconsistentes; muito antes de mim isso já havia sido observado. Mas é espantosa a maneira como nos permitem roubar das gerações futuras, enquanto as instruímos a não fazer o mesmo conosco e reviramos os olhos para qualquer chato que seja politicamente correto o bastante para chamar atenção para isso. O consumo conspícuo de recursos naturais limitados ainda não foi largamente aceito como um erro espiritual, ou mesmo como falta de educação.

A equação global

Ao comprar hortaliças locais em vez de sul-americanas, por exemplo, não estaríamos prejudicando os agricultores dos países em desenvolvimento? Ao invés de pensar no fazendeiro Juan e sua família, agradecidamente enxugando o suor de suas testas quando você compra uma banana do Equador, imagine o presidente da Dole Inc., em seu escritório com ar-condicionado, em Westlake Village, Califórnia. Seus bens valem 1,4 bilhão de dólares; Juan fatura cerca de seis dólares ao dia. Muito dinheiro é ganho na movimentação global dos alimentos; contudo, os principais beneficiados são os processadores, os corretores, os transportadores, os supermercados e as companhias petrolíferas.

As nações desenvolvidas promovem a superprodução doméstica de produtos primários, que são vendidos no mercado internacional a preços extremamente baixos, abalando as economias frágeis dos países em desenvolvimento. Em muitos casos, esse processo resulta em forçar pequenos produtores a migrar para as áreas urbanas em busca de emprego, diminuindo a produção agrícola de um país e forçando a população a comprar os mesmos produtos primários do exterior. Aqueles que continuam a trabalhar no campo tendem a deixar de ser *proprietários* de terras para se tornarem trabalhadores em fazendas que pertencem a empresas multinacionais. Eles podem se deparar com situações em que ao exercerem seu trabalho estarão entrando em conflito direto com a subsistência local. Assim, quando os americanos compram produtos de soja vindos do Brasil, por exemplo, é provável que estejam apoiando uma empresa internacional que queimou incontáveis hectares da floresta tropical amazônica para cultivar soja para exportação, destruindo as populações indígenas. As negociações sobre comércio global, promovidas pela Organização Internacional do Comércio e pelo Banco Mundial, permitem que as empresas comprem alimentos de países com péssimas condições ambientais, de segurança e trabalhistas. Enquanto os consumidores desfrutam dos preços baixos, os fazendeiros de um país são colocados em conflito com os de outro, em uma espiral salarial descendente. A qualidade do produto é posta de lado.

A maioria das pessoas não acredita mais que comprar tênis produzidos em fábricas asiáticas, onde prevalecem condições trabalhistas precárias, constitui um favor para as crianças lá empregadas. Com a agricultura a situação é similar. Em todos os países do mundo, a solução mais humanitária para os agricultores é provavelmente alimentar aqueles que vivem na vizinhança — se os mercados internacionais os deixassem fazer isso. O transporte dos alimentos se tornou uma equação bizarra, lucrativa e que não tem mais nada a ver com a alimentação de ninguém: nos Estados Unidos, exportamos 1,1 milhão de toneladas de batatas, enquanto também importamos 1,4 milhão de toneladas. Se você se preocupa com os fazendeiros, deixe as batatas ficarem na casa delas.

Para obter mais informações, visite: www.viacampesina.org.

STEVEN L. HOPP

Nossa cultura não desconhece a idéia da comida como um bem com conotações espirituais. Apenas somos rigorosos com relação a quais argumentos espirituais aceitamos como válidos para deixar de comer certos alimentos. Razões geralmente inaceitáveis: destruição ambiental, desperdício energético, envenenamento de trabalhadores. Aceitáveis: a proibição por um texto sagrado. Ponha um prato de presunto na frente de um rabino, de um imame e de um monge budista e você talvez invoque três visões diferentes da maldição. Seus convidados com pressão arterial elevada talvez acrescentem uma quarta. Será tão diferente, então, tomar decisões morais sobre os alimentos com base nas conseqüências globais de sua produção e de seu transporte? Em um país onde residem os 5% da população mundial que engolem 25% de todos os combustíveis, e ainda expelem grande parte do desperdício e da poluição existentes no mundo, aparentemente já fizemos escolhas importantes relativas ao consumo. Pode ter chegado a hora de revisá-las.

O negócio de importar alimentos de lugares distantes não é, por sua própria natureza, uma dádiva para os agricultores do Terceiro Mundo, mas é um grande negócio para as companhias de petróleo. Transportar uma única caloria de frutas frescas perecíveis da Califórnia até Nova York demanda 87 calorias de combustível. Isso é tão eficiente quanto dirigir da Filadélfia até Annapolis, e depois voltar, apenas para andar cinco quilômetros em uma esteira de uma academia de ginástica em Maryland. Pode ser que existam pessoas que fariam isso. Mas, perdoe-me se eu consultar alguma outra pessoa na hora de preparar meu orçamento energético.

Em muitos círculos sociais, é comum que anfitriões, mesmo sendo carnívoros, atendam às preferências de convidados vegetarianos. Talvez o mundo se mostrasse mais hospitaleiro em jantares cujos convidados ficam desconfortáveis com alimentos com alto consumo de combustível se tal preferência alimentar tivesse um nome. Petrofóbicos? Comedores de estação? Comedores locais? Domésticos? Recentemente, vi o termo *locavores* (locávoros) e gostei: é descritivo tanto do ponto de vista científico quanto do social e tem um certo toque de *Livin' la vida loca*.

A Slow Food International tem feito um bom trabalho no sentido de apoiar esse estilo de alimentação, em vez de transmitir o olhar carrancudo da superioridade moral, enquanto mantém seus objetivos quixotescos de lutar contra o agronegócio supercentralizado. A estratégia cativante dos "comedores lentos" (sua logomarca é uma lesma) é celebrar o que já temos e defender os prazeres das comidas sazonais. Eles enfrentam uma batalha dura, já que a maioria dos norte-americanos cultos não parece se preocupar com o assunto. Pense na frustração do homem que escreveu esta reclamação para a escritora de uma coluna sobre alimentos, após estudar a nova pirâmide de alimentos divulgada pelo pessoal das Diretrizes Alimentares dos Estados Unidos (impossível de ser decifrada, mas palmas para aqueles que continuam tentando). Ele recebeu instruções para consumir "2 xícaras de frutas e 2½ xícaras de verduras ao dia". Então, caminhou até o mercado local e comprou (é verdade) 83 ameixas, pêras, pêssegos e maçãs. Revoltado, ele informou que quase o lote inteiro estava "podre, granuloso, sem gosto, sem sumo, ou duro como pedra e se recusava a amadurecer".

Pela data da coluna, isso ocorreu em fevereiro ou março. O senhor morava em Frostburg, Maryland, onde talvez ainda estivesse envolvido profundamente com aquele tal de inverno. Tenho certeza de que ele não achou que ameixas, pêssegos e maçãs, gostosos e amadurecidos na árvore, existiam, prontos para serem colhidos nas hortas dos arredores de... é mesmo, *Frost*-burg (cidade das geadas). Provavelmente, ele nem pensou em "horta" — quantos de nós o fazemos? — na mesma frase que "fruta". Nossas diretrizes alimentícias chegam a nós sem mapas ou direções.

Concentrar-se nas comidas locais significa, inevitavelmente, conceber as frutas como um produto vindo de uma horta e a abóbora de inverno como um fruto de uma fazenda de início de inverno. É uma estratégia que permite manter o dinheiro dos alimentos na vizinhança, onde ele é reciclado nas próprias escolas públicas e no comércio locais. Os espaços verdes que circundam sua cidade continuarão verdes, e os fazendeiros que moram nas redondezas serão incentivados a cultivar mais alimentos no próximo ano, para você. Mas, antes de qualquer coisa, é uma estratégia bem-sucedida para todos aqueles que apreciam uma comida saborosa. O ponto de partida é repensar uma posição que diz respeito apenas superficialmente à privação. Uni-vos, cidadãos dos mundos gelados, e pensai em ignorar as frutas fora de estação: vocês não têm nada a perder a não ser alimentos granulosos, sem sumo, duros e que se recusam a amadurecer.

5

A caça à Molly Mooch

Abril

No ano de 1901, Sanford Webb trouxe 12 cabeças de gado para sua nova fazenda e ficou observando para descobrir onde elas se posicionavam para passar a noite. O lugar por elas escolhido, ele raciocinou, seria o local mais seguro do terreno. Foi lá que ele construiu sua casa, com paredes de tábua, um teto de estanho bem inclinado e uma varanda dianteira feita de pedras de rio. As molduras das portas trabalhadas e os corrimãos dos degraus foram encomendados à Sears, Roebuck. Ele construiu a casa para sua nova noiva, Lizzie, e para as crianças que criariam lá — 11 ao todo — durante os cinqüenta anos que estavam por vir.

Na década de 1980, seus filhos colocaram a propriedade à venda. Eles não gostavam da idéia, mas já haviam estabelecido fazendas próprias antes do falecimento dos pais. Todos já estavam com idade avançada, e nenhum deles em posição de mudar-se de volta para a fazenda e reformar a casa. Decidiram então que ela deveria deixar de ser uma propriedade da família.

Aí é que Steven apareceu e fechou um acordo que selou seu destino. Ele não sabia disso. Ele procurava um lugar barato, que precisasse de reformas, compatível com seu modesto salário de professor, um lugar tranqüilo para morar, onde poderia ouvir o canto dos pássaros e talvez cultivar algumas melancias. Ele era solteiro na época e não estava em busca de uma nova família, mas os Webb — incluindo as irmãs mais novas, que moravam ao lado, agora com mais de setenta anos — decidiram que ele precisava ser mimado. Convites para jantar surgiram. Quando, por fim, Steven formou uma família e trouxe mulher e crianças para a fazenda, fomos acolhidos naquele círculo. Os Webb nunca deixam de nos convidar para as festas de família. Além dos prazeres da amizade e da ajuda com coisas que vão de costurar uma colcha a enlatar alimentos, ganhamos um século inteiro de histórias relacionadas a essa fazenda.

Descobrimos que o lugar tem certa fama local. Sanford Webb era um visionário e mecânico nas horas vagas, que trabalhou como engenheiro civil na ferrovia, mas foi também o primeiro na vizinhança — ou mesmo nessa parte do estado — a inovar com coisas como a energia elétrica doméstica, um moinho de grãos que funcionava a base de um motor a combustão, e refrigeração de frutas dentro de casa. Essa última foi feita ao desviar parte do riacho forte e gelado de forma que ele atravessasse a casa dentro de uma calha de ferro. (Ainda utilizamos uma versão dessa idéia em nossa cozinha para fornecer refrigeração sem energia elétrica.) A criatividade era um traço da família. No quarto de cima, os meninos mais velhos surpreenderam sua mãe uma vez ao carregar para o quarto clandestinamente, uma a uma, todas as peças necessárias para construir, dar partida e fazer funcionar um Ford Modelo T. Esses engenhosos irmãos mais tarde fundaram uma linha aérea regional, a Piedmont Air, e pagavam a sua irmã mais nova, Neta, dez centavos por dia para varrer a pista antes de qualquer aterrissagem.

Sanford também era um visionário em termos de horticultura. Ele mantinha um segundo emprego como vendedor do viveiro Stark, em uma época em que a maneira normal de adquirir árvores frutíferas era pegar uma muda emprestada com um amigo. O sr. Webb propôs aos seus vizinhos a compra de variedades de árvores frutíferas com nomes, já inseridas em porta-enxertos, que gerariam frutas previsíveis e homogêneas. Variedades de maçã como *Stayman's Winesaps*, *Gravensteins* e Transparentes Amarelas (*yellow transparents*) começaram a desabrochar e a se difundir pela região. A cada 16 árvores vendidas pelo sr. Webb, ele recebia uma para ele mesmo plantar. Os lilases, os pessegueiros *prunus* e as rosas de Sharon que ele trouxe para Lily ainda florescem em volta da casa. Assim como uma árvore cítrica pequena e resistente a geadas, denominada laranja de três folhas, uma curiosidade que quase desapareceu em nossa era das laranjas de supermercado. (Conhecemos apenas um viveiro que ainda comercializa essa planta.)

O homem tinha paixão por árvores frutíferas. Em todo o vale, grandes pereiras antigas alcançam agora mais de trinta metros, que geralmente estão escondidas por uma floresta tão fechada que não recebem sol suficiente para gerarem frutas. Porém, ocasionalmente, ao andar pela trilha, sou surpreendida pela queda (e impacto) de uma pêra madura que despencou de uma altura considerável. Desmatamos e capinamos o antigo pomar de macieiras, e ele agora serve para nosso consumo. Sempre cortamos a grama entre as árvores com espaçamento simétrico entre elas e, nos dias quentes de abril, quando as árvores estão floridas, esse é um lugar muito romântico para fazer um piquenique. Enquanto as pétalas brancas caem como agradáveis flocos de neve bem leves, Lily dança em círculos e diz coisas como "Rápido, alguém precisa se casar!". Recentemente, liguei para a companhia de viveiros Stark, no Missouri, para informar-lhes que suas variedades antigas de maçã, com mais de 75 anos de idade, continuavam a produzir na Virgínia. Eles pareceram gostar de saber disso.

Nas tradições da família Webb, quase todo canto dessa fazenda recebeu um nome, ou histórias, ou as duas coisas. Aqui estão o Morro do Pomar de Pêras, o Morro das Frutas Vermelhas e a Garganta do Leite, onde as vacas costumavam cruzar a rua ao voltar para o galpão. Ainda a chamamos de Garganta do Leite, embora nenhuma vaca passe por ela atualmente. Toda fazenda tem sua geografia prática; quando se instrui alguém a fechar o portão, a pessoa precisa saber se é o portão da Garganta do Leite ou o portão do celeiro. Temos a rua do Jardim, a rua do Bosque, o cemitério das Asiminas e o Novo Pomar. E, uma vez por ano, durante alguns dias, temos um local que vai da obscuridade à fama: o Lote do Velho Charley.

O velho Charley era um bode que pertenceu aos Webb há cerca de setenta anos. Como é costume entre os bodes, ele fedia. Por essa razão, foi confinado à encosta de um morro a cerca de oitocentos metros da casa: esse era o Lote do Velho Charley, figurativa e literalmente. Hoje em dia, é apenas um lugar íngreme e pouco visitado, nos fundos de nossa fazenda. Mas, durante uma semana do ano (por motivos não relacionados ao bode, até onde sabemos), é o pote de ouro no final de nosso arco-íris. Tudo que cresce naquela região é comercializado por mais de quarenta dólares o quilo nos mercados urbanos: a iguaria mais fina que chega à nossa mesa.

AS ENCOSTAS MONTANHOSAS DE NOSSA fazenda são cobertas por choupos, faias e carvalhos. Há duas gerações, eram campos abertos, usados para pasto ou arados para plantio. Essa fazenda já produziu tabaco. Ficamos surpresos quando nossos vizinhos olham nossas árvores crescidas e dizem: "Era ali que plantávamos milho. Nosso talhão de tabaco era no cume, onde o sol é mais forte." Encostas tão íngremes como aquelas precisaram ser trabalhadas com a ajuda de mulas e muito esforço manual (um trator rolaria encosta abaixo, como uma pedra), o que é a razão para tanta terra agrícola nas redondezas ter se tornado bosques de árvores. As florestas decíduas do leste da América do Norte agüentam as alterações feitas pelo homem com uma elegância surpreendente. A não ser as devastações causadas pela mineração ou pelo corte de madeira, esse terreno muitas vezes é capaz de recuperar seu aspecto selvagem no decorrer da vida de uma pessoa.

Cultivar uma encosta com a ajuda de mulas tinha lá o seu charme, tenho certeza, mas não é mais uma opção viável na maioria dos casos. A agricultura do sul de Appalachia reduziu-se àquelas partes de terreno que agüentam tratores, ou seja, aos pequenos lotes de terra relativamente plana no fundo dos vales entre encostas íngremes. Dada essa restrição, apenas um cultivo era considerado viável aqui nos últimos cinqüenta anos: o fumo. Quase nenhum outro produto agrícola legal rende um preço por hectare suficientemente alto que permita aos fazendeiros lucrar com terras aráveis tão restritas. Isso, além do clima favorável, tornou o Kentucky e o sudoeste da Virgínia os maiores fornecedores de tabaco Burley do mundo.

Essa planta também funciona bem aqui por razões culturais. Esse é o produto primário com o uso mais intensivo de mão-de-obra ainda existente nos Estados Unidos, sendo tradicionalmente cultivado por famílias estendidas ou comunidades cooperativas. As delicadas mudas de tabaco precisam ser semeadas em canteiros protegidos, depois plantadas à mão no campo e mantidas livres de ervas daninhas. Quando atinge a maturidade, a planta inteira é cortada e apunhalada com um graveto pontiagudo. A colheita inteira precisa ser cuidadosamente pendurada para secar em um celeiro grande, com pé direito alto e bem ventilado. Após as frágeis folhas de fumo secarem ao ar até ficarem marrom-escuro, elas precisam ser removidas manualmente do caule, embaladas e enviadas às casas de leilão.

Nas fazendas planas e largas do Iowa, uma pessoa com um trator é capaz de cultivar milho suficiente para alimentar mais de cem pessoas. Contudo, nos vales estreitos de Appalachia, são necessários muitos braços para viabilizar o sustento de uma única pessoa, e apenas se um produto de alto valor for cultivado. Se a mesma reduzida área cultivável fosse plantada com milho, dificilmente geraria uma renda suficiente para pagar o imposto territorial. Por essa razão, embora as pequenas fazendas de família tenham se transformado em outros locais, elas sobrevivem como um meio de vida no cinturão do tabaco. A economia do fumo deixa uma marca indelével na aparência do local — a arquitetura espaçosa dos celeiros, o tamanho reduzido das fazendas — e no estilo de vida de um condado, onde as pessoas são induzidas a se conhecer e a depender umas das outras. Isso se traduz no tipo de lugar onde, ao ir receber o diploma de formatura do ensino médio, cada pessoa na platéia conhece o nome e a capacidade de trabalho do diplomado. O tabaco estabelece inclusive a data da formatura, uma vez que o início e o fim do ano escolar precisam levar em conta a época do plantio na primavera e a do corte no outono.

Esse foi o contexto de minha infância: cresci em um condado produtor de tabaco. Ninguém na minha família fumava, exceto minha avó, que fumava um cigarro toda tarde, precisasse ela ou não, até o dia em que decidiu parar, aos noventa anos. Mas sabíamos o que o fumo representava em nossas vidas. Ele pagava por nossos professores e para asfaltar as estradas. Era o aroma doce do sótão do celeiro onde eu me escondia e lia livros nas tardes de verão; era o pó marrom que grudava em nossos jeans após passar a tarde brincando nos depósitos antigos. Foi a razão pela qual meu primeiro encontro teve que acabar mais cedo em uma noite de sexta-feira: ele precisava acordar cedo no sábado para trabalhar com tabaco. Os meus contemporâneos que fizeram faculdade chegaram lá graças ao fumo. Eu também, já que minha família não poderia ter se sustentado sem as outras economias domésticas que dependiam do tabaco.

Dessa sociedade, entrei em um mundo onde, para minha surpresa, o *fazendeiro* era considerado um sinônimo de *caipira*, e o tabaco era a nova varíola. Lembro-me, certa vez, de estar na cozinha de um conhecido que dava uma festa universitária — uma daquelas reuniões com muita conversa e pessoas totalmente esclarecidas — ouvindo todos os presentes concordarem com a verdade óbvia sobre o fumo: deveria ser eliminado desse planeta e de todos os outros.

Imprudentemente, eu disse:

— Mas, e os fazendeiros de tabaco?

Era como se eu tivesse me declarado a favor da pornografia infantil. Alguém perguntou:

— Por que eu deveria me importar com os fazendeiros de tabaco?

Ainda luto para encontrar a resposta para essa pergunta. Sim, conheço pessoas que morreram desejando nunca terem visto um cigarro. Sim, é uma planta cancerígena, depois que uma longa fila de pessoas (em etapas posteriores à do produtor) a alteram especificamente e abusam dela. Sim, é necessário usar produtos químicos para evitar o mofo nas folhas. *E* ela paga a universidade de certas pessoas. Viabiliza o pagamento de hipotecas, compra sapatos e paga a conta de consultas médicas. Permite às pessoas viverem com suas famílias e apertar as mãos do vizinho em um dos lugares mais verdes e mais agradáveis do mundo inteiro. O fumo está em declínio como cultivo nos Estados Unidos, e isso deve ser um sinal de inteligência cívica, mas há também uma morte cultural quando todos que o cultivavam precisaram fazer as malas, encontrar um apartamento em algum lugar e trabalhar em uma fábrica. Qual é o valor da agricultura familiar?

A maioria dos plantadores de fumo gostaria de cultivar outra coisa. De agora em diante, serão forçados a fazer isso. Os programas federais de apoio aos preços, que protegeram a rentabilidade do fumo desde a Grande Depressão, acabaram oficialmente em 2005. Os serviços de extensão rural e as universidades de agronomia em toda a região se anteciparam ao prazo em mais de vinte anos, na esperança de encontrar outra cultura de alto valor para substituir o tabaco. Ninguém claramente bem-sucedido surgiu até agora. Nos meus tempos de ensino médio, a família de uma de minhas melhores amigas resolveu plantar pimentões, era a grande moda na época. Eles perderam um ano inteiro de renda quando as promessas de mercados consumidores não se materializaram. Ainda sinto um nó na garganta ao lembrar o dia em que seu talhão de lindos pimentões, representando meses de trabalho da família e um ano de sustento, teve que ser arado de volta à terra, mais valiosos, ao final das contas, como adubo orgânico do que como qualquer outra coisa. Se as pessoas pelo mundo afora estão iradas com os danos do fumo aos humanos, por que elas não se preocupam o suficiente — e pagam o suficiente — para cobrir os custos de cultivar hortaliças? Eu dato daquele instante minha consciência de como o nosso sistema de produção de alimentos é irracional, e como são minúsculas as chances do agricultor.

A busca por uma boa cultura substituta ainda continua. Mas agora que os modestos subsídios aos preços acabaram, os fazendeiros da terra do fumo têm apenas um ou dois anos para descobrir o que fazer para continuar em suas propriedades. As hortaliças são um cultivo de alto valor, sobretudo se forem orgânicas, mas apenas em áreas onde existe uma boa demanda por esse tipo de produto e uma infra-estrutura adequada para entregar mercadorias perecíveis a esses mercados. O tomate mais lindo do mundo não vale nada se não puder ser colocado na sacola de compras de um consumidor em um prazo inferior a cinco dias. Os mercados e a infra-estrutura dependem de consumidores que, pelo menos de vez em quando, escolham comidas produzidas localmente e estejam dispostos a pagar preços acima do mercado.

Em meu condado, duas das melhores experiências até hoje na substituição do tabaco são as hortaliças orgânicas e o corte de madeira sustentável. Um programa em nossa região oferece aos agricultores assessoria especializada para criar planos de gestão para as encostas arborizadas que costumam ocupar uma área muito grande das fazendas locais. As árvores maduras podem ser retiradas com cuidado nessas plantações, de maneira que deixem os bosques saudáveis e capazes de produzir de forma sustentável. As toras são cortadas, secas em fornalhas e vendidas a compradores regionais que buscam alternativas à teca vinda de florestas tropicais ou à sequóia canadense, ambas cortadas em massa. Quando precisamos de novos pisos de carvalho em nossa casa de fazenda, conseguimos comprá-lo da plantação florestal de um amigo e vizinho. Nenhum fazendeiro é capaz de se sustentar apenas com isso, mas as fazendas de família tradicionalmente dependem, para sua sobrevivência, de uma diversidade de culturas.

Programas experimentais como esse, embora novos e pequenos, são importantes pela maneira com que viram de cabeça para baixo um certo paradigma econômico. O debate político nos Estados Unidos insiste em considerar o sucesso econômico e a saúde ambiental como dois inimigos, sempre em conflito. Cortadores de madeira ou corujas? Pessoas ou áreas verdes? O antagonismo presumido entre o "Homem" e a "Natureza" está profundamente enraizado em nossa política, cultura, literatura infantil (a avó de Chapeuzinho Vermelho ou o lobo mau?) e talvez até em nossos genes. Mas a agricultura, quando bem praticada, otimiza a saúde econômica e ambiental ao mesmo tempo. Uma estratégia que maximiza qualquer um dos dois à custa do outro é uma definição razoável de uma *má* agricultura. A recente popularização da agricultura que diminui a fertilidade do solo não muda essa verdade: o que toda família de fazendeiros almeja é a sustentabilidade, a capacidade de tirar produção do mesmo lote de terra ano após ano.

As parcerias bem-sucedidas entre pessoas e seus *habitats* foram, no passado, a marca de uma cultura saudável. Após um hiato com profundas conseqüências sobre a condição do solo, essa idéia pode estar recuperando o lustre que anteriormente possuía.

Tamanho é documento?

O que é mais produtivo do ponto de vista econômico: pequenas fazendas familiares ou grandes fazendas industriais? A maioria das pessoas supõe já saber a resposta e chega a uma conclusão quase que unânime: que os pequenos fazendeiros estão basicamente destinados ao fracasso, são ineficientes, embora suas operações sejam provavelmente mais responsáveis, do ponto de vista ambiental, sustentáveis e diversificadas, além de terem melhores vínculos com suas comunidades do que as grandes fazendas. Mas a questão central não seria o lucro?

Se for esse o caso, então as fazendas pequenas também são vencedoras disparadas nesse quesito. De acordo com registros do Departamento de Agricultura dos EUA referentes à década de 1990, as fazendas com área inferior a dois hectares tinham uma renda líquida média de três mil dólares por hectare. O lucro por hectare cai gradualmente à medida que aumenta o tamanho da propriedade, até chegar a menos de oitenta dólares por hectare nas fazendas com mais de quinhentos hectares. As fazendas menores maximizam a produtividade de três maneiras: ao usar cada metro quadrado de terra mais intensamente, ao cultivar uma variedade mais diversa de produtos compatíveis com as preferências alimentares locais e ao vender aos consumidores de forma mais direta, fazendo jus a uma fatia maior do lucro líquido. Os lucros das pequenas fazendas têm maior chance de se sustentar ao longo do tempo também, já que esses fazendeiros tendem a cuidar melhor da terra, usando menos insumos químicos, causando menos erosão do solo e conservando mais habitats para a vida selvagem.

Se menor é melhor, do ponto de vista econômico, por que os pequenos estão saindo do negócio? Além de serem mais intensivos no uso de mão-de-obra, o principal problema é a comercialização. Os supermercados preferem não lidar com caixotes de hortaliças quando podem comprar caminhões inteiros. Os pequenos produtores precisam ser agricultores e comerciantes ao mesmo tempo e vender seus produtos em quantidades pequenas. Eles fazem tudo certo, necessitam apenas de clientes.

As pesquisas sobre preferências alimentares mostram que a maioria dos consumidores está disposta a pagar mais por comida produzida localmente em pequenas fazendas familiares. O próximo passo, transformar essa preferência em hábitos de efetivo consumo, pode representar a salvação ou o fim da tradição agrícola dos Estados Unidos.

Para obter mais informações, visite www.nffc.net.

Steven L. Hopp

Os habitantes do sul de Appalachia têm uma longa tradição popular de usar as florestas de forma criativa e de conhecê-las intimamente. As fontes de sustento mais caricaturais são, sem dúvida, os alambiques ilegais ainda escondidos no fundo dos vales, mas isso não diz respeito tanto às florestas, mas sim às fazendas; a bebida destilada foi no passado a maneira mais prática de se armazenar, transportar e agregar valor às pequenas colheitas de milho da região.

Essas colinas têm outros segredos. Um deles é um primo pequeno e exuberante do alho conhecido como *ramp*. As mães appalachianas costumavam encarar esses pequenos bulbos como um tônico primaveril precioso — que as crianças em idade escolar tomavam de bom grado porque as tornava tão fedorentas que eram barradas na porta da escola por vários dias. Por razões que ainda não estão muito claras para os visitantes, o *ramp* ainda é valorizado por aqueles que sabem onde achá-lo nos primeiros dias da primavera. Seu surgimento provoca festivais jubilosos e fedorentos da planta em toda a região.

O ginseng, outra curiosidade botânica da Appalachia, é procurado e desenterrado por causa de suas raízes, que são vendidas a preços altíssimos para consumidores do outro lado do mundo. Os caçadores de "sang" sabem onde procurá-lo, e gostam de preservar seus segredos. Como também o fazem os caçadores de Molly Mooch, e se você acha que nunca ouviu falar nisso, apenas desconhece o código. A Molly Mooch é uma morácea.

A variedade de cogumelo Morchella contém alguns dos mais valorizados fungos silvestres comestíveis existentes. As moráceas brotam na primavera e, só para alertá-los sobre a situação dos cogumelos silvestres, elas contêm hemolisinas tóxicas que destroem os glóbulos vermelhos — produtos químicos que se tornam inofensivos quando cozidos. (É só não comê-las cruas.) Seus parentes próximos, os *Gyromitra*, são veneno puro, mas as moráceas comestíveis têm uma aparência tão diferente de qualquer outra coisa que as tornam fáceis de serem colhidas, até por amantes novatos dos cogumelos, como eu. Seus singulares píleos altos são arredondados e enrugados com manchas parecidas às de uma girafa — únicas entre os cogumelos. Aqui, nas florestas mais ao leste, temos a tulipa negra comum, moráceas brancas, e uma pequena prima mal afortunada que tem o nome (me perdoem) de *Dog Pecker* [Pênis de Cachorro]. Todas são comestíveis, exceto essa última. Elas têm uma ecologia e época de florescimento tão similares que algumas vezes conseguimos colher diversos tipos em um mesmo dia e nas mesmas áreas cobertas de árvores. Já as vi serem chamadas de Molly Mooch, cogumelos esponja, palheiros, peixes de terra seca e cabeças de cobra. Apesar da diversidade de nomenclatura, todos concordam que elas são deliciosas.

Os cogumelos silvestres são um dos poucos alimentos ainda consumidos pelos habitantes da América do Norte que precisam ser caçados e coletados. Alguns fungos são cultivados em fazenda, mas os exóticos, como a morácea, resistem a todas as tentativas de domesticação. Talvez isso seja uma das razões pelas quais os amamos. "Com seus sabores e aromas complexos, que lembram a floresta e a terra, e suas cores e formas ricas e primitivas", escreve Alice Waters, os cogumelos selvagens trazem para nossas cozinhas "um lembrete de que todos os lugares em que vivemos já foram selvagens um dia". São também incrivelmente difíceis de serem encontrados, muito eficientes em se fazerem parecer exatamente iguais a uma pequena pilha de folhas marrons mortas e enroladas no chão da floresta. Em meus primeiros dias de busca às Molly Mooches, eu era capaz de ficar em pé em cima de uma delas sem ao menos notá-la, até que alguém me alertasse. Elas são criteriosas e misteriosas com relação ao lugar onde crescem, a saber, em antigos pomares de macieiras, segundo alguns; enquanto outros insistem que elas surgem apenas em volta das raízes de tulipeiros, ou olmos moribundos. Seja qual for seu segredo, as Molly Mooches o conhecem, pois tendem a aparecer nos mesmos locais ano após ano.

Em nossa fazenda, poderíamos ter vasculhado os bosques pelo resto de nossas vidas sem encontrar uma, já que elas não crescem perto de nossos caminhos ou trilhas, nunca apareceram em nosso antigo pomar de macieiras e não aparecem em nenhum dos lugares que costumamos freqüentar. Onde elas realmente crescem é no Lote do Velho Charley. Sabemos disso apenas porque nossos amigos que cresceram na fazenda nos mostraram onde procurar. Esse tipo de conhecimento se perde quando as pessoas precisam largar suas terras. Os agricultores não são apenas técnicos pitorescos. São bancos de memórias, humanos simbiontes com a terra.

Minha família foi então encarregada de guardar a história secreta de um bode, um local e um cogumelo. Assim como nossa promessa de nos alimentar localmente havia nos empurrado em direção à feira de fazendeiros no sábado anterior, também nos empurrou pela porta dos fundos na chuvosa e fria segunda-feira seguinte. Aqui, as moráceas surgem no primeiro dia quente após uma chuva forte de meados de abril. É fácil se preocupar com a vida e perder a oportunidade, ou ignorá-la em favor do conforto preguiçoso de uma despensa cheia. Em abril desse ano, nossa despensa estava extremamente vazia, parcialmente por essa razão específica — nos forçar a prestar mais atenção a coisas como as moráceas. Steven chegou de suas aulas, vestiu jeans e botas e se dirigiu ao Lote do Velho Charley com uma bolsa de rede na mão. A ética dos cogumelos exige uma bolsa de rede para coletá-los, para que os esporos possam se espalhar enquanto você volta para casa com sua mercadoria.

Nenhuma mercadoria foi trazida naquele dia. Tínhamos consciência de que ainda estava frio demais. Havia nevado no dia anterior. Mas nossa motivação era ainda maior do que a habitual, então, na terça-feira, quando o clima melhorou um pouco, Steven saiu novamente. Naquela primavera, eu ainda me recuperava de uma fratura na perna e não conseguia subir a encosta íngreme e escorregadia, por isso fiquei limitada ao papel feminino de esperar o retorno do Homem Caçador. Passada uma hora, fiz jus ao costume feminino de me preocupar com a possibilidade de ele ter caído em um sumidouro. Mas não, ele finalmente voltou dos bosques, com as mãos vazias, mas ileso. Ele estava apenas sendo meticuloso em sua busca.

Na quarta-feira, Steven saiu novamente e entrou porta adentro com um ar ostensivo de conquista. Triunfantemente, levantou a bolsa de rede: algumas dezenas de moráceas perfeitas, em um tom de castanho claro. Não era uma colheita muito grande, mas era o bastante. Até o fim de semana, chegariam mais e mais, o suficiente para elas serem compartilhadas com os vizinhos. Sorri e fui até a geladeira. Um pouco antes, tinha ido ao jardim e retornado com meu prêmio disposto sobre o antebraço, duas dezenas de rosas de hastes compridas, nossa colheita de aspargos mais espetacular de todos os tempos.

Colocamos as *Mollies* em uma tigela de água salgada para enxaguar por um breve intervalo antes de cozinhá-las. Não sei bem a razão, mas todos os nossos amigos caçadores de cogumelos recomendam que façamos isso com as moráceas, e não serei eu quem vai discordar de fanáticos por cogumelos que têm a vantagem de ainda estarem vivos. Sentei à mesa da cozinha com o glorioso livro de receitas de Deborah Madison intitulado *Local Flavors* [Sabores Locais], que parte da premissa de que, em qualquer semana do ano, é possível, de muito perto de sua casa, produzir a melhor refeição de sua vida. As palavras de Deborah são verdadeiras. Fizemos seu "Pudim de pão com aspargos e cogumelos silvestres" para um fantástico jantar de quarta-feira, seduzidos pelo cheiro mesmo antes de tirá-lo do forno. Havia eu me preocupado com o fato de que cortar o cordão umbilical industrial nos levaria à fome? Dê-me essa privação, qualquer dia da semana.

NO SÁBADO, O CLIMA CONTINUAVA bastante frio e com muito vento. Tirei minhas sementes de batata do local onde estavam guardadas para conferir seu estado. Sua aparência não era muito atraente: gravemente enfermas, nos sacos de papel, onde haviam sido guardadas desde o outono, estavam enviando brotos longos, brancos e exploratórios para a escuridão da gaveta inferior da geladeira.

Decidimos, para o bem delas, que o vento já secara o solo o suficiente para que pudéssemos arar o canteiro de batatas com o trator. Algumas semanas antes, tentamos fazer isso cedo demais, e o solo excessivamente úmido atrás do trator se transformou em longos rolos de torrões de terra grossos e lamacentos, impossíveis de serem trabalhados. Hoje, o solo ainda estava um pouco aglomerado demais para ser chamado de perfeito, mas "perfeito" não é a moeda da agricultura. Acompanhei o arado, quebrando os torrões com uma pesada enxada de vinhas italiana, o único equipamento do qual dependo para manter a minha forma física e, às vezes, para fazer terapia. Abrimos três fileiras fundas, cada uma com cerca de trinta metros de comprimento, nas quais seriam depositadas nossas sementes de batata. Isso pode parecer muito para uma família, mas não é. Damos algumas de presente e guardamos algumas para serem as sementes do ano seguinte, mas comemos a maioria: batatas frescas no verão inteiro, miúdas no outono, as grandes índigo e as Douradas de Yukon para serem assadas durante todo o inverno. Do meu ponto de vista, a segurança da nação deriva de um suprimento adequado de batatas.

Nesse mesmo dia, jogamos ervilhas em sulcos, plantamos cenouras e inserimos mais dos brócolis que plantávamos em série desde meados de março. Minhas cebolas em miniatura (duzentas delas) estavam prontas, então coloquei as mudas, do tamanho de vagens, em fileiras ao longo da bordadura fria e úmida do talhão superior: Stocktons Vermelhos, Doces Amarelos, Torpedos e um favorito de origem italiana, chato e pequeno, denominado *Borretana cipollini*. Estava tentando antecipar as necessidades da família, levando em conta que não compraria hortaliças do mercado no inverno seguinte. Duas cebolas por semana parecia razoável.

As plantações de cebola agüentam uma geada leve e, por isso, não precisam aguardar a segurança completa do final da primavera. No entanto, são extremamente sensíveis à duração do dia: as cebolas de "dias curtos", como as Vidalias, plantadas no outono no extremo sul, têm um despertador interno que as faz virarem bulbos gordos quando a duração do dia atinge cerca de dez horas, por volta de maio. Em contraste, as cebolas de "dias longos" são plantadas na primavera, no norte, logo que o solo degela para que cresçam a ponto de se tornarem bulbos de um tamanho decente quando conclamadas lá pelos dias de 15 horas do alto verão nas latitudes meridionais. Se você não se dava conta de que os cultivadores de cebola precisam desse grau de conhecimento científico a respeito das variedades a serem plantadas, isso é apenas o começo. Eles também são obrigados por lei a estarem estabelecidos em uma área que compreenda 17 condados centrados em Vidalia, Geórgia, se quiserem vender uma cebola Vidalia, ou na região de Walla Walla, Washington, se quiserem imprimir "Doces de Walla Walla" na embalagem. Os vinicultores franceses não são os únicos agricultores que sabem comercializar as sutilezas de solo e clima, aquelas coisas que se traduzem em um sabor especificamente regional denominado *terroir*. O sabor de uma cebola, como aquele de uma uva de vinho, é influenciado pelo clima, pela composição química do solo e até pelos micróbios. Isso é, ou seria, certamente verdadeiro no caso de outras hortaliças se conhecêssemos nossos próprios sabores locais suficientemente bem a ponto de reconhecê-los.

As primeiras hortaliças a serem plantadas são cebolas, batatas, ervilhas e as culturas de variedades da couve (brócolis, couve-flor, couve, repolho e couve-de-bruxelas são todos do mesmo gênero e espécie). Todas elas crescem bem no clima fresco e não se importam com algumas semanas de geada, ou até mesmo com a neve em suas cabeças. Os brotos de brócolis começam a se mostrar acima de suas folhas nos últimos dias frescos de maio. No mesmo clima, ervilhas trepadeiras sobem em treliças com uma velocidade impressionante e produzem suas favas. Junto com batatas róseas e cebolinhas tiradas precocemente do canteiro, essas serão as primeiras recompensas do jardim, junto com aspargos, espinafre resistente ao frio e outras verduras de salada. As pessoas que não têm uma horta não precisam se privar desses prazeres. Na maior parte do país, as feiras de fazendeiros começam a funcionar em abril ou no começo de maio. Sobretudo no Nordeste, os agricultores comerciais sabem bem como esticar as estações pelo uso de abrigos, de modo que esses tesouros chegam cedo às suas barracas, em quantidades limitadas que são adquiridas pelos que cedo madrugam.

Se você criar uma imagem da "hortaliçanual" imaginária, você verá que estas são os rebentos mais precoces de crescimento anual — folhas, brotos e botões — complementados com a primeira produção extraída das raízes armazenadas durante o inverno. Os compradores acostumados aos mercados hortifrúti podem querer ver apenas os produtos vistosos, tais como os produtos do meio de verão: tomates, berinjelas e abóboras grandes e disformes. No entanto, muitas semanas antes dessa grande mudança, prazeres sutis começam a surgir através do frio, aparecendo e desaparecendo rapidamente, caso não se esteja preparado. Ofereço a vocês o mesmo conselho que incluo em minhas orientações para chegar à nossa pequena vila: Não pisque. Você passará sem nos ver.

Aproveite enquanto ainda está disponível

Por Camille

Quando nossa família iniciou o projeto de comida local, fiquei intimidada. Muito irônico, pensei: enquanto a maioria dos pais está insistindo com os filhos para comerem mais verduras e frutas, minha irmã e eu fomos informadas de que precisamos abrir mão do prazer suculento de pêras ou pêssegos frescos durante o inverno inteiro. Tentei imaginar como sobreviveria aos meses em que maçãs, ameixas e morangos de primavera parecem estar a anos-luz de distância. Isso pode soar dramático, mas minha comida favorita são as frutas.

Fui forçada a me virar. O primeiro passo, e o mais fácil, foi fazer compras. Ao examinar a feira de fazendeiros em busca de hortaliças frescas, as opções eram claras. Não se sente nenhuma falta do que *não* está lá, como o cereal matutino estrategicamente colocado, na altura do olhar de uma criança de terceira série, perto do caixa. Nenhuma criança berrando ou tablóides escandalosos (Meu Deus... o casal Brangelina — Brad Pitt e Angelina Jolie — realmente se separou?!). Apenas coisas maravilhosas e frescas para comer. À medida que as estações mudam, frutas e verduras diferentes vêm e vão, então, na qualidade de comprador, é preciso adotar a mentalidade do aproveitar-enquanto-ainda-está-disponível.

Os primeiros morangos apareceram em nossa feira de fazendeiros no final da primavera, num dia em que parei lá, sozinha, ao voltar para casa vindo de uma aula matutina. Quando vi os caixotes gigantes de morangos empilhados na caçamba do caminhão de um fazendeiro, não perdi um segundo fazendo a mim mesma as perguntas que eu faria em um mercado convencional: "Ahã, estou mesmo com vontade de comer morangos hoje? Eles estão muito caros? Eles vão mofar assim que chegarmos a casa?" Passei batida pelos outros compradores que vagavam por lá e comprei um cesto inteiro. Dirigi para casa sonhando com as receitas que poderia fazer com os morangos que acabara de comprar.

O segredo para consumir hortaliças o bastante e obter os benefícios nutricionais máximos é planejar as refeições em torno do que está disponível. Isso abre espaço para usar a criatividade na cozinha e experimentar coisas novas, como abobrinhas recheadas. Quantas receitas de espinafre diferentes podemos comer, na mesma semana, sem enjoar? Quando se trabalha com ingredientes frescos, a resposta é: *muitas*! A variedade vem automaticamente, enquanto você come toneladas de verduras folhosas em abril, esse volume logo cai, dando lugar ao brócolis que em pouco tempo se torna a hortaliça verde-escura preferida. Não há tempo para ficar enjoado de alguma comida específica, e as necessidades nutritivas são supridas. Não é preciso medir exaustivamente cada quarto de xícara de passas e cada meia xícara de pimentão picado.

É impossível enjoar de duas coisas: aspargos e moráceas, pois nenhum dos dois dura muito. Se quiser comê-los em um único dia de abril, você irá se esquecer totalmente dos pêssegos e fará esta receita de *Local Flavor*, escrita por Deborah Madison.

PUDIM DE PÃO COM ASPARGOS E COGUMELOS SILVESTRES

3 xícaras de leite

1 xícara de cebolinhas com brotos verdes

Acrescente as cebolinhas ao leite, em uma panela, e ferva; retire do fogo e coloque de lado para saturar.

Um pão de forma multigrão passado ou torrado, quebrado em pedaços do tamanho de um *crouton*

Despeje leite sobre os pedaços de pão e deixe-os absorvê-lo.

½ quilo de aspargos

Corte em pedaços de 1,5cm e ferva em fogo brando até ficarem verdes brilhantes.

2 colheres de sopa de manteiga

½ quilo de moráceas (ou outro cogumelo silvestre)

Sal e pimenta a gosto

Derreta a manteiga em uma frigideira, cozinhe os cogumelos até ficarem macios, acrescente sal e pimenta e reserve.

4 ovos

$^{1}/_{3}$ xícara de salsa picada

3 colheres de sopa de orégano

3 xícaras de queijo suíço ralado

Quebre os ovos e bata até ficarem uniformes, acrescente ervas e bastante sal e pimenta, acrescente pedaços de pão com o leite remanescente, os aspargos, os cogumelos e seus sucos e $^{2}/_{3}$ do queijo. Misture meticulosamente e despeje em uma panela de assar medindo 20 por 30cm; salpique o queijo restante por cima e asse a 175ºC durante cerca de 45 minutos (até dourar e ficar encorpado).

Baixe da internet essa e todas as receitas do livro em www.animalvegetablemiracle.com.

6

Os pássaros e as abelhas

Um dos meus contos favoritos é "Porque moro nos Correios", de Eudora Welty. É uma sátira cômica perfeita sobre um certo estado de espírito da vida familiar que estimula minha fantasia particular de algum dia vir a morar nos Correios dos Estados Unidos. Se as outras pessoas não compartilham dessa ambição, é porque elas não tiveram a sorte que eu tive. A última em uma série de agentes dos Correios com quem mantenho uma relação de estima é Anne, a gerente de todos os assuntos postais em nossa pequena vila — todo o trabalho sendo realizado em uma área igual à de uma garagem para dois carros. Quando nos mudamos, aluguei uma de suas maiores caixas-postais para as minhas correspondências de escritora, pedindo desculpas antecipadas pelo volume pesado com o qual eles teriam de lidar. Anne e seus colegas insistiram que o prazer era todo deles. Temos sorte de ainda haver uma agência dos correios em nossa pequena vila, eles me explicaram. O governo mede o volume de correspondência manipulado, e se ele for baixo demais, a agência é fechada.

— Aposto que você recebe um monte de coisas interessantes pelo correio — especularam eles.

Pensei comigo mesma: "vocês não têm idéia."

Então apresentei três documentos de identificação para provar que era suficientemente cidadã para alugar uma caixa-postal no estado de Virgínia, e desde então me pergunto se eles não se arrependeram. Recebo presentes surpreendentes pelos Correios: um banjo fabricado artesanalmente, com latas de refrigerante, por um homem que achou que eu precisava de um. (Assim como, na opinião dele, o ex-presidente Carter.) Trabalhos escolares. Quadros de pessoas imaginárias. Uma quantidade de livros maior do que a que foi perdida no incêndio da biblioteca de Alexandria. Anne pareceu despreocupada na manhã em que ligou para dizer que era melhor eu ir pegar o que havia chegado, porque estava "fazendo um barulho danado".

Talvez em lugares como Hollywood, Califórnia, os funcionários dos Correios fiquem inquietos ao pesar pacotes e vender selos enquanto 28 pintos gritam em suas orelhas direitas e quatro caixotes de insetos zumbem nas esquerdas. Aqui não tem nada disso. Eles simplesmente sorriram quando eu e Lily entramos. Os insetos não eram nossos, mas Anne convidou Lily para examiná-los mesmo assim.

— Passe para trás do balcão, querida, dê uma olhada nessas abelhas. O mel já começa a escorrer.

Abelhas? Normal, nada como um dia após o outro em nossa agência de correios. E eu que me julgava uma cliente com necessidades especiais; vivendo e aprendendo.

Lily se aproximou dos caixotes de abelhas, tentando enxergar as massas vibrantes de abelhas operárias zumbindo contra as laterais de tela metálica dos caixotes. A substância pegajosa que pingava era, na verdade, água açucarada enviada para sustentar as abelhas durante sua viagem. Embaixo dos grupos agitados de operárias, ficam sentadas as abelhas rainhas com seus enormes traseiros, cada uma cuidadosamente encapsulada em sua câmara especial. Essas damas bundudas eram rainhas substitutas, encomendadas de uma grande fornecedora de abelhas por apicultores locais, para dar partida a colméias cujas rainhas anteriores haviam morrido ou eram de alguma forma inadequadas.

Mas Lily rapidamente se virou para a caixa onde *seu* nome estava escrito: uma pequena caixa de papelão, própria para envio pelo correio, com pequenos buracos em todos os lados e 28 vozes exclamando de dentro: o barulho de uma turma inteira do curso de alfabetização espremida em uma caixa de sapatos. Lily pegou a caixa e começou a cantar suavemente, como se fosse uma mãe com um bebê. Isso era o início do galinheiro que ela planejava há meses e do qual cuidará, presumo, até o dia de seu ingresso na universidade. Por já saber que os pintos chegariam essa manhã, autorizei-a a faltar à escola para esperar o telefonema. Ela não tinha certeza se o diretor consideraria isso uma ausência justificada. Assegurei a ela que era uma responsabilidade suficientemente grande para justificar a perda de algumas horas de aula. Mal sabia eu que as caixas com abelhas e pintos serviriam de pretexto para uma verdadeira aula sobre sexualidade e reprodução.

Após levá-los para casa, tirar os 28 pintos da pequena caixa e iniciar cada um em uma nova vida sob seus cuidados, Lily estava pronta para voltar à escola. Quando ela se apresentou na sala do diretor, a secretária solicitou a razão do atraso. Lily ajeitou sua postura e disse:

— Comecei minha própria granja esta manhã.

A secretária tomou nota, sem pestanejar.

— Ah, entendi, agricultura. — E digitou o código para "Falta justificada, agricultura". Mais um dia na escola de ensino fundamental em que a educação é oferecida em formatos diversificados.

EU JÁ SABIA O QUE nos esperava quando os pintos chegaram a nossa casa. Já havia passado pelas mesmas etapas uma semana antes com meu próprio projeto granjeiro: 15 pequenos perus. Após retirar cada um de sua caixa, eles saíram em disparada, prontos para explorar o caixote forrado de jornal que eu preparara na garagem. Imediatamente, começaram a atacar cada vírgula e ponto final que encontravam. Esses bebês estavam com fome, o que significava que haviam nascido havia dois dias. Os pintos novos não precisam comer ou beber nas primeiras 48 horas de vida, já que nascem com uma margem de segurança chamada de albumina — a gema do ovo absorvida pelo intestino do pinto logo antes de ele nascer. Essa adaptação é útil para aves, como as galinhas e os perus, que precisam se levantar e sair andando logo que nascem, seguindo a mãe em busca de algo para comer. (Outros filhotes de ave moram em um ninho durante as primeiras semanas, esperando um dos pais fazer uma entrega em domicílio.) Os pintos que acabam de nascer podem, com segurança, ser colocados diretamente em uma caixa logo após saírem do ovo e ser enviados a qualquer lugar aonde possam chegar em até dois dias. Algumas entidades de proteção aos animais questionam essa prática, mas os pintos de encomenda postal, oriundos de criadouros reconhecidos, têm uma taxa de sobrevivência de quase 100%.

Antes de a caixa ser aberta e a luminosidade entrar, os pintos devem ter presumido que estavam passando seus dois últimos dias de incubação em um ovo comunitário gigante. Agora estavam soltos, e suas barrigas vazias gritavam "Chegou a hora!" Joguei um pouco de ração no fundo da caixa. Alguns dos menos espertos deixaram a comida de lado para que pudessem continuar a bicar as atraentes letras de jornal. Bem, nós não os criamos pela inteligência. Enchi um recipiente raso com água e os ensinei a beber, o que eles não sabem fazer ao nascer. Eles nascem, é bem verdade, sabendo boa parte do quase nada que o cérebro do peru consegue entender, mas, a essa altura, sua falta de inteligência era adorável. Peguei cada um deles e molhei seus bicos na água. Logo, eles entenderam e aí virou moda a nova prática de beber água, à medida que todos os pintos de uma só vez lutavam para conseguir enfiar o bico no recipiente. Depois, começaram a bicar tudo que era brilhoso, inclusive meu relógio de pulso.

De tempos em tempos, um pinto sucumbia à tentação de tirar uma rápida soneca. Cambaleante como um bêbado sob o brilho aconchegante da lâmpada de crescimento, fechava os olhos e caía para o lado, com os pés e asinhas esticadas. Mais pintos caíam no sono até formar uma pilha, enquanto os outros escalavam o monte felpudo em uma corrida frenética para chegar a lugar algum.

Ainda bem que eles não ficam adoráveis desse jeito para sempre. Eu já criei perus antes, e o fator mimoso foi uma grande preocupação no início. Quando eles presumiram que eu era sua mãe e vinham alegremente me cumprimentar toda vez que eu chegava, me sentia a própria Cruela Cruel. Inevitavelmente, no entanto, esses bichinhos adoráveis se transformam em outra coisa ao crescer. Os bebês perdem sua penugem e desenvolvem uma plumagem adulta rígida, de forma que, quando chegasse o Dia de Ação de Graças, seriam umas feras — no caso dos machos, criaturas movidas a testosterona que andam com um ar arrogante e atacam qualquer coisa que possa ser uma perua (ou seja, tudo que mexe). Com o passar do tempo, a própria natureza do peru nos incentivou a realizar a tarefa de transferi-los do quintal para o freezer. Essa pequena caixa de sapatos cheia de penugem, adicionada de grãos, grama e tempo, aumentaria em cem quilos nossa provisão de comida do ano.

Não posso afirmar que eu tenha sido emocionalmente neutra quando peguei essas criaturas em minhas mãos, meus dedos registrando a suave penugem e os vulneráveis batimentos cardíacos. Senti-me maternal, ao mesmo tempo que procurava me focar no verdadeiro propósito desse exercício. Esses pintinhos não eram bichos de estimação. Sei que se trata de um ponto controverso, mas nossa família havia decidido que, se fôssemos comer de *tudo*, incluindo carne, seríamos participantes mais responsáveis de nossa cadeia alimentar caso pudéssemos participar das etapas necessárias para trazer a comida até a mesa. Já sabíamos que muitos seres precisavam morrer para que nós pudéssemos viver: animais, hortaliças, os escaravelhos que arrancamos de nossos feijões trepadores e esmagamos com os pés, as ervas daninhas que tiramos das plantações de batata. As plantas têm uma vantagem cármica de criar seu próprio alimento do ar puro e da luz solar, enquanto nós, animais, na falta de clorofila em nossa pele, precisamos comer, diariamente, coisas que já tiveram vida um dia. Você pode deixar a matança para outros e fingir que isso nunca aconteceu, ou pode encará-la bem de frente e reconhecê-la. Nunca me sentiria confortável se tivesse de tomar essa decisão por outra pessoa, mas nós havíamos aprovado uma estratégia de dar à nossa comida uma vida boa até que ficasse boa em nossa mesa. Nossos perus seriam paparicados em sua infância e depois teriam direito a um pasto aberto, o que é vedado às aves criadas de forma convencional. O Dia de Ação de Graças ainda estava distante. E algumas dessas aves sobreviveriam à época das festas, se tudo corresse como planejávamos. Nossa meta era estabelecer uma criação. Esses perus eram especiais.

Dos quatrocentos milhões de perus que os americanos consomem a cada ano, mais de 99% são de uma única raça: o Branco de Peito Largo, um monstro com tendência a engordar rapidamente, criado especificamente para fins industriais. São aqueles bichos grandes de uma burrice tão exagerada que são capazes de se afogar ao olhar para cima enquanto chove. (Amigos meus garantem que já viram isso acontecer.) Caso um Branco de Peito Largo escapasse do abate, provavelmente não completaria o primeiro ano de vida: ficam tão pesados que suas pernas desabam. Quando atingem a maturidade, são incapazes de voar, buscar comida ou copular. É isso mesmo, reprodução. Os genes que fazem os perus se comportarem como animais são inúteis para uma criatura comprimida asa a asa com milhares de outras e poderiam levá-los a ficar indóceis ou propensos ao suicídio. Assim, esses genes são objeto de diversos cruzamentos até que desapareçam do grupo. A letargia dócil funciona muito melhor e os ajuda a engordar. Até certo ponto, essa estratégia é comum a todos os animais criados em cativeiro. No caso dos perus, a estratégia que lhes deu um corpo com peito exagerado e crescimento ultra-rápido também resultou em uma combinação de deformidade e idiotice que os impossibilita de praticar sexo. Pobres perus.

Porém, como conseguimos fazer com que eles procriem? É uma ótima pergunta. O esperma precisa ser extraído profissionalmente de perus machos vivos *por uma pessoa*, um caçador profissional de esperma de peru em outras palavras, e introduzido artificialmente nas fêmeas, e isso é tudo que divulgarei sobre esse assunto. Se você acha que basta mandar os machos para o banheiro com pequenos copos de papel e um exemplar de uma revista pornográfica aviária, você está muito enganado. Acrescento apenas mais um comentário: se você é daquele tipo de pai que gosta de ameaçar seus filhos adolescentes com uma lista de empregos pouco atraentes, reservados àqueles que largam os estudos, eis mais um item para entrar na lista.

Quando nossa família pensou em criar perus por conta própria, sabíamos que não tomaríamos *esse* caminho. Fiquei intrigada com o que conhecia das raças mais antigas, sobretudo após a Slow Food EUA lançar uma campanha para reaproximar os paladares americanos do sabor dos perus de linhagem herdada. Perguntei-me se os perus pálidos, engordados com grãos, que sempre comprei no supermercado, eram os equivalentes daquele legume insípido outrora conhecido como tomate. Todas as qualidades especiais das hortaliças de linhagem herdada são encontradas também nos animais domésticos de mesmo tipo: maior resistência a doenças, sabores lendários e escassez, à medida que as raças modernas dominam o mercado. Descobri que centenas de linhagens animais antigas já estão quase extintas.

O preço da vida

A produção industrial de alimentos de origem animal tem um objetivo: transformar criaturas em carne. Essas fazendas pecuaristas com gestão intensiva são denominadas operações de alimentação animal concentradas (CAFOs). Os animais são escolhidos por seu crescimento rápido, pela capacidade de agüentar o confinamento (alguns ficam literalmente sem espaço para virar para o lado) e pela resistência aos elementos patogênicos que proliferam em tais condições. Seus defensores dizem que é uma maneira eficiente de produzir carne barata e de boa qualidade para os consumidores.

Os opositores têm três argumentos básicos: primeiro, o tratamento dos animais. As CAFOs espremem o número máximo possível de animais no espaço que estiver disponível, de forma que eles nunca vêem a grama ou a luz solar. Se você puder imaginar mil pintos em seu banheiro, em gaiolas empilhadas até o teto, você terá uma idéia honesta do que se passa. (Na verdade, um aposento medindo 2 por 2½ metros poderia acomodar 1.152 deles.)

Uma segunda objeção diz respeito à poluição. Um número tão grande de animais em um espaço tão reduzido faz com que um volume vasto de excrementos seja expelido em um espaço exíguo, criando problemas óbvios de manipulação de resíduos e de qualidade da água. Os animais CAFO nos Estados Unidos produzem um volume de matéria fecal cerca de seis vezes maior do que todos os humanos em nosso planeta juntos. Os animais no pasto, ao contrário, enriquecem o solo.

Uma terceira fonte de preocupação é a saúde. Os animais confinados são fisicamente estressados e rotineiramente recebem antibióticos para evitar doenças. Quase 75% de todos os antibióticos nos Estados Unidos são usados em CAFOs. Mesmo assim, a Associação de Consumidores informa que mais de 70% dos frangos de supermercado são portadores das bactérias campylobacter e/ou salmonela. As variedades de bactéria resistentes a antibióticos que crescem em tais condições são uma ameaça nova e significativa aos humanos.

Atualmente, 98% dos frangos nos Estados Unidos são produzidos por empresas de grande porte. Se você tiver oportunidade de comprar algum inserido nos outros 2%, um frango criado em área aberta por um fazendeiro local, isso irá lhe custar um pouco mais. Mas quanto se tem pagado por compaixão, água limpa e saúde pública hoje em dia?

Steven L. Hopp

A Conservadoria Americana de Raças Pecuárias mantém registros de variedades raras de perus, frangos, patos, carneiros, bodes, porcos e gado que eram bem conhecidas dos fazendeiros há um século, mas cujas quantidades caíram drasticamente no mercado moderno. Além de uma diversidade genética maior e da resistência a doenças, as linhagens herdadas tendem a reter uma carga maior do instinto de seus ancestrais selvagens relacionada à busca de alimentos, defesa contra predadores e reprodução — características que os habilitam a uma vida em pastos e cercados, não em uma casa metálica apinhada de animais e desprovida de janelas. Muitas linhagens herdadas são adaptadas a climas específicos. Elas são, sobretudo, superiores no quesito que é a própria razão desses animais existirem, no fim das contas: como comida.

As linhagens herdadas de animais têm nomes tão pitorescos quanto seus equivalentes vegetais. Temos os bodes Desmaiadores do Tennessee, o gado Crocante da Flórida, os frangos Gigantes de Jérsei, os porcos Pontilhados de Gloucester. Entre os animais de carga, não devemos esquecer do asno Mamute Americano. A Conservadoria publica textos sobre de animais e de sua localização, permitindo aos seus membros fazendeiros se comunicarem e trocarem linhagens.

Decidimos nos filiar ao pequeno clube de pessoas que mantêm bandos reprodutores de perus de linhagem herdada — aves cujas características interessantes incluem a capacidade de procriar sozinhos. Ainda existem oito raças de perus de linhagem herdada: os Amarelos Claros de Jérsei, os Negros Espanhóis, os Pequenos Brancos de Beltsville, os Bronze Padrão, os Narrangasett, os Palmeiros Reais, os Anões Brancos e os Vermelhos Bourbon. Escolhemos esse último. Eles são bonitos e têm a reputação de serem muito saborosos, mas para mim era uma questão de torcer a favor do time da casa. Essa raça vem do condado de Bourbon, no Kentucky, pertinho de onde cresci. Imaginei minha avó paterna brincando no quintal da fazenda onde essas aves foram originalmente criadas — uma possibilidade plausível. Menos de dois mil Vermelhos Bourbon ainda existem em bandos reprodutores.

Ajudar a salvar essa raça americana da extinção me pareceu um ato de patriotismo.

A Slow Food se utilizou do paradoxo de salvar as raças raras ao encorajar um número maior de pessoas a comê-las, e foi exatamente isso que aconteceu com seu projeto do peru do Arco de Sabor, realizado em 2003. Na primavera, tantas pessoas encomendaram um peru de Dia de Ação de Graças com linhagem herdada, em vez da raça Bola de Manteiga padrão, que um número sem precedentes de fazendeiros americanos foi solicitado a criá-los. A demanda continua forte. Por isso, aderimos à moda, na esperança de criar nossas próprias aves raras e comê-las também.

OS FRANGOS DE LILY, NO entanto, são uma outra história, que diz respeito a ela própria. O dia em que eles chegariam já estava marcado há meses em seu calendário: *23 de abril, chegada de meus bebês!* Alguns pais ficariam preocupados ao ver uma filha tão nova assumir responsabilidades maternas, mas Lily já tinha experiência. Ela começou a criar galinhas poedeiras ainda criança, em Tucson, onde o galinheiro precisava ser reforçado por causa dos coiotes e dos gatos selvagens. A parte de nossa mudança para a Virgínia que Lily mais temera, na verdade, havia sido dar adeus às suas meninas. (Os amigos que gentilmente as adotaram nos mantêm informados sobre sua saúde, bem-estar e produção de ovos.) Nós a preparamos para a mudança, prometendo que ela poderia começar uma nova criação quando estivéssemos na fazenda. Seria um lugar melhor para frangos, com um pasto verde abundante para que pudessem correr soltos, e não um punhado de poedeiras encarceradas.

— Você poderia até vender alguns ovos — disse, de passagem.

Não foi preciso dizer mais nada. Ela foi até seu quarto para fazer as contas. Lily é a única da família com talento empresarial. Voltou logo com sua agenda embaixo do braço.

— Podemos nos mudar — disse ela. — Montarei um comércio de ovos.

Alguns dias mais tarde, ela tocou no assunto novamente, querendo a confirmação de que as galinhas a serem criadas na Virgínia seriam usadas apenas para botar ovos, e não para abate. Lily sabia o que estava envolvido no trabalho na fazenda e, embora não tivesse qualquer problema em consumir nossas primeiras experiências com os perus, os frangos ocupavam um lugar diferente em sua estrutura emocional. Como é que eu poderia descrever sua afeição pelos frangos? As outras menininhas têm cartazes de bailarinas ou da Barbie nas paredes; minha filha tem um calendário intitulado "A ave mais bonita". Uma das primeiras lições sobre a criação de aves que tivemos que ensiná-la foi "Por que não beijamos os frangos na boca?". No triste dia em que uma de suas galinhas morreu, ela chorou copiosamente a tarde inteira. Cometi o equívoco de salientar que era *apenas uma galinha.*

— Você não entende, mamãe — disse ela, com os olhos vermelhos. — Amo minhas galinhas tanto quanto amo *você.*

Isso me calou na hora. Ela entendeu que havia me magoado, então saiu do quarto uma hora mais tarde para tentar consertar o que havia feito.

— Não quis dizer aquilo, mamãe — choramingou ela. — Desculpe. Se meu amor pelas galinhas é nota seis, meu amor por você é nota sete.

Meu Deus, nem vou perguntar quem é nota dez.

Então já sabia que, nas conversas referentes ao comércio de aves, eu precisaria tranqüilizá-la.

— As galinhas serão suas — disse-lhe. — Você manda. Você tomará as decisões sobre o que será vendido.

Com o passar das semanas e à medida que o futuro na fazenda tomava forma em sua cabeça, Lily perguntou se também poderia ter um cavalo. O interesse dela por eqüinos supera a paixão normal das meninas por colecionar miniaturas de plástico com crina e rabo roxos; ela quis ter aulas de equitação antes mesmo de aprender a andar de bicicleta. Há muito tempo já me preparava para a chegada de um cavalo. Apenas tinha a esperança de que isso só viesse a acontecer quando Lily fosse suficientemente alta para selá-lo sozinha.

Fazendo jus à tradição milenar dos pais, tentei empurrar o assunto com a barriga.

— Com seu comércio de ovos, você pode ganhar dinheiro para comprar um cavalo você mesma — disse-lhe. — Eu me proponho a contribuir com metade do custo. Compraremos um cavalo quando você tiver metade do dinheiro necessário para comprar um.

Quando criança, eu teria aceitado a proposta sem pensar duas vezes, entendendo que se eu tivesse de comprar um cavalo, mais cedo ou mais tarde eu acabaria comprando, mas que era necessário esperar para ver o que aconteceria. O gene empresarial aparentemente pula gerações. Lily sacou prontamente sua agenda e começou a fazer perguntas.

— Quanto custa um cavalo?

— Ah, depende — disse eu, sem me comprometer.

— Uma égua ou um cavalo castrado, normal — insistiu ela. No que diz respeito a éguas e cavalos castrados, ela sabe tudo. Recentemente, ouvi-a explicar a questão para alguns amigos. "Os garanhões são meninos ferozes que gostam de mandar", disse-lhes ela. "Mas, é possível fazer uma operação que os deixa mansos, carinhosos e prestativos. Vocês sabem. *Como nossos pais.*"

Bem, então, essa menina sabia o que procurava em termos de cavalo.

— Quanto custa um cavalo desse tipo? — perguntou ela.

— Olha, mais ou menos mil dólares — disse eu, exagerando bastante, confiante de que o valor alto encerraria a conversa.

Ela arregalou os olhos.

— É isso aí — disse eu. — Você precisará acumular metade. Quinhentos.

Ela me olhou por um minuto.

— A quanto consigo vender uma dúzia de ovos?

— Ovos orgânicos bonitos e marrons? Provavelmente 2,50 dólares a dúzia. Mas, lembre-se, é preciso pagar a ração. É provável que seu lucro fique em torno de um dólar por dúzia.

Ela disparou para o quarto com a agenda. Ela estava apenas no segundo ano do ensino fundamental naquela época e não sabia fazer contas de divisão direito. Presumi que estivesse marcando notas de dólar no calendário para ver quanto tempo demoraria para atingir quinhentos. Pouco tempo depois, ela voltou com outra pergunta.

— Qual o preço de venda da carne de frango?

— Olhe — disse eu, tentando manter um tom neutro em meu papel de assessora financeira —, o frango orgânico pode ser vendido a um preço alto. Talvez seis dólares por quilo. Um frango grande, próprio para ser assado, pode dar um lucro de dez dólares já descontando os custos com ração.

Ela desapareceu novamente, por um intervalo bem longo. Imaginei a luta livre mental, frangos contra eqüinos, pêlos e penas voando. Muitas horas depois, no jantar, ela anunciou:

— Ovos e carne. Vamos matar apenas as rabugentas.

SEI QUE NÃO SOU A única mãe que já fez uma promessa aparentemente sem importância, da qual viria a se arrepender mais tarde. Minha sogra me contou uma vez que Steven, aos sete anos de idade, passou correndo pela cozinha e gritou:

— Mãe, se eu ganhasse um macaco em uma competição, poderia ficar com ele?

— Claro, querido — disse Joann, enquanto remexia a massa que estava preparando. Ela tinha sete filhos e, imagino, havia aprendido a ouvir apenas o essencial. Mas Steven ganhou o macaco. E sim, ele passou a viver com a família.

Em meu caso, minha proposta, feita com a intenção de adiar a discussão do assunto, acabou funcionando como um forte estímulo, levando Lily de um estado em que galinhas e sua mãe tinham *o mesmo valor* (ou quase, devido a uma vantagem de um ponto da mãe) a uma posição menos sentimental, para dizer o mínimo. Acompanhei, interessada, sua forma de raciocinar e fazer sua escolha, e como ela a manteve. Não tinha a mínima idéia de qual seria o resultado de tudo isso.

Uma criação de pintos precisa ser iniciada até abril para que possam pôr ovos antes da chegada do frio. Mudamos para a fazenda em junho, tarde demais. Adquirimos algumas galinhas maduras de amigos para nos fornecer ovos e satisfazer as necessidades mínimas diárias de Lily de exercer o amor aviário. Mas nosso comércio de ovos frescos precisou esperar. Finalmente, no final de nosso primeiro inverno aqui, pegamos o catálogo de criadouros e sentamos no sofá para discutir uma encomenda a ser entregue na primavera. Lily tremia de excitação enquanto discutíamos os pontos positivos e negativos de inúmeras variedades diferentes. Da mesma forma que os catálogos de semente são como parques de diversões para mim, os catálogos de criadouros o são para minha filha. Melhores do que esmeraldas e diamantes eram essas Rocks, Wyandottes e Orpingtons. Ela virava as páginas como se estivesse enfeitiçada.

— Antes de qualquer coisa, precisamos de algumas Araucanas — disse ela. — Porque elas põem ovos verdes lindos. Meus clientes vão adorar.

Concordei, impressionada com seu instinto de satisfazer o consumidor.

— Preciso de umas dez galinhas para formar o bando de poedeiras principal — continuou. — Vamos manter um dos galos para que possamos ter pintos na primavera seguinte.

Ela vasculhou os catálogos em busca de raças fortes, estudando quais seriam boas poedeiras no inverno, quais eram boas mães (algumas raças perderam o instinto de maternidade por causa dos cruzamentos e se recusam a sentar nos próprios ovos). Ela acabou escolhendo uma raça rubro-negra, denominada Partridge Rocks. Encomendamos 16, sem classificação por sexo, dos quais aproximadamente metade se tornaria fêmea. Lily sabe que não é possível colocar muitos galos em um mesmo bando — ela mencionara que "manteríamos" um macho, deixando subentendido que os outros seriam eliminados. Eu não comentei nada. Mas pareceu-me que estávamos sete galos mais próximos de um cavalo. Torcia para que todos fossem muito, muito rabugentos.

Ela parou na seção do catálogo dedicada a "Grelhadores, Assadores e Fritadores".

— Olhe só esse — disse ela, ao mostrar-me a imagem de uma ave de aparência atlética, com peito e pernas grandes. — Corpos compactos e peitos largos e carnudos... — Ela leu em voz alta: — A qualidade superior de sua carne faz da Cornish Escura uma iguaria para *gourmets*.

— Tem certeza de que você deseja criar frangos de abate também? — perguntei. — Só faça isso se você quiser, querida. — Eu começava a vacilar. — Você vai ganhar um cavalo algum dia, não importa como.

— Tudo bem — disse ela. — Não vou dar nomes a eles. Tenho minhas antigas galinhas de estimação para amar.

— Claro — disse eu. — Animais de estimação são animais de estimação. Comida é comida.

No horizonte próximo, o cavalo de Lily raspou o casco no chão e relinchou.

Comendo os frangos da minha irmã

Por Camille

Durante meu primeiro ano na faculdade, uma de minhas conversas freqüentes seguia o seguinte padrão:

— Camille, você é vegetariana, certo?

— Na verdade, não.

— Não? Mas você faz o tipo.

— Bem, só como a carne de animais que não tenham sido confinados.

— Con... *o quê*?

Eu devo mesmo fazer jus ao tipo vegetariano. A saúde pessoal e o meio ambiente são importantes para mim, e parece que tenho mesmo vocação para o vegetarianismo — dou aulas de ioga, e é possível que eu faça uma pós-graduação em nutrição. Já estudei a questão do consumo da carne sob diversos ângulos, mas não é fácil explicar isso em trinta segundos. A fila do refeitório também não é o melhor lugar para fazê-lo. Em primeiro lugar, nem toda carne é igual. As vacas e os frangos que crescem em confinamento, engordando com alimentos que eles não consomem na natureza, além de antibióticos, produzem uma carne diferente de seus equivalentes que moram soltos ao ar livre, comendo grama. Essa é uma consideração alimentícia a ser ponderada ao se pesar os prós e os contras do vegetarianismo.

Existem outras também. Vegetarianos e veganos deveriam avaliar o consumo de suplementos de ferro, uma vez que o volume desse nutriente encontrado em fontes vegetais é mínimo em comparação com aquele encontrado na carne. Claro, comer muitas verduras folhosas e escuras, legumes e grãos integrais é uma boa idéia. Além de uma multiplicidade de outros nutrientes essenciais, eles oferecem um volume razoável de ferro, mas em alguns casos, isso pode ser insuficiente para manter o corpo produzindo hemoglobina. A vitamina B12 é outro fator problemático; em sua forma natural, é encontrada apenas em produtos de origem animal. Existem alguns vestígios na soja fermentada e nas algas, mas a Sociedade Vegetariana alerta que a forma de B12 encontrada em plantas pode ser impossível de ser digerida pelos humanos. Isso significa que os veganos — aqueles que não comem carne, laticínios ou ovos — dependem de suplementos ou comidas fortificadas com B12 para evitar essa perigosa deficiência. As dietas veganas tendem a ter pouco cálcio. Logo, os suplementos podem ser úteis nessa área também.

Os humanos são naturalmente adaptados a uma dieta onívora: temos dentes caninos para rasgar a carne e muitas enzimas em nossos intestinos para digerir as proteínas e gorduras encontradas nos animais. As sociedades mais antigas em toda parte do mundo dependeram de alguns tipos de produto animal para seu sustento. Até mesmo as antigas populações hindus da Índia não eram exclusivamente vegetarianas — embora não soubessem disso. As técnicas de colheita tradicionais sempre deixaram um volume substancial de vestígios de insetos, principalmente larvas e ovos de cupins, em seus estoques de grãos.

Quando as populações veganas hindus se mudaram para a Inglaterra, onde os regulamentos sanitários relativos à comida são mais rigorosos, começaram a sofrer muito com a anemia. Mesmo uma quantidade ínfima de carne (até partes de inseto) na dieta faz uma grande diferença. Claro, abster-se da carne durante períodos relativamente curtos por razões espirituais é uma prática comum em muitas sociedades. Durante esses intervalos, as tradições rezam que devemos ser menos ativos e mais contemplativos, reduzindo nossa necessidade de nutrientes fornecidos por produtos animais.

Em geral, as pessoas que não são totalmente vegetarianas encontrarão mais opções em termos de comida local. A carne de pasto e os ovos são produzidos em toda parte do país, ao contrário da coalhada de soja e de outros produtos que podem desempenhar um papel central na dieta vegana. É possível achar frango, carneiro e outras carnes de pequenas fazendas durante o ano inteiro. E, embora as gorduras animais — até mesmo para os comedores de carne — sejam consideradas vilãs nutricionais, são na verdade muito mais saudáveis do que os óleos hidrogenados que as substituem em muitas comidas processadas. (A gordura trans, uma criação de laboratório, não tem qualquer função nutricional em nossos corpos a não ser a de flutuar por aí produzindo radicais livres com potencial de causar danos aos tecidos.) As gorduras animais de boa qualidade contêm vitaminas A, D, B6 e B12, além de alguns minerais essenciais. A carne de pasto e os ovos contêm o colesterol saudável em vez do nocivo, devido a tudo que o animal consumiu em sua vida curta e feliz.

Abaixo segue uma receita de frango, criada por nós, que nos faz lembrar de Tucson. Usamos frango de pasto e hortaliças frescas no verão, mas, no começo da primavera, utilizamos as abobrinhas e o milho congelados do ano anterior. O único ingrediente essencial que precisa ser fresco, o coentro, começa a aparecer cedo nas feiras de fazendeiros. Se você não gosta de coentro, pode deixá-lo de fora, claro, mas o prato perderá seu sabor típico do Sudoeste.

FRANGO RECUERDOS DE TUCSON

1 frango inteiro cortado, ou coxas e pernas

Azeite de oliva (para fazer *sauté*)

1 cebola média, fatiada

2 a 3 dentes de alho moídos

Doure o frango em um tacho grande. Remova o frango, acrescente azeite e refogue suavemente com cebola e alho.

1 colher de chá de semente de cominho

Pimentas chili verdes a gosto, cortadas

2 pimentões verdes ou vermelhos

1 abobrinha grande ou 2 médias, podendo ser substituída por outras abóboras, em fatias grossas

Coloque esses ingredientes no tacho e refogue, acrescentando, se necessário, um pouco de caldo de carne.

1 xícara de tomates (frescos, congelados, enlatados, ou ½ xícara de desidratados, dependendo da estação)

2 xícaras de grãos de milho

2 colheres de chá de orégano

1 colher de chá de manjericão

2 xícaras de caldo de frango ou água

Coloque esses ingredientes na chaleira junto com o frango dourado, acrescente água ou caldo (um volume maior se estiver utilizando legumes desidratados), tampe e ferva em fogo brando, durante 30 a 40 minutos, até o frango ficar inteiramente cozido. Enfeite com coentro fresco.

Baixe da internet essa e todas as receitas do livro em www.animalvegetablemiracle.com.

7

Gratidão

Maio

No dia das mães, seguindo a tradição local, distribuímos pés de tomate. Em outros lugares, essa pode ser uma festa refinada, marcada por orquídeas criadas em estufas, mas aqui a mais importante conexão botânica desta data comemorativa é com os tomates. Acreditamos que as geadas letais da primavera já acabaram e que está na hora de colocar essas plantas na horta.

Cultivamos os nossos tomates a partir de sementes, logo, em nosso caso, não se trata apenas da variedade padrão de Big Boys; cultivamos mais de uma dúzia de variedades de linhagem herdada diferentes. Para nossa vizinha mais próxima, escolhemos uma variedade precoce, com folhas finas, oriunda da antiga União Soviética, com o nome romântico de "Pinheiro Prateado". Carregando a planta comprida com cheiro forte, nossa família caminhou pelo acesso à casa dela, no fundo de nosso terreno.

— Minha nossa — disse ela, ao receber a planta e admirá-la. — Vejam só.

Toda região tem sua própria tradição em relação à linguagem. Na nossa, existe uma regra rígida que diz que você *nunca* deve agradecer o recebimento de uma planta. Não sei bem por quê. Já fui corrigida diversas vezes em relação a isso, fui até mesmo fortemente repreendida, até aprender. As pessoas me calavam quando eu começava a dizer as palavras e cobriam as próprias orelhas. "Por que não devo dizer obrigada?", perguntava. É difícil. As boas maneiras sulistas já estão incorporadas ao meu jeito de ser, aceitar um presente sem agradecer é como não lavar as mãos após trocar um pneu.

— Não se faz — insistem as pessoas.

Se você agradece, elas alegam, a planta definha até morrer. Existem várias histórias que comprovam isso. Elas não querem saber se as plantas possuem ouvidos ou qualquer outra coisa. Apenas *não* agradeça.

Portanto, já sabíamos o que nossa vizinha estava tentando não dizer. Controlamo-nos para não dizer "De nada", fizemos uma agradável visita de domingo à tarde e conseguimos não rogar nenhuma praga para essa planta específica, e ela cresceu bem. De todas as tomateiras que afinal floresceram em seu jardim, ela nos disse que o Pinheiro Prateado foi a primeira a dar frutos.

Na semana de nove de maio, plantamos nossos próprios tomates, 14 variedades ao todo: primeiro, para serem colhidos antecipadamente, Pinheiros Dourados e Siberianos Precoces, dois tipos russos que lutam com uma determinação proletária por terem sido criados para enfrentar verões curtos. Para uma ética de trabalho mais lânguida, porém com gosto suculento de meia estação, criamos Brandywines, Púrpuras Cherokee, Chamas Amarelas e Verdes Zebrados, que lembram o limão e ostentam listras verdes quando maduros. Para fazer molho de espaguete e enlatar, Roma de Martino; Príncipe Borghese é uma variedade italiana criada especificamente para a secagem ao sol. Existe uma razão por trás de tudo que plantamos, geralmente de ordem prática, mas às vezes excêntrica, como as Dolly Partons — em homenagem à cantora de *country* conhecida por seus fartos seios — que ganhamos de uma amiga já de idade que tem o costume de guardar sementes. (Perguntei como eram os tomates. Ela abriu as mãos como se abraçasse dois globos gigantescos e riu — Será que é preciso esclarecer?) A variedade mais exótica, provavelmente, é uma antiga, denominada Longa Guarda. As frutas nunca chegam a amadurecer na planta, mas quando colhidas e embaladas em jornal antes da época das geadas, elas amadurecem lentamente até ficarem prontas em dezembro.

Isso são apenas os tomates. Na segunda semana de maio também plantamos mudas de pimenteiras e semeamos milho, soja verde, nabos e quiabos. Os pés de abóbora e pepino estão localizados nas encostas, embaixo de barracas de pano compridas, postas ali especialmente para protegê-los das noites frias. Arrancamos as ervas daninhas das cebolas, ervilhas trepadeiras e batatas; plantamos sementes de acelga, feijão de pequeno porte e girassóis, montamos barracas de bambu para os feijões trepadores e sobrevivemos a algumas tempestades de primavera. Essa é uma boa semana em uma região produtora de alimentos.

No meio do mês, quando o tempo quente já estava estável, nós e todos os nossos vizinhos plantamos vinhas de batata-doce (chegou a haver um pequeno tumulto na Cooperativa dos Estados Sulistas porque os administradores encomendaram um número insuficiente de batatas-doces). Nós também plantamos vários tipos de abóbora, mudas de manjericão, berinjelas, melões de vários tipos e quatro variedades de melancia. Logo após o plantio, vêm o combate às ervas daninhas, a fertilização orgânica, a vigilância dos insetos e pássaros e a preocupação com o índice pluviométrico excessivo ou baixo demais. Tudo isso se aproxima tanto do trabalho interminável e da atenção necessários à criação de um filho, que parece justo que todo processo comece no dia das mães.

Para os que cultivam alimentos, o fim da primavera é a época em que pagamos o preço pela relativa tranqüilidade de janeiro e rezamos para termos horas suficientes de luz solar para conseguir fazer tudo que precisamos. Muitos dos que tiram seu sustento da agricultura também têm empregos de horário integral, longe de suas fazendas, e, *mesmo assim*, conseguem dar conta do recado. Em maio, nós prorrogamos o prazo de nossos compromissos, fazemos nossas outras tarefas às pressas, pedimos licença do trabalho e ainda assim acabamos estacionando o trator com os faróis apontados para uma fileira a fim de colocar as últimas mudas no lugar. No mês de maio inteiro, trabalhamos na chuva ou fomos ameaçados por ela, desafiando as tempestades e raios. Trabalhamos em uma lama tão densa que fazia nossas botas pesarem tanto quanto as patas de um elefante. Nos dias de trabalho e de escola, começávamos antes do amanhecer para ganhar uma hora de trabalho no início do dia, depois retomávamos de onde havíamos parado no fim da tarde. Nos fins de semana, começávamos ao amanhecer e acabávamos após o anoitecer, doídos e famintos pelo trabalho agrícola. O esforço nos faz apreciar a razão pela qual uma comida de qualidade custa o quanto custa. Deveria custar ainda mais.

No meio de nossa primavera atarefada, um de nós comemorou seu aniversário. Não um aniversário comum que eu poderia muito bem ignorar, mas um imponente, envolvendo um múltiplo de dez. Montamos um plano para a festa, marcando-a em um feriado, para que os convidados de fora da cidade pudessem ficar para um fim de semana prolongado. Enviamos os convites e começamos a nos preparar para receber uma horda de convidados, que naturalmente gostaríamos de alimentar. Nossa tendência natural seria fazer um estoque de alimentos padrões com propulsão a jato. Contudo, agora que estávamos tão envolvidos com nosso ano sabático de comida local, isso não parecia inteiramente normal.

Algo tinha mudado para nós, repensamos nossas atitudes mentais e nossa geladeira. É bem verdade que havia momentos em que nossa família ansiava por algumas coisinhas ilícitas: camarões, pêssegos frescos e balas de goma, respectivamente. No começo, nossas opiniões a respeito do projeto haviam sido bastante teóricas. Mas, gradualmente, estavam se tornando convicções estabelecidas que agora não queríamos violar por causa de nossos convidados, da mesma maneira que um hindu não encomendaria hambúrgueres de uma lanchonete fast-food simplesmente porque precisa alimentar uma grande quantidade de pessoas.

Causou-nos problemas, no entanto, alimentar uma multidão com os produtos de nosso condado naquele mês. Se minha mãe tivesse dado à luz em um mês de festivais de colheita, tal como outubro, teria sido fácil. Porém, ela (como a maioria dos mamíferos inteligentes, agora que refleti sobre o assunto) teve todos os filhos na primavera, um fato com o qual nunca me importara até então. Alimentar somente minha família com a colheita magra das fazendas locais havia sido um desafio em abril. A situação melhorou em maio, mas apenas um pouco. A primavera foi mais chuvosa e fria do que o normal e, portanto, as culturas de fim de primavera estavam atrasadas. Chamamos uma amiga cozinheira para nos ajudar a conceber um plano.

Aparentemente, o ponto inicial dos organizadores de festa profissionais, em um lugar que carece de uma cultura alimentar própria, é fazer com que o cliente escolha um tema alimentar que é a cultura gastronômica de um outro lugar. Então, tudo que se precisa é importar os ingredientes da terra de outra pessoa. Mediterrâneo? Um banquete de saladas de tomate, manjericão e mussarela, berinjela *caponata* e ravióli de abóbora pescoçuda — todo mundo adora. Mas isso era totalmente impossível. Não se viam tomates ou berinjelas em nossos campos. O mais precoce dos tomates precoces estava chegando à etapa da floração naquela época. Mexicano? *Enchiladas* e feijão apimentado? Deliciosos, no entanto não havia uma pimenta ou *tomatillos* na vizinhança. A culinária da região da tundra siberiana talvez fosse a mais adequada. Começamos a nos preocupar, pensando em sopa de beterraba.

Não havia razão para nos preocuparmos, falou Kay. Uma boa artista culinária conhece suas fontes. Ela entraria em contato com os fazendeiros para saber o que eles tinham. A partir dos ingredientes, montaríamos nosso cardápio. Por mais estranho que possa parecer, esse é seguramente o jeito normal de organizar uma festa pelo mundo afora — as festas da vinha na Itália e na França em setembro, as festividades de *ramp* na Appalachia em abril, os festivais de colheita em todos os lugares e nas épocas em que acaba a estação do cultivo. É por essa razão que o Dia de Ação de Graças dos canadenses chega seis semanas antes do nosso: o inverno deles também chega com a mesma antecedência. Estávamos determinados a fazer uma festa, e se queríamos ignorar o cronograma de generosidade da terra e organizá-la em torno de coisas como aniversários, um fim de semana prolongado e os compromissos de nossos amigos músicos, isso era problema *nosso*.

Kay ligou relatando as disponibilidades de nosso condado no final de maio. Até lá, haveria aspargos, claro, além de muito alface miniatura e espinafre. Os ovos de galinhas que vivem soltas estão disponíveis o ano inteiro. Nossa amiga Kirsty criava galinhas soltas e os Kling, que moram perto de nós, tinham carneiros alimentados com grama. Os Peterson tinham morangos, Charlie tinha ruibarbos e outra família produzia queijo de cabra. O moinho White, a oito quilômetros de distância da nossa casa, vendia farinha. Se não fosse possível montar uma festa com isso, eu não teria merecido o Prêmio Cozinheira do Futuro que ganhei em 1972. (Meio que por acaso, mas isso é outra história.)

O cardápio se criou sozinho. Espetos de carneiro na grelha, pizza de frango com queijo de cabra, fritada de aspargos, uma salada enorme de hortaliças primaveris e uma torta de ruibarbo e morango. Para satisfazer nossos amigos veganos, acrescentamos rolinhos primavera com brotos de feijão, cenoura, cebolinhas e um molho bem temperado. Tínhamos cenouras na horta, das quais eu cuidara durante o inverno para fazer uma colheita extremamente precoce, e Camille tinha o hábito de cultivar volumes grandes de broto de feijão no peitoril de nossa janela; ela aumentaria sua produção. Talvez pudéssemos alimentar uma multidão no fim das contas.

À medida que chegavam as confirmações, ligávamos para os fazendeiros suplicando-lhes para fornecer mais morangos, mais frangos. Eles gentilmente concordavam. Na semana da festa, colhi da horta três cabeças enormes de brócolis Cometa precoce — hortaliças que iniciamos dentro de casa em fevereiro e plantamos no solo quase congelado em março. Sem me dar conta, já havia começado a preparar essa festa há meses. Gostei muito de ver a maneira com que o processo como um todo, começando com as sementes e acabando com o jantar, me despertara um sentimento que ia além da simples e costumeira hospitalidade. Qualquer um que conhece o prazer de preparar comidas elaboradas para pessoas queridas consegue entender isso. Por meio da criação e da vinculação aos ciclos anuais, um aniversário poderia se tornar mais do que tapinhas nas costas e piadas sobre perda de memória.

Na terça-feira, quatro dias antes da festa, Camille e eu removemos as ervas daninhas ao redor das mudas de milho e plantamos dez encostas com melões para alguma possível festa em um futuro distante: talvez já tenhamos milho e melões no aniversário de Lily, em julho. Ao anoitecer, o vento cortava nossas orelhas e a temperatura estava em queda livre. Torcíamos para que o tempo melhorasse até o fim de semana. Esperávamos mais de cem pessoas, das quais cerca de trinta passariam o feriadão conosco. A chuva destruiria qualquer chance de dançar ao ar livre, e acampar em nosso quintal se tornaria uma tarefa árdua. Fazíamos cara feia para as nuvens, enquanto lembrávamos (arrependidos) da moça do posto de gasolina em Tucson que amaldiçoou a chuva. Como não há seca em nossa região, decidimos que seria apropriado torcer para a chuva parar. E então nos adaptaríamos a tudo que viesse.

Na quarta-feira, conferimos os brotos de feijão que Camille plantara em duas jarras grandes de vidro. Seu progresso não era animador; se a intenção era que preenchessem cem rolinhos primavera, gordos e translúcidos, em três dias, os brotos precisavam acelerar o passo. Experimentamos colocá-los em uma janela mais ensolarada, mas o dia estava nublado. Em um surto de inspiração, os enrolamos em um cobertor elétrico. Só foi preciso uma hora. Tenho certeza de que violamos algum princípio ecológico importante, mas apenas um empurrão da rede de energia elétrica foi suficiente para que os brotos se adiantassem, rompendo as sementes e empurrando rabichos verdes em direção ao mundo exterior.

Na quinta-feira, fui à horta para colher cenouras, torcendo para que houvesse bastantes. No caso das cenouras, nunca se sabe o que está por vir até pegá-las pelos cabelos verdes e arrancá-las da terra. Elas eram lindas, de um laranja dourado, mais grossas do que dedões e mais compridas do que a minha mão. Cortadas bem fino com as cebolinhas e os preguiçosos brotos de feijão, duas dúzias de cenouras seriam mais do que suficientes. Restava apenas torcer para que os carneiros e os frangos também cooperassem. Parei um instante, com as cenouras na mão, mirando a montanha Walker no horizonte. A vista do nosso jardim é espetacular. Pensei nas pessoas que, justo naquele momento, talvez estivessem depenando frangos e colhendo morangos e alfaces só para nós. Senti-me agradecida às pessoas envolvidas, e também aos animais. Não escrevo isso de forma irônica. Espalhei meus agradecimentos pelo condado, como qualquer pessoa sensata que faz uma oração antes de uma refeição.

Os convidados começaram a chegar na sexta-feira: parentes do Kentucky, antigos amigos da universidade vindos da Carolina do Sul e nossos amigos músicos John, Carrie e Robert. Fiquei entusiasmadíssima com a presença simultânea de tantas pessoas queridas, de lugares tão afastados quanto Tucson e tão próximos quanto a casa ao lado. Preparamos todas as camas e sofás para servirem de leito e montamos barracas. Andamos pelo jardim e fizemos visitas. Todos os menores de 12 anos formaram uma matilha e saíram em uma louca disparada. Ouvi um jovem comandante de pelotão no jardim ordenar: "Você aí, sei lá qual é seu nome, vá naquela direção que eu vou me esconder para darmos um susto nas meninas." Estabeleci apenas duas regras: não machuquem uns aos outros e não pisem nas plantas. Com exceção de um dedo ralado e um pequeno acidente com uma Dolly Parton, eles obedeceram.

Montamos uma aparelhagem de som na varanda de trás, usamos fardos de palha para servir de bancos e ficamos de olho no céu, que passou o sábado inteiro ameaçando chover, mas que ao entardecer ainda não o havia feito. Carregamos um bebedouro de cavalo para fora do celeiro e o enchemos de gelo para resfriar os vinhos Virgínia Chambourcin e Misty River e a cerveja de uma microcervejaria local. Os espetos de carneiro aguçaram nosso apetite durante uma hora enquanto Kay e suas ajudantes faziam sua mágica na cozinha. A comida, quando saiu, foi aplaudida: os rolinhos primavera estavam superbem temperados, o carneiro suculento, a fritada estufada e leve. A torta de ruibarbo e morango desapareceu rapidamente. Agora, aqui está a lista do que *não* tivemos: camarões dispostos em círculo, como fichas de pôquer cor-de-rosa; aquelas fatias de brócolis duras como pedra e cenouras cortadas à máquina arrumadas em volta de uma pasta branca; pilhas de pedaços de abacaxi e melão sobre um prato. Ninguém pareceu muito desapontado.

Na verdade, alguns raspavam as panelas da torta com os dedos para pegar os farelos quando a música começou. As crianças pequenas foram os primeiros a se aventurar na pista de dança de pedras grandes, seguidas de perto, claro, por meus pais septuagenários, pelos adolescentes, pelos idosos e pelos de meia-idade, uma dança desenfreada que atravessava todas as faixas etárias. E ainda não chovera. Ninguém caiu no riacho, ninguém ficou com fome e nenhum marido se recusou a dançar. Quando a noite esfriou, fizemos uma fogueira gigantesca, e ninguém caiu dentro dela. Quando chegou a meia-noite, eu cantava com minha prima Linda os vocais de apoio de "You can't always get what you want" dos Rolling Stones. A turma com mais de cinqüenta anos ficou de pé até as duas da manhã. Consegue-se, sim, o que se precisa.

PEDI PARA NÃO RECEBER NENHUM presente. A fase aquisitiva de minha vida já acabou há muito tempo e, ultimamente, ela se tornou uma campanha contra o acúmulo, com batalhas diárias na mesa da cozinha. Não somente correspondência e trabalhos escolares, mas realmente *entulhos* sobre aquela mesa. (Sapatos, peças de automóveis, artrópodes vivos dentro de gaiolas construídas com fios.)

— Nada de presentes — disse eu. — Estou falando sério. — Porém, aqui no Sul, cogita-se chegar a uma festa de mãos abanando tanto quanto de bunda de fora, pois fomos criados assim. Um prato de comida coberto com um pano é o normal, mas desnecessário nesse caso. Para deixar todo mundo à vontade, precisávamos sugerir uma alternativa.

Camille deu uma sugestão inspirada: uma planta. Um buquê, por menor que fosse, serviria. E, para ser sincera, embora tivéssemos dedicado grandes esforços ao nosso jardim de hortaliças e ao nosso pomar, nosso jardim dianteiro estava em estado lastimável. Qualquer coisa que fosse trazida e plantada certamente seria um avanço. Assim, começou o planejamento do jardim de meu aniversário de cinqüenta anos: improvisado, florescente e espontâneo, como a amizade.

Meus amigos trouxeram, colhidos de seus próprios jardins: uma muda de uma peônia cinqüentenária, irises, wistéria, calycanthus, beebalm, hostas, datura, lírios e uma trepadeira cujo nome ninguém conhece. Meus pais trouxeram uma pêra Aristocrata, uma variedade cultivada por um velho amigo de nossa cidade natal. Um amigo geógrafo trouxe couve-manteiga portuguesa, outro procurou satisfazer minha predileção por pimentas *chili* vermelhas bem fortes. Alecrim e salva, amoras e outras frutas, gramáceos exóticos, rosas da cor do sol, columbines azuis e brancos, papoulas escarlates, e equináceas "Pôr do sol" — meu jardim parecia um arco-íris. Nossa vizinha, para a qual havíamos levado a tomateira, nos deu alguns de seus lírios mais bonitos.

— Minha nossa — disse, ao receber cada um dos presentes botânicos. — Vejam só.

Agradeci a meus pais por minha existência, aos fazendeiros pela comida, à família e aos amigos pela música, as danças, a distância percorrida e a enorme sorte de tê-los todos em minha vida. Mas não agradeci por nenhuma planta que recebi. E meu jardim vive perfeitamente.

Boas festas

Por Camille

Os aniversários sempre foram motivo de festa em nossa família. Mamãe cozinhava exatamente o que queríamos para o jantar e assava qualquer tipo de bolo para Lily e para mim em nossos dias especiais. O único limite era a regra dos "tantos anos, tantas pessoas": a cada ano, eu tinha direito a convidar para minha festa o mesmo número de pessoas que a minha nova idade.

Então, na minha festa de três anos, havia três crianças, na de dez anos, dez crianças. Como era de se esperar, a agitação foi crescendo ao longo dos anos. Certa hora, lembro-me de perguntar:

— Mãe, quando eu fizer trinta anos, vou poder chamar trinta pessoas para minha festa?

Entrei em choque quando ela disse:

— Claro que sim.

Maravilha, pensei, já empolgada com a perspectiva daquela festança. Agora me divirto só de pensar que eu presumia ainda estar morando com meus pais quando chegasse aos trinta.

Na última primavera, quando minha mãe fez cinqüenta, ela quebrou descaradamente sua própria regra. Nenhum de nós se importou. O que poderia ser melhor do que um fim de semana prolongado com música ao vivo, comida boa, amigos e família de tudo quanto é parte? Passamos semanas nos preparando para receber 150 convidados e tentando montar um plano B perfeito (o que acabamos não fazendo) para o caso de chuva. Fiquei inspirada ao ver tanta gente com mais de cinqüenta anos se divertindo e dançando muito além da meia-noite, inclusive avôs e avós. Espero ainda estar dançando — e quebrando minhas próprias regras — quando chegar a essa idade.

Duas das melhores receitas preparadas por nossa amiga Kay para a festa são bons exemplos de como realçar as hortaliças do início de primavera, quando as únicas frutas disponíveis em maio são os morangos e os ruibarbos.

ROLINHOS DE LEGUME ASIÁTICOS

55g de macarrão de arroz tipo fino

Coloque o macarrão em água fervente, tire a panela do fogo e deixe-o cozinhar na água de oito a dez minutos, mexendo ocasionalmente. Escorra, lave com água fria e escorra novamente.

1 xícara de brotos de feijão

10 folhas de alface macias

1 xícara de cenouras raladas

2 a 3 cebolas de primavera, cortadas em pedaços pequenos

½ xícara de folhas de hortelã
½ xícara de folhas de coentro
8 folhas de papel de arroz (com cerca de 20cm de lado)

Disponha o macarrão e os legumes como em uma linha de montagem. Esquente uma panela com água até que ela esteja quase quente demais para ser tocada. Mergulhe uma folha de papel de arroz na água quente de 15 a 20 segundos; depois remova e coloque-a alisada sobre uma superfície. Coloque uma folha de alface por cima (ajuda a evitar que partes do recheio rompam as laterais da folha de papel de arroz). Em seguida, coloque um punhado de massa, do tamanho de um dedo, perto de uma das laterais e enrole esse lado por cima da massa. Faça o mesmo para o recheio de legumes, colocando cada ingrediente em paralelo com a massa e enrolando o papel de arroz por cima. Após colocar as folhas de hortelã e o coentro, dobre a lateral remanescente para deixar tudo preso. Coloque o rolinho sobre um prato, com a dobra para baixo. Mantenha os rolinhos molhados e separados até a hora de servir, para que não grudem uns nos outros (o que rasgaria o papel de arroz).

Sirva-os inteiros, ou corte-os pela metade, acompanhados de um molho picante de sua escolha. Uma opção simples é acrescentar algumas colheres de chá de vinagre de arroz e óleo de gengibre a meia xícara de molho de soja.

TORTA DE RUIBARBO E MORANGO

3 xícaras de morangos cortados ao meio
3 xícaras de ruibarbos cortados
½ xícara mel

Misture bem esses ingredientes e coloque-os em um recipiente de 20cm por 20cm não untado.

½ xícara de farinha
½ xícara de aveia moída
½ xícara de açúcar mascavo (ou um pouco mais, a gosto)
¾ colher de chá de canela

½ xícara de temperos diversos

⅓ xícara de manteiga

Misture até virar uma farinha homogênea, espalhe por cima da mistura de frutas e asse a 175°C, de 40 a 50 minutos, até dourar.

Baixe da internet essas e todas as receitas do livro em www.animalvegetablemiracle.com.

EM MAIO SURGEM MUITO MAIS POSSIBILIDADES NO PLANO SEMANAL DE REFEIÇÕES:

Domingo — Frango assado, pão fresco e uma salada gigante de verduras, cenouras e ervilhas frescas.

Segunda-feira — Aspargos e pudim de pão *morel.*

Terça-feira — Rolinhos de verão asiáticos com molho de amendoim picante, servidos com arroz.

Quarta-feira — *Tacos* vegetarianos com feijão refrito, brotos de ervilha, alface, cebolinhas e queijo.

Quinta-feira — Raviólis de queijo misturados com legumes de primavera refogados, orégano e azeite de oliva.

Sexta-feira — Pizza de frango com azeitonas e queijo feta

Sábado — Fritada recheada com queijo e legumes, salada, torta de ruibarbo e morango.

8

Cultivando confiança

MEADOS DE JUNHO

Duas vezes por ano, em pontos opostos do calendário, a movimentação permanente da vida de nosso jardim simplesmente pára. Um deles é óbvio: o meio do inverno, quando os campos estão cobertos de neve. Nossos animais precisam de cuidados especiais durante essa época, mas o tomate não passa de uma vaga lembrança. O outro intervalo das verduras é em junho, perto do Dia de São João. As sementes já precisam estar na terra se forem vingar. O milho e as vagens já estão brotando, os pepinos e tomates estão florescendo. Os brócolis e aspargos já estão sendo colhidos, e as ervilhas estão acabando.

Não é como se caminhássemos pelos campos no dia dez de junho e dissséssemos: "Uau, não há nada mais a fazer." As ervas daninhas sempre aparecem. A adubação orgânica poderia ser melhor, com mais ingredientes e mais protegida contra os porcos selvagens. Um campo de hortaliças em pleno desenvolvimento necessita de tantos cuidados quanto uma criança e, de forma semelhante, o dever de quem cuida não acaba antes do produto amadurecer e deixar a casa. Mas, por um breve intervalo de tempo, pode-se deixar o neném adormecido sozinho. Ele vai acordar berrando, mas, se você precisar de um descanso, essa é a hora certa de desfrutá-lo.

Planejamos deixá-lo para o fim de junho, a única época entre o plantio em maio e a colheita em setembro, quando parece viável tirar férias curtas da fazenda. Se estivéssemos comercializando nossos produtos para clientes ou revendedores, essa seria uma época de pressão para conseguir encomendas e fazer plantios sucessivos. Todos os nossos amigos agricultores concordam que a parte mais difícil do trabalho é a perda da mobilidade. É quase impossível largar os campos e os animais por apenas um dia, muito menos uma semana. Até mesmo cultivar alimentos em nossa escala relativamente modesta exigia trabalho dobrado para que pudéssemos ter um pequeno intervalo. Espalhamos cobertura natural pesada sobre tudo para manter a umidade das raízes, desencorajar as ervas daninhas e evitar pragas tardias.

Meu método favorito de cobertura natural é cobrir o solo entre as fileiras de plantas com jornais acumulados ao longo do ano; o papel e a tinta feita de soja já estarão totalmente decompostos por volta de agosto. Depois, cobrimos todas as páginas — quadrinhos, assassinos, presidentes e tudo mais — com uma camada espessa de palha velha. É muito divertido caminhar pelas fileiras jogando montes de gosma de grama mofada na cara dos chefes de Estado que você menos gosta: um ano de notícias já entrando em decomposição.

Acredite se quiser, mas as ervas daninhas conseguem passar por tudo isso, ainda que demore um pouco. Com vizinhos dispostos a reabastecer a água dos frangos, abrir e fechar os galinheiros e vigiar as verduras, acreditávamos ser possível escapar por uns dez dias. Nosso plano era fazer um grande círculo, subindo pela Nova Inglaterra, indo até Montreal e descendo por Ohio, sempre nos hospedando em casas de amigos e membros da família.

O carro estava quase cheio quando começou a chover cerejas. Estávamos de olho em nossas enormes cerejeiras, que todo mês de junho dão frutas suficientes para comer e congelar, para depois fazermos tortas e sorvetes o ano inteiro. Isso e os poucos pêssegos, ameixas, pêras asiáticas que produzíamos e as maçãs de outono de um pomar das redondezas eram as únicas fontes locais que conhecíamos de frutas de árvore, e não queríamos perder nenhuma delas. Nossa dieta havia concentrado nossas atenções nas frutas, acima de qualquer outra coisa. Assim como o sujeito de Frostburg com suas 83 frutas esfarinhadas e tudo mais, também desejávamos nossa dosagem mínima diária. Nesse inverno, teríamos que nos acostumar a molho de maçã e todas as frutas congeladas que havíamos conseguido guardar com antecedência, no momento em que havia chegado a sua estação. Para os que comem muita comida local, vale a pena planejar as férias levando isso em conta.

No ano passado, de acordo com meu diário, as cerejas amadureceram por volta de oito de junho. Este ano, o início do verão havia sido tão lento e frio que ficamos embaixo da árvore tentando gerar calor com o desejo de nossos corações. Aí aconteceu: em 15 de junho, um dia antes de partir, as esferas vermelhas e duras ficaram pretas, todas de uma vez. Os pássaros apareceram em quadrilhas barulhentas, e nós fomos ao seu encontro. Em cima de escadas e do teto da picape, colhemos a tarde inteira até o anoitecer, até sermos capazes de encontrar as frutas com os dedos, em vez dos olhos.

Assim como o narrador de *Zorba, o Grego*, de Kazantzakis, tenho uma queda quase doentia por cerejas. Todo ano, faço o tratamento recomendado por Zorba; mas até agora não funcionou. Estávamos todos entusiasmados, enchendo baldes de quatro litros e comendo as cerejas frescas e cheias de vida, retiradas diretamente da árvore. Era nossa primeira experiência, em meses, de comer frutas firmes e doces, desde o dia, no começo de abril, em que firmamos nosso compromisso e deixamos de lado tudo que era exótico. Estávamos carentes de frutas, a única privação que ainda nos afligia. Agora, comemos tudo que conseguimos e ainda colocamos oito litros no congelador, exultantes. Nosso celibato frutífero havia terminado.

No dia seguinte, nossas mãos continuavam manchadas de vermelho como as de Lady Macbeth, mas era hora de partir, ou nunca conseguiríamos fazer nossa viagem. Levamos alguns presentes para os muitos amigos cuja hospitalidade e quartos de hóspedes nos esperavam: cerejas, claro, garrafas de vinho local e alguns preciosos tomates precoces que mimamos até ficarem maduros — antes de 12 de junho, um recorde em nossa vizinhança. Jogamos verduras de salada e ervilhas, junto com queijo e pão caseiro, em uma bolsa térmica para comermos no caminho. Se não partíssemos, alguma outra tarefa surgiria; quase conseguíamos ouvir as ervas daninhas atacando o rosto do presidente. Afundamos o pé no acelerador e saímos em disparada.

A agricultura não é para qualquer um; cada vez mais, é uma tarefa para poucos. Durante a última década, os Estados Unidos perderam, em média, trezentas fazendas por semana. Grandes ou pequenas, cada uma representava o esforço da vida inteira de um indivíduo ou uma família de verdade, pessoas que construíram suas vidas em torno de uma promessa e as viram se despedaçar pouco tempo depois. A perda de uma fazenda é uma escuridão que leva a alguns dos fins mais trágicos de uma vida. Manter uma, por outro lado, pode significar depender de um emprego de operário em uma fábrica, o que requer uma longa viagem diária, antes e depois da labuta cotidiana no campo.

A sobrevivência das fazendas em qualquer lugar é resultado de uma combinação de sorte, coragem e adaptabilidade. Em meu estado natal, o Kentucky, a economia é conhecida por dois produtos não comestíveis: o fumo e os cavalos de corrida. Os últimos fazem parte de uma indústria altamente capitalizada que distribui pouco de sua riqueza para as fazendas familiares de pequeno porte; o primeiro era o sustento dessas fazendas até o mercado despencar. Desde que nasci, as opções dos fazendeiros do Kentucky têm sido falir ou se virar da maneira que for possível para se salvar. Conheço ex-fazendeiros de fumo que agora produzem cogumelos *gourmet* com certificação orgânica, bifes de bisonte ou aspargos e verduras exóticas para restaurantes. Na grama que anteriormente nutriu os famosos cavalos Man o' War e Secretariat, empresas mais modestas, com nomes como "Fazenda dos Tempos Duros" e "Mãe Hubbard" agora produzem carne de gado, porco, carneiro e perus em criação livre. As fazendas do Kentucky produzem flores, alho, frutas e hortaliças orgânicas, produtos de avestruzes e emas, bagres e trutas. Perto da Estrada de Paris, um caminho rural pelo qual passei centenas de vezes durante minha adolescência, uma fazendeira chamada Sue agora cultiva camarões de água fresca.

Se pudéssemos ter concebido isso quando estávamos no ensino médio, ou seja, que os campos de nosso condado poderiam, algum dia, abrigar tanques de camarão e *shiitakes*, aposto que cairíamos na gargalhada. A primeira vez que fui a uma festa em que serviram "caviar do Kentucky" achei que fosse algum tipo de brincadeira (como as "ostras das Montanhas Rochosas", que é o nome para pratos feitos com testículos de boi ou búfalo). Mas não era; eram ovas de peixe cultivadas em Louisville. As pequenas indústrias inovadoras são a vida e a morte da agricultura da região. Pequenas iniciativas agrícolas pioneiras exigem mais trabalho, mais adoção de riscos e mais gestão criativa do que a maioria das pessoas imagina.

Entre outros obstáculos, esses fazendeiros precisam batalhar contra uma imprensa nacional que, precipitadamente, os considera fadados à extinção. As fazendas diversificadas que produzem alimentos nos arredores das cidades constituem o setor da agricultura dos Estados Unidos que mais rápido cresce. As fazendas pequenas atualmente se empenham em encontrar soluções criativas, trabalhando arduamente para proteger a integridade e a segurança dos alimentos de uma nação que, em geral, pouco se importa.

Esses produtores não servem apenas a um mercado consumidor de alto poder aquisitivo. A maioria dos clientes das feiras de fazendeiros é composta de pessoas normais, e os lares de baixa renda não estão excluídos. Uma área urbana no leste do Tennessee tem uma espécie de mercado itinerante, que permite aos fazendeiros da região levar seus produtos a bairros em que a única outra loja que vende alimentos é uma loja de bebidas. Embora muitas mães desconheçam esse direito, o programa nacional de assistência a mulheres com bebês e crianças (WIC) fornece cupons, que podem ser utilizados em feiras de fazendeiros, a mais de 2,5 milhões de participantes em 44 estados. Da mesma forma, o Programa de Nutrição para Idosos em Feiras de Fazendeiros (SFMNP) concede doações a quarenta estados e a muitos governos de tribos indígenas para ajudar os idosos com poucos recursos a comprar frutas, hortaliças e ervas locais. Da Califórnia a Nova York, programas administrados por cidadãos estão aproximando os pequenos fazendeiros dos bancos de alimentos e dos programas de merenda escolar.

Ainda assim, o ato de encarar a comida orgânica como um privilégio da elite é um obstáculo considerável para os fazendeiros que cultivam comida para clientes de classes baixas, cuja prioridade na hora de comprar alimentos é o preço baixo. Cultivar comida sem poluir os campos ou os produtos sempre custará mais do que o modo convencional que externaliza os custos para os contribuintes e as gerações futuras. Para cultivar de uma forma sustentável e ainda sobreviver economicamente, esses pequenos agricultores precisam construir uma ponte sobre o abismo psicológico existente entre o que os clientes *poderiam* pagar e o que eles de fato pagarão.

O custo dos alimentos é uma questão esquisita no caso dos cidadãos norte-americanos que, em média, utilizam uma proporção menor de sua renda para comprar alimentos em comparação aos habitantes de qualquer outro país, ou a qualquer outra época de nossa hitória. Em nossa dieta cotidiana, em geral, justificamos o consumo de polpa animal frita em gordura com o argumento de que é mais barato do que grãos integrais, verduras frescas, laticínios isentos de hormônios, e por aí a fora. Sejam administradores de escolas ou famílias, os responsáveis por orçamentos podem estar cientes do custo-benefício dessa escolha, sobretudo no que diz respeito à saúde, mas ainda assim se sentem compelidos a economizar em comida — de uma maneira que seria totalmente inaceitável se o risco à saúde estivesse relacionado a um carro da família que não estivesse em perfeitas condições de segurança ou a um vazamento de benzina no subsolo de uma escola.

É interessante notar que economizar é uma desculpa aceitável para ter hábitos alimentares tóxicos, mesmo quando a frugalidade está muito pouco presente nas outras atividades de consumo. A maioria dos americanos compra água engarrafada para beber, por exemplo, muito embora água potável jorre de suas torneiras por um preço infinitamente menor e os padrões governamentais de segurança sejam mais rígidos em relação à qualidade da água de torneira do que à engarrafada. Qualquer que seja o nível de renda, adquirimos coisas que são categoricamente desnecessárias: música portátil com fones de ouvido quando poderíamos escutar rádio; internet ultra-rápida para uso doméstico; veículos pesados para transportar cargas leves; roupas de grife em vez de trajes menos vistosos. O termo "economizar", quando aplicado ao vestuário, em geral significa procurar descontos em grifes conhecidas em vez de reutilizar as roupas do ano que passou. O horror de criar crianças que estejam fora da moda é compreensível. Mas, como prioridade, "ter uma boa aparência" superou "manter as artérias em boas condições" e deixou as crianças (elegantemente vestidas) para trás na poeira.

Não deveria ser preciso recorrer à ciência para provar o óbvio, mas muitos estudos demonstram que comer regularmente fast-food, produzida a baixo custo, e lanches processados provoca obesidade, aumentando os riscos de diabetes, danos cardiovasculares, problemas nas juntas e câncer. Como país, já passamos oficialmente do ponto: a maioria de nossos gastos com alimentos destina-se a calorias baratas, e muitos de nossos cidadãos estão comprometidos, no que tange à saúde, pelo peso e pela inatividade. A incidência de diabetes relacionada ao excesso de peso mais do que dobrou desde 1990, sendo que as crianças são a classe de vítimas que mais cresce. (O nome teve que ser mudado de diabetes "de idade adulta" para "tipo 2".) Um terço de nossos gastos com saúde, de acordo com algumas estimativas recentes, resulta dos maus hábitos alimentares. Um sétimo é usado especificamente para amenizar (porém não curar) as múltiplas manifestações da diabetes — insuficiência renal, derrames, cegueira e membros amputados.

Um argumento constrangedor, porém sustentável, é o de que atribuímos prioridades mortíferas a nossos orçamentos alimentares porque acreditamos na publicidade. A agricultura comercial é capaz de promover seus produtos em uma escala gigantesca. Oitenta por cento da indústria frigorífica são controlados por quatro companhias; a consolidação é exatamente igual no setor de processamento de soja. Com orçamentos empresariais enormes como esses, ao lado da carne e das gorduras acrescidas, não é de surpreender que bilhões de dólares por ano sejam dirigidos aos anúncios de fast-food. A surpresa é o sucesso dos anunciantes em recuperar esse investimento: a maneira como eles conseguem tão bem nos convencer de que comida barata nos trará felicidade.

Quão iludidos somos nós? Insistir com os fazendeiros que nossa comida precisa ser *barata* é como exigir que uma criança de dez anos escolha uma profissão e saia de casa *imediatamente*. Viola o espírito do empreendimento. Assegura resultados ruins. A economia que fazemos com esse negócio retornará para nos assombrar. Qualquer um com alguma experiência prática com crianças veria as falhas em tal estratégia de criação. Da mesma forma, só um fazendeiro entende a verdade análoga sobre a produção dos alimentos — de que o tempo e o cuidado geram uma qualidade que é significativamente importante — e a explica para todos nós. A indústria não fará isso, mas agricultores individuais *podem* comunicar sua preocupação com a produção de alimentos de uma maneira saudável e segura, para as pessoas e os lugares. Eles podem esclarecer os consumidores sobre a cadeia de fornecimento cuja saúde depende de nós.

Pagando o preço dos preços baixos

Uma reclamação recorrente acerca dos alimentos orgânicos e locais é que eles são mais caros do que os "convencionais" (cultivados a partir de métodos industriais). A maioria dos consumidores não se dá conta do quanto já pagamos pelas comidas pelas comidas convencionais, mesmo antes de irmos ao supermercado. O dinheiro do contribuinte subsidia o petróleo usado no cultivo, processamento e transporte desses produtos. Também pagamos subsídios diretos para uma agricultura de larga escala e dependente de produtos químicos. E estamos sendo forçados a pagar cada vez mais pelos custos ambientais e de saúde desse método de produção de comida.

Proponho um exercício: faça uma soma da parcela do uso de combustíveis pelo setor agrícola que é paga por nossos impostos (22 bilhões de dólares), dos subsídios diretos ao milho e ao trigo (três bilhões de dólares), do tratamento de doenças relacionadas à alimentação (dez bilhões de dólares), dos custos com limpeza de produtos agroquímicos (17 bilhões de dólares), dos custos colaterais do uso de pesticidas (oito bilhões de dólares) e do custo dos nutrientes perdidos por causa da erosão (vinte bilhões de dólares). No mínimo, isso representa um subsídio nacional de, pelo menos, oitenta bilhões de dólares, cerca de 725 dólares por lar norte-americano. Isso, acrescido do preço de varejo, compra nossa comida "barata".

As práticas orgânicas enriquecem, ao invés de exaurir o solo, ao utilizar adubo orgânico e culturas de cobertura. Eliminam pesticidas e herbicidas ao utilizar controles biológicos de pragas e ao retirar as ervas daninhas, à moda antiga, com enxada. Elas mantêm e aplicam conhecimento sobre muitas culturas diferentes. Tudo isso requer tempo e trabalho. As fazendas menores também precisam arcar com custos mais altos de embalagem, comercialização e distribuição. Mas a principal diferença é que os produtores orgânicos não nos forçam a pagar despesas que foram transferidas para outros setores, como os danos à saúde e ao meio ambiente. À medida que lhes permitirem desempenhar um papel mais relevante na economia agrícola dos Estados Unidos, os custos dos subsídios à agricultura industrial cairão. O pagamento adiantado de alguns dólares representa um investimento altamente lucrativo.

STEVEN L. HOPP

Essa informação não se encaixa facilmente em um bordão de cinco sílabas. Da mesma forma que esses produtores jamais ganharão uma guerra de preços. O melhor que podem fazer é utilizar uma tática de marketing conhecida como amizade, ou algo parecido. Sua tarefa é comunicar o valor de seus cuidados ao consumidor, e como essa atitude traz benefícios para a vizinhança. Parece uma batalha perdida, mas a campanha da comida barata ajuda a matar cerca de 820 de nossos compatriotas por dia; em algum momento, alguém vai acabar percebendo *isso*. Somos animais sociais. Os índices de custo-benefício das boas relações entre os vizinhos é tão antigo quanto nossa espécie e, provavelmente, não há como fugir deles.

Ashfield, Massachussetts, é uma graça, mesmo segundo os padrões usuais dos pequenos vilarejos da Nova Inglaterra. O centro comercial gira em torno de uma loja de ferragens com cadeiras de balanço na varanda da frente. O principal evento social, onde as pessoas se encontram com seus vizinhos, é a feira de fazendeiros semanal.

Eu não sabia disso quando chegamos à casa de uma amiga para passar uns dias. Trouxemos nossa bolsa térmica com comida para dentro da casa, junto com as malas, com a intenção de presentear nossa anfitriã com alguns tomates do tamanho de um punho fechado. Esses tesouros amadurecidos em junho fariam um grande sucesso na Nova Inglaterra, pensei. Nada disso. Quando comecei a sacá-los da bolsa térmica, vi meia dúzia de tomates vermelhos *gigantes*, languidamente bronzeando os ombros formosos na janela da cozinha de minha amiga. Essas criaturas impressionantes faziam nossos Siberianos Precoces parecerem a Miss Simpatia. Em vez de tomates, saquei algumas cerejas e dei-as de presente, ao mesmo tempo perguntando despreocupadamente:

— Ué, de onde vieram esses *tomates*?

— Ah, da Amy, da feira de fazendeiros — disse ela. — Não são bonitos?

Bonitos, pensei. Na terceira semana de julho, no oeste de Massachussetts, se seu gosto for tão bom quanto sua aparência, será um milagre dos grandes. Fiquei extremamente curiosa. Nossa anfitriã prometeu que, durante nossa visita, nos levaria para conhecer Amy, a fada dos tomates.

Na manhã marcada, tomamos uma estrada estreita que saía de Ashfield, subindo por morros arborizados, até a fazenda onde Amy cultiva hortaliças e seu companheiro Paul trabalha como consultor de *design* e construção de moradias inovadoras. A própria casa deles pode ser considerada a definição de inovação: uma pequena estrutura em forma de cogumelo cujo teto de terra e musgo estava coberto por uma pelugem estival de marias-sem-vergonha. Era o tipo de lugar onde se poderia esperar encontrar um elfo, talvez, mas em vez disso apareceram Paul e Amy. Eles nos convidaram a subir ao telhado, onde poderíamos sentar em um pequeno banco. O cachorro Ulan nos seguiu escada acima e sentou, arfando de contentamento, enquanto apreciávamos a vista do riacho no fundo do vale. Parte do trabalho de Paul no *design* de moradias dinâmicas é encorajar as pessoas a ter uma mentalidade aberta com relação tanto aos materiais de construção (paredes de fardos de palha empilhados são sua especialidade) quanto ao uso criativo dos espaços (por exemplo, o cachorro no telhado). Mal podia esperar para ver a horta.

Primeiro, porém, precisávamos comer o café-da-manhã que eles haviam preparado na cozinha mínima e prática. Tudo era produzido localmente: iogurte, morangos, ovos, molho feito com os tomates invejáveis de Amy. Passamos o tempo falando de agricultura e construção, mas o dia nos chamava para ir aos campos, onde fileiras de hortaliças já estavam tomando o sol da manhã. Amy, que se auto-intitula uma perfeccionista, pediu desculpas pelo estado das fileiras, que eram as mais arrumadas que eu já havia visto — com menos ervas daninhas do que nossa horta no melhor dos dias. Estagiários em meio expediente às vezes a ajudam, mas a fazenda depende da dedicação em tempo integral de Amy.

Uma típica horta da Nova Inglaterra em meados de junho, duas semanas após a última geada, é predominantemente verde: buquês rendados de verduras de salada, repolhos chineses, coentro, brócolis e ervilhas. Qualquer tipo de tomate parecia fora de questão, até subirmos um morro e nos depararmos com duas longas estufas. Esses são os sustentáculos da fazenda, com paredes de plástico resistente apoiadas em armações de madeira. Amy cultiva tomates apenas nas estufas. O solo frio da primavera, as geadas tardias e o clima instável da Nova Inglaterra tornam a estação curta demais para conseguir uma colheita significativa de tomates plantados ao ar livre. Mas ela não utiliza métodos hidropônicos, como é de praxe nas plantações de tomate em larga escala. Suas estufas são construídas sobre terra de jardim, seus tomates crescem no solo.

— Eles têm um gosto melhor — disse ela. — Provavelmente, devido aos micronutrientes e à microfauna do solo que dão a eles esse gosto de jardim. Muitos desses componentes do solo não estão presentes em um ambiente mais estéril.

A idéia de aquecer estufas durante o inverno de Massachussetts também não entusiasmou Paul e Amy. Após alguns anos de experiências, eles chegaram à conclusão de que a maneira mais eficiente de aquecimento, do ponto de vista financeiro, é uma combinação de propano e fornos a lenha — ou não fazer aquecimento algum. Uma das estufas é feita simplesmente de uma armação fria, prolongando a estação das verduras de salada, espinafre e outras culturas que agüentam temperaturas até pouco abaixo de zero grau. As verduras de Amy são vendidas durante todo o inverno a 14 dólares por quilo. (Na cidade de Nova York, uma salada mista de meados de inverno pode alcançar quarenta dólares por quilo.)

Ela explicou que a segunda estufa era aquecida, mas apenas na primavera. Ao nos aproximarmos dela, olhei disfarçadamente pela porta e fiquei atônita. Santo tomate. Nunca havia visto plantas tão saudáveis e com ar tão contente: três metros de altura, folhosas, subindo em direção aos céus em barbantes esticados do chão ao teto. Se houvesse um coro angelical de tomates, ele estaria cantando naquele momento. O gênero que ela cultiva é especialmente destinado às estufas, uma variedade denominada (muito apropriadamente) de Confiança.

Era inspirador ver Amy, uma fazendeira experiente, em seu *habitat* natural, enquanto ela procurava sinais de pragas, pausando para sentir a textura de uma folha com o dedo e estudar sua cor. Caminhamos entre as plantas altas, admirando os cachos de frutas pendurados em uma variação de cores que ia de frutas vermelhas maduras, mais embaixo, às novas, brancas esverdeadas, mais em cima. Os barbantes de apoio eram enrolados em fusos lá no alto que poderiam ser girados para fazer descer a planta gradualmente, à medida que a extremidade continua a subir. Em geral, os pés de tomate perdem suas folhas mais baixas ao crescer; o objetivo desse sistema é enrolar as partes sem folha no solo e deixar a parte saudável continuar a crescer. Mas essas plantas eram tão saudáveis que se recusavam a largar suas folhas inferiores. Lily brincou de esconde-esconde na floresta de tomates enquanto Amy me mostrava seu sistema de cultivo.

Ela aperfeiçoa seu empreendimento um pouco a cada ano, mas ele já é um sucesso óbvio. A última vez que ela fez um teste do solo, os técnicos disseram nunca ter se deparado com um teor de nutrientes tão alto. A principal limitação aqui é a temperatura; seria possível cultivar tomates durante o inverno inteiro, mas o custo do combustível anularia sua margem de lucro. No começo da primavera, quando começa a plantar, ela economiza ao aquecer o solo embaixo das mudas (água aquecida por fornos a lenha corre por canos subterrâneos) enquanto deixa a temperatura do ar cair a níveis bastante baixos. Antecipar a estação é mais importante do que prolongá-la, explica ela. As pessoas estão dispostas a pagar um preço maior por um tomate em junho do que em outubro, quando eles já estão por todo lado nas hortas locais. Ao começar na primavera, ela pode vender grandes quantidades de Confiança de sua estufa aos clientes maravilhados, muito antes que qualquer outra coisa vermelha surja das hortas vizinhas.

Eu disse que, na primeira semana de junho, ela poderia pedir o preço que quisesse por eles. Ela riu.

— Poderia, mas não faria isso. Faço parte dessa comunidade, as pessoas me conhecem aqui. Não quero tirar vantagem de ninguém.

Ela é mais do que parte da comunidade — ela foi co-fundadora da feira de fazendeiros de Ashfield, que alcançou um enorme sucesso. Ela vende para indivíduos e restaurantes e desfruta de uma dieta local, contando com outros produtores para obter as coisas que ela não cultiva.

— Não temos galinhas, por exemplo, porque tantas outras pessoas as têm. Trocamos hortaliças por ovos e carne. — Seu restaurante local favorito compra produtos de Amy durante o verão inteiro, pagando os últimos dois meses a crédito, de modo que no inverno ela e Paul podem comer lá sempre que quiserem. Ele considera a combinação “um ótimo substituto para os enlatados”.

Assim como muitas fazendas pequenas, esse empreendimento inteiramente orgânico não é certificado como tal. Amy calcula que a certificação custaria setecentos dólares ao ano e que isso não aumentaria sua renda suficientemente para justificá-la. Quase todos que compram sua comida conhecem Amy pessoalmente; muitos já visitaram a fazenda. Eles sabem que ela está empenhada em um cultivo sem a utilização de produtos químicos porque ela dá valor à sua saúde, a seus produtos, à segurança dos estagiários e dos clientes e ao solo profundamente viável de seus campos e de suas estufas.

Em geral, os agricultores como Amy concordam que os padrões orgânicos são bons em princípio. Quando os clientes adquirem alimentos em um lugar distante de sua produção, a certificação lhes permite ter certeza de que foram cultivados em condições que são claramente codificadas e sujeitas à verificação. Os fazendeiros que vendem diretamente a seus clientes, no entanto, não precisam de vigilância — seu sustento tende a ser uma missão tanto quanto um negócio. Os clientes de Amy confiam em seus métodos. Nenhuma burocracia federal pode substituir esse relacionamento.

Ademais, a papelada de uma produção com padrões orgânicos oferece garantias limitadas ao consumidor. Especificamente, ela certifica que as hortaliças foram cultivadas sem engenharia genética ou herbicidas ou pesticidas tóxicos e que os animais não receberam antibióticos ou hormônios para promover seu crescimento. A certificação orgânica *não* significa necessariamente que a produção é sustentável, que os direitos trabalhistas estão protegidos, que seja eficiente no uso do combustível, que não há crueldade ou que há qualquer outra virtude desejada pelo consumidor.

O interesse crescente dos consumidores por comida orgânica inspirou muitas das enormes empresas alimentícias dos Estados Unidos a, de alguma forma, tirar proveito disso. Esses grandes grupos já alcançaram sucesso ao levar a comercialização de saladas embaladas e leite sem hormônios das butiques de alimentos a mercados convencionais e até mesmo a grandes supermercados. Mas o preço baixo tem seu custo. Para atender aos critérios orgânicos federais da forma mais barata possível e maximizar os lucros, alguns (mas não todos) produtores orgânicos em escala industrial tentam recorrer a todos os estratagemas possíveis, e assim pressionam o governo para afrouxar as regras orgânicas ainda mais. Alguns suplementos sintéticos já são permitidos, graças à pressão das grandes indústrias de alimentos orgânicos. Assim como o confinamento dos animais. Para um frango ser comercializado como um animal de criação livre, basta que o seu local de confinamento (junto com mais vinte mil frangos) tenha uma porta que dê para um quintal mínimo, ainda que essa porta permaneça fechada durante um período tão longo que as galinhas nunca aprendam que elas têm acesso ao exterior. Esse não é um exemplo teórico. Uma marca nacional de laticínios orgânicos também usa animais confinados — nesse caso, são vacas cujo tempo "em liberdade" pode ser passado em cercados abarrotados, sem água, sombra ou qualquer coisa que pareça vagamente com um "pasto". Quanto maior a empresa, mais distante do espírito original da agricultura orgânica tendem a ser seus objetivos — e maior será a distância que os produtos percorrerão até chegar aos compradores, que abrirão um sorriso diante da imagem de uma fazenda feliz na embalagem, sem desconfiar da verdade em nenhum momento.

Pelo fato de a agricultura orgânica utilizar mão-de-obra, a busca por preços mais baixos levou até mesmo alguns produtores orgânicos grandes a entrar em choque direto com a agência federal de segurança do trabalho e com o sindicato dos trabalhadores agrícolas. Menos da metade dos trabalhadores agrícolas nos Estados Unidos possuem documentos de trabalho, e poucos recebem mais do que um salário mínimo. Os empregados das fazendas orgânicas grandes têm a vantagem de não entrarem em contato direto com pesticidas em seu trabalho, mas por outro lado muitos vivem em barracos onde a contaminação por pesticidas é quase tão comum quanto a pobreza.

O propósito original declarado da agricultura orgânica não era apenas proteger a qualidade dos produtos alimentícios, mas também defender ambientes agrícolas e comunidades por meio de práticas diversificadas e biologicamente naturais que permanecem saudáveis ao longo do tempo. Isso foi descrito por J.I. Rodale, *sir* Albert Howard, *lady* Eve Balfour e todos os outros idealizadores importantes da teoria e da prática da agricultura orgânica moderna. Implicitamente, esses são os valores que muitos consumidores acreditam estar apoiando ao comprar produtos orgânicos. Cada vez mais, os pequenos agricultores, como Amy, acham que as empresas de orgânicos talvez estejam traindo essa confiança, extraindo demais de suas comunidades bióticas e humanas a curto prazo e adulterando o espírito do movimento.

A melhor e única defesa, tanto para os produtores quanto para os consumidores que se importam, é um maior comprometimento com as economias alimentares locais. Talvez não seja possível evitar a corrupção de padrões orgânicos codificados uma vez aplicados de uma forma tão abrangente. Um processo tão complexo quanto a agricultura sustentável não pode ser completamente administrado ou controlado; seria como se o governo tentasse legislar a felicidade no casamento. Os produtores empresariais, cujo único objetivo é o lucro, encontrarão maneiras de cumprir os regulamentos orgânicos ao pé da letra, enquanto violam as verdadeiras leis que compõem seu espírito.

Contudo, "produzido localmente" é uma denominação cujo sentido é impossível de se corromper. Economizar combustível de transporte, embalagem e suplementos nocivos é uma parte importante da história, mas não é tudo. A comida local é uma negociação pessoal que se passa em um lugar de congregação comunitária. Envolve agricultores conhecidos por seus primeiros nomes, que estão presentes semana após semana. Significa uma política de portas abertas no campo, onde os compradores da vizinhança são bem recebidos e podem ver e colher a comida eles mesmos. *Local* significa agricultores cultivando confiança.

9

Seis coisas impossíveis antes do café-da-manhã

FIM DE JUNHO

Quando eu estava na faculdade, vivendo a dois estados de distância de minha família, estudei o mapa um fim de semana e descobri uma rota para casa diferente daquela que costumávamos pegar. Voltei ao Kentucky pelo novo caminho, que realmente provou ser mais rápido. Durante minha visita, fiz questão de contar a todos os meus parentes sobre a proeza que me economizara 37 minutos.

— Trinta e sete — ponderou meu avô. — E agora você acaba de gastar 15 nos contando sobre isso. O que você planeja fazer com os outros 22?

Boa pergunta. Até hoje ainda fico pensando em uma resposta sempre que a religião da economia de tempo me faz comer ou executar uma tarefa às pressas, correndo porta afora para atender o próximo compromisso de minha agenda. Toda essa pressa pode nos desviar da verdade de que a vida é uma equação de soma zero. Todo minuto que eu economizar será gasto com alguma outra coisa, possivelmente tão sublime quanto ficar olhando o corrimão da escada na tentativa de lembrar por que a subi correndo. Por outro lado, prestar atenção na tarefa a ser feita — por mais cotidiana que seja — talvez possa transformá-la em parte de um dia agradável, em vez de apenas mais uma pedra no caminho para algum outro lugar.

Tenho um amigo fazendeiro que tem as mesmas opiniões que o meu avô com relação à economia do tempo. Em vez de tratores, ele usa animais de carga para arar a terra. Não leva uma eternidade para trabalhar um campo inteiro com um arado puxado a cavalo? A resposta, diz ele, é sim. *Eternidade* é exatamente o estado de espírito.

— Quando estou lá fora cultivando milho com bons animais na tranqüilidade da tarde, escutando os pássaros nas cercas vivas, minha nossa, a sensação é de que poderia passar o dia inteiro assim. As crianças da cidade que nos visitam sempre perguntam: "O que você faz para se divertir por aqui?" Digo a eles: "Cultivo."

Agora que sou algumas décadas mais velha e muito menos esperta do que era quando estava na faculdade, estou mais preparada para encarar as rotinas da vida da mesma forma que meu amigo encara sua plantação de milho. Ainda não atingi um estado de serenidade plena em relação a todas as tarefas da casa (O que você faz para se divertir por aqui? *Limpo panelas e frigideiras, entendeu?*), mas talvez esteja chegando a esse ponto no que diz respeito a cozinhar. A eternidade é o estado de espírito perfeito para fazer comida para uma família: cozinhar lentamente os tomates para fazer um molho vermelho dourado com cheiro de orégano para a massa. Antes disso, colher as frutas amadurecidas ao sol, rasgar as folhas de orégano dos caules, fazer essas plantas crescerem desde a semente — *sim*. Qualidade de vida é o que busco. Cozinhar é definitivamente uma fonte de diversão para nós. Quando estou deprimida, vou à cozinha. Viro as páginas de meus livros de culinária favoritos, criando a expectativa do barulho feliz de uma refeição em família. Debruço-me sobre a sopa borbulhante, fecho os olhos e respiro. A começar pela terra, tudo que diz respeito à nutrição me dá paz de espírito.

Sim, tenho outras coisas a fazer. Durante 19 anos, fui uma mãe que trabalhou, uma entre legiões que poderiam correr atrás de justificativas para a compra de bastante comida embalada e já preparada se quisesse dar isso à minha família. Não tenho nada contra a conveniência, como uma questão de princípio. Tenho verdadeira paixão por minha máquina de lavar louças e adoro ter ferramentas brilhosas dentro das gavetas da cozinha, prontas para me tornar uma ameaça a qualquer hortaliça, viva ou morta. Conheço a arte do jantar rápido após um longo dia de trabalho. Às vezes, quando estamos cansados demais, vamos a um restaurante, sobretudo para manter a cozinha limpa.

Contudo, se tivesse que definir o estilo de alimentar minha família, de forma permanente, com base no ditado "*tempo* é dinheiro", algo que prezamos em nossa vida doméstica desapareceria. E não estou falando apenas de cinturas, embora fôssemos sentir falta delas. Estou discutindo o horário do jantar, a base da saúde mental de nossa família. Se precisasse quantificar, diria que 75% de meus esforços de criação mais importantes acontecem durante ou em torno da hora em que nossa família se une para a refeição noturna. Tenho certeza de que não sou a única mãe que pensa assim. Uma enquete feita com estudantes excepcionalmente bem-sucedidos — jovens de 18 anos que englobam todos os gêneros, etnias, localizações geográficas e classes sociais — descobriu um tema comum em suas vidas: o hábito de sentar à mesa para uma refeição em família. Não é apenas a comida que os torna brilhantes. São provavelmente seus pais — seu cuidado, suas prioridades e sua cultura de apoio. E palavras como "Espero você em casa para jantar".

Entendo que para muitos cidadãos norte-americanos não é possível cultivar comida ou até mesmo vê-la crescer. Mas tenho problemas em aceitar o passo seguinte em nossa viagem rumo à simbiose obrigatória com refeições prontas e instantâneas. A culinária é uma arte que está morrendo em nossa cultura. *Por quê?* é uma boa pergunta, e também intrigante, já que estou envolvida política e sócio-economicamente na resposta. Pertenço a uma geração de mulheres cuja bandeira na juventude era: dê-nos uma boa educação para que não precisemos ser escravas da cozinha. Rebelamo-nos contra a proposição de que manter um marido bonito e bem nutrido seria nossa mais alta pretensão intelectual. Batalhamos para entrar em base de igualdade, em todas as esferas de trabalho. Estudamos, passamos por provas, construímos uma trajetória profissional para chegar ao ponto de, ao final de tudo isso, pedir para sermos dispensadas do trabalho manual. Ou nossa profissão em tempo integral é baseada em trabalho manual, como carpinteiras ou metalúrgicas, ou passamos o dia em frente a uma caixa registradora. No final do turno, merecemos ir para casa e descansar. De alguma forma, no entanto, a história voltou e nos pegou de surpresa: hoje, a maioria das mulheres tem emprego *e* ainda faz o grosso das tarefas domésticas. Cozinhar ao fim de um longo dia de trabalho é um fardo que poderíamos ter evitado.

É uma postura justificável, mas que foi transformada em uma cultura alimentar patológica. Quando a minha geração de mulheres largou a cozinha, fomos estimuladas por uma indústria focada apenas no lucro que prontamente identificou um alvo de marketing cansado e vulnerável. "Isso aí, minhas senhoras", ela nos disse, "vão em frente, libertem-se. *Nós* vamos cuidar do jantar". Ela abriu a porta e nós entramos em uma crise nutricional e em um suprimento de alimentos verdadeiramente tóxico. Se você acha que tóxico é um exagero, leia as instruções na embalagem sobre como lidar com um frango cru vindo de uma CAFO. Nós mulheres trilhamos um longo caminho até chegar aos maus hábitos alimentares e a uma dinâmica familiar que, por tabela, se encontra altamente debilitada. Independentemente do que nós façamos ou acreditamos, comida continua a ter um papel central em qualquer cultura. E a nossa agora está baseada em calorias vazias.

Quando trocamos o papel de dona de casa por nossas profissões, havia aí implícita a promessa de que obteríamos independência econômica e influência ao redor do mundo. Mas, na vida cotidiana, isso se tornou uma espécie de barganha com o diabo. Trocamos o aroma do pão quente saindo do forno, o ritmo pausado das rotinas de cuidar e educar, além da tarefa criativa de moldar os gostos e o apetite pela vida de nossas famílias; recebemos por isso a caminhonete e as refeições infantis pré-embaladas. (Ou pior, cachorros-quentes de lanchonete e crianças que passam a maior parte do dia sem os pais.) Considero isso a grande fraude de minha geração.

E agora? A maioria de nós, homens e mulheres, trabalha em empregos de tempo integral que parecem estar organizados com base na premissa de que existe algum ente conjugal em casa para suprir as necessidades — preenchendo o buraco entre a saída da escola e o fim do dia de trabalho, tomando conta das incumbências que podem ser feitas apenas no horário de trabalho, satisfazendo a *fome* que sentimos quando chegamos em casa ao fim do dia — mas, na vida real, a mãe suburbana June Cleaver, aquela da série de TV *Leave it to Beaver,* saiu de casa. Sua renda se tornou necessária para cobrir a hipoteca e o seguro saúde. Será que os organizadores de nossos lugares de trabalho não notaram? Na verdade, o pau para toda obra somos *nós*, tanto pais quanto mães sempre apressados, espremendo as responsabilidades de cuidar da família em espaços pequenos entre o emprego, a viagem de ida e volta para o trabalho e a hora de dormir. Comer comida já processada ou fast-food pode parecer a grande salvação, em uma concepção imediatista e, a curto prazo, até perdermos o verdadeiro significado de uma refeição para a família: civilidade, economia e saúde. Muitos de nós estamos tentando reverter essa situação, buscando um caminho de volta ao lar, para o lugar onde cuidar e alimentar não são tarefas de um zelador de zoológico, mas algo mais feliz e criativo.

"Cozinhar sem ser remunerada" e "trabalhar em frente ao fogão quente como uma escrava" são atividades separadas, sobretudo, por um estado de espírito. A distinção é crucial. Mulheres trabalhadoras em muitos países ainda demonstram paixão pela cozinha diariamente, indo direto do trabalho para o mercado para procurar os ingredientes mais frescos, alimentando seus entes queridos com excelência. Na França e na Espanha, já participei de reuniões de trabalho com jornalistas e editoras nas quais a conversa guinou rapidamente da literatura pós-colonial para as peixarias e para a qualidade atual dos cogumelos e do alho-poró. Essas mulheres não pareciam estar preocupadas se estavam soando antiquadas ou presas a padrões sociais ultrapassados; no contexto de uma cultura alimentar saudável, peixes e alho-poró são assuntos tão respeitáveis quanto a literatura pós-colonial. (E, alguns diriam, mais divertidos.)

O trabalho caseiro em tempo integral pode não ser uma opção para aquelas de nós que não tiveram escolha e foram jogadas na modernidade sem contar com a ajuda de outras fontes de renda para sustentá-las. Porém, encarar as refeições como uma oportunidade criativa, em vez de um fardo, *é* uma opção. Exigir a participação do marido e das crianças é um dos elementos dessa equação. A obsessão por colarinhos impecáveis, passar a ferro e um chão de cozinha brilhando, nem tanto. Conquistamos o direito de esquecer as tarefas domésticas rotineiras desanimadoras. Mas cozinhas em que a comida era preparada e consumida, essas sim eram uma grande idéia. Livramo-nos de coisas ruins, mas junto também se foram as boas. É mais do que aconselhável dar um jeito nessa situação antes que seja tarde.

É fácil para nós alegar que não temos tempo para cozinhar; mais difícil é perceber o que estamos fazendo em vez disso e por que presumimos ser uma postura mais vantajosa. É verdade que algumas pessoas trabalham turnos dobrados, com horas extras, e não fazem nenhuma atividade de lazer, nunca, ou não têm casa, ou por alguma outra razão não têm acesso a um fogão e a uma geladeira. Porém, a maioria tem a sorte de fazer *algumas* coisas como diversão, para alegrar a si mesmo ou a família. Cozinhar pode ser uma dessas coisas.

Para as pessoas trabalhadoras, claro, cozinhar acaba sendo regido por certos critérios de eficiência. Não tenho nenhuma vergonha de dispensar os elementos mais rebuscados de uma receita exigente e me focar em sua idéia principal. Ou ignorar por completo os livros de culinária durante a semana, recorrendo principalmente a refeições simples que já preparei milhares de vezes antes, em variações infindáveis: fritadas, refogados, massa com uma proteína e duas verduras para complementar. Ou sopas que podem ser preparadas em fogo brando o dia inteiro em nossa panela de cozimento lento, a qual apelidamos de sra. Cleaver. As receitas mais trabalhosas são deixadas para os fins de semana:

lasanha, quiches, frango assado, qualquer tipo de sobremesa. Tenho outra regra com relação aos pratos complicados: *sempre* faça a receita em dobro, para poder recuperar o investimento e comer essa coisa maravilhosa mais uma vez durante a semana.

As rotinas poupam tempo e ajudam a manter a serenidade. Da mesma forma que uma mãe contorna as mudanças de humor de um recém-nascido, nossa família criou alguns recursos confiáveis para aqueles momentos durante a semana em que é mais provável que aconteçam os confrontos causados pela falta de açúcar no sangue e pelo cansaço provocado pelo trabalho. As noites de sexta-feira são sempre dedicadas a filmes e pizza. Amigos e possíveis namorados são bem-vindos; alugamos um filme apropriado para todas as faixas etárias e outro para assistirmos após as crianças pequenas irem dormir. Sempre temos à mão os ingredientes básicos de uma pizza — farinha e fermento para a massa, mussarela e tomates (frescos, desidratados ou molho enlatado, dependendo da estação). Todos os outros acompanhamentos variam de acordo com o estado da horta e com os gostos pessoais. As crianças exigentes podem escolher os acompanhamentos de seu próprio pedaço, enquanto os mais aventureiros podem escolher outros, desde berinjela defumada a cebolas caramelizadas, ervas frescas e espinafre. Por ter se tornado uma rotina, nossas pizzas são preparadas sem qualquer rebuliço enquanto nos juntamos na cozinha para relaxar, beber uma taça de vinho, no caso dos que já têm idade para tal, e conversar sobre a semana de cada um. Nunca preciso pensar sobre qual vai ser o jantar de sexta-feira.

Gosto da idéia de encarar o ato de cozinhar como um evento social. Os amigos sempre parecem felizes em participar do trabalho de montar uma pizza caseira, *tacos* ou sanduíches vegetarianos. Jantares onde cada um traz um prato surpresa também podem ser uma salvação. A comida entregue em domicílio não é a única saída fácil. Com um repertório básico de receitas simples na cabeça, a melhor coisa a fazer é ligar o fogão e tentar.

Com todo respeito, me comparo à autora de livros de culinária Julia Child quando arrisco um novo cozido usando os ingredientes que estiverem à mão. Também ouso convidar para o jantar amigos que admiro por seus dotes culinários, oferecendo os ingredientes de que precisam e a mim como ajudante de cozinha. Foi assim que finalmente aprendi a fazer *paella*, *pad* tailandês e sushi, e a mesma estratégia funcionou para adquirir algumas técnicas básicas e noções acerca de outras receitas. Para aqueles que não cozinham, é provável que o primeiro passo seja o mais difícil: convencer-se de que a iniciativa vale a pena em termos de saúde e de economia doméstica, sem falar em benefícios ao meio ambiente.

É realmente vantajoso. Cozinhar é o grande abismo que existe entre comer bem e comer mal. Os ganhos são inclusive mensuráveis: cozinhar e comer em casa, mesmo com ingredientes de alta qualidade, gera uma grande economia em comparação a refeições preparadas em restaurantes ou fábricas. Os consumidores mais intimidados pelo alto custo dos orgânicos devem prestar atenção aos códigos de barra de alimentos já preparados, nas butiques orgânicas, e não em hortaliças de verdade. Uma dieta de qualidade não é uma opção elitista para aqueles que fazem tudo por si mesmos. Em termos globais, as pessoas consomem mais refrigerantes e alimentos prontos à medida que ficam mais ricas; as refeições feitas em casa a partir de ingredientes frescos constituem o esteio das pessoas rurais de baixa renda. Esse vínculo entre o sucesso econômico e o malogro nutricional se tornou tão comum que ganhou um nome: transição nutricional.

Nos Estados Unidos, alguns dos habitantes mais exaustos e pobres moram em vizinhanças onde as hortaliças são vendidas apenas em mini-mercados localizados em postos de gasolina. Em alguns casos, a ajuda alimentar do governo equivale apenas a um dólar por refeição, o que permite comprar feijão, arroz e nada mais. Contudo, muitos de nós temos opções alimentares muito mais amplas, que não utilizamos da melhor maneira possível. A comida preparada em casa com produtos integrais *economiza* dinheiro. Também ajuda a remover e manter bem longe os quilos a mais, quando for o caso — como é para cerca de 66% dos adultos nos Estados Unidos. A obesidade é nosso problema de saúde mais sério, e o mais dissimulado, já que tantas calorias conseguem entrar sem serem contabilizadas. O xarope de milho e as gorduras adicionais já foram divulgados como ingredientes importantes do fast-food, mas elas se escondem nas comidas prontas também, até mesmo naquelas que julgamos ser inocentes, como os biscoitos de água e sal. Cozinhar permite vigiar a porteira, controlar não apenas o que entra em sua casa, mas também o que fica fora.

Finalmente, cozinhar é um ato de boa cidadania. É a única maneira de tratar seriamente a questão de incorporar a comida produzida localmente em sua dieta, o que mantém saudáveis os campos e faz com que o dinheiro dos alimentos permaneça na vizinhança. Cozinhar e comer com as crianças lhes ensina civilidade e habilidades práticas que elas poderão usar mais tarde em suas vidas para economizar dinheiro e se manter saudáveis, independente do que aconteça no futuro com a indústria alimentícia movida a petróleo. O tempo com a família é pouco para todos nós, e outros interesses legítimos podem facilmente tomar o lugar da culinária. Mas se comer um fast-food às pressas é a única maneira de fazer com que suas crianças cheguem na hora ao seu saudável treino de futebol ao ar livre, então temos um dilema. Os pratos especiais de fácil preparo que entopem as artérias e lhe poupam minutos hoje podem custar caro alguns anos mais tarde.

Os lares que não têm a alma da cozinha em suas rotinas podem não perceber o que estão perdendo: o canto do chiado de um refogado, a conversa fiada das colheres dosadoras batendo uma nas outras, o aroma do fermento de uma massa enquanto ela cresce, a pintura de sabores sobre a pizza antes que ela deslize para dentro do forno. A coreografia de um número grande de pessoas trabalhando na cozinha é, em si, uma certa definição de família, depois de as pessoas terem feito, isoladamente, seu caminho para chegar em casa e então ficar com seus parentes. A arte de criar e educar é mais do que um simples enfeite, à medida que influencia a sobrevivência. Demos à próxima geração o "presente" estatístico de uma expectativa de vida mais curta do que a de seus pais, que somos *nós*, aqueles que cuidam deles. Nossa cultura de comida descartável é a única causa disso. Ao tomar o caminho mais rápido, o que estamos economizando?

UMA VEZ QUE SE COMEÇA a cozinhar, uma coisa leva à outra. Uma receita nova é tão emocionante quanto um primeiro encontro. Um novo *ingrediente*, minha nossa, é um caso de amor delirante. Já cultivei novas hortaliças apenas com o objetivo de descobrir seu gosto: alcachofras de Jerusalém, *edamame*, *potimarrons*. Uma receita rápida pode se tornar lenta em nossa cozinha por causa das experiências que arriscamos fazer. Fazemos coisas com ingredientes básicos simplesmente para ver se conseguimos fazê-las. Já desenrolamos e cortamos nossa própria massa, criamos perus para assar ou fazer salsichas, fizemos *chutney* com produtos de nossa horta. Em ocasiões especiais, fazemos tortas de cereja com treliças por cima e raviólis com bordas plissadas, para ter a satisfação de ver essas delícias antológicas se tornarem realidade.

Muitos passatempos, de tricotar suéteres a construir modelos de aeronaves, provavelmente têm suas raízes no desejo humano de controlar um processo de fabricação do começo ao fim. Karl Marx chamava isso de um antídoto à alienação. Os psicólogos do trabalho modernos geralmente concordam, pois observaram que operários construirão um carro melhor se participarem da montagem como um todo, ao invés de apenas colocarem rebites um após o outro, ao longo de todo um enfadonho dia durante a vida inteira. No caso da comida moderna, nossa função de colocar rebites se tornou o ato entediante de enfiar aquela coisa em nossas bocas, sem ter a menor idéia de como se dão as outras etapas do processo. É uma conseqüência bastante óbvia o fato de acabarmos sem qualquer afeição pelo produto. Quando penso sobre a razão de tantos americanos comerem tanta comida ruim propositadamente, minha melhor explicação é: alienação alimentar. Não somos capazes de identificar onde e como isso nos prejudica. O que sei é que estamos precisando desesperadamente de um antídoto.

Para mim, essa é uma razão suficientemente bem fundada para manter a cozinha no centro da vida de uma família, como lugar onde encaramos a comida como um processo, não apenas como um produto. Essa é a principal motivação por trás de nossa horta, de nossa produção regular de pães e de outras experiências que acabam por se tornar rotinas familiares. Nossa fabricação de queijo, por exemplo.

Certo, já sei. Você concordava com tudo que eu escrevi até esse último ponto. Não sei bem por que, já que leva menos tempo para fazer meio quilo de mussarela do que para assar uma torta, mas muitas pessoas consideram a idéia de fazer queijo em casa uma aberração. Quando algum entregador bate à minha porta enquanto estou cortando e drenando o coalho, me sinto uma bruxa excêntrica.

Que tipo de maluco fabrica *queijo*? É excessivamente difícil imaginar, excessivamente caseiro, excessivamente alguma coisa. Ficamos tão alheios à criação das coisas, até mesmo das mais comuns que comemos ou usamos diariamente, que cada uma delas parece precisar de sua própria equipe de relações públicas para apaziguar a obsessão americana com a pressa e nos obrigar voltar a fazer algo por conta própria, em casa. Tricotar roupa ganhou uma nova popularidade entre as estudantes universitárias, em grande parte por causa de um pequeno livro chamado *Stitch and Bitch* [Tricotar e fofocar]. As artes domésticas em geral têm a Martha Stewart. A culinária francesa teve a imortal Julia. Os grelhados tiveram a culinária do povo cajun, e os cozidos feitos em panelas de ferro fundido todos têm divulgadores que são celebridades. O que seria necessário para nos convencer de que uma hora produzindo queijo na cozinha vale a pena? Uma palestra de motivação, um amigo, um artesão — talvez uma Rainha dos Queijos?

Todas as respostas acima estão corretas e, sim, existe uma Rainha dos Queijos. Ela se chama Ricki Carroll. Desde 1978, quando fundou a New England Cheesemaking Supply e começou a dar cursos práticos em sua cozinha, ela já ensinou diretamente mais de sete mil pessoas a fazer queijo. Esse número se refere aos que ela ensinou pessoalmente, sem contar aqueles entre nós que fizeram encomendas pela internet e que leram seu livro *Cheesemaking Made Easy* [Como fazer queijo de um jeito fácil], que já vendeu mais de cem mil exemplares. É só fazer uma busca por Rainha dos Queijos na internet e seu nome aparecerá rapidamente.

Quando me encontrei com Ricki, senti uma combinação de admiração e curiosidade, em proporções iguais. Se minha família gosta de se reaproximar dos processos que geram nossos alimentos, se nos tornamos um tanto quanto evangélicos a esse respeito, temos muito a aprender com Ricki Carroll. Nós somos apenas pregadores inexpressivos do interior ao lado dela, que já inspirou artesãos do Loire a Las Vegas. Ela é o Billy Graham — evangelista famoso por suas pregações em locais pouco prováveis, caso você não conheça — do queijo.

Na verdade, não é bem assim. Ela é apenas Ricki. Ela começa a lhe conquistar no momento em que você atravessa a soleira de sua casa de fazenda em Massachussetts, uma casa colorida no estilo Queen Anne com tremoços e lírios ao redor dos degraus da frente. Aí, você entra pela porta e cai através de um espelho mágico, em um espaço onde antigos artefatos usados para fabricar queijo se misturam com caprichosas bonecas feitas a mão que ficam olhando e piscando para máscaras africanas, instrumentos musicais estranhos e colchas esquisitas que conversam entre si em várias línguas. O ambiente serve para preparar a chegada da Rainha, que cumprimenta as visitas à sua oficina com um sorriso, pedindo a todos que entrem em sua cozinha enquanto segura o cabelo encaracolado com um prendedor em formato de papagaio.

Ricki havia convidado nossa família para fazer uma visita, após saber do nosso interesse por comidas artesanais e locais. Generosamente, ela nos convidou, e a meia dúzia de amigos, para assistir a uma oficina que ocorreria ao longo do dia, voltada para queijeiros iniciantes. Sentamos às mesas compridas e nos apresentamos para os outros vinte participantes. Eu já estava tomando notas, não sobre como fazer queijo, mas sobre *o tipo de pessoa que participaria de uma coisa dessas.*

Qualquer tipo. Para vários homens, era um presente de Dia dos Pais extremamente original. Uma *chef* procurava expandir o leque de suas experiências culinárias; algumas mães buscavam dietas mais saudáveis e locais para suas famílias. Martha, do Texas, é proprietária de dois búfalos e sonha com uma mussarela extraordinária. (Seus nomes são Betsy e Beau; ela nos mostrou as fotos.) Talvez fôssemos um pouco birutas, mas participar de um evento como esse nos fez sentir como peregrinos de uma seita secreta. Havíamos rejeitado o bezerro dourado nacional das fatias de produtos de queijo embaladas em porções individuais em folhas de papel celofane. Nosso desejo comum era compreender melhor uma comida da qual gostávamos e controlar mais uma etapa de nossa vida e alimentação.

Examinamos as tigelas de aço inoxidável, termômetros e pacotes com as culturas de microrganismos à nossa frente, enquanto Ricki começava a nos transportar para seu mundo. O queijo é uma idéia simples: uma maneira de preservar o leite, que estraga logo se não for refrigerado, mas que pode ser guardado indefinidamente — e até melhorado — na forma de queijo. De origens humildes, ele se tornou uma fascinação global. "Os queijeiros artesanais combinam ciência com arte. Em todos os cantos do mundo, as pessoas fazem queijo da mesma forma que seus antepassados." Na República da Geórgia, ela nos contou, ela viu queijeiros mexerem o coalho com um pequeno galho e envolver a panela morna (ao invés de monitorá-la com um termômetro) com um suéter com desenhos de gatos, um cobertor de bebê e uma capa.

Dando continuidade, Ricki anunciou que faríamos *queso blanco*, ricota de leite integral, *mascarpone*, mussarela e *cheddar* de fazenda. Sim, *nós mesmos*, bem ali, naquele dia. Olhamos abismados enquanto ela nos ensinava a fazer nosso primeiro queijo, explicando que tudo seria feito usando leite normal comprado no mercado. O leite fresco de fazenda é ótimo para se trabalhar, o leite não homogeneizado é bom, mas qualquer leite serve, contanto que não seja "longa vida". A pasteurização a temperaturas excessivamente altas, explicou Ricki, desnaturaliza as proteínas e destrói o coalho. O único propósito do processo "longa vida" é transportar o leite por longas distâncias; após esse processo, ele pode passar semanas sem qualquer mudança em sua composição química.

Assim, por sua composição química ter sido alterada, o leite "longa vida" não faz queijo de jeito nenhum. Essa discussão confirmou o que eu já havia aprendido a duras penas, em casa, com meus próprios esforços. Antes de saber que era necessário evitar o leite "longa vida", usei um pouco dele para criar uma maçaroca de mussarela que não deu certo. O coalho não fica firme, vira uma pasta.

— Pergunte a seu fornecedor de onde vem o leite — sugeriu-nos Ricki; quanto mais perto de casa for a fonte, melhor. Ler as etiquetas no mercado pode levá-lo a descobrir uma fábrica de laticínios que esteja próxima e que não tenha pasteurizado demais o leite para fins de transporte por longas distâncias. Melhor ainda, aconselhou ela, saia perguntando até descobrir um fazendeiro que produza leite fresco. Talvez não seja comercializável, já que existem restrições em muitos estados que impossibilitam os pequenos produtores de laticínios a vender diretamente ao consumidor. Mas alguns o permitem, ou têm brechas sobre as quais o fazendeiro pode lhe informar. Talvez seja possível comprar leite fresco para seus animais de estimação, por exemplo. (Os gatinhos adorarão sua mussarela.) Você mesmo pode pasteurizar o leite fresco se quiser, e a maioria dos casos de listeria e outras doenças trazidas pelo leite ocorre nas grandes indústrias de laticínios, disse Ricki, não entre os pequenos produtores e os artesãos, onde a qualidade do produto é a preocupação central.

A questão dos regulamentos era uma preocupação para vários pequenos produtores de leite que participavam do evento. Anne e Micki, duas mães que moram em fazendas vizinhas da Nova Inglaterra, se interessaram pela produção caseira de leite após seu pediatra tê-las aconselhado a mudar para o leite orgânico. Ele disse que, se fosse para uma família escolher uma classe de produtos orgânicos para colocar em sua lista de compras, a classe deveria ser a dos laticínios. As indústrias afirmam que os hormônios de crescimento contidos no leite são seguros; o pediatra (que, diga-se de passagem, não é o único) disse que já havia visto diversas garotas entrarem na puberdade precocemente.

Então, Micki e Anne adquiriram vacas da raça Jérsei, felizes por garantir a suas famílias uma fonte vitalícia de leite sem hormônios. Anne também produz *kefir*, um produto que ela gostaria de vender na feira de fazendeiros, mas a lei não lhe permite. A filha de Micki faz sobremesas de biscoito com sorvete usando os ovos e o leite da fazenda — um item de popularidade incrível que ela poderia vender para abrir um fundo para sua faculdade, caso a venda não fosse ilegal.

— Não temos autorização — disse Micki. — E nunca teremos. Os padrões são impossíveis de serem atendidos por um produtor pequeno.

Ela não estava exagerando. Na maioria dos estados, a regulamentação dos laticínios parece a lista de tarefas de um obsessivo-compulsivo: o local onde se tira o leite precisa ter lâmpadas incandescentes com capacidade igual ou superior a cem Watts, próximas, mas não diretamente acima do tanque de leite a granel; precisa ter vestiários para os empregados, separadamente, uma estrutura específica e permanente para lavar as mãos (mesmo que uma casa com banheiro esteja a dez passos de distância) com água quente e fria disponibilizada através de uma válvula misturadora; todo o leite deve ser pasteurizado em uma instalação separada (não uma cozinha doméstica) com entrada independente e acesso pavimentado; o processamento deve ser realizado todo dia; cada lote deve passar por testes hormonais (mesmo que a vaca seja sua e que você não tenha lhe dado nenhum hormônio) feito por um laboratório credenciado.

O equipamento para pasteurização requer três componentes específicos: uma panela metálica, uma fonte de calor e um termômetro capaz de medir até 65°C. Aconselho que acrescente a essa lista a capacidade mental de ler um termômetro. Já fiz isso muitas vezes sem o benefício de acessos reservados e vestiários para empregados, sem imaginar que representava uma ameaça à saúde pública. Na verdade, algum tempo mais tarde, quando comecei a sondar esses regulamentos, descobri que talvez estivesse violando a Lei Estadual 2VAC5-531-70, em vigor na Virgínia, apenas por fabricar queijo para meu próprio consumo. Demanda certa imaginação vislumbrar como essas regras afetam a segurança dos consumidores. Muitos outros produtos alimentícios não processados — notadamente os frangos produzidos em CAFOs — costumam representar uma ameaça maior à saúde humana em termos de substâncias e microrganismos causadores de doenças, e mesmo assim o governo confia em nossa capacidade para torná-los seguros em nossas humildes cozinhas. Mas é fácil entender que regras impossivelmente rígidas para o leite agradariam aos lobistas da indústria ao eliminar a concorrência vinda dos produtores familiares.

Ricki era solidária a esse posicionamento, pois viajara pelo mundo afora e vira muitas pessoas trabalharem sem as especificações das grandes indústrias. Na Grécia, por exemplo, ela viu pastores prepararem o queijo em um barraco logo após a ordenha, fazerem o feta em cima de uma fogueira, despejarem o soro sobre o chão de pedra para lavá-lo. As bactérias específicas que ali prosperavam criaram um bom ambiente para a fabricação de queijo, ao mesmo tempo que expulsavam outros microrganismos potencialmente nocivos. Os vinicultores franceses aplicam o mesmo princípio ao utilizar a polpa fermentada que sobra das uvas para adubar seus vinhedos. Ao longo dos séculos, os micróbios corretos para fazer o vinho fermentar da maneira adequada e criar seu *terroir* saboroso foram infundidos em vales inteiros.

Muitas de nossas comidas mais úteis — iogurte, vinho, pão e queijo — são produtos cujo crescimento é controlado por micróbios. Talvez relutemos ao pensar nisso, mas existem germes espalhados por cada centímetro de nosso planeta. Nossos próprios corpos são verdadeiros condomínios de bactérias, com relações estabelecidas entre os vizinhos dos andares mais altos com os dos mais baixos. Sem esses residentes permanentes, nossos intestinos seriam tomados por forasteiros menos agradáveis em busca de moradia com aluguel barato. O que nos mantêm saudáveis é uma coexistência esclarecida com os micróbios, ao invés do microgenocídio que parece ser a última moda. Pais com medo de germes agora podem comprar pratos, descansos de prato, e até mesmo roupas contendo produtos químicos antimicrobianos. Injetamos um monte de antibióticos em qualquer coisa capaz de ficar em pé parada se pretendemos comê-la. Mesmo assim, mais de cinco mil pessoas morrem por ano nos Estados Unidos por causa de comida contaminada. A esterilidade é obviamente o caminho errado, sobretudo se encarada como um substituto do trabalho cuidadoso.

Esse era nosso compromisso aqui: trabalho cuidadoso. Ricki passou velozmente do *terroir* para as culturas bacterianas de queijo e para o aquecimento de nossas panelas até chegar à temperatura correta. Enquanto discursava a favor da lentidão, ela andava rápido. Enquanto acrescentávamos a cultura para ajudar a solidificar nosso *cheddar*, ela já havia passado ao próximo queijo. Com um espelho inclinado sobre o fogão para que todos pudéssemos enxergar o interior da panela, ela colocou vinagre para coalhar o *queso blanco*, rindo enquanto adivinhava o volume. Não existe uma fórmula perfeita, ela insistiu, apenas alguns princípios básicos e a confiança de experimentar.

Ainda não havíamos adquirido confiança, mas começamos a trabalhar mesmo assim, um grupo de leiteiras, pais, criadores de búfalo e sonhadores excêntricos. Sentimo-nos subversivos ao desafiar os profissionais e ao fazer as coisas por conta própria. Inalávamos o aroma agridoce do soro fervente. O calor úmido da cozinha fez nosso cabelo se enrolar, à medida que novos sabores e texturas começaram a surgir diante de nós como possibilidades: *mascarpone*, *fromagina*, mussarela. Possibilidades *remotas*, talvez. Ainda parecia pouco provável sermos bem-sucedidos em tantas atividades em um único dia.

Na hora do almoço, fui ao lavabo, extremamente colorido, onde havia uma citação de *Alice no país das maravilhas* pintada na parede.

"— Não adianta fazer isso — disse ela —, ninguém pode acreditar em coisas impossíveis.

— Eu diria que você nunca praticou bastante — disse a Rainha. — Quando eu tinha a sua idade praticava sempre meia hora por dia. Às vezes me acontecia acreditar em seis coisas impossíveis antes do café-da-manhã." (Tradução de Sebastião Uchoa Leite.)

Devo confessar que eu não era totalmente novata. Já fazia queijo há alguns anos, encomendando artigos e culturas de Ricki e seguindo as receitas de seu livro. Não foi apenas o espírito de aventura que levou minha família a entrar nessa linha culinária, mas também as dores de barriga. Intolerância à lactose é uma condição comum e hereditária na qual o intestino da pessoa perde, após a infância, a capacidade de digerir o açúcar do leite, denominado lactose. As moléculas açucaradas permanecem no intestino sem serem digeridas, fermentam e criam um estrago gasoso. O efeito é o mesmo a comer qualquer outro carboidrato não digerível, como papelão ou grama.

Não se trata de uma alergia ou mesmo, tecnicamente, de uma doença. Os antropólogos físicos nos informam que os quatro anos de idade, quando a intolerância à lactose tipicamente começa, constituem o momento em que a natureza programou nossa raça para passar a comer comida sólida; em outras palavras, uma diminuição gradual da digestão do leite é normal. Em todos os outros animais, a enzima que digere o leite pára de ser produzida logo após o desmame. Portanto, quando as pessoas se referem a isso como uma doença, gosto de observar que nós, intolerantes à lactose, podemos muito bem digerir os açúcares em comidas humanas adultas, como frutas e verduras, muito obrigada, apenas não podemos *mamar. De uma vaca.* Certo?

Porém, não existe animal mais bizarro que o *Homo sapiens*. Ao longo de milhares de anos, algumas poucas populações isoladas desenvolveram relacionamentos íntimos com seus animais domésticos, e uma mutação genética lhes deu uma adaptação estranha: mantiveram as enzimas digestivas da lactose depois de adultos. Os geneticistas confirmaram que os adultos bebedores de leite constituem uma exceção à regra ao identificarem um gene divergente no segundo cromossomo, que é o responsável pela persistência dessa capacidade. (O gene é SNP C/T13910, caso esteja interessado.) Essa mutação relativamente recente ocorreu cerca de dez mil anos atrás, logo após os humanos começarem a domesticar animais produtores de leite. O gene se difundiu rapidamente em populações pastoras por conta da vantagem singular que ele proporcionava, permitindo-lhes mamar pela vida inteira em outra raça.

O gene da digestão de lactose ocorre em 86% da população do norte da Europa. Por outro lado, ocorre em aproximadamente um terço dos habitantes do sul do continente, que historicamente não mantinha grandes rebanhos. No Extremo Oriente, onde o gado leiteiro é desconhecido, o gene não está presente. Até hoje, os habitantes do sudeste asiático não têm quase nenhuma tolerância à lactose. Apenas cerca de 10% dos americanos adultos de origem asiática conseguem digerir leite, juntamente com menos de 50% dos judeus americanos e de 25% dos mexicanos vindos de áreas rurais. Entre a população indígena americana, os dados são pouco precisos — as estimativas variam de 20 a 40%. Entre os afro-americanos, a tolerância adulta ao consumo de leite é alta, quase 50%, devido a outra fase interessante da história humana. A mutação da persistência da enzima surgiu várias vezes de forma independente, paralela ao hábito de consumo de leite por adultos. Ela aparece em populações que têm poucos pontos comuns além de vacas: os Fulani altos e esguios da África Ocidental; os pastores khoi da África Meridional; e o homem branco do norte da Europa.

Então, resumindo, uma dessas populações passou a dominar o mundo. Se esse ponto é questionável, digamos apenas que tomaram conta de todos os *outdoors* e anúncios do planeta. Logo, tenhamos ou não nascido com o gene que nos permite digerir leite em idade adulta, estamos todos expostos a uma propaganda constante que nos incentiva a beber copos grandes do produto todos os dias. Passamos a acreditar em tudo isso, queremos aqueles ossos fortes e dentes resistentes. E tentamos agir como bezerros. Os médicos dizem que a maioria dos norte-americanos intolerantes à lactose nem desconfia de sua condição. Eles continuam a beber leite, e a ter dores de barriga.

Embora sejamos brancas, eu e minha filha mais velha, que é ruiva, algum gene moreno e forte foi passado de geração em geração para nos lembrar que "branco" é relativo. Ambas temos intolerância à lactose. Mesmo assim, como quase todo mundo, incluímos alguns produtos lácteos em nossa dieta. Não posso culpar exclusivamente a propaganda da indústria de laticínios por nosso comportamento. O leite de mamíferos é um alimento milagrosamente completo para os bebês, para os quais foi destinado a nutrir; é o segredo do sucesso dos carneiros, bois, bisontes, cangurus, focas, elefantes, baleias e outros mamíferos que povoaram cada canto do nosso mundo azul e verde com seus semelhantes e seus bebês sedentos por leite. Para outros entre nós, é uma fonte tentadora de proteína, cálcio, minérios e gorduras saudáveis.

Não é de surpreender que culturas do mundo inteiro descobriram, ao longo de séculos de experiências, inúmeras maneiras de torná-lo mais digerível. Iogurte, *kefir*, *paneer*, *queso fresco*, manteiga, *mascarpone*, *montasio*, parmesão, *haloumi*, *bondon*, emental, *chena*, ricota e *quark*... os derivados do leite são inesgotáveis. O gosto provavelmente não é o fator mais importante. Todos eles duram mais do que o leite fresco e sua produção implica a redução de lactose.

A química envolvida é bastante simples. O leite é constituído de mais ou menos 85% de água; o resto é proteína, minérios, gordura, vitaminas e outros elementos em quantidades mínimas, além de açúcares (lactose) — que são dissolvidos na água. Quando a mistura toda se torna mais ácida, os sólidos protéicos coagulam e se transformam em um coalho gelatinoso. Quando suavemente aquecido, esse coalho solta o soro (lactose e água). Tradicionalmente, o leite é coalhado por meio de bactérias específicas que consomem — adivinha o quê? — lactose. Essas bactérias comem o leite, transformando a lactose em ácido lático, que é inofensivo e responsável por gerar o coalho.

Os açúcares que ainda permanecem são dissolvidos no soro. À medida que esse líquido é separado e drenado do coalho, a lactose vai junto. Aquecer, comprimir e envelhecer o coalho ajuda a eliminar uma quantidade ainda maior de soro, tornando-o mais consistente e saboroso. Via de regra, quanto mais consistente for o queijo, menor será o teor de lactose. (Qualquer produto com menos de 2% de lactose pode ser tolerado por praticamente qualquer pessoa.) Além disso, um teor de gordura mais alto significa menos lactose — a manteiga não tem nenhuma. Inversamente, o leite condensado tem 12% de lactose. No caso dos outros produtos, o volume de lactose removido depende das culturas bacterianas utilizadas na fermentação. Um bom iogurte de cultura viva contém até cinco bactérias comedoras de açúcar distintas. Um pouco de bioquímica ajuda bastante a desbravar o universo do leite de forma segura.

Em nossa casa, os queijos moles eram o item mais perigoso. O teor de lactose dos queijos manufaturados varia enormemente. A fermentação e a remoção do soro demandam um tempo que a produção em massa nem sempre permite. Alguns queijos moles nem ao menos recebem culturas, mas são coalhados simplesmente pelo acréscimo de um ácido. Qualquer que seja a razão, o queijo comprado em lojas provou ser consistentemente incomível para nós. Se eu mesma pudesse supervisionar o processo, assegurando pessoalmente a remoção da lactose, acho que talvez conseguisse algo que pudéssemos comer.

Descobri que os queijos moles são muito simples de fazer. A parte mais difícil é encomendar as culturas (por catálogo ou pela internet). Com esses pacotes de organismos produtores de queijo no congelador e quatro litros de leite de boa qualidade, além de um termômetro, um coador e um pedaço de pano especial, os queijos moles estão à sua disposição: em uma panela de aço inoxidável, aqueça o queijo até 30°C, abra o pacote com a cultura e misture o conteúdo no leite. Tire a panela do fogo, cubra e deixe descansar por uma noite. Na manhã seguinte, ele terá se transformado em um coalho branco e mole. Coloque-o no coador forrado com o pano e deixe o soro drenar. Em seguida, acrescente sal, passe-o no pão e sorria. Diferentes culturas bacterianas produzem queijos diferentes. Os bichinhos passam a noite trabalhando e você pode dormir tranqüilamente. Não é legal?

Nossos *chevre* e *fromagina* ficaram tão gostosos que ficamos inspirados a tentar fabricar queijos duros. Esses são mais trabalhosos, mas o processo é basicamente igual. A maioria das receitas demanda, além de uma cultura bacteriana, uma enzima natural denominada *rennet*, que juntas fazem o leite endurecer e virar uma coalhada extremamente firme em alguns minutos, ao invés da madrugada inteira. No caso do mussarela, essa coalhada é amassada como uma massa de pão, aquecida até uma temperatura quase insuportável ao toque, depois esticada como caramelo, o que é muito divertido. O processo inteiro — do leite frio até uma mussarela em tranças bonitas, capaz de impressionar seus convidados — demora menos de uma hora. Para os queijos duros, como o *cheddar*, o coalho firme é cortado em cubos pequenos, mexido e suavemente aquecido, depois comprimido em uma forma redonda e, em uma situação ideal, envelhecido durante semanas ou meses.

É necessário esconder nossos queijos de nós mesmos para que eles durem todo esse período. Ao longo do tempo, vários de nossos amigos aderiram à prática de fabricar queijos.

Na aula prática de Ricki, realmente fizemos seis coisas impossíveis, mas apenas metade delas antes do meio-dia. O almoço incluiu nosso *queso blanco* refogado com hortaliças, tomates fatiados com mussarela e tâmaras recheadas com *mascarpone*. Fizemos uma degustação, congratulamos uns aos outros e fomos encarar a próxima aventura. Colocamos nosso *cheddar* em uma prensa mecânica para espremer o soro excedente do coalho, enquanto Ricki falava sobre como envelhecer e evitar a desidratação, como se fosse algo que teríamos de fazer em um futuro próximo — concluindo que todos nós estávamos indo para casa fazer queijo. Posso apostar que todos assim fizemos. Ao final da aula, todos fomos para o escritório de Ricki para encomendar as culturas e outros artigos que precisaríamos para nossos próximos esforços. Alguns dólares de bactérias embaladas são suficientes para coalhar muitos litros de leite. Um termômetro de queijo custa dez dólares, e os outros artigos básicos — panelas e tigelas de aço inoxidável — já residem na cozinha de qualquer cozinheira determinada. Saímos confiantes para agir por conta própria. Nossos amigos que participaram da aula voltaram às suas casas na Virgínia, Nova York e Boston. Todos me ligaram na mesma semana para me atualizar acerca de emocionantes notícias sobre a produção de queijo.

Por que fazemos isso? É difícil dizer. Enquanto alguns acrescentam um toque refinado a produtos requintados, outros procuram apenas algo que seja palatável, maravilhados pela alquimia do momento em que o leite se divide em soro transparente e em coalho branco, ou a mussarela se estica em nossas mãos formando uma corda dourada e brilhante. Nós mantemos contato, atravessando a geografia e o tempo, com os artesãos do Camembert, os pastores gregos, os mongóis das estepes que sobrevivem de tirar leite de suas éguas — todos que alguma vez viram uma panela cheia de leite branco e imaginaram um pedaço de queijo grande e consistente. Estamos evocando nossas melhores lembranças, infundidas com aromas, amor parental, e um tipo de comida que, como mágica, remontam às rotinas da infância. Esperamos que nossas crianças se lembrem de nós em algum outro lugar que não seja o assento do motorista.

Mais tarde, no verão, quando as aulas e a viagem já tinham passado, a mãe de Steven veio ficar um tempo conosco. Ela cumpriu bem o seu papel de avó em muitas tarefas, mas onde parecia mais feliz era na cozinha. Ela nos contou histórias que eu desconhecia, muitas a respeito de sua mãe, que aos 15 anos saiu de um pobre vilarejo nas montanhas italianas para tentar a vida nos Estados Unidos. Na empoeirada cidade de Denver, ela casou com um fazendeiro siciliano bonitão e criou as cinco filhas com conhecimentos básicos sobre jardinagem, massas e outros fundamentos. Fez ricota periodicamente até o fim de sua vida.

Laura era seu nome, embora fosse mais conhecida como Nonnie, e imagino que ela teria adorado nos ver em um sábado de verão fazendo mussarela juntos: filha, neto, bisnetas e eu, todos rindo, esticando a corda dourada o máximo que conseguíamos. Três gerações matando a fome com a arte mais antiga que conhecemos e passando a tradição adiante.

Crescendo na cozinha

Por Camille

Para nossa família, a cozinha é o melhor lugar da casa. O tempo que passamos preparando o jantar é extremamente importante porque nos aproxima após o fim de um dia ocupados, cada um com seus compromissos. E, quando sentamos para comer, sentimos que a comida à nossa frente é especial. Cultivar hortaliças desde a semente e criar frangos desde os pintinhos nos dá um pouco de tempo para imaginar o sabor que terão ao crescer, por isso apreciamos cada garfada.

Cozinhar me ajudou a cultivar certos hábitos alimentares que mais tarde descobri serem pouco comuns em minha geração — por exemplo, não suporto a idéia de comer qualquer coisa em pé. Sento, mesmo que seja um lanche rápido, para garantir um processo de mastigação ativa, em vez de sair engolindo tudo. Provavelmente, manterei esse hábito pelo resto de minha vida e farei questão de azucrinar meus filhos a esse respeito.

Conheço muitas famílias que têm o hábito de jantar juntas, e algumas que costumam cozinhar, mas poucas levam a culinária tão a sério quanto a minha. Nunca tive ilusões sobre a singularidade de ter um de meus pais fazendo queijo e outro fazendo pão quase que diariamente. Os amigos que levei para casa ao longo dos anos costumavam ficar impressionados e intrigados com as produções malucas que surgem em nossa cozinha. Eles porém sempre adoravam comer pão quente e fresco no jantar e requeijão caseiro no almoço. Foi um pouco constrangedor, no entanto, quando uma amiga minha vegetariana e eu chegamos em casa num sábado e encontramos meus pais fazendo salsicha de peru.

— O que eles estão fazendo? — sussurrou ela, olhando com os olhos esbugalhados para o tubo cheio de carne que ficava cada vez mais longo na bancada.

— Ah, é apenas salsicha. Não se preocupe. — Empurrei-a para longe da cozinha em direção a meu quarto. A cena foi um pouco embaraçosa, mas provavelmente seria mais constrangedor chegar em casa e encontrar meus pais na cozinha gritando e jogando pratos um no outro. De qualquer jeito, que pais não são constrangedores vez ou outra?

A coisa mais difícil de ser criada em um lar onde tudo é feito do zero é que algum dia será preciso sair de casa e lidar com pão e iogurte comprados em lojas. Minha mãe entendeu rapidamente o poder que ela tinha nas mãos por conta disso. "Você vai precisar voltar para casa com mais freqüência se quiser comer comida boa", dizia-me ela. Longe de casa, me dei conta de que sentia falta de outras coisas na hora da refeição além da comida. Sentia falta de iniciar minhas refeições colhendo verduras frescas na horta, ou pegando um vidro de tomates secos na despensa. Admito que seja conveniente pegar uma salada ou uma embalagem de sushi do refeitório no intervalo das aulas, mas, para mim, a sensação de comer correndo é a mesma de estar trapaceando.

Talvez eu me sinta assim porque minha formação faça-você-mesmo incutiu em mim a ética de trabalhar para ter as coisas que desejo. Desde minha infância, sempre me envolvi com o cultivo e o preparo da comida que me alimenta, e isso seguramente me deu a sensação de que posso me virar sozinha. Assim como as refeições não se materializam em um mercado, sei que um carro novo e uma boa educação não cairão de pára-quedas em minha vida, mas espero chegar lá. Se tudo que meu coração desejasse me fosse ofertado de bandeja, provavelmente desejaria alguma outra coisa.

Cozinhar não precisa ser tão complicado assim. A maioria das receitas nesse livro demora menos de uma hora para ser preparada. A típica família americana passa três horas e meia por dia vendo televisão. Mesmo se uma família conseguir fazer uma ou duas refeições juntas por semana, seja café-da-manhã, almoço ou jantar, acho que vale a pena. Durante meus anos de ensino médio, o jantar era minha única oportunidade no dia de ver minha irmã ou meus pais. Conferíamos o que cada um havia feito e contávamos os traumas e as vitórias em nossos dias. Às vezes, passávamos a refeição inteira às gargalhadas. Corríamos o risco de nos engasgar, talvez, mas era uma maneira ótima de reduzir o estresse.

O queijo é uma das nossas comidas favoritas para serem preparadas inteiramente, do zero. Essa receita de mussarela caseira é do livro *Home Cheese Making* [A fabricação caseira de queijo] de Ricki Carroll, e realmente leva apenas trinta minutos para ficar pronta. Para obter o *rennet* e as culturas para fazer os outros queijos, entre em contato com a New England Cheese-making Supply Company.

MUSSARELA DE 30 MINUTOS

Prepare as quantidades de todos os ingredientes antes de começar, em xícaras limpas de vidro ou cerâmica.

4 litros de leite pasteurizado (NÃO "longa vida")

1½ colher de chá de ácido cítrico dissolvido em ¼ xícara de água fria

Remexa o leite no fogão em uma chaleira de aço inoxidável, aquecendo muito suavemente. Aos 13°C, acrescente a solução de ácido cítrico e misture bem. Aos 31°C, ele deve começar a coalhar.

¼ colher de chá de *rennet* líquido, diluído em ¼ xícara de água fria

Suavemente, misture o *rennet* diluído com movimentos retos de um lado para o outro e continue a aquecer o leite até pouco acima dos 38°C, depois apague o fogo. O soro deve se soltar pelos lados da panela, pronto para ser removido. Ele deve ter uma aparência translúcida e rala. (Se ainda estiver leitoso, aguarde alguns minutos.) Use uma escumadeira grande ou uma concha para remover o coalho da panela e levar para uma tigela de dois litros apropriada para microondas. Comprima o coalho suavemente com as mãos para remover o máximo de soro possível. Coloque o coalho no microondas, em potência alta, por um minuto, então esprema o queijo novamente com as mãos ou uma colher para remover mais soro. (Luvas de borracha ajudam — isso fica quente!) Cozinhe no microondas mais duas vezes (cerca de 35 segundos cada uma), espremendo o coalho ao final de cada vez. Nesse ponto, acrescente sal a gosto, em seguida, amasse e estique até que fique liso e elástico. Quando for possível esticar a mistura em cordas como caramelo, ela está pronta. Se, em vez disso, o coalho rachar, é preciso reaquecê-lo um pouco. Quando o queijo estiver liso e brilhoso, faça bolinhas para comer enquanto ainda estiver quente ou guarde na geladeira para comer depois.

Na falta de um forno de microondas, é possível usar a panela com soro quente no fogão para os passos de aquecimento e compressão. Coloque a bola de coalho de volta com uma escumadeira e aqueça até que fique quase quente demais para ser tocado. Uma boa temperatura para esticar é 80°C.

Aqui estão três ótimas maneiras de comer sua mussarela:

SALADA DE VERÃO

2 tomates grandes
1 bola de mussarela
Folhas de manjericão
Azeite de oliva
Sal a gosto

Fatie os tomates e espalhe-os sobre um prato grande. Coloque uma fatia fina de queijo e uma folha de manjericão em cada rodela de tomate. Espalhe azeite de oliva por cima, acrescente sal e sirva.

BERINJELA *PAPOUTZAKIA*

1 quilo de berinjela
Azeite de oliva

Fatie a berinjela longitudinalmente e refogue levemente em azeite de oliva. Remova da frigideira e arrume em uma assadeira.

2 cebolas médias, alho a gosto
2 tomates grandes, cortados em cubos
2 colheres de chá de noz-moscada
Sal e pimenta a gosto
170g mussarela ralada ou fatiada

Pique as cebolas e o alho e refogue em azeite de oliva. Acrescente tomates em cubos e temperos e misture bem. Espalhe a mistura por cima da berinjela e acrescente uma camada uniforme de queijo por cima. Cozinhe a 175°C por 20 minutos até dourar por cima.

PIZZA PARA AS NOITES DE SEXTA-FEIRA

(Rende duas pizzas de 30cm: bastante para a família e amigos, e talvez para o almoço do dia seguinte.)

3 colheres de chá de fermento para pizza

1½ xícaras de água MORNA

3 colheres de sopa de azeite de oliva

1 colher de chá de sal

2½ xícaras de farinha branca

2 xícaras de farinha de trigo integral

Para fazer a massa, dissolva o fermento em água morna e acrescente azeite e sal à mistura. Misture as farinhas e amasse-as dentro da mistura líquida. Deixe a massa crescer de 30 a 40 minutos.

1 xícara de cebolas fatiadas

2 pimentas, cortadas

Enquanto a massa cresce, preparar as cebolas fatiadas: um refogado leve para caramelizar os açúcares faz das cebolas uma verdura maravilhosa. Primeiro, aqueça-as em fogo médio em um pouco de azeite de oliva, até ficarem transparentes, porém não marrons. Então, abaixe o fogo, acrescente um pouco de água caso necessário para evitar que fiquem marrons e deixe-as cozinhando por mais 10 a 15 minutos até ficarem brilhosas e doces. As pimentas podem ser cozinhadas da mesma maneira.

Depois de a massa crescer, divida-a pela metade e faça dois discos de pizza com 30cm de diâmetro em uma bancada limpa e coberta de farinha, utilizando os dedos para enrolar a borda e formar uma crosta exterior tão grossa quanto desejar. Usando espátulas, coloque os discos em cima de assadeiras ou pedras de assar cobertas com bastante farinha e espalhe os complementos.

450g de mussarela, em fatias finas

2 xícaras de tomates frescos da estação (ou molho durante o inverno)

Outros complementos
1 colher de sopa de orégano
1 colher de chá de alecrim
Azeite de oliva

Coloque uma camada uniforme de queijo sobre o disco, depois espalhe os sabores da semana por cima, finalizando com os temperos. Se for utilizar molho de tomate (em vez de tomates frescos), espalhe-o sobre a massa primeiro, depois o queijo e, em seguida, os outros sabores. Ponha no forno a 220°C por cerca de 20 minutos até a massa ficar marrom na borda e tostada no centro.

Baixe da internet essas e todas as receitas do livro em www.animalvegetablemiracle.com

ALGUMAS DE NOSSAS COMBINAÇÕES FAVORITAS DURANTE O VERÃO INCLUEM:

Mussarela, fatias de tomate e manjericão frescos, molhados em azeite de oliva
Mussarela, tomates picados, cebolas e pimentões caramelizados e cogumelos
Cebolas picadas, feta esfarelado, espinafre ou acelga bem picados, azeitonas pretas

BOAS COMBINAÇÕES PARA O INVERNO INCLUEM:

Queijo de fazenda, frango, azeitonas e cogumelos
Molho de tomate, mussarela, pimentões secos, cogumelos e anchovas

10

Alimentação amistosa

Final de junho

Em poucas horas de viagem, ao norte de Massachussetts, podem ser encontradas as vilas de trabalhadores do Vermont central, onde é mais provável que a estátua de granito no centro da praça seja em homenagem a um pedreiro anônimo do que a uma autoridade vestida de terno. Um exemplar desses heróis locais se erguia diante de nós nesse momento, e o admiramos enquanto passávamos em frente à sua estátua: tão robusto quanto o martelo em sua mão, esse grande homem de pedra com as mangas arregaçadas nos fez lembrar o avô italiano de Steven.

Ainda estávamos de férias, rumando para o norte, e, naquele momento, esfomeados. Paramos em uma lanchonete com uma fileira de bancos cromados, em frente ao balcão, e mesas ao longo de uma parede. Canecas brancas pesadas esperavam para receberem café. As cantoras *country* Patsy Cline e Tammy Wynette cantavam sua desilusão no *jukebox*. Uma placa escrita a mão informava que, no final do mês, a renda da máquina seria enviada para um fundo de caridade que apóia os fazendeiros. A turma do almoço já saíra. Por isso, pudemos escolher onde sentar e nosso pedido ficou pronto rapidamente. Os hambúrgueres eram grossos, as batatas fritas, crocantes e a salada de repolho, fresca. O sanduíche de peru veio acompanhado de um purê de batata-doce. Lily estava tão vidrada em seu *milkshake* que temíamos que ela nunca mais voltasse ao mundo real.

Os donos, Ted Murphy e Pam Van Deursen, foram à nossa mesa para ver se estávamos gostando da refeição — e para nos dizer quais de seus vizinhos haviam produzido quais ingredientes. Todos os ingredientes de nossos pratos foram cultivados nas imediações. A carne nunca vem dos abatedouros de Iowa, e as batatas fritas não chegam em pacotes enormes, vindos de uma fábrica abastecida pelo produtor mais barato do momento. É uma mudança inovadora, as batatas fritas aqui são feitas com batatas de verdade. Essa é a Lanchonete dos Fazendeiros, onde não apenas as moedas no *jukebox* apóiam a agricultura, mas também o empreendimento como um todo.

Na verdade, é a idéia mais simples do mundo: um restaurante que vende comida produzida em fazendas em um raio de distância que se pode chegar em uma hora de carro. Por que não existem mais deles? Pela mesma razão que a estátua na praça segura seu martelo enquanto todos os verdadeiros pedreiros de uma vila quase inteira feita de granito precisaram encontrar outros empregos, em uma nação que agora importa seu granito da China. O edifício gigantesco logo atrás da lanchonete, antigamente uma fábrica de processamento de pedras, é agora um armazém para pedras que são cortadas e trabalhadas do outro lado do planeta para então serem enviadas para cá. Se existe um lugar que conhece a verdadeira economia regida pelo contraste entre os produtos locais e os importados baratos, o lugar deveria ser esse.

Comprar artigos de empresas locais em vez de cadeias nacionais gera aproximadamente três vezes mais lucro para a economia local. Estudos realizados em todas as partes do país confirmam isso, ao mesmo tempo em que os consumidores continuam comprando das grandes cadeias e se preocupando com o fato de que o desaparecimento dos pequenos comerciantes está transformando os antigos centros urbanos em cidades fantasmas. O preço baixo hoje parece ser sempre mais interessante.

A Lanchonete dos Fazendeiros é, portanto, um restaurante para pessoas que desejam comer por menos de dez dólares, e o que elas vão encontrar é: comida de lanchonete básica, barata e banal. O café-da-manhã — dois ovos, duas panquecas e salsicha ou bacon, à sua escolha — custa 6,75 dólares. O hambúrguer de carne de Vermont acompanhado de salada de repolho, fritas ou uma salada custa 6,50 dólares. A qualquer preço, é raro pedir um hambúrguer de lanchonete que não venha acompanhado do remorso do confinamento dos animais. Para nossa família, era uma ocasião para ser comemorada de forma discreta, porém especial, já que havíamos parado de comer carne produzida em CAFOs há dez anos. Quase toda a carne servida em lanchonetes e em outros lugares convencionais vem de CAFOs. Evitá-la é muito difícil, posso lhe assegurar, sobretudo naquelas manhãs escolares agitadas quando examino o cardápio do refeitório da escola e vejo que a refeição do dia é, mais uma vez, hambúrgueres, *tacos* ou a "escolha do gerente". (O gerente sempre escolhe carne bovina.) De qualquer forma, sempre tenho à mão um sanduíche de manteiga de amendoim; afinal de contas, princípios são princípios. Em toda a vida de Lily, era a primeira vez que havíamos entrado em uma lanchonete e pedido hambúrgueres. Nada mais compreensível que ela ficasse me olhando como se estivesse se perguntando — *posso mesmo*? Pode. O gado foi criado no pasto por um conhecido do dono. Quando Tod perguntou: "Vocês estão gostando de seus hambúrgueres?", ele não estava cumprindo um protocolo de restaurantes, era pergunta genuína. Dissemos que estavam ótimos.

Tod Murphy tem um passado diretamente ligado à agricultura. O maior desafio econômico enfrentado por ele e seus vizinhos fazendeiros foi encontrar um mercado para seus produtos de qualidade. Abrir essa lanchonete pareceu-lhe um projeto tipicamente americano. Thomas Jefferson, Tod lembrou, presumia, com base na experiência da época colonial, que agricultura e democracia estavam intimamente relacionadas. Cultivar a terra atende às necessidades do fazendeiro, de seus vizinhos e da comunidade e torna as pessoas independentes de poderes centralizados dominadores.

— Na época de Jefferson — diz ele —, eles eram os reis. Na nossa, são as empresas multinacionais.

Tod não achava necessário reescrever a Declaração da Independência, mas apenas montar um bom plano de negócios. Ele encontrou investidores e abriu a Lanchonete dos Fazendeiros, cujo lema é "pense localmente, aja amistosamente".

Para um sonhador, até que ele é um tipo bem prático.

— Pensar globalmente é uma ilusão. O que o mundo precisa agora não é de amor, isso é um clichê publicitário.

O que o mundo precisa, ele afirma, é de mais ações locais compassivas:

— Fazer compras na loja de ferragens de propriedade de um família que mora na vila. Comprar pão artesanal e tomates cultivados localmente no verão. Preparar as refeições em casa. Essas são as verdadeiras formas de demonstrar amor por um lugar.

O resultado de sua forma de ver o mundo é um lugar fácil de se gostar, onde uma pessoa pode sentar e comer dois ovos fritos vindos de uma galinha que desfruta de uma vida boa, enquanto Tammy Wynette exorta todos nós a apoiar esse grande homem em sua música "Stand by your man" [Apóie seu homem]. Acredito que seja um fardo enorme para Tod, Pam e seus filhos, Grace e Seamus, que começam o dia bem cedo na fazenda e administram a lanchonete até a hora de fechar. A lanchonete precisou criar uma rede de fornecedores confiáveis com disponibilidade durante o ano inteiro, facilitando parcerias locais e lidando com problemas humanos, para o bem e para o mal. O fornecimento precisa ser mantido, mesmo que um cultivador de batatas adoeça ou que os donos da fazenda de cebolas se divorciem.

Investir em um negócio empresarial pequeno que compete com as multinacionais é, sem dúvida, um desafio. Tod alcançou isso, em parte, porque criou uma empresa afiliada que processa todas as suas salsichas, o bacon, o presunto defumado e o peru, e vende esse produto em lojas da região. Com a empresa processadora e a lanchonete faturando juntas meio milhão de dólares anualmente, eles conseguem criar uma demanda de 1.500 porcos ao ano. Esse é o volume necessário para manter uma instalação de processamento funcionando. Uma padaria próxima se ocupa de fazer os vários tipos de pães que eles usam na lanchonete. Os empregos de pedreiro foram todos para a China, mas Tod procura todos os meios para assegurar que os pratos brancos de porcelana de sua lanchonete estejam cheios com porcos, grãos, batatas e ovos dos fazendeiros de Vermont.

A maneira incomum de lidar com coisas óbvias tornou o lugar mundialmente conhecido, pelo menos entre aqueles que prestam atenção à economia dos alimentos. Na vila, no entanto, é apenas uma lanchonete. O cliente típico chega em busca do ambiente e da comida: os que acompanham as corridas da Nascar (National Association for Stock Car Auto Racing — Associação de corridas Stock Car) ou os idosos italianos e ucranianos do asilo local. Os velhinhos adoram os nabos e as verduras Chioggia, comida de fazenda que traz lembranças de sua terra natal. Alguns de seus clientes também apóiam entusiasticamente a idéia de ajudar as empresas locais. Mas seja qual for o motivo para a vinda, eles sempre voltam por causa da comida.

Como se define *local* nesse caso? Segundo Tod, ser a uma hora de distância de carro. A viagem mais longa que eles fazem para buscar produtos é de 110 quilômetros. Manter um fornecimento ininterrupto de carne de gado, porco, frango e peru das fazendas próximas é relativamente simples, porque é congelada. Os ovos, o leite, o sorvete e o queijo também podem ser encontrados o ano inteiro, assim como as hortaliças que podem ser facilmente guardadas, como os nabos, batatas, cenouras, cebolas, repolhos e xarope de bordo. A granola é feita em Montpelier, o espaguete e os raviólis, na própria vila. As hortaliças frescas são um desafio. O cardápio não muda muito de estação para estação, mas os ingredientes mudam; há menos coisas verdes no prato quando o chão lá fora está coberto de neve. A cerveja é fabricada localmente exceto pelas Bud e Bud Light, as quais, nas palavras de Tod:

— É preciso oferecer. Nossos clientes não são puristas. Obviamente, em uma lanchonete é preciso ter café, e o de lá é orgânico de comércio solidário.

A Lanchonete dos Fazendeiros não se impõe como um exercício didático, um sermão ou um comício político. Para muitos fazendeiros da região, ela é uma fonte de sustento, e para todos é um lugar para comer. Tod acha que o compromisso aqui transcende a política, no sentido de ser republicano ou democrata.

— É a oligarquia contra a não oligarquia. — diz Tod. Em outras palavras, Davi contra Golias. Thomas Jefferson contra o rei George.

São pessoas que tentam manter juntos os empregos e os lares, contra os grandes grupos que tomam o dinheiro do cliente e transferem-no para uma conta bancária empresarial em um lugar do outro lado do mundo. No lugar onde cresci, chamávamos isso de *carpetbagging* — maneira de os sulistas criticarem o comportamento explorador dos nortistas após a Guerra de Secessão dos EUA. Agora isso parece ter virado o comportamento padrão americano.

Os *slogans* publicitários tentam de todas as formas fazer os clientes abandonarem as lojas, restaurantes e fazendas de propriedade local. E ninguém considera essa conduta com falta de patriotismo. Isso parece irritar Tod Murphy.

— Temos a ilusão da liberdade do consumidor, mas sacrificamos toda nossa vida comunitária pelo prazer de comprar um monte de coisas baratas. Fazer e transportar tudo isso pode ser destrutivo demais: o trabalho infantil em outros países, a chuva ácida no Nordeste, terras exauridas, comunidades onde o principal motor da economia são as drogas pesadas. Muitas vezes, temos a fórmula da liberdade, mas não a substância.

Não parece ser uma idéia exatamente radical tentar mudar esse quadro, a começar por um almoço vindo da vizinhança. E nem é uma proposta do tipo pegar-ou-largar.

— Se todo restaurante comprasse apenas 10% de sua comida de fazendeiros locais — sugere corajosamente Tod — a infra-estrutura alimentar empresarial entraria em colapso.

Dez por cento parece uma pedrinha para a cabeça de Golias. Lily pegou sua colher e atacou o sorvete de bordo Rock Bottom Farm. Conseguíamos escutar o barulho da derrocada das empresas em cada lambida. É um trabalho árduo, mas alguém precisa fazê-lo.

Botando a boca no trombone

O aumento da disponibilidade de comida local em qualquer área está diretamente relacionado à demanda dos consumidores da região. Muitos entre nós não estão acostumados a perguntar sobre a origem da comida, mas isso é uma tarefa fácil de fazer.

Uma boa maneira de começar é nos mercados, quando o caixa pergunta se você encontrou tudo que procura, você dizer: "Na verdade, não. Eu procurava produtos locais." Quanto menor for a loja, mais disposto estará o dono a atender seu pedido. As cooperativas de comida deveriam ser especialmente receptivas. Os restaurantes também podem ser flexíveis com relação às compras de comida, e suas conversas com os garçons ou com o dono podem facilmente incluir perguntas sobre que pratos ou vinhos derivam de fontes locais. Os donos de restaurante entendem que a comida produzida localmente é a mais fresca possível, e eles têm uma participação importante no crescimento da demanda pelas comidas locais. Você pode antecipar o dever de casa sobre os tipos de produtos que provavelmente estão disponíveis em sua região.

Os políticos precisam ouvir nossos desejos. Muitos fóruns são apropriados para promover a comida local: reuniões públicas na prefeitura, reuniões de conselhos escolares, até mesmo reuniões em nível estadual. É válido expressar sua opinião em qualquer lugar onde comida seja servida, ou onde os líderes têm controle sobre a aquisição de comida, incluindo igrejas, clubes sociais e creches. Legisladores federais também precisam ouvir sobre as questões que envolvam a comida local. A maioria dos governos estaduais lida com legislação relacionada à agricultura quase todas as semanas. Você pode tomar conhecimento, pela internet, sobre as questões que estão em debate e registrar seu apoio às leis que ajudam as fazendas locais. Em cada parte do país, as questões específicas mudam, mas a motivação não. À medida que um número maior de pessoas questiona, nossas opções só tendem a aumentar.

STEVEN L. HOPP

11

Nações de comida lenta

Fim de junho

Ao norte da fronteira, em Petite Italie, onde todo mundo fala francês, pode ser difícil lembrar exatamente onde se está. Essa era Montreal, o ponto mais afastado de nossas férias elípticas. Nossos parentes canadenses corajosamente nos perguntaram o que gostaríamos de ver em sua cidade, e nós respondemos: *Comida!* Estávamos curiosos para saber que comida local estaria disponível aqui no limiar (em nosso modo sulista de pensar) da tundra gelada. Dirigimo-nos ao bairro chinês e à Pequena Itália. Aqui, assim como nos Estados Unidos, a melhor oportunidade de encontrar culinária local parece envolver o ato de procurar pessoas recém-chegadas de algum outro lugar.

Passamos por alguns restaurantes que anunciavam "comida canadense" além da culinária étnica principal. Nossos anfitriões explicaram que isso significava algo semelhante à comida "americana", mais uma ausência do que a presença de características específicas: *não* chinesa, *não* italiana. Será verdade que "comida americana" significa "nada"? Pensei sobre isso enquanto caminhávamos por uma rua cheia de lojas chinesas, onde os açougueiros penduram patos flácidos e depenados como meias em um varal (se é que você pode conceber meias com pés e bicos). É muito fácil dizer o que *não* constitui comida americana: qualquer coisa com os pés ainda presentes, para começar. Um espetáculo desses, numa na típica rua americana, faria os clientes saírem correndo na direção oposta, e talvez provocasse processos judiciais com base nos danos psicológicos causados às crianças. Como conceito básico, nossa culinária nacional parece ser uma comida sem origens biológicas óbvias, escolhida pela cor e pela forma do engenho na fachada da loja: arcos, um balde ou um chapéu de caubói. Isso é a resposta à pergunta "De onde veio isso?".

Claro, a história não acaba aí. Temos a sopa de mariscos da Nova Inglaterra, o *gumbo* da Louisiana, a couve-manteiga e o feijão fradinho do Sul, todas comidas específicas de uma determinada região. Mas, em seu conjunto, elas não constituem um amálgama temático ou diretrizes nacionais sobre como desfrutar do que cresce ao nosso redor. A culinária de outras nações diversas geograficamente também não é única; a Itália é especialmente famosa por suas inúmeras especialidades regionais. Mas, mesmo assim, o país como um todo consegue exportar uma culinária que é reconhecidamente "italiana", unificada por alguns ingredientes básicos (por exemplo, as massas) e por uma atitude intrínseca. Reconhecemos as origens das comidas de outros países quando as vemos, de alguma maneira captando seu espírito: *Mamma mia! Bon appétit.* Passe a salsa.

Se você perguntar a um italiano, indiano, mexicano, japonês ou sueco qual comida os Estados Unidos exportou para eles, todos terão a mesma resposta, e ela começa com Mc. E, é preciso admitir, eles a estão engolindo. O consumo de comida processada cresce no mundo inteiro de mãos dadas com o crescimento da riqueza. As estações de metrô na França estão cobertas por anúncios de comidas de conveniência. Em uma recente viagem a esse país, participei de encontros e perguntei ao público se a França corria o risco de perder seu jeito tradicional de comer, e as opiniões se dividiram meio a meio em "Nunca!" e "Certamente!". As mulheres trabalhadoras da minha idade e as mais jovens confessaram optar pela conveniência, mesmo quando sabiam que isso estava errado (na concepção delas). Informaram-me que mesmo o instituto nacional de culinária estava entregando os pontos, tendo acabado de divulgar que os cursos de frango não mais começariam com "Introdução a penas, pés e vísceras". Nesse momento, a platéia se agitou; o assunto havia sido motivo de uma controvérsia recente e de grande estardalhaço que gerou milhares de telefonemas para programas de rádio. Entendi, em alguma medida, que "se entregar à conveniência" significa algo diferente do outro lado do oceano. Mesmo assim, é possível ver sinais reais de mudança. Muitos parisienses visitam o "McDo" todos os dias, embora provavelmente não sejam os mesmos clientes que voltam todo dia. Eles vão lá pelo fator novidade, não pelo valor nutricional.

Estamos todos, suponho, deslumbrados com a idéia do que as outras pessoas se dispõem a comer. Ali, na calçada do bairro chinês de Montreal, paramos para admirar peixes com peso superior a dez quilos perseguindo os rabos uns dos outros vagarosamente em um barril cheio de água até a metade. Lily e minhas jovens sobrinhas os inspecionaram cuidadosamente e depois olharam para mim, com as sobrancelhas levantadas, com aquela velha pergunta: comida ou animais de estimação? Eu não tinha a mínima idéia. Entramos em lojas que vendiam chá, cogumelos secos e vestidos fabulosos com zíper nas laterais que ficam tão apertados no corpo que parecem ter sido pintados diretamente na pele. Almoçamos em uma lanchonete apinhada de gente, onde a comida variava das lulas fritas à gelatina.

Mais tarde, visitamos uma feira libanesa, onde as crianças também se divertiram muito. Elas vinham correndo me mostrar comidas estranhas: garrafas de flores em pó; algum tipo de refrigerante aparentemente feito de feijões; "chá das montanhas gregas" que, para mim, parecia um monte de ervas daninhas em um saco de celofane. Uma enorme caixa envidraçada dominava a parede traseira, mostrando os queijos. Esses não eram blocos ou rodelas amarelos e modestos, mas gigantescos tabletes brancos de queijo, com a forma e o peso de alguma coisa que Moisés teria trazido da montanha. Evidentemente, eles levavam a sério a fabricação de queijo aqui. Uma jovem de avental branco estava pronta para cortar um pedaço de queijo de cabra, vaca ou carneiro para mim. Conversamos, e ela confirmou que os produtos eram fabricados em uma cozinha próxima. Tinha curiosidade em saber que tipo de *rennet* e culturas bacterianas eram usados naqueles queijos do Oriente Médio. Ela respondeu, mas parecia confusa já que a maioria dos clientes não se interessava por esses detalhes técnicos. Confessei haver tentado fabricar queijo em casa.

— Você *própria* faz queijo — disse ela com reverência. — Você é uma *verdadeira* dona de casa.

Havia me custado décadas para chegar a esse ponto, mas encarei isso como um elogio.

Nossa busca nos levou aos bairros de comunidades estrangeiras de Montreal até chegarmos à magnífica feira de fazendeiros da Petite Italie. Um arranjo de flores na entrada formava a palavra "Benvenuto". Embaixo de um toldo que cobria vários quarteirões, senhoras com bolsas estufadas tomavam conta dos corredores que se formavam entre barracas abertas cheias de produtos frescos. Esse era o lugar para fazer compras, em qualquer língua.

Experimentei o francês, já que não falo italiano.

— *Elles sont d'où, les tomates?*

— *D'ici, madame!* Daqui mesmo, de Quebec — responderam repetidamente os vendedores, com orgulho. (Com a exceção de um fazendeiro irônico que respondeu, quando perguntado sobre os ovos, "De galinhas, madame".) Ficamos maravilhados com o que os intrépidos fazendeiros de Quebec haviam conseguido apresentar tão cedo, no primeiro dia oficial do verão aqui no norte, até pouco tempo congelado: aspargos, cenouras, alface, ruibarbos, tomates de estufa e morangos pequenos e doces. O xarope de bordo e inúmeros outros produtos de bordo também estavam presentes, claro, nesse país onde a folha dessa árvore está literalmente na bandeira. Mais surpreendentes eram as maçãs locais, muitas delas, que haviam sido guardadas quando foram colhidas no fim do outono anterior, mas que ainda estavam doces e firmes quando as experimentamos. Antigamente, os agricultores ingleses prezavam certas maçãs pela qualidade de amadurecimento tardio e pela boa condição de armazenagem — variedades hoje dificilmente encontradas nas ilhas britânicas, invadidas por produtos fora de estação importados da Nova Zelândia. Evidentemente, Quebec não perdera as boas raças de linhagem herdada.

Peguei um ramo de brócolis gigantesco. Parecia bom demais para ser verdade, mas a família dos repolhos é cultura de estação fria. Perguntei ao vendedor a procedência do produto.

— *L'Amérique du Sud, madame* — respondeu ele. América do Sul.

Que pena, pensei. Mas a América do Sul, onde nessa época o clima é tropical ou onde é inverno?

— *Quel pays?* — perguntei-o. Que país?

— *La Californie, madame.*

Caí na gargalhada. Era um engano natural. No mapa mundial dos produtos agrícolas, a Califórnia constitui um país separado. Um superpoder, na verdade, um estado que exporta mais hortaliças frescas do que a maioria dos países do mundo. Se não fosse o combustível fóssil envolvido, essa exportação culinária teria me enchido de orgulho patriótico. Nosso país não é apenas arcos e chapéus de caubói, afinal. Mas isso não é considerado "comida americana" porque as hortaliças são ingredientes. Os brócolis da Califórnia podem ser cortados e jogados em refogados asiáticos, misturados com a massa de primavera italiana, ou servidos em uma tigela de macarrão com queijo, de acordo com as tradições nossas, donas de casa.

Ainda assim, recebamos ou não o reconhecimento por eles, esses carregamentos motorizados de brócolis e alcachofras californianos trazem alegria e vitaminas durante o inverno daqueles que moram em climas mais lúgubres no mundo inteiro. De agora até setembro, os moradores de Quebec têm opções locais, mas em fevereiro, quando a neve alcança o peitoril das janelas e é necessário aquecer o motor com um cobertor elétrico para dar partida ao carro, brócolis e espinafres frescos são bem-vindos. Eu os compraria se morasse aqui, e desfraldaria a bandeira de *La Californie* em minha cozinha. Mesmo no sul dos Estados Unidos, eu já comprara pepinos no inverno, e provavelmente o faria de novo. Perguntei a mim mesma: após sair de nossa abstinência total de comida industrial, seria eu capaz de provar as maravilhas verdes do mundo de uma maneira responsável — como uma compradora *social* de brócolis — sem cair na dependência? As hortaliças californianas não são a serpente, nós é que abrimos nossas veias para o fluxo de comidas movidas a combustível, tornando-nos preguiçosos e viciados, enquanto as fazendas locais definham e acabam. Parece que fomos construídos com um medidor de moderação defeituoso.

No mercado, compramos maçãs, xarope de bordo, mudas de plantas para o jardim de nossos anfitriões e aspargos, porque a estação deles já havia acabado onde vivemos. Como os ricaços que voam de um lado ao outro do país na véspera do Ano-Novo, iríamos enganar o tempo e celebrar o momento novamente. Estação de aspargos duas vezes no mesmo ano: as férias que pareciam um sonho.

DEIXAMOS O CANADÁ PELAS CATARATAS do Niágara, pausando para contemplar essa encantadora queda d'água que se apresenta aos humanos através dos séculos como inspiração, destino de lua-de-mel e, de vez em quando, um eletrizante exercício de mergulho. Ficamos ensopados pela garoa e admiramos a coragem dos 14 homens, das duas mulheres e da tartaruga que já despencaram dessa cachoeira em meios de transporte que incluíram barris de madeira, uma bola de borracha gigante, um caiaque de polietileno, um aparelho de mergulho, um *jet-ski* e, em um caso, apenas jeans e um casaco leve. Ambas as mulheres e a tartaruga (que dizem ter 105 anos) sobreviveram, assim como nove dos homens, embora o segredo do sucesso aqui seja difícil de compreender. O cara de jeans e casaco sobreviveu, os de *jet-ski* e caiaque não, como tampouco sobreviveu William "Red" Hill em sua extravagante bolha de borracha. O barril com proteções de ferro que transportou com segurança a tartaruga não salvou seu engenhoso companheiro humano.

Se parece existir, em todo esse livro, uma sugestão de que o ser humano é um animal estranho no que diz respeito a defender seus próprios interesses, essa parece ser uma prova conclusiva.

DEPOIS DE ATRAVESSARMOS A FRONTEIRA, seguimos rumo ao Sudoeste através da região vinícola de Nova York e do norte da Pensilvânia, onde vinhedos infindáveis margeiam o litoral de cascalho do lago Erie. Outro dia de viagem nos levou ao centro de Ohio, onde visitaríamos amigos que possuem uma fazenda leiteira. Seu condado rural parecia um cartão-postal do coração dos Estados Unidos, enviado quando esse coração ainda era saudável. Antigos celeiros e casas de fazenda pareciam ilhas tranqüilas em meio a mares ondulantes de milho, aveia prateada e farro castanho.

Chegamos à entrada da propriedade de nossos amigos, passando por baixo de um enorme bordo prateado. Lily ficou espantada com o balanço de madeira pendurado em cordas de sete metros de comprimento em um de seus galhos. Um pelotão de galinhas cor de camurça nos ignorou, bicando seu caminho pelo quintal, enquanto três cachorros velhos saíram para avisar sua dona sobre nossa chegada. Elsie apareceu, sorrindo de orelha a orelha.

— Descansem na varanda — disse ela, enchendo copos com água do poço do quintal. — David está cuidando do milho, logo, é impossível prever quando ele terminará.

Oferecemo-nos para ajudá-la com suas tarefas. Elsie empurrou o carrinho de mão até o jardim e voltou com uma grande carga de vagens de ervilha que ela acabara de colher. Fizemos um círculo de cadeiras embaixo das cerejeiras, colocamos pilhas de vagens no colo e tratamos de descascá-las. As ervilhas são criaturas primaveris, que adoram germinar em solo frio e florescem em dias frescos e úmidos, mas o calor as faz parar de florescer, criar as últimas vagens e falecer. Embora sejam semelhantes do ponto de vista nutricional, as ervilhas e os feijões habitam estações diferentes; na maioria das hortas, as ervilhas acabam antes que a primeira vagem de feijão esteja pronta para ser colhida. Isso é uma boa notícia para o cultivador, já que, na alta estação, cada uma dessas plantas pode fazer você ficar de joelhos todos os dias. As trepadeiras de ervilha altas e murchas representam um suspiro do fim da primavera, uma pausa antes que os feijões, as abóboras e os tomates comecem a aparecer.

Colocamos o papo em dia enquanto diligentemente tiramos as ervilhas das cascas. Acima de nossas cabeças pendiam cerejas Douradas de Stark do tamanho de uma moeda de dólar prateada. A estação na região central de Ohio estava atrasada aproximadamente uma semana em relação à nossa, e aqui estava mais seco também. Elsie disse que fazia um mês que não chovia — uma situação bastante desastrosa para o mês de junho, uma época em que as culturas e os pastos estão no auge da fase de crescimento. Nos últimos dias, formaram-se algumas nuvens de tempestade, mas depois elas se dissiparam. O entardecer foi tranqüilo: nenhum carro passou pela estrada, nenhum trator trabalhou o solo dos campos próximos. É surpreendente como o ouvido humano presta uma atenção seletiva aos sons feitos pelos humanos: a fala, a música, os motores. A ausência deles é o que denominamos *silêncio*. Talvez, no meio de uma cidade ou de um campo de milho quimicamente esterilizado, realmente haja silêncio quando as pessoas e os motores param. Contudo, naquele ponto específico do mapa constatei como o silêncio pode ser repleto de sons: um rouxinol da Carolina cantava dos beirais de um celeiro, *cedar waxwings*, encontrados basicamente na América do Norte, piavam baixo nas cerejeiras, um sabiá praticava uma dança com aparente falta de coordenação no caminho para casa, como se tomado por um espírito avícola. A tigela de ervilhas tocava como um sino insistente toda vez que lá jogávamos uma ervilha.

Ouvimos os mugidos de trinta vacas Jérsei, de cor marrom caramelo, que subiam o caminho. Elsie apresentou sua filha Emily e o genro Hersh, que acenaram, mas continuaram a conduzir as vacas rumo ao estábulo leiteiro. Lily e eu sacudimos as folhas de ervilha de nossos colos e os seguimos. Emily e Hersh, que moram ao lado, tiram leite todo dia às cinco horas da manhã e da tarde. Emily guiou as vacas como se fossem crianças para entrarem na sala de ordenha ("Vamos lá, Lisette, cuidado com as patas") e me preveniram para ficar longe de Esau, o touro.

— Ele é muito mandão e não gosta de mulheres — disse ela. — Acho que as vacas não gostam muito dele, pela mesma razão. Mas ele gera boas vacas leiteiras.

Enquanto Emily controlava os movimentos das vacas, Hersh acoplava e mexia os canos da máquina de ordenha. Durante os intervalos, o casal sentava em um banco enquanto seu filhinho Noah andava pela sala de ordenha e pelos compartimentos adjacentes, esbarrando nos batentes das portas e nas paredes das cocheiras aparentando estar sempre feliz. Lily o ajudou a subir em um balanço para crianças pequenas, pendurado no vão da porta. A máquina de ordenha fazia um zumbido baixo, mas, fora isso, o estábulo estava em silêncio, a não ser pelo som das vacas se acotovelando para comer feno. A madeira do estábulo parecia ter cem anos de idade, empoeirada e acolhedora. Não podia imaginar, da minha parte, ter um compromisso inadiável de ordenha às cinco horas todos os dias, porém Emily não parecia se importar.

— Estamos sempre tão ocupados durante o resto do dia, cada um indo para seu lado — disse ela. — A ordenha nos dá um tempo juntos.

Um pequeno bando agitado de gatos de celeiro se juntou perto do banco, com os rabos balançando, para lamber as sobras de leite reunidas em um prato grande. Acompanhei várias centenas de litros de leite Jérsei pulsando e fluindo pelo emaranhado de canos transparentes e flexíveis, como um sistema circulatório cremoso. Uma bomba, acionada por um gerador, sugava o leite das tetas das vacas e o levava para um reservatório de aço inoxidável refrigerado. O caminhão da cooperativa orgânica passa para levá-lo às instalações onde é pasteurizado e embalado em caixinhas alviverdes. Para onde ele vai depois é difícil saber. O supermercado onde moramos comercializa essa marca, então é bem possível que nossa família tenha comprado leite desse estábulo, ou pelo menos algumas moléculas misturadas com o leite de inúmeras outras fazendas. Contanto que ele atenda aos padrões da empresa, com uma taxa de creme consistente e um teor de bactérias nominal, o leite dessa fazenda se torna apenas mais uma parte da mistura, um produto anônimo. Essa perda de identidade parecia uma lástima, dada sua origem. Os minérios do solo e a doçura da grama devem dar ao leite um sabor especial, assim como as regiões da França conferem um gosto especial às denominações de vinho reconhecidas.

David chegou dos campos de milho logo após o horário da ordenha. Ele riu de si mesmo por ter perdido a hora — como Elsie previra — enquanto comungava com o milho. Ficamos nos olhando por um tempo, diminuindo a distância entre nossas vidas. Ambos, David e Elsie, possuem uma graciosidade elegante e imutável. Elsie é de uma gentileza incondicional, enquanto David sustenta uma ironia seca com relação ao mundo e a seus habitantes, incluindo seus colegas que usam bonés gratuitos com as logomarcas da Cargill ou da Monsanto: "Pelo menos eles deixam transparecer quem controla seus lóbulos frontais." David e Elsie moram e trabalham exatamente no mesmo lugar onde nasceram, no caso dele, na mesma casa e fazenda. É uma situação lamentada em milhares de músicas *country*, mas parece ter dado certo no caso desse casal.

Levamos pratos de comida da cozinha até uma mesa de piquenique embaixo das cerejeiras. Hersh se juntou a nós, colocando Noah na cadeira de bebê enquanto Emily trazia uma jarra de leite do reservatório no estábulo. Obviamente essa família tinha os genes para bebê-lo. Pela primeira vez em muito tempo, tive inveja do gene C/T13910. A conversa no jantar incluiu o que vimos ser cultivado no Canadá e as últimas novidades para os fazendeiros americanos. David estava preocupado com o Sistema Nacional de Identificação de Animais, por meio do qual o Departamento de Agricultura agora planeja atribuir um número de identificação e coordenadas de posicionamento global, no sistema GPS, a cada animal doméstico no país. Qualquer pessoa que possua um único cavalo, galinha, vaca ou canário será obrigado por lei a colocá-lo no mapa e nesse banco de dados federal. Os fazendeiros não gostam do plano, para dizer o mínimo.

— Isso me faz lembrar aquela frase sábia de Mark Twain — observou David. — "Às vezes, penso que o mundo é controlado por pessoas inteligentes que estão zombando de nós, ou por imbecis que realmente se levam a sério."

Contudo, na verdade, ele não está preocupado, pois acha que o governo não conseguirá cumprir as próprias metas. Forçar meio milhão de fazendeiros a registrar cada galinha e vaca, ele prediz, será mais difícil do que fazer os fazendeiros do Afeganistão pararem de cultivar papoulas.

O novilho que contribuiu para as almôndegas em nosso prato perdeu o cadastramento. Tudo mais na mesa também foi produzido localmente: as ervilhas que acabávamos de descascar, a salada colhida dez minutos antes, os morangos fornecidos por sua filha. Perguntei a Elsie que comidas eles precisavam trazer de fora da comunidade.

— Farinha e açúcar — disse ela, e pensou mais um pouco. — Às vezes, compramos alguns *pretzels*, quando nos entregamos a um capricho.

Passou por minha cabeça que a avaliação psicológica mais eficiente do mundo teria apenas uma proposição: defina *capricho*. Perguntei-me quantos anos eu teria que passar sem comer chocolate belga para atingir o estado de autodisciplina de Elsie. Ainda desejava ter tudo, na verdade — e queria que tudo fosse cultivado em meu quintal.

Após o jantar, o longo entardecer do meio do verão ainda não acabara. David estava ansioso para nos mostrar a fazenda. Conversamos sobre os méritos relativos entre a carroça movida a cavalo de David e nosso novo carro, um híbrido movido a gasolina e eletricidade, em sua primeira viagem longa. Os cavalos tinham uma atração óbvia, mas David e Hersh tinham ouvido falar dos novos veículos híbridos e estavam curiosos para conhecer a nova tecnologia. David confessou ter, há muito tempo, concebido (enquanto cultivava seu milho) o plano geral de utilizar a fricção da freada de um carro, armazenando a energia para ajudar a impulsioná-lo para a frente. Acontece que a Toyota teve a mesma idéia. Entramos no veículo que não come aveia e fomos pelo caminho poeirento em direção ao estábulo leiteiro, subindo um pequeno morro para chegar aos campos.

Como dissera Elsie, os efeitos da seca aqui eram visíveis. Os pastos estavam secos, embora o milho de David ainda conservasse uma aparência boa — ou muito boa, dependendo do ponto de vista. O caminho dividia dois campos de milho que simbolizavam histórias diferentes: o campo à nossa esquerda fora cultivado convencionalmente por trinta anos, antes de David assumir o controle; à nossa direita havia um solo que nunca conhecera nada além do adubo natural e a troca de culturas. A disparidade entre os dois campos era de uma dramaticidade quase cômica, como um anúncio em uma revista dos anos 1950, exceto pelo fato de que o "novo e melhorado" não era o vencedor nesse caso. Agora David tratava ambos os lados de forma idêntica, porém, mesmo após uma década, o lado que sempre fora orgânico havia crescido mais alto e mais verde.

A diferença é um fenômeno objetivo da ciência dos solos; aquilo que denominamos "solo" é uma comunidade de organismos vivos, a maioria microscópicos, em uma matriz de nutrientes. A agricultura orgânica, por definição, realça os componentes vivos e não vivos do solo. A agricultura convencional moderna é uma redução eficiente desse processo que repõe apenas alguns dos nutrientes cruciais entre os muitos que são removidos todo ano quando a biomassa é colhida. No começo, funciona bem. Ao longo do tempo, é como tentar criar todas as crianças com apenas pão, pasta de amendoim e a mesma história de ninar todas as noites durante dez anos. (Se chorarem dê-lhes *mais* pão, *mais* pasta de amendoim e conte a mesma história duas vezes.) Um observador de outro planeta poderia pensar que todas as necessidades estariam supridas, mas os pais sabem que dispensar as sutilezas leva à inanição lenta. Da mesma maneira, as plantas precisam de incontáveis micronutrientes. Os produtos químicos que esterilizam a terra destroem os organismos que combatem as pragas das plantas, colocam ar no solo e manufaturam a fertilidade. Pesquisas recentes mostraram que o acréscimo apenas de fósforo (o P em todos os fertilizantes "NPK") mata os pequenos filamentos de fungo que ajudam as plantas a absorver nutrientes. As perdas ficam mais aparentes em tempos de estresse e estiagem.

— Tantas pessoas se deixaram levar pela propaganda dos pesticidas e herbicidas — disse David. — Por que caímos nessa? — Ele pareceu sentir aquilo como uma antiga ferida de guerra, os danos duradouros causados àquele campo. Por "nós" ele queria dizer os próprios fazendeiros, embora ele mesmo não adotasse produtos agroquímicos em suas plantações. Ele cresceu no começo da era dos fertilizantes com amônia e DDT, mas mesmo assim nunca viu a lógica por trás de envenenar coisas para se constituir uma fazenda.

Ao subirmos a colina, ele de repente fez um sinal para pararmos, descer do carro e olhar: havíamos surpreendido uma cotovia-cornuda no meio de seu ritual de corte. A ave disparou verticalmente para cima, no topo de uma pequena colina no meio do milho, e pairou bem alto no céu, trinando um canto intenso, palpitante e interrogativo, *Será que ela vai, por favor, será que ela vai?* Ela ficou pendurada lá no alto, acima de nós, contra o céu branco em suspense ofegante até seu vôo culminar em um mergulho acentuado. Ficamos de pé na luz bronzeada, em um silêncio comovido. Podíamos ouvir outras aves, que Elsie e David conseguiam distinguir por seus cantos vespertinos: pardais, trigueirões e tordos. Andorinhas-de-dorso-acanelado se dirigiam a seus lares, ninhos com forma de garrafa, embaixo do beiral do estábulo. Outros tipos de andorinha, cambaxirras, *bluebirds*, tordos-dos-remédios e corujas também viviam nas proximidades. Todos pareciam tão importantes para David e Elsie quanto as vacas leiteiras das quais derivava seu sustento.

Elsie e David não são membros do Audubon Club que usam binóculos e possuem uma lista de todas as aves que já avistaram em sua vida, nem são idealistas "hipongas" que tentam salvar as baleias. São fazendeiros práticos que estão preservando um estilo de vida que muitos de seus pares perderam. Eles evitam que as andorinhas e os pardais sejam mortos por pesticidas por muitas razões, entre as quais o fato de que essas criaturas *são* seus pesticidas. A agricultura orgânica envolve um nível de observação biótica mais freqüentemente associado a cientistas do que a agricultores. A comunhão de David com sua plantação de milho é em parte meditação e em parte biologia. Plantas, insetos, aves, mamíferos e micróbios interagem de maneiras tão complexas que ele ainda se surpreende com novas descobertas, mesmo após uma vida inteira passada ao ar livre observando. Ele já viu as populações de andorinhas variarem de ano a ano, e sabe exatamente o que isso significa. Ele vê as andorinhas seguirem a máquina colheitadeira e o enfardador nos campos, a favor do vento, comendo os gafanhotos e outros insetos, enquanto as andorinhas-de-casa devoram os pernilongos. A perspectiva de borrifá-los com poeira tóxica apenas uma vez, sem falar rotineiramente, lhe parece autodestrutiva, como deliberadamente atear fogo a suas culturas ou a seu celeiro.

Perdendo a corrida armamentista contra os insetos

Eis o processo mais simples: borrifar produtos químicos para matar insetos ou ervas daninhas, aumentar a produtividade, obter mais produtos e lucros. Aumentar o lucro ao borrifar a safra atual, da perspectiva de um único ano, pode funcionar. Porém, a longo prazo, temos um problema. As pestes estão fazendo seu próprio contra-ataque.

Em uma plantação, a aplicação de pesticidas reduzirá imediatamente as populações de insetos, mas não irá eliminá-las. Dependendo da densidade e do ângulo da pulverização, do vento, da proximidade à extremidade do campo, entre outras coisas, os insetos recebem dosagens diferentes do veneno. Aqueles que recebem doses letais morrem instantaneamente.

Quais insetos sobrevivem? Obviamente, aqueles com sorte suficiente para se esconderem. Também sobrevivem alguns que receberam uma dosagem plena, normalmente letal, mas que têm uma resistência natural aos agroquímicos. Se sua resistência for genética, ela irá se fortalecer na próxima geração. Ao longo do tempo, com a continuidade da aplicação, a parcela da população com resistência genética aumentará. A longo prazo, a população inteira irá se tornar resistente aos agroquímicos.

Esse é um exemplo da evolução tirado da vida real, e apareça ele ou não nos livros didáticos, isso vem acontecendo com força cada vez maior em nossa agricultura. Mais de quinhentas espécies de insetos agora resistem a nossos controles químicos, assim como 150 vírus e outros microrganismos nocivos às plantas. Mais de 270 de nossos herbicidas mais recentemente desenvolvidos se tornaram ineficazes no controle de certas ervas daninhas. Cerca de trezentas espécies de ervas daninhas resistem a todos os herbicidas. E agora?

A abordagem padrão tem sido aumentar a dosagem de produtos químicos. Em 1965, os fazendeiros norte-americanos utilizavam 150 mil toneladas de pesticidas. Em 1989, eles utilizaram 365 mil toneladas. Pouco menos de dez anos mais tarde, esse número havia subido para 445 mil. Isso representa 1,6 quilo de agroquímicos por cada habitante deste país, a um custo de oito bilhões de dólares. Vinte por cento dos pesticidas que são aprovados para uso são listados pela agência federal de proteção ao meio ambiente como causadores de câncer em seres humanos.

Então, como os insetos estão se saindo? Muito bem. Em 1948, quando os pesticidas foram introduzidos pela primeira vez, os fazendeiros usaram 23 mil toneladas e sofreram perdas de 7% em todos os cultivos de campo. Para fins de comparação, em 2000, eles utilizaram quase *450 mil* toneladas. E as perdas chegaram a 13%.

> Os biólogos enfatizam que a agricultura convencional está engajada em uma corrida armamentista evolucionária, e a está perdendo. Como podemos ganhar essa batalha? A agricultura orgânica, que permite às populações de insetos predadores manter uma presença saudável em nossos campos, rompe o ciclo.
>
> STEVEN L. HOPP

David e Elsie foram criados por fazendeiros e estão fazendo a mesma coisa com a geração seguinte. Durante toda a tarde, seus filhos, genros e netos entram e saem do quintal e da casa, os adultos fazem consultas sobre trabalhos compartilhados, as crianças descalças participam de um demorado jogo de verão entre primos. Agora paramos para conhecer o filho e a nora, cuja casa se localizava bem além da plantação de milho de David. Enquanto caía a tarde, as conversas na varanda versavam sobre a rotação de pastos mais produtivos para o gado; no quintal o debate girava principalmente em torno de quem tinha direito de ser o próximo a usar o balanço de pneu.

Muitos meses depois, ao descrever essa visita para um amigo, ele perguntou acidamente:

— O quê? Nem ao menos um mosquito para perturbar os céus? (Ele também mencionou o nome do personagem Andy Griffith, da série de TV ambientada em uma vila rural.)

Provavelmente, havia mosquitos. Não me lembro. Sei bem que essa família teve que agüentar perdas e tristezas, assim como todos nós. Contudo, se eles estão, de uma forma geral, contentes, a vida deles precisa ser rejeitada como mítica, ou então apenas pitoresca? Os moradores das cidades podem ser bem-sucedidos, satisfeitos e importantes, tudo ao mesmo tempo. Os membros de toda a família de David e Elsie dividem um trabalho que adoram e uma produtividade impressionante. Eles não são nem um pouco ricos, mas parecem contentes com suas posses materiais e, o mais importante

— para fazendeiros —, não estão afundados em dívidas nem precisam percorrer longas distâncias para chegar até empregos fora da fazenda. Eles trabalham duro, mas valorizam uma vida que lhes permite sentar para almoçar com a família, ou ficar do lado de fora do estábulo após a ordenha e ver as andorinhas chegarem ao poleiro.

Eles pertencem a uma comunidade surpreendentemente saudável de pequenas fazendas similares. Sem dúvida, existem pessoas na vizinhança que nutrem rixas ridículas, têm crianças problemáticas e se engajam em disputas por territórios; são humanas. Mas eles estão prosperando modestamente ao produzir comida. Em um leilão de hortaliças na vila, os fazendeiros vendem seus produtos no atacado para restaurantes e cadeias de supermercados regionais. Nada viaja para muito longe. Os fazendeiros conseguem bons preços, e os compradores ficam contentes com a variedade e com a qualidade, começando em maio com as plantas cultivadas em estufas, passando pelas verduras e acabando com as maçãs e abóboras em outubro. A cooperativa de comida local vende queijos produzidos na região, a preços razoáveis. A loja de ferragens vende máquinas de enlatamento à pressão e ferramentas de primeira linha, não peixes cantantes mecanizados.

Parece um tipo de comunidade que acabou há uma geração atrás. Mas não acabou, não completamente. Se uma comunidade agrícola auto-suficiente sobreviveu aqui, outras continuam viáveis em outros lugares. O sucesso dessa comunidade parece depender de muitas coisas, inclusive do trabalho constante, da frugalidade material, da flexibilidade, das expectativas modestas e de uma aversão cautelosa às dívidas — mas isso não inclui milagres, tanto quanto pude ver. A não ser, claro, que moremos em um país onde essas qualidades saíram da lista de virtudes cotidianas e passaram para o lado do "milagre". Não sei dizer.

ESTAVA ESCURO QUANDO VOLTAMOS PELO meio da plantação de milho em direção à casa de Elsie e David. A uma velocidade baixa, nosso carro usa apenas a bateria para se movimentar, então o silêncio é estranho, como se o motor tivesse morrido, mas o carro continua a andar. Conseguíamos ouvir as aves noturnas e os pneus comendo poeira suavemente ao entrarmos no campo.

— Pare aqui — disse David repentinamente. — Avance um pouco, até que os faróis apontem para a plantação. Agora desligue os faróis.

O campo reluziu com o que parecia ser milhões de vaga-lumes — mais do que eu já havia visto em qualquer outro lugar. Eles provavelmente haviam trazido suas famílias dos estados vizinhos para essa área livre de atrazina. Eles pulsavam densa e aleatoriamente, como um bando de estrelas frenéticas.

— Agora experimente uma coisa — disse David. — Pisque os faróis uma vez, ligue e desligue.

O que aconteceu em seguida foi surreal. Após piscar os faróis, a plantação ficou totalmente no escuro, e, em seguida, como uma onda, um milhão de luzes piscou de volta para nós ao mesmo tempo.

Uau. Para nos convencermos de que não se tratava de uma alucinação coletiva, fizemos novamente. E outra vez. Caímos na gargalhada de tão felizes que ficamos com a brincadeira. É extraordinário, ludibriar um milhão de criaturas descerebradas todas ao mesmo tempo. Após cinco ou seis rodadas, os vaga-lumes pareceram se dar conta de que nós não éramos o deus deles, ou perderam a fé, ou por alguma outra razão voltaram às suas atividades piscantes.

David deu um risinho.

— Fogos de artifício para caipiras.

Ficamos sentados no escuro até depois da meia-noite, no quintal embaixo das cerejeiras, falando sobre a legislação agrícola, nossas crianças, religião, futuro, livros, escrever. Em seu tempo livre (um conceito que não consigo imaginar no caso dele), David escreve e edita a *Revista dos fazendeiros*, um pequeno periódico sobre agricultura sustentável. Poderíamos continuar a conversa por muito mais tempo, mas nos demos conta de que as pessoas podem gostar de dormir até tarde de vez em quando, mas as vacas nunca.

De manhã, acordei sentindo a brisa passando pelas janelas altas do quarto, a luz do sol brilhando nas paredes brancas, um cavalo andando pelo caminho que passa pela frente da casa. Tive a sensação de acordar em outro país, longe de tudo que era barulhento.

Lily foi até o galinheiro para pegar ovos, se sentindo em casa. Comemos alguns no café-da-manhã, junto com mingau de aveia extraordinariamente saboroso e adocicado com morangos e creme. Isso seria um café-da-manhã todo natural, com um valor de vinte dólares no cardápio de serviço de quarto em alguns hotéis. Disse a David e Elsie que muitas pessoas considerariam essa comida como um privilégio das classes abastadas. David riu.

— Comemos comida elegante mesmo. Mingau de aveia orgânica, tirada do mesmo depósito que é usado para dar de comer aos nossos cavalos!

Fizemos as malas para partir, lembrando uns aos outros dos artigos que pretendíamos intercambiar. Juramos que voltaríamos e expressamos a esperança de que eles também pudessem nos visitar, embora isso seja menos provável, já que não costumam viajar tanto quanto nós. Quase todas as suas excursões são limitadas pela resistência dos cavalos que puxam sua carroça. David e Elsie são amish.

Antes de fazer amizades com pessoas amish, eu tinha uma idéia de restrições rígidas ou antipatias categóricas a coisas como carros (híbridos ou não). Da mesma forma que muitas outras pessoas, precisei conhecê-los primeiro para largar de mão a intolerância religiosa. Os amish não se opõem à tecnologia por uma questão de princípios, condenam apenas tecnologias específicas que eles consideram que piorariam suas vidas. Simpatizo com essa atitude; na verdade, muitos de nós gostaríamos de ter chegado à mesma conclusão antes de tanto barulho adentrar nossos lares. Como me foi explicado, o relacionamento dos amish com a tecnologia é de buscar aquilo que é "apropriado", chegando a tal designação caso a caso. Quando as máquinas de ordenha foram discutidas na comunidade de David e Elsie, os criadores de vacas leiteiras salientaram que a ordenha manual implica esforços como levantar repetidamente latas de leite que pesam 36 quilos, limitando assim a participação das mulheres de menor porte e das crianças. Houve um voto a favor das máquinas de ordenha porque elas permitem que as famílias façam esse trabalho em conjunto. Por razões parecidas, muitos fazendeiros da comunidade usam tratores para necessidades ocasionais, como puxar uma carroça grande ou uma debulhadora (assim, um único trator dá conta do trabalho em várias fazendas). Mas para as tarefas cotidianas de arar e cultivar, a maioria prefere o silêncio e o ritmo de uma parelha de cavalos Percherons ou Belgas.

David resume seu posicionamento acerca da tecnologia em uma palavra: limites.

— O cavalo de carga impõe um limite ao tamanho de nossas fazendas, e a carroça puxada por cavalos limita as distâncias que conseguimos viajar. Basicamente, isso é o que precisamos. Isso é o que mantém saudáveis nossas comunidades.

Faz sentido, claro, que limitar o tamanho dos territórios pode gerar dividendos em termos da apreciação pelo que já possuímos e a capacidade de fazer isso sem recorrer ao endividamento. A surpresa é encontrar comunidades inteiras que de boa vontade aceitam tais restrições, dentro de uma nação que parece alérgica a limites, se gabando da liberdade para ir aonde se quer, tão rápido quanto se quer, e de comprar até acabar o dinheiro — ou mesmo após, quando se possui cartões de crédito.

Os fazendeiros como Elsie e David constituem um elo entre o passado e o futuro. Eles se recusam a participar do paradigma da agricultura do século moderno — e da vida familiar, também, à medida que dão um valor imenso às coisas não materiais, como os vínculos familiares entre as gerações, a estética natural e os prazeres do trabalho compartilhado. Ao restringir seu consumo e conservar habilidades de gerações anteriores de fazendeiros, eles estão obtendo sucesso. Quando o paradigma atual de agricultura extrativista se esgotar, não acredito que multidões farão filas para adotar as roupas simples dos amish. Mas acho que as pessoas precisarão de orientação com relação à agricultura sustentável.

Cheguei a essa conclusão há vários anos quando David e Elsie vieram a nosso condado para dar um breve curso sobre a produção de leite orgânico, a pedido dos criadores de gado leiteiro daqui que buscavam novas respostas. As pessoas que participaram do curso estavam desencorajadas, muitas quase falidas, e haviam passado suas vidas seguindo rigidamente os métodos leiteiros modernos: hormônios de crescimento, antibióticos e mecanização. David é um homem profundamente modesto, mas ele não podia deixar de enxergar a ironia da situação. Ali estava um grupo de fazendeiros trabalhadores que vira seus animais, sua terra e suas contas se arruinarem nos cinqüenta anos anteriores, desde que o Departamento de Agricultura declarara sua política oficial de "Cresça ou caia fora".

E lá estava seu professor, que optou por permanecer pequeno. Tão suficientemente pequeno, de qualquer maneira, que ele nunca precisaria passar por sua plantação tão rápido que não fosse possível estudar o solo, ou escutar as aves saudarem o dia com seu canto.

Organicamente sua

Por Camille

A palavra *orgânico* me faz lembrar de todas as lojas de produtos saudáveis que já visitei ao longo dos anos, que parecem ter o mesmo aroma não importa qual a distância entre elas: toques doces e naturais de pó protéico, cereal a granel, frutas frescas e cânhamo. Acho que a palavra significa coisas diferentes para pessoas diferentes. Quando aplicada à comida (não à matéria de química mais temida pelos universitários), orgânico originalmente descrevia um estilo específico de agricultura, mas agora esse termo abarca um estilo de vida, com direito a revistas e marcas de roupas. A palavra começou a ser aplicada a uma gama heterogênea de rotulações de comida também, desde as "100%

orgânicas" às que "contêm ingredientes orgânicos". Da mesma forma que uma gíria utilizada em excesso, o termo se tornou confuso por causa do aumento de sua popularidade. É verdade, por exemplo, que os biscoitos "feitos com cacau orgânico" não possuem resíduos de pesticidas ou aditivos químicos no pó de chocolate, mas isso não se aplica à farinha, leite, ovos e temperos que também estão presentes em cada biscoito.

Por que deveríamos nos importar com quais ingredientes são orgânicos, ou em que quantidade estão presentes? As razões vão além dos resíduos cancerígenos. Os alimentos orgânicos dão mais retorno nutricional pelo mesmo dinheiro. Essas frutas e hortaliças são criaturas mais resistentes do que aquelas denominadas "convencionais", justamente porque elas tiveram de combater os predadores por conta própria. As plantas têm uma vida difícil. Elas não precisam andar em busca de alimentos ou construir ninhos para criar seus filhotes, mas mesmo assim têm suas preocupações. Não é possível se esconder dos predadores quando se tem raízes na terra e folhas que necessitam de contato direto com a luz solar. Elas estão presas, em campo aberto. Imagine um filme da produtora Lifetime Original: a planta de soja materna olhando em agonia, incapaz de falar ou se mexer, enquanto uma marmota come suas favas-crianças uma de cada vez. Já começou a chorar?

A próxima grande tristeza do reino das plantas: não existe espaço pessoal para as hortaliças. Quando um tomate está plantado em uma fila com outros tomates, lá ele ficará por toda a vida. Se ele vê os vizinhos contraírem um caso grave de lagartas, sabe que vai contraí-lo também. Se ninguém borrifa agroquímicos nos predadores, tudo que uma planta pode fazer é ficar mais forte ao fabricar seus próprios compostos para combater pestes e pragas. É por essa razão que os produtos orgânicos possuem níveis de antioxidantes significativamente mais altos do que os convencionais — esses compostos nutritivos evoluíram na planta não para *nosso* benefício, mas para o da planta. Diversos estudos, incluindo pesquisas feitas por Allison Byrum, da Sociedade Americana de Química, demonstraram que as frutas e hortaliças cultivadas sem pesticidas e herbicidas contêm um número de 50 a 60% maior de antioxidantes do que seus equivalentes borrifados. Os mesmos antioxidantes que combatem as pragas e pestes nas folhas das plantas fazem uma mágica semelhante no corpo humano, protegendo-nos nem tanto das lagartas, mas de várias doenças, do envelhecimento das células e da proliferação de tumores. Gastar mais dinheiro em produtos orgânicos é uma forma de adquirir esses nutrientes adicionais, com outros benefícios para o bem-estar das futuras gerações (como a minha!).

Algumas das coisas mais gostosas da vida são orgânicas. Essa sobremesa (adaptada de uma criação de Jamie Oliver por nossa amiga Linda) é uma maneira sensacional de aproveitar a abundância de amoras-pretas no alto verão, que, em nossa vizinhança, são lavadas pela chuva e colhidas diretamente do campo. O molho de melão leva uma das saborosas frutas do verão da mesa do café-da-manhã para uma mesa coberta por uma toalha branca e com velas. É elegante e delicioso em cima de salmão ou frango grelhado.

TORTA DE MANJERICÃO E AMORA-PRETA

2-3 maçãs, picadas
1 litro de amoras-pretas
2 colheres de sopa de vinagre balsâmico
1 punhado grande de folhas de manjericão picadas
¼ xícara de mel — ou mais, dependendo da acidez das amoras

Pré-aqueça o forno até 125°C. Junte os itens descritos acima em uma assadeira, misture e reserve.

5 colheres de sopa de farinha
3 colheres de sopa cheias de açúcar mascavo
1 tablete de manteiga fria

Corte a manteiga sobre a farinha e o açúcar, depois amasse tudo com os dedos para obter uma mistura grossa e esfarelada (não uniforme). Salpique-a sobre a fruta, asse por 30 minutos até ficar dourada e borbulhante.

MOLHO DE MELÃO

(Rende seis porções generosas)
1 melão médio
1 pimentão vermelho
1 pimenta jalapeño pequena
½ cebola vermelha média
¼ xícara de folhas de hortelã frescas
1-2 colheres de sopa de mel
2 colheres de chá de vinagre branco

Pique os melões e as pimentas em cubos de 1cm. Pique as cebolas e as folhas de hortelã em pedaços pequenos. Misture com o mel e o vinagre, deixe descansar por, pelo menos, uma hora antes de servir por cima de peitos de frango ou filés de peixe grelhados.

Baixe da internet essas e todas as receitas do livro em www.animalvegetablemiracle.com.

12

Um caso de arrombamento por causa de abobrinhas

JULHO

O presidente sucumbiu às ervas daninhas. Assim como o fizeram os cachorros perdidos, os classificados e a candidata a Miss Estados Unidos do condado. Quando voltamos das férias, no final de junho, nossas camadas meticulosas de cobertura orgânica feitas de papel de jornal estavam se derretendo no solo. As fileiras anteriormente limpas entre nossas plantas estavam agora todas borradas, como se tivessem uma barba verde por fazer. As ervas daninhas se aglomeravam nos talos das jovens berinjelas e encostavam-se nas fileiras de vagens. As ervas daninhas representam uma garantia de trabalho para o agricultor.

Carurus, tintureiras, grama-francesa, capim-colchão, beldroega: travávamos uma guerra, capinando e arrancando-as até que as ervas daninhas passaram a brotar em nossos sonhos. Cozinhamos algumas beldroegas no vapor e as comemos. Nada mal. E raciocinamos (com a lógica típica daqueles responsáveis pela estratégia bélica) que identificá-las como um não combatente comestível nos ajudaria a dar a impressão de que estávamos ganhando a batalha. Erva daninha, afinal, é uma designação arbitrária — uma planta que cresce onde não é desejada. Porém, gostosa ou não, a maior parte delas precisa ser retirada. A preocupação dos agricultores com as ervas daninhas não é estética, mas funcional. As espécies do tipo erva daninha se especializam em solo remexido (ou seja, recentemente lavrado) e crescem tão rápido que, se não forem removidas, matam as culturas, primeiro pela concorrência entre as raízes e depois pelo sombreamento.

A agricultura convencional usa produtos químicos herbicidas para controlar as ervas daninhas, mas já que os cultivadores orgânicos não os usam, são essas ervas — até mais do que os insetos — que apresentam o desafio mais custoso e problemático. Em operações de grande escala, onde um sistema de cobertura com matéria orgânica como o nosso não é viável, os agricultores orgânicos muitas vezes fazem um rodízio de culturas a cada três ou quatro anos, utilizando culturas de cobertura que crescem rapidamente, como o trigo-mourisco ou o centeio de inverno, para excluir as ervas daninhas pela força dos números, e depois deixando-as germinar e arando o solo novamente para destruir as mudas, antes de plantar a colheita. O substituto da agricultura com uso intensivo de agroquímicos é a gestão cuidadosa dos ecossistemas, e isso é sobretudo verdade no que tange ao combate às ervas daninhas. Como diz o tio Aubrey, "as ervas daninhas não são boas, mas são inteligentes".

Não tenho orgulho de admitir, mas estamos sendo driblados pelo caruru. Cultivamos esse pedaço de terra há anos, mas nunca tivemos tanta grama francesa e seus parentes. Como é que eles chegaram ao ponto de sair do controle esse ano? Teria sido o clima, um desequilíbrio na fertilidade, a sulcagem em uma hora inoportuna ou o adubo orgânico de cavalo que havíamos aplicado? O calor do processo de constituição do adubo orgânico deveria destruir as sementes das ervas daninhas, mas nem sempre o faz. Vasculhei meus registros da horta em busca de alguma pista. O que descobri foi que cada inscrição, em todos os dias do final de junho e início de julho nos últimos cinco anos, incluía as palavras ervas daninhas: "Passei a manhã arando e arrancando ervas daninhas... Liguei o arado manual e arranquei ervas daninhas das fileiras de milho... Tarde encoberta, tempo favorável para arrancar ervas daninhas... Amarrei as vinhas de uva, arranquei ervas daninhas". E este registro esperançoso: "Terminei de arrancar ervas daninhas!" (Juro!) É comum ouvir dizer que os humanos lembram as partes boas, mas esquecem as ruins, e que essa é a única razão pela qual as mulheres têm mais de um filho. Eu pensava agora: ou mais de uma horta.

Além de combater as ervas daninhas, passamos o fim de semana do 4 de Julho aplicando cal às vagens e berinjelas para desencorajar os besouros e amarrando as tomateiras trepadeiras, que já alcançavam nossa cintura, a gaiolas de arame e estacas. Em fevereiro, cada uma dessas plantas era uma semente do tamanho desse *o*. Em maio, as colocamos no solo, quando eram mudas menores do que a minha mão. Daqui a um mês, estariam mais altas do que eu, dobradas para trás e transbordando por sobre as gaiolas como as cataratas de Niágara, pesadas com pelo menos vinte quilos de frutas em fase de amadurecimento em cada planta.

É por essa razão que fazemos tudo isso, ano após ano. É o crescimento diário visível, o maravilhoso e inexplicável acúmulo de biomassa que faz a aleluia de uma horta em julho. Utilizando apenas os elementos que retiram do ar e da terra, as vagens preenchem suas fileiras, os quiabos aumentam, o milho cresce avidamente em direção ao céu, como um bebê se esticando para vestir uma camisa. Os pepinos e melões começam suas vidas como se estivessem em uma periferia recatada, plantados a distâncias discretas uns dos outros, como as casas em um bairro novo, mas sob o sol do verão elas se espalham e formam comunidades indecorosas e folhosas. Nós agricultores estamos no meio de tudo isso com nossa capinação e amarração, aplicação de cobertura orgânica e irrigação, nossos olhos treinados de guarda contra insetos, marmotas e danos climáticos. Porém, para ser honesta, as plantas estão trabalhando mais duro, fazendo todo o verdadeiro trabalho de produção. Nós somos os gerentes; elas são os trabalhadores.

Os dias de abundância repentinamente chegaram. Nesse mesmo fim de semana de 4 de Julho, colhemos 74 cenouras, seis cebolas verdes e toda a plantação de alho. (O alho é plantado no outono, desafiando o inverno embaixo de uma cobertura de palha.) Escavamos nosso primeiro quilo de deliciosas batatas novas, com casca vermelha e interior amarelo. Junto com as últimas ervilhas, colhemos os primeiros tomates Pinheiro Prateado e Escolha de Sofia, ainda em pequeno número, seguidos por mais dez no dia seguinte. Ainda mais emocionante do que os tomates foram os primeiros pepinos preciosos — havíamos esperado muito tempo por aquela verdura crocante, fresca e verde. Após jurarmos não comer mais hortaliças transportadas, logo nos demos conta de que isso implicaria uma vida sem pepinos durante a maior parte do ano. Sua estação local é curta, e não é possível guardá-los, exceto em conserva. Quem se importa se são quase exclusivamente água e matéria crocante? Senti falta deles. A escassez acabou em seis de julho quando colhi seis clássicos Marketmores verde-escuros, dois Suyo Longos (uma variedade asiática que é curva e cheia de espinhos) e 25 pequenos Anões Brancos, um pepino *gourmet* que parece um endro branco. Dois dias mais tarde, colhemos a mesma quantidade novamente. E, quase todo dia durante o mês seguinte, colhemos mais, quando não murchavam ou sucumbiam aos besouros. Os pepinos viraram nosso lanche para ser comido todo dia e a toda hora durante o verão. Tentaríamos enjoar deles antes do inverno.

Uma forte chuva que durou o dia sete inteiro nos prendeu em casa, forçando-me a voltar à minha escrivaninha onde alguns prazos finais expiravam. Ao anoitecer, diferentemente dos últimos dias, não estava tão esgotada com o trabalho na horta para cozinhar uma refeição especial. Usamos vários quilos de pepinos e tomates para fazer o primeiro gaspacho, nossa sopa fria favorita, temperada com bastante coentro fresco. Para completar a refeição, misturamos massa *orzo* morna com queijo ralado, bastante manjericão recém-colhido e várias xícaras de abóbora em tiras. Após três meses forçando ao máximo nossa criatividade para poder nos alimentar localmente, chegáramos aos tempos bons.

A combinação de *orzo* com abóbora é uma entre várias "receitas para utilizar abóboras", das quais dependeríamos mais tarde, naquele ano. É um prato extremamente saboroso cujo ingrediente principal não sobressai tanto assim. Já vimos convidados e crianças comê-lo sem saber que contém abóbora. A importância disso logo ficará clara.

EM MEADOS DO MÊS, COLHÍAMOS uma dúzia de tomates todo dia, o mesmo número de pepinos, nossas primeiras berinjelas e abóboras em grande abundância. Um amigo chegou certa manhã quando eu estava fazendo um revezamento comigo mesma para puxar duas cestas grandes de verduras para dentro da casa. Ele proferiu uma benção bíblica:

— A colheita é farta e os esforços são poucos.

Concordei, claro, mas a verdade é que eu ainda precisava voltar à horta naquela manhã para arrancar cerca de duzentas cebolas — o suficiente para um ano. Elas cresceram bastante nos longos dias do meio do verão e agora esperavam para serem tiradas da terra, salgadas e arrumadas em longas tranças que ficariam penduradas na lareira e fariam parte de nossas refeições durante o inverno inteiro. Naquele dia também precisava arrancar alguns nabos, 35 litros de vagens, e enfiar pratos de papel embaixo de 24 melões quase maduros para protegê-los da umidade e dos insetos. Mais uma semana e começaríamos a colhê-los, junto com o milho doce, os pimentões e os quiabos. A colheita foi farta, e os esforços, intermináveis.

Por mais avançada que estivesse a estação, era importante lembrarmos que continuávamos a ser pequenos agricultores dando de comer a nós mesmos e a amigos ocasionais, não fazendeiros comerciais cultivando alimentos como um meio de sustento. Isso constitui um conjunto diferente de tarefas e preocupações. Mas, no "Ano Local" de nossa família, essa distinção ficou menos nítida para nós em certa medida. Tínhamos outros empregos, mas quando nos engajamos no projeto de alimentar a nós mesmos (e de relatar, aqui, os resultados), essa tarefa se tornou uma parcela substancial do sustento de nossa família. Ao invés do costume moderno e normal de trabalhar por dinheiro, que é constantemente trocado por comida, trabalhamos diretamente por comida, saltando todos os passos intermediários. Basicamente, isso dizia respeito a eficiência, disse a mim mesma — e continuo a achar isso, nos dias em que o trabalho parece tão esmagador quanto qualquer segundo emprego. Contudo, na maior parte do tempo, esse trabalho traz recompensas que vão muito além do salário em forma de animais e hortaliças. Faz o corpo sair de casa por alguma parte de cada dia para exercitar o coração, os pulmões e os músculos que você nem sabia que existiam, fornecendo uma compensação saudável para aqueles empregos de escritório que nos tornam seres inativos. Em vez de precisar ir de carro até uma academia, subimos a colina para levantar pesos livres com um forcado, fazer ioga de arrancar ervas daninhas e praticar esteira de enxada. Nenhuma desculpa é válida. As ervas daninhas poderiam sair vitoriosas.

A horta é também silenciosa, sem telefone, reflexiva e linda. No final de uma das minhas tardes mais atarefadas de fac-símiles urgentes de editores de revistas ou tradutores, textos que precisam ser entregues rapidamente, questões contratuais incompreensíveis e perguntas desnorteantes da receita federal, que são partes rotineiras de meu emprego principal, aprecio a viagem até meu segundo turno de trabalho. Nada é mais terapêutico do que andar até lá e desaparecer em meio ao cheiro verde e amarelo das fileiras de tomateiras durante uma hora para cuidar de meus colegas mais quietos e dóceis. Segurando seus membros macios, tenros como os punhos de um bebê, amarro-os às treliças, arrumo a cobertura orgânica a seus pés e inalo o oxigênio de seu agradecimento.

Assim como nosso amigo David, que medita sobre a Criação enquanto cultiva, me sinto sortuda de realizar um trabalho que me permite ouvir os trovões distantes e olhar um ninho de chapins-de-cabeça-preta recém-nascidos que tentam voar de seu buraco na ripa da cerca até o pequeno lote de terra onde estão os pepinos. Até mesmo a menor horta de quintal oferece recompensas emocionais em forma de pequenos milagres. Como *hobby*, essa atitude poderia ser considerada uma observação de aves com benefícios.

Todo agricultor que conheço é viciado na experiência de ficar ao ar livre em meio à lama e às verduras que crescem. Por quê?

Um terapeuta astuto talvez nos diagnosticasse como co-dependentes e recomendasse que participássemos de reuniões periódicas dos Tomateiros Anônimos. Amamos tanto nossas hortas que até dói. Por causa delas, nos dobramos todos até ficarmos com dor nas costas, retiramos punhados de ervas daninhas pelas raízes, como se estivéssemos arrancando os cabelos do mundo. Guiamos nossa enxada favorita como um parceiro de dança ao longo das longas fileiras, em uma maratona que nos deixa exaustos. Examinamos minuciosamente os besouros amarelos com bolinhas pretas que repentinamente surgem como catapora nas folhas das vagens. Passamos horas dobrados sobre nossas plantas como se escravizados, endireitando apenas de vez em quando as costas e secando a testa com a mão, deixando-a listrada de lama, como uma criança faria para imitar uma pintura de guerra. Por que cultivar uma horta vicia tanto?

Esse desejo está provavelmente vinculado ao nosso DNA. A agricultura é a atividade mais antiga com a qual os seres humanos estão ininterruptamente ocupados. É o tipo de trabalho por meio do qual nos promovemos de apenas outro primata ao Rei dos Animais. É a base de nossa dispersão bem-sucedida desde nosso lar original na África para cada região fria, seca, alta, baixa ou grudenta do globo. Cultivar comida foi a primeira atividade a nos dar prosperidade suficiente para nos manter em um lugar, formar grupos sociais complexos, contar histórias e construir cidades. Os arqueólogos acumularam provas conclusivas de que a domesticação das plantas e dos animais remonta a mais de 14 mil anos em algumas partes do mundo — o que torna a agricultura substancialmente mais antiga do que aquilo que chamamos de "civilização" em qualquer lugar. Todos os cultivos importantes que comemos hoje já haviam sido domesticados há cinco mil anos. Os primeiros humanos seguiram, independentemente uns dos outros, o mesmo impulso em todos os lugares onde se encontravam, criando pequenas economias agrícolas baseadas na domesticação de seja lá o que estivesse à mão: trigo, arroz, vagens, cevada e milho, em diversos continentes, além dos carneiros no

Iraque (cerca de 9.000 a.C.), os porcos na Tailândia (8.000 a.C.), os cavalos na Ucrânia (5.000 a.C.) e os patos nas Américas (antes dos Incas). Se você quer saber o que chegou primeiro, a comida para todos ou os políticos, a resposta é fácil.

Os caçadores-colhedores lentamente adquiriram a capacidade de controlar e aumentar suas fontes de comida, aprenderam a acumular excedentes para alimentar as famílias durante as estações frias ou secas, e *só então* se assentaram para construir vilas, cidades, impérios e coisas semelhantes. E, quando a centralização inevitavelmente entra em colapso, voltamos à agricultura familiar. O Império Romano prosperou com base em operações agrícolas empresariais gigantescas, que utilizavam trabalho escravo, de modo a excluir quase totalmente as fazendas pequenas no final daquela era. Mas quando Roma ruiu em chamas seus cidadãos urbanizados se espalharam por todos os cantos dos vales e das montanhas da Itália, retornando novamente à tarefa de alimentar a si mesmos e a suas famílias. E continuam a fazer isso, com grande sucesso, até hoje.

No que tange à nossa dependência moderna da agricultura empresarial, existem alguns sinais de que estamos conduzindo a questão de uma forma mais inteligente do que os romanos. Nos últimos tempos, a Europa industrializada levantou suspeitas com relação ao fornecimento centralizado de comida, precipitadas pela doença da vaca louca e pelas comidas geneticamente modificadas. A União Européia — utilizando-se de agências governamentais e da aplicação de leis — está tomando providências para preservar suas terras agrícolas, suas economias alimentares locais e a autenticidade e sobrevivência de suas especialidades culinárias.

Aqui nos Estados Unidos ainda estamos, em termos estatísticos, dominados pelas comidas de conveniência, mas estamos cientes de que algo está errado com nossa comida e com a cultura de sua produção. Os sociólogos têm escrito sobre o "Centro em desaparecimento", se referindo tanto à região central dos Estados Unidos quanto aos operadores de tamanho médio: comunidades inteiras do interior que se tornaram alarmantemente vazias como resultado da tendência, que já dura décadas, em direção a fazendas maiores produtoras de *commodities*. As tentativas de atacar esses problemas têm surgido com maior rapidez em nível regional, e não nacional. Agências locais em todo o Meio Oeste estão criando suas próprias respostas, tornando obrigatória a aquisição de alimentos produzidos localmente por escolas, presídios e outras instalações públicas. Diversos estados introduziram políticas para encorajar os jovens a praticar a agricultura, uma profissão cuja idade média atualmente remonta a 55 anos. Cerca de 15% das fazendas norte-americanas são gerenciadas por mulheres — uma estimativa que ficava em 5% em 1978. As indústrias orgânicas e hortigranjeiras em franca expansão sugerem que os consumidores são capazes de identificar uma indústria opressora e de abraçar a mudança. As vendas diretas de produtos agrícolas estão crescendo. Por baixo de nossas roupas de grife, parece que continuamos a ser animais que retêm um vestígio do desejo de examinar as fontes de água e comida.

Nos fóruns dos meios de comunicação e do comércio, a noção da volta à terra é ainda comumente vista como uma empreitada hippie sem pé nem cabeça. Mas a imagem provavelmente não importa para as pessoas que vestem jardineiras para ir ao trabalho e têm reuniões de cúpula com tratores. Em uma nação que dedica seus recursos à agricultura em larga escala — milho e soja por todo lado, e nenhuma parte disso serve para seu consumo direto —, *voltar à terra* é uma opção com apelo permanente e discreto. A popularidade da agricultura doméstica é prova disso; assim como o crescimento estrondoso do agriturismo nos Estados Unidos, incluindo operações colha-você-mesmo, agricultura por assinatura e restaurantes ou hospedarias localizados em fazendas. Quem não é fazendeiro ou agricultor continua a ter saudades das fazendas de nosso passado familiar, real ou imaginário: um desejo secreto por alguma conexão com uma vida em que o galo canta no quintal.

NO VERÃO, UM GALO JOVEM começa a pensar em... como dizer isso de forma delicada? São as tentativas mais desastradas de galanteio que já presenciei. (E, sim, incluindo aquelas do ensino médio.) Como era de se prever, metade dos pintos de Lily era constituída de machos. Isso estava se tornando aparente para todos à medida que os meninos começaram a fazer experiências de acasalamento, trepando nas meninas às vezes de costas ou então de lado. As jovens galinhas os expulsavam e voltavam a procurar insetos na grama. Mas as três galinhas mais velhas, que já tínhamos há algum tempo, aves maduras, com certa experiência de vida, não estavam dispostas a tratar bem os tolos. Emmy, uma Gigante de Jérsei idosa, se comportava como qualquer avó prudente que visse um adolescente se aproximar em busca de aventuras: ela mordia-o na cabeça e o perseguiu até ele entrar em um arbusto.

Esses meninos tinham muito a aprender, e não apenas a arte do amor. Um galo maduro e habilidoso leva a sério sua função de proteger o rebanho, emitindo sons vocais diferentes para alertar suas galinhas sobre comida, predadores aéreos, ou perigos terrestres. Ele encaminha suas esposas ao galinheiro todo dia ao anoitecer. Na falta de um galinheiro apropriado, ele as conduz até o galho de uma árvore ou para outro local seguro para passarem a noite. O meu lado feminista não gosta de admitir, mas um bando de galinhas criadas fora do confinamento se comporta de uma forma muito diferente sem um galo: um desfile descerebrado, disperso e vulnerável de almas perdidas. Claro, elas são galinhas. Têm cérebros de ave, evoluíram em bandos polígamos e vivem há milênios com humanos que premiam a docilidade e a produção de ovos. As galinhas modernas conseguem produzir um ovo por dia durante meses seguidos (até os dias de inverno ficarem curtos demais), e *isso* elas conseguem fazer sem ajuda masculina. As operações de produção de ovos em larga escala mantêm as galinhas sob luz artificial para prolongar o período de pôr ovos, e não têm nenhum galo. O ovo branco padrão, comprado nos mercados, é estéril. Porém, em um quintal onde as galinhas precisam buscar sua comida e correr o risco de ataques de predadores, o comportamento em bando fica mais interessante quando um galo está no comando.

Cultivar em casa

Ah, claro, Barbara Kingsolver tem 16 hectares e uma mula (na verdade, um burro). Mas como é que alguém como eu pode participar do espírito de cultivar coisas, quando meu apartamento tem vista para uma estrada e para as janelas de outras pessoas? Devo criar um porco no quarto de hóspedes?

Qual *é* o tamanho do quarto de hóspedes? Brincadeirinha. Mas, até mesmo para as pessoas que vivem em áreas urbanas (mais da metade da população), não é impossível contribuir diretamente para a economia alimentar local. O cultivo em caixas, em varandas, quintais ou até mesmo em janelas ensolaradas pode render um volume surpreendente de brotos, ervas e até mesmo hortaliças. Um número pequeno de pés de tomate em vasos grandes de flores pode alcançar uma produtividade surpreendente.

Se você tiver um quintal, por menor que seja, parte dele pode ser transformado em uma horta. Você pode usar a parte mais ensolarada para as verduras sazonais, ou escolher a opção mais discreta de usar plantas perenes que produzem comida como parte de seu paisagismo. As plantas frutíferas são encontradas em muitas formas esteticamente atraentes, com escolhas apropriadas para cada região do país.

Se você não for um proprietário de terras, ainda é possível encontrar oportunidades para cultivar na maioria das áreas urbanas. Muitos empreendimentos de agricultura apoiada pela comunidade (CSA) permitem ou exigem que os assinantes participem das fazendas; algumas até oferecem um esquema de trocar trabalho por comida. Muitas áreas urbanas têm jardins comunitários, que usam diversos protocolos de organização — uma prática muito difundida nas cidades européias que criou raízes aqui. Algumas alugam espaços verdes para os primeiros a se candidatarem; outras fornecem espaço gratuito a residentes da vizinhança. Algumas são organizadas e administradas por voluntários que trabalham por um objetivo específico, como fornecer comida para uma escola local, enquanto outras atendem às pessoas com necessidades especiais ou jovens em situações de risco.

Outras informações podem ser encontradas na página da internet da Associação Americana de Horticultura Comunitária: www.communitygarden.org.

Steven L. Hopp

Portanto, Lily queria um galo, para proteger o bando e aumentar as probabilidades de suas galinhas terem pintinhos no próximo ano. Havia uma vaga aberta para um galo *bom*, mas não para um ruim. No passado, tivemos ambos os tipos. Nosso favorito de todos os tempos foi o sr. Doodle. Se houvesse uma liga profissional para ele atuar, como a dos cachorros que fazem testes de adestramento e agilidade, poderíamos ter aposentado o sr. Doodle e o usado como um reprodutor. Ele zelava cuidadosamente pela segurança das galinhas e tinha senso de justiça. Eu recolhia lagartas de meu jardim, só para jogá-las no quintal das galinhas e ver o sr. Doodle correr para catá-las, uma por uma, fazer uma avaliação e distribuir uma lagarta para cada uma das seis galinhas em rodízio antes de começar a próxima rodada. Qualquer número de lagartas que não fosse exatamente divisível por seis o deixava irritado; ele detestava ser parcial e demonstrar qualquer favoritismo.

Ele foi o marido ideal. Os tipos que tínhamos agora não mereciam um segundo encontro. Ainda eram jovens, admitimos. Até mesmo um bonitão precisa começar por algum lugar, ser enxotado para dentro das ervas daninhas algumas vezes antes de encontrar seu cavalheirismo interior. Examinamos minuciosamente nossos garotos enquanto eles participaram de um jogo que decidiria sua sobrevivência. Todos menos um acabariam sobre nossa mesa, e não podíamos nos sensibilizar. Manter vários galos não é um ato caridoso. Eles inevitavelmente acabam praticando um conhecido esporte que é ilegal em 48 estados.

Qual deles ficaria? Os critérios são rígidos e variados: bons chamados de alerta, instintos altruístas na busca por comida e no acasalamento e um comportamento razoável com os humanos. Às vezes, galos que sempre foram dóceis começam a atacar crianças, um crime hediondo em nosso quintal. Por fim, nosso vencedor precisaria de uma voz ótima. Ouviríamos seu cocoricó específico em mais de mil amanheceres. Os *chanticleers*, como são chamados os galos cantantes nos livros, têm habilidades tão diversas quanto os cantores de ópera. Queríamos um Pavarotti. O talento para o canto é em grande parte genético e acompanha o desenvolvimento dos hormônios masculinos. Até agora, não havíamos ouvido nada remotamente parecido com um cocoricó.

Então, certa manhã, ouvimos. Foi em julho, logo após transferir meu quarto para a varanda fechada com mosquiteiro, meu ritual de verão. As noites de verão são mornas e maravilhosas, embora seja difícil dormir com tanta coisa acontecendo após o escurecer: grilos, gafanhotos e vaga-lumes preenchem todos os espaços visíveis e audíveis. As corujas emitem seus cantos de amor. Os veados às vezes nos assustam com o estranho barulho nasal de sua chamada de alarme. E, nas primeiras horas de uma certa manhã, enquanto eu observava a encosta arborizada da colina passar lentamente de cinza a verde, ouvi o que pensei ser uma nova espécie virginiana de sapo: "Cro-oak!"

Acordei Steven, da mesma forma que as mulheres acordam seus maridos em todo lugar, para perguntar:

— Que barulho é esse?

Sabia que ele não ficaria chateado, pois não se tratava de nenhum suspeito de arrombamento enfadonho — era um bicho selvagem. Ele sentou em estado de alerta. Sua área de pesquisa é a bioacústica: o canto das aves e outras comunicações animais. Ele é capaz de identificar qualquer ave nativa do leste dos Estados Unidos simplesmente ao ouvi-la e consegue reconhecer muitos insetos, mamíferos e anfíbios, pelos menos quanto à sua categoria. (Como a maioria dos seres mortais, eu não consigo. Confundo chamados de mamíferos com de aves, assim como os de certos insetos com ferramentas elétricas.) Ele emitiu sua opinião profissional sobre o coaxo pré-matinal:

— Sei lá.

Enquanto escutávamos, ficou evidente que dois deles estavam engajados em algum tipo de competição: "Cro-ao-oak".

(Uma pausa para a réplica).

"Cri-iggle-ick!"

Steven desvendou o mistério muito mais rápido do que eu. Eram nossos meninos de verão. Caramba.

Mais vozes de galo se juntaram ao coro enquanto o dia raiava por cima dos morros. Por fim, um emergiu como uma espécie de líder, ao qual os outros respondiam em conjunto, no estilo chamada-e-resposta de uma cerimônia religiosa dos tempos antigos.

"Rrrr-arrr-orrrh!"

"Cri-iggle-ick!" "Cro-aok!" "Crr-rdle-rrr!"

Parecíamos ter em mãos o que soava como um recém-inaugurado curso de línguas para galos, com um professor mal remunerado.

As meninas nos ouviram lá no andar de baixo e vieram até o quarto, que é todo envidraçado, para saber o que era tão engraçado. Nós nos esparramamos na cama, caindo na gargalhada toda vez que o coro surgia. Bem-vindos à nossa fazenda maluca. Eu disse mesmo que queríamos um Pavarotti? Tínhamos um bando de pretendentes desafinados. Por quantas semanas perduraria esse teste de elenco horrível antes que pudéssemos fazer uma escolha entre os candidatos? Um concorrente destacado marcava o final de seu canto, toda vez, com uma espécie de arroto: "Crrrrarrrr---*bluup*!"

Esse cara tinha um futuro nas artes culinárias. Na minha.

NOSSOS PERUS PARECIAM ESTONTEANTES APÓS passarem por uma desajeitada transformação de adolescente, adquirindo plumagem adulta. Os Bourbons Vermelhos estão entre os representantes mais bonitos de sua raça, com corpos vermelho-castanho, asas brancas e as plumas da cauda com pontas brancas. Os machos não estavam cocoricando, claro, mas isso seria sua única deficiência no que diz respeito à testosterona. Já havíamos passado por isso. Antes de nossa mudança para a Virgínia, criei alguns Bourbons Vermelhos como um teste, para ver se gostávamos da linhagem antes de tentar fundar um bando reprodutor. Consegui cinco filhotes e me inquietei, desde o primeiro dia, sobre como algum dia reconciliaria suas charmosas cabeças peludas com o Dia de Ação de Graças. Contudo, durante aquele verão, com a chegada dos hormônios adolescentes, o problema da atratividade havia se resolvido, *e como*: quatro das cinco aves provaram ser machos. Eles me esqueceram totalmente, sua antiga mãe, e embarcaram em uma festa de arromba que durou meses. Imagine a clássica forma de ostentação do peru, na qual o peru macho abre as plumas coloridas da cauda em um leque impressionante. Agora, visualize isso multiplicado por quatro, continuando ininterruptamente, mês após mês. A fêmea solitária passou o verão provavelmente desejando que tivesse nascido com a habilidade de virar os olhos de desprezo. Esses caras estavam dispostos a impressioná-la ou morrer na tentativa. Eles sacudiam as plumas das asas com um som parecido com o sussurro de tafetá, esticavam os pescoços bem alto no ar e emitiam um grugulejar rouco. Vez após vez após *vez*. Nosso vizinho mais próximo ligou para perguntar hesitantemente:

— Ah, não estou querendo ser intrometido, mas seu galo está com algum problema?

Vários de nós ficaram aliviados naquele ano, quando chegou a época do abate, e nossa primeira experiência com os perus terminou. Na chegada do outono, vários dos machos haviam começado a amedrontar Lily, que tinha seis anos na época, ao atacá-la enquanto grugulejavam quando ela entrava no quintal para dar comida a suas galinhas. No começo, ela havia feito pressão para darmos nomes aos perus, o que eu negara, mas mudei de idéia mais tarde quando entendi o que ela pretendia. Ela lhes atribuiu os nomes de sr. Dia de Ação de Graças, sr. Jantar, sr. Salsicha e — em um devaneio culinário próprio da idade — Sushi.

Então, agora já estávamos cientes do que aconteceria à medida que nosso bando chegasse à maturidade. Quando alcançamos o meio do verão, todas as aves nascidas em abril já estavam bem estabelecidas. Nosso aviário é um celeiro com teto de estanho e cem anos de idade, com laterais cobertas por tela de arame e uma treliça de ripas de madeira desgastada. Havíamos remodelado a construção ao dividi-la em dois ambientes grandes, espaços de dormir separados para perus e galinhas (que não convivem bem), a salvo de predadores como quatis, gambás, coiotes, corujas e cobras grandes. Uma sala de entrada na frente da construção, com portas que davam para ambos os espaços, era usada para guardar grãos e outros suprimentos. O galinheiro tinha uma parede inteira de caixas para pôr ovos (Lily tinha grandes ambições) e uma porta traseira que dava para o exterior — as galinhas agora andavam livres pelo quintal durante o dia e só precisavam ser confinadas à noite. O lado dos perus tinha uma portinhola que dava para um quintal exterior próprio, cercado por tela de arame.

Os filhotes de peru haviam aprendido a voar pela portinhola recentemente e se deleitavam com os dias quentes e ensolarados, voltando ao interior apenas para empoleirar-se de noite. Embora a maioria das pessoas ache que as galinhas e os perus comem grãos (e, no caso das aves CAFO, isso é o melhor que elas comem), eles consomem bastante grama e folhagem quando têm liberdade para procurar comida. Tanto perus quanto galinhas são carnívoros ávidos. Já vi muitas vidas pequenas serem extintas na ponta de um bico em nosso quintal, não apenas besouros e minhocas, mas salamandras e sapos de olhos esbugalhados. (A frase "galinhas vegetarianas criadas sem confinamento", escrita em uma embalagem de ovos, é mentira, a não ser que elas tenham sido treinadas com coleiras que dão choques elétricos.) Nossos Bourbons Vermelhos são exímios caçadores, já estavam bem maiores do que as galinhas a essa altura, mas um pouco mais lentos em termos de amadurecimento sexual. Ainda não estava claro como nossas 12 aves se saíram nesse quesito. Honestamente, eu preferia meninas.

MINHAS FILHAS CUSTARAM A ACREDITAR, mas eu nunca ouvira falar em abobrinhas na minha infância. Conhecíamos apenas um tipo de abóbora de verão: as *crooknecks* amarelas que cresciam aos montes em nossa horta. Elas, provavelmente, também eram vendidas no supermercado durante o verão, se é que alguma alma infeliz e sem amigos se aventurava a comprar uma. Tínhamos três variedades de abóbora de inverno: *butternuts*, jerimum e uma espécie gigante listrada de verde, bem peculiar em nossa região, denominada *cushaw*, que pode atingir o peso de uma criança de oito anos. Sempre guardávamos uma delas (a *cushaw*, não uma criança de oito anos) durante o inverno inteiro, na escadaria fresca que levava ao sótão, e cortávamos um pedaço de vez em quando para nosso consumo invernal de hortaliças laranjas. Elas são ótimas para fazer tortas. Essa é a história completa das abóboras em minha juventude tenra. Muitos diriam que isso era o suficiente.

Mas não meu pai. Sempre à procura de aventuras, ele andou fuçando no novo supermercado Kroger, que abrira em uma vila perto da nossa quando entrávamos na adolescência. Era um admirável mundo novo de culinária exótica: eles vendiam tortas de creme inteiras lá, congeladas em pratos de alumínio, e também hortaliças que desconhecíamos. Alcachofras, por exemplo. Nós crianças votamos a favor das tortas, mas elas foram vetadas; papai trouxe para casa as alcachofras. Mamãe zelosamente cozinhou-as e serviu-as com garfos, presumindo que eram para ser comidas por inteiro. Tentamos *arduamente* fazer isso. Não toquei novamente em uma alcachofra durante vinte anos.

No entanto, nossas vidas mudaram para sempre no dia que ele trouxe *zuchinis* [abobrinhas] para casa.

— É comida italiana. — explicou ele.

Não sabíamos como pronunciar a palavra. Embora as alcachofras nos houvessem levado às lagrimas e às pastilhas para dor de garganta, gostamos muito desses dirigíveis verde-escuros. No ano seguinte, papai descobriu que ele poderia encomendar as sementes e cultivar essa comida estrangeira em nossa casa. Eu fui encarregada de tomar conta do setor de abóboras de nossa horta naquela época

— meu irmão era responsável pelas cebolas — e éramos crianças aplicadas. Tenho quase certeza de que o lugar onde se introduziu a abobrinha na América do Norte foi o condado de Nicholas, no Kentucky. Se não o foi, fizemos a nossa parte, distribuindo-as tanto a amigos quanto a forasteiros. Comíamo-nas cozidas no vapor ou com água e sal, fritas em massa mole, em sopas, no verão e também no inverno, porque minha mãe havia desenvolvido uma receita de condimento de cebolas e abobrinhas que ela guardava em jarras às dezenas. Sou descendente de uma linhagem orgulhosa de gente que sabe lidar com uma abóbora.

Assim, julho não me amedronta. Colhemos nossas primeiras *crooknecks* amarelas pequenas no começo do mês, pequenas beldades que pareciam pratos de um restaurante fino quando refogadas ainda com as flores. Em seis de julho, colhi dois pequenos *pattypans* (abóboras brancas que parecem discos voadores), quatro *crooknecks* amarelas, seis abobrinhas douradas e cinco Costata Romanescas grandes — um parente das abobrinhas que tem uma textura firme e pode atingir o tamanho de um taco de beisebol da noite para o dia. Sou filha de meu pai, sempre disposta a uma nova aventura através dos catálogos de sementes, e ainda sou encarregada do setor de abóboras da horta. Às vezes exagero, mas ainda não estava pronta para admitir isso naquele momento.

— *Adoro* todas essas abóboras — exclamei, trazendo o arco-íris de suas formas e cores para a cozinha, junto com as primeiras vagens da estação (Romano Púrpuro e Ouro de Bacau), pepinos anões brancos, acelga de cinco cores e alguns nabos Chioggia, uma linhagem herdada italiana que forma anéis vermelhos e brancos quando fatiada transversalmente. Ainda estava feliz dois dias depois, quando trouxe as 19 abóboras oriundas da colheita do dia. E mais 33 na semana seguinte, incluindo uma leva considerável de Costatas com cinqüenta centímetros de comprimento. Diferentemente das outras abóboras, as Costatas são deliciosas quando atingem esse tamanho, embora assustadoras. Abrimo-las e recheamo-las com cebolas refogadas, migalhas de pão e queijo, e as assamos em nosso forno ao ar livre. Todos os convidados para jantar eram forçados a comer abóboras e depois levar algumas para casa em sacos plásticos. Para dizer a verdade, começamos a preparar as listas de convidados para jantar levando em conta aqueles que não tinham hortas. Nossos amigos agricultores já se precaviam para bater a porta ao verem um saco pesado se aproximando.

Camille corajosamente fez a parte dela. Antes do aniversário de sua irmã, ela adaptara várias receitas diferentes em uma invenção de gênio: biscoitos de abobrinha com gotas de chocolate. Ela fez um lote de cem, obliterando no processo vários dos trambolhos verdes que atravancavam a cozinha. Ela passou a bandeja entre os amigos de Lily na festa de aniversário dela, com um sorriso matreiro, enquanto eles se aglomeravam em volta da mesa da cozinha para ver Lily abrir seus presentes. As crianças daquela idade detestam abóboras. Observávamos elas mastigarem. Elas ainda pediram mais. Hah!

Camille desafiou seus amigos a adivinhar o ingrediente secreto, olhando sugestivamente para os corpos verde-escuros que haviam sobrado (um deles cortado pela metade) na bancada da cozinha.

— *Canela? Farinha de aveia? Balas?*

Nunca revelaremos. Mas, após o papel de embrulho de presente voar, a poeira assentar e os cem biscoitos serem consumidos, ainda restavam mais daqueles dirigíveis no balcão.

Havíamos plantado um número excessivo de trepadeiras? Deveríamos deixar as ervas daninhas atacá-las? Oh, as fiéis abóboras, elas nunca nos deixam na mão. Bem cedo na manhã de um sábado, enquanto eu estava deitada insone, sussurrei para Steven

— Precisamos de um porco.

— Um porco?

— Para as abóboras?

Ele sabia que eu não poderia estar falando sério. Em primeiro lugar, os porcos são suficientemente inteligentes para impossibilitarem seu abate. Seus olhos comunicam uma sensibilidade comovente que os olhos das aves domésticas não conseguem, mesmo quando criadas desde a mais tenra idade. Não precisamos de um porco como animal doméstico.

Contudo, precisávamos de algo para despachar todas aquelas abobrinhas — algum fim útil para essa pirâmide de biomassa vegetal excedente que estava tomando conta de nossas vidas. Minha família sabe que tenho uma incapacidade congênita de desperdiçar comida. Fui criada por pais frugais que cresceram durante a Grande Depressão, quando a inanição foi uma possibilidade concreta. Aprendi agora, depois de crescida, a comprar jeans novos quando os meus têm remendos nos remendos, mas ainda não aprendi a jogar comida boa fora. Nem mesmo para virar adubo orgânico, a não ser que esteja mesmo estragada. Para mim, é como jogar no lixo um relógio Rolex ou algo semelhante. (São apenas conjecturas da minha parte.) A comida foi produzida com o suor da testa de alguém. Começou sua vida como uma semente ou um recém-nascido e superou todas as dificuldades. É intrinsecamente o produto mais valioso em nossas vidas, enquanto animais que somos.

Mas ali jazia essa pilha no balcão da cozinha, com seus parentes apinhados em uma cesta no *hall* de entrada — vagando entre a horta e a cozinha — apenas esperando pelo sinal de que também poderiam entrar aqui: as abobrinhas refugiadas.

Algumas vezes me vi forçada a abandonar a faca e admirar seu sucesso extravagante. Sua inteligência alongada e poderosa. Seu peso. Tentei equilibrá-las pelas pontas, pelos lados: aqui na cozinha tínhamos os elementos básicos para nosso próprio Stonehenge verde. *Está bem*, eu estava perdendo o juízo. Não poderia ganhar essa corrida. Se ficassem um pouco mofadas, eu poderia usá-las como adubo orgânico. Estávamos abrindo as bem grandes para as galinhas comerem — isso não é desperdício, representa ovos e carne. Um porco seria capaz de fazer isso para nós em uma proporção muito maior...

Será que eles não poderiam projetar um motor de automóvel que usa abobrinhas como combustível?

Não ajudava em nada o fato de outras pessoas tentarem dá-las para *nós*. Um dia voltamos para casa, após fazer algumas pequenas tarefas, e encontramos um saco delas pendurado em nossa caixa de correio. O presenteador, claro, não estava à vista.

— Uau — dissemos todos. — *Que idéia maravilhosa*!

Garrison Keilor diz que julho é a única época do ano em que as pessoas do interior trancam os carros no estacionamento da igreja, para que outros não depositem abóboras no assento dianteiro. Eu pensava que isso era uma piada.

Não quero divulgar a presença ou ausência de medidas de segurança em nossa vizinhança, apenas dizer que nas áreas rurais, em geral, as pessoas tendem a não trancar suas portas. A noção de um "condomínio fechado" é compreensível para nós somente para mantermos os bichos longe das plantas. A atmosfera em nossa pequena vila é descontraída, além de os vizinhos serem vigilantes e capazes de informar, se perguntados, a marca e o modelo de todo veículo que passe pelo caminho que dá em nossa fazenda. Por isso, a família ficou um pouco surpresa quando comecei a verificar cuidadosamente a segurança das portas e dos portões cada vez que saíamos.

— É necessário explicar o óbvio? — perguntei impacientemente. — Alguém poderia arrombar a casa para colocar abobrinhas lá dentro.

Era apenas julho. Não admitiria mais abóboras, e também não estava preparada para admitir a derrota.

O espírito do verão

Por Camille

É uma tarde de sábado em meados de julho, e nossa fazenda está transbordando de vida. Depois de cada visita à horta, descemos a colina carregando pepinos, abóboras e tomates nos braços. Estamos também colhendo pimentões, berinjelas, cebolas, vagens e acelga. Daqui a pouco, alguns amigos chegarão para jantar, então mamãe e eu examinaremos nossa pilha de hortaliças frescas e iniciaremos o preparo. Começaremos com uma sopa de pepino, que será servida como entrada e precisa de tempo para ser preparada. Quatorze pequenos pepinos são colocados no liquidificador, um após o outro, transformados em um purê verde e fresco ao encontrarem as lâminas giratórias. Depois, acrescentaremos o iogurte desnatado que fizemos ontem. Finalmente, adicionaremos temperos frescos à mistura leve e fria e encaixaremos a tigela na geladeira, entre os sacos gigantescos de abobrinha.

Agora é hora de fazer o pão. Como essa é uma tarefa para o homem da casa, Steven pega vários sacos de farinha e começa a fazer sua mágica. Uma xícara disso e uma colher daquilo são despejadas no liquidificador até que ele esteja satisfeito. Então o gancho da máquina de pão dobra tudo, e a mistura é colocada de lado para descansar. Mais tarde, nossos amigos chegam e Nancy, uma verdadeira artesã do pão, trabalha com Steven para enrolar e formar algumas baguetes gordas. Lá fora, um fogo arde há horas, no grande forno de pedra que construímos na primavera. Nancy está ansiosa para experimentá-lo. Ela e Steven colocam as baguetes em assadeiras polvilhadas com farinha e as empurram para dentro do forno, do qual já foi retirado o carvão. A temperatura interior é de aproximadamente 370ºC.

Enquanto isso, mamãe e eu trabalhamos na sobremesa: sorvete de cereja. Colhemos as cerejas da árvore que sombreia nossa varanda dianteira, que nos acirram, pois a maioria das frutas está nos galhos mais altos. Todo verão, Steven e eu subimos em escadas colocadas na caçamba de nossa picape estacionada estrategicamente embaixo da árvore, enquanto mamãe diz "Parem! Tomem cuidado!" e, finalmente, se junta a nós lá em cima. Mesmo assim, litros de cerejas pretas e brilhosas continuam fora do alcance de qualquer ser desprovido de asas. Os gaios-azuis pegam sua porção, mas nós catamos um volume bastante grande este ano. Mamãe descaroça as cerejas, tingindo as mãos com uma cor púrpura escura que parece tinta de caneta vermelha, enquanto aqueço a água e o mel no fogão. Misturamos as frutas e o xarope e deixamos a mescla esfriar até que fique pronta para ser derramada em nossa máquina de fazer sorvete, após o jantar.

As baguetes não demoram muito para ficarem prontas no forno de pedra quente. Após cerca de 15 minutos, tiramo-las e as cortamos. O cheiro é bom o suficiente para fazer qualquer um desistir de preparar uma refeição *gourmet* e comer somente pão. Resistimos, porém, e cortamos os pães longitudinalmente e colocamos as baguetes abertas sobre uma assadeira. Amontoamos verduras grelhadas e queijo em cima delas, começando com fatias de mussarela que fizemos ontem, com a ajuda da minha irmãzinha e de nossa avó italiana. Depois, empilhamos fatias de abóbora cozida, pimentões verdes, berinjelas e cebolas, que eu acabara de tirar da grelha. A camada final é composta de tomates frescos com manjericão. Empurramos as assadeiras para a grelha por alguns minutos, depois sentamos para nos deliciar com a refeição. Sinto como se tivesse passado o dia cozinhando, mas vale muito a pena.

A sopa fica maravilhosa após sua passagem pela geladeira. É o desfecho perfeito para uma tarde úmida, passada cortando verduras ou trabalhando sobre uma grelha quente. Saboreamos cada mordida e depois trazemos as baguetes cobertas de verduras. A grelha derreteu o queijo na medida exata, de forma que tudo se junta em um sabor extraordinário.

Após conversarmos um pouco, chega a hora do sorvete de cereja. A sobremesa é quase púrpura demais para ser verdade e possui uma combinação ideal de doçura e acidez. No fim, todos sorriem. Essa foi uma das melhores refeições da minha vida, não apenas porque foi deliciosa, mas também porque toda essa comida veio de plantas que vimos crescer desde pequenas sementes até virarem verdadeiras florestas. Testemunhamos o momento na vida da mussarela em que o leite se dividiu em coalho e soro. Vimos o pão dourar e ficar crocante a partir de uma gosma cor de areia. Estávamos intimamente ligados a essa refeição.

Aqui estão as receitas que fizeram parte de nosso fabuloso cardápio de verão. Incluí também duas outras para sigilosamente aproveitar bastante abobrinha. Outra maneira *muito* fácil de cozinhar abóboras é cortá-las longitudinalmente, jogá-las em uma tigela com azeite de oliva, sal, tomilho e orégano, colocando-as, em seguida, em cima de uma grelha quente junto com hambúrgueres e frango. Vagens inteiras também ficam maravilhosas quando cozidas dessa forma (uma grelha evitará que elas caiam nas chamas). A receita de biscoitos de abóbora passou no teste das crianças de dez anos de idade.

SOPA DE IOGURTE DE PEPINO

8 pepinos pequenos ou médios, descascados e picados
3 xícaras de água
3 xícaras de iogurte comum
2 colheres de sopa de endro
1 colher de sopa de suco de limão em garrafa (opcional)
1 colher de folhas e pétalas de capuchinha

Bata os ingredientes no liquidificador até formarem uma mistura homogênea. Esfrie antes de servir. Enfeite com as folhas de capuchinha.

PANINI DE VERDURAS NA GRELHA

Abóboras de verão (diversas)
Berinjela
Cebola
Pimentões
Azeite de oliva
Alecrim
Orégano
Tomilho
Sal e pimenta

Corte as verduras longitudinalmente em tiras com espessura não superior a 1,25cm. Acrescente azeite de oliva e temperos diversos (use uma dosagem generosa das ervas) e marine as verduras, tomando cuidado para que todas as faces das tiras estejam cobertas. Em seguida, asse na grelha até que os legumes estejam parcialmente enegrecidos.

2 pães franceses (40 a 45 centímetros)

2 bolas de mussarela de 200 gramas

3 tomates grandes

Folhas de manjericão

Corte os pães longitudinalmente. Disponha-os sobre assadeiras e coloque, em camadas, primeiro os legumes grelhados, depois as fatias de mussarela e por fim as fatias de tomate. Espalhe um pouco de azeite de oliva e coloque as asssadeiras numa grelha até que o queijo derreta. Enfeite com folhas de manjericão frescas. Corte em pedaços e sirva.

SORVETE DE CEREJA

2 xícaras bem cheias de cerejas descaroçadas

¾ xícara de açúcar (ou mel a gosto)

⅔ xícara de água

Enquanto uma pessoa descaroça as cerejas, outra pode colocar açúcar e a água em uma panela e levar a fogo baixo. Agite até que o açúcar dissolva completamente (a calda ficará transparente nessa altura) e deixe a mistura esfriar. Quando as cerejas estiverem descaroçadas, junte-as com a calda no liquidificador. Misture lentamente até ficar homogêneo, depois refrigere a mistura até ficar pronta para ser colocada em uma máquina de fazer sorvete.

ORZO PARA ESCONDER ABOBRINHA

Pacote de 340g de massa *orzo* (a multicolorida é divertida)

Ferva 6 xícaras de água ou caldo de galinha e acrescente à massa. Cozinhe de 8 a 12 minutos.

1 cebola picada, alho a gosto

3 abobrinhas grandes

Azeite de oliva para refogar

Use um ralador de queijo ou um cortador de legumes para rasgar as abobrinhas em tiras; faça um refogado rápido com a cebola picada e o alho até dourar ligeiramente.

Tomilho

Orégano

¼ xícara parmesão ralado ou qualquer queijo amarelo duro

Acrescente os temperos à mistura de abobrinha, agite bem e remova a mistura do calor.

Combine com o queijo e o *orzo* cozido, acrescente sal a gosto. Sirva frio ou à temperatura ambiente.

BISCOITOS DE GOTA DE CHOCOLATE COM ABOBRINHA

(Rende duas dúzias)

1 ovo, batido

½ xícara de manteiga, amolecida

½ xícara de açúcar mascavo

⅓ xícara de mel

1 xícara de sopa de essência de baunilha

Junte em uma tigela grande

1 xícara de farinha branca

1 xícara de farinha de trigo integral

½ colher de chá de bicarbonato de sódio

¼ colher de chá de sal

¼ colher de chá de canela

¼ colher de chá de noz-moscada

Junte tudo em uma pequena tigela separada e mexa até obter uma mistura líquida.

1 xícara de abobrinha cortada em tiras finas

340g de gotas de chocolate

Junte os itens acima com os outros ingredientes e misture bem. Despeje colheradas em uma assadeira untada e amasse com as costas da colher. Cozinhe a 175ºC de 10 a 15 minutos.

Não conte para minha irmã.

Baixe da internet essas e todas as receitas do livro em www.animalvegetablemiracle.com.

PLANO DE REFEIÇÕES SEMANAL PARA A ESTAÇÃO DAS ABÓBORAS

Domingo — Frango assado na panela com abóbora, milho e coentro.

Segunda-feira — *Panini* de verduras na grelha, servido com salada verde.

Terça-feira — Frango frio fatiado (assado no domingo) e *orzo* com abobrinha.

Quarta-feira — Hambúrgueres grelhados com vagens e abóboras grelhadas.

Quinta-feira — Flores de abóbora empanadas, recheadas com queijo, servidas com salada.

Sexta-feira — Pizza com mini-abóboras grelhadas, berinjelas, cebolas caramelizadas e mussarela.

Sábado — Costeletas de carneiro e abobrinhas recheadas e assadas no forno.

13

A vida em um estado vermelho

AGOSTO

DESDE QUE COMECEI A PRATICAR HORTICULTURA, mantenho um diário. Sou uma escriba habitual que anota as vitórias e as derrotas de cada temporada, das quais, tenho certeza, lembraria de qualquer maneira: os melões Coletiva das Fazendeiras foram surpreendentemente difíceis; e as Dolly Partons produziram tomates tão grandes que as plantas envergaram. Quem poderia se esquecer disso? Para dizer a verdade, eu mesma. Quando chega o inverno e a hora de encomendar sementes novamente, sempre preciso verificar os registros. O diário aberto junto à minha cama oferece um incentivo útil ao final de cada dia para fazer algumas anotações sobre o clima, as mudanças sazonais na época da florada e do amadurecimento, os grandes eventos familiares, a colheita do dia, ou apenas as minúcias que me entretêm. Por exemplo, o poder do minúsculo cérebro de um colibri, que sempre constrói seu ninho perto da porta de nossa cozinha, a despeito de suas migrações entre os continentes e das agruras da vida, a data de seu retorno era a mesma toda primavera, com uma variação de, no máximo, 24 horas para mais ou para menos.

Ao longo dos anos, predisposições naturais como essa se manifestam. Outra predisposição é que, por mais que eu fique cansada, o inverno derruba o caule oco da sofisticação intelectual, e começo todos os verões com expectativas tão simples quanto as de uma criança. O primeiro tomate da estação me deixa de joelhos. Suas estatísticas vitais são registradas em meu diário com o cuidado de um livro de bebê: Ele chegou mais cedo do que o esperado! Cem gramas! 16 de julho! Evento abençoado pelo qual tanto esperamos. Ao longo das semanas seguintes, anoto o número, tamanho e qualidade das diferentes variedades de tomate à medida que são colhidas: duas Zebras Verdes, quatro lindas Jaune Flammés, um único Russo Preto pesando 225 gramas. Registro que este último é o vencedor do primeiro teste comparativo de sabores do verão — um bom equilíbrio entre acidez e doçura com fortes tons de especiaria. Descrevo-o em meu diário da mesma forma que os enófilos anotam a descoberta de um novo vinho. No mesmo dia, registro que minha vizinha quer doar seus Russos Pretos porque estão "feios demais para comer". Acabo deixando-a me presentear com alguns.

Quando a oferta aumenta, o valor cai. Três semanas após o registro do **Primeiro Tomate!** em meu diário, eu paro de usar a linguagem do Evento Abençoado e anoto apenas os números: "10 Romas, 8 Celebridades, 30 Julietas". Continuo a tomar nota para que, por fim, saibamos quais variedades tiveram o melhor desempenho, mas no começo de agosto eu já troco a quantidade por peso. Recolhemos a colheita do dia em sacos plásticos que colocamos em cima da balança de açougue da cozinha, anotando o número em um bloco, antes de começar o processamento.

Nessa altura do ano, havíamos deixado para trás a escala de produção típica de um passatempo. Mais adiante, meus registros mostrariam se estávamos ganhando mais do que o salário mínimo, mas certamente encontraríamos a resposta para a questão acerca do grande objetivo desse exercício: o que é necessário, literalmente, para alimentar uma família? Organizar o plantio da primavera foi difícil. Quantas abóboras uma família consome em um ano? Quantos potes de picles? Minha única convicção era em relação aos tomates: não poderíamos ter demais. Nós os adorávamos frescos, fatiados, em sopas e saladas, como molhos para massas, *chutneys* e condimentos. Eu cultivei cinqüenta plantas.

Em julho, tudo parecia transcorrer conforme o planejado quando colhemos mais de 22 quilos de tomates. Em agosto, o total havia saltado para 137 quilos. No meio daquele mês, nossa vizinha nos visitou enquanto eu estava enlatando. Franzi os olhos e perguntei-lhe:

— É verdade que permiti que você me *doasse alguns tomates* semanas atrás?

Ela riu. Ela não os queria de volta, de jeito nenhum.

Só porque estamos soterrados não significa que não os amamos, mesmo após a empolgação inicial passar. Garanto isso a minhas filhas, quando elas percebem a mesma tendência em seus álbuns de infância: dezenas de fotos do primeiro sorriso, do primeiro banho, dos primeiros passos... seguidas por indícios mínimos da existência do segundo e terceiro anos. Os tomates (como as crianças) nunca atingem o status de vilão que as abóboras costumam atingir — são bons demais para nos deixar fartos e, quando estão prestes a chegar a esse ponto, nossos amigos urbanos sempre estão dispostos a aceitá-los. Os tomates frescos de horta são tão inacreditavelmente saborosos que nos deixam total e eternamente insatisfeitos com os importados insípidos disponíveis no mercado. Desafiando a educação de minha infância, não consigo esvaziar um prato em um restaurante quando ele contém uma dessas fatias que têm sabor de água um pouco azeda e uma textura farinhenta. Fico abismada por essas coisas continuarem a ser comercializadas, mas o mundo contém consumidores de tomates para quem "mais ou menos vermelho" é uma qualificação suficiente. Saber apreciar bons tomates é um hábito que só pode ser cultivado por meio da experiência.

Afogar-se em bons tomates é privilégio exclusivo do horticultor e do freqüentador das feiras de fazendeiros. É raro os moradores do interior serem dados a excessos, então os desfrutaremos enquanto durarem. Da perspectiva do inverno, sempre olho para trás, para uma estação de tomates em abundância, e nunca me arrependo de comer cada um deles.

EM QUE MOMENTO NOS DEMOS conta de que a colheita familiar de tomates chegaria a 20% de uma tonelada? Tivemos uma pista quando eles começaram a ocupar cada centímetro horizontal de nossa cozinha. Em meados de agosto, os tomates ocupavam as bancadas de ponta a ponta, da borda dianteira até a parede. Não havia lugar algum para se colocar um prato sujo, e nenhum lugar para lavá-lo também. A pia estava cheia de bolas vermelhas flutuando em água para lavagem. A tampa do fogão ficava cheia de formas de assar com tomates cortados pela metade esperando por sua vez de irem ao forno. A tábua de corte permanecia lotada, as facas continuavam a cortar.

Agosto é o mês dos tomates, todos os anos. Isso não é novidade. Para um horticultor sério, o fim do verão é quando se entra na cozinha e só se vê vermelho. Assamos lentamente no forno, sobretudo os Jaune Flammes, doces e alaranjados, que são do tamanho certo para serem cortados pela metade, respingados com sal e tomilho e assados durante várias horas até parecerem um monte de bosta (a receita os chama de "sapatos", se você preferir) de vaca. Seu sabor caramelizado, resultado de um lento processo de cozimento, é soberbo em pizzas e *panini*; imediatamente congelamos centenas deles em sacos plásticos. Também os fatiamos e os colocamos nas gavetas do secador de comida, que trabalha dia e noite. ("Secado ao sol" tem um toque de classe, mas o sol da Virgínia não é capaz de concorrer com a umidade sulista; um secador de baixa voltagem gera um produto idêntico.) Fazemos quantidades enormes de molho, embalado e processado em potes. No final da estação, as prateleiras da despensa estão repletas de tomates inteiros, litros de suco de tomate, molho de espaguete, *chutney*, vários tipos de condimento e do nosso molho agridoce favorito feito com tomates, cebolas e maçãs.

Agosto traz um excedente de quase todo tipo de verdura que cultivamos, junto com as frutas de verão. As abóboras correspondem aos coelhos no mundo dos vegetais no que diz respeito a seu excesso reprodutivo, mas as vagens não ficam atrás, que precisam ser colhidas todo dia durante a alta estação. Elas são melhores quando jovens, esguias e extremamente frescas, refogadas e servidas com uma pitada de vinagre balsâmico, mas não ficam jovens e esguias por muito tempo. Descobrimos ou inventamos um número considerável de receitas que ocultam as vagens; a melhor é uma pasta verde brilhante muito popular até o momento em que anunciamos ser uma pasta de vagem. Ela é boa de guardar congelada, mas precisa de uma denominação mais ardilosa. Nossa melhor tentativa até o momento é "*frijole guacamole*", *holy mole* para os íntimos.

Processamos e guardamos quase todo tipo de fruta e legume no final do verão, mas por alguma razão são os tomates, com seu sabor ensolarado e pouca durabilidade, que demandam mais a nossa atenção. Nós os desejamos durante meses e depois nos arrependemos rapidamente. Raro é o entardecer de agosto em que não estou fatiando, enlatando, assando e secando tomates — muitas vezes tudo ao mesmo tempo. Os tomates tomaram conta de nossa vida. Quando Lily era jovem demais para ajudar, ela passava parte do verão à mesa da cozinha com seus lápis de cera me observando trabalhar. Quando fez cinco anos, ela escreveu e ilustrou um livrinho intitulado "Mamãe, a rainha dos tomates", que acabou com todos os tons vermelhos de sua caixa de lápis.

Em algum momento, em todos os verões, meu suprimento de potes para guardar alimentos se esgota. Então, vou até a vila e faço fila na loja de ferragens carregando uma ou duas caixas de potes e tampas, renovando minha associação a uma sociedade secreta. Mulheres idosas, e alguns homens também, sorriem em aprovação, ou perguntam diretamente: "O que você está enlatando?". Essas pessoas devem me ver como uma anomalia em minha geração, uma exceção sincera, enquanto os clientes mais jovens me vêem como uma *nerd* exótica, se é que prestam alguma atenção. Acho que sou ambas as coisas. Se é que presto alguma atenção.

Contudo, o hábito de enlatar não merece a reputação de ser um empreendimento arcaico que ataca a liberdade e a sanidade das mulheres. É simples e não requer equipamento especial para os tomates e os produtos derivados de frutas. O botulismo — a bactéria causadora é conhecida por seu potencial mortífero e cresce em recipientes vedados hermeticamente, podendo assim estragar os produtos enlatados — não consegue desenvolver-se em um ambiente com baixo pH. Isso significa que cultivos ácidos, como os tomates, as uvas e as frutas de árvore, podem ser enlatados, de forma segura, banhados simplesmente em água fervente. Todas as outras hortaliças devem ser processadas em um enlatador à pressão que as expõe a temperaturas mais altas do que o ponto de fervura; são necessários pelo menos 115°C para matar os esporos que causam o botulismo. O Departamento de Agricultura recomenda que um pH de 4,6 é a medida segura contra o botulismo entre esses dois métodos. Desde 1990, as cozinhas experimentais descobriram que algumas variedades de tomate com baixa acidez ficam bem acima desse limite, então as instruções para enlatamento de tomates publicadas anos atrás podem não ser seguras. As receitas modernas recomendam acrescentar suco de limão ou ácido cítrico aos tomates enlatados com água fervente. O botulismo é causado por umas das mais potentes neurotoxinas em nosso planeta, e essa não é uma visita que você vá gostar de receber em sua casa.

A acidez é a chave da segurança, então todos os tipos de picles preservados em vinagre estão liberados. Em diversas partes do mundo, fazer picles é o método preferido de preservação para todo tipo de produto, desde aspargos a *chutney* de abobrinha: tenho uma receita indiana para fazer picles de pêssegos temperados com canela apimentada. Mas o padrão na Appalachia para os picles que não são feitos de pepinos é o Dilly Bean, essencialmente picles feitos de vagens. Este ano, enquanto eu os enlatava em um sábado de julho, Lily e uma amiga entraram, após brincarem lá fora, e passaram pela cozinha apertando os narizes e querendo saber por que a casa inteira cheirava a vinagre de cidra. Apontei a colher para o caldeirão que borbulhava em cima do fogão e expliquei que estava fazendo picles. Imagino o que os amigos de minha filha contam a seus pais quando chegam em casa. Esta olhou circunspecta ao redor da cozinha: o avental que eu vestia, a chaleira soltando vapor, a montanha de vagens que eu cortava para que coubessem nos potes, os cantos onde minha vassoura de bruxa talvez estivesse.

— Não sabia que era possível fazer picles de vagem — contrapôs ela.

Assegurei-a de que era possível fazer picles de quase tudo. Ela voltou uma hora mais tarde quando eu estava fazendo a limpeza e meus potes cheios esfriavam em cima do balcão, uma mistura de vagens verdes, púrpuras e amarelas enfileiradas como pequenos soldados de um exército multirracial. Ela olhou os potes bem de perto e exclamou:

— De jeito nenhum! Não é possível que elas se transformem em picles!

Todos os anos, penso em comprar um enlatador à pressão e aprender a usá-lo, para poder enlatar as vagens como vagens, mas ainda não cheguei a esse ponto. Abóboras, vagens, ervilhas, quiabos, milho e manjericão são fáceis de cozinhar no vapor e congelar em sacos com porções exatas para uma refeição. Mas, à medida que os tomates representam mais da metade do volume de hortaliças que guardamos, prefiro colocá-los na prateleira do que utilizar energia elétrica para mantê-los congelados. (Precisaríamos de um congelador maior.) Além disso, todos aqueles potes bonitos, cheios de coisas vermelhas, enfileirados nas prateleiras da despensa em setembro, me deixam feliz. Eles parecem cartões antecipados para o Dia dos Namorados, aqui, comemorado em fevereiro, e o são mesmo, para as mães trabalhadoras. Confio na praticidade deles. Não sou a única mãe do mundo, tenho certeza, que planeja a refeição em meia hora, entre o trabalho e a hora do jantar. Descongelar exige tempo. Se eu planejar com antecedência, posso jogar sacos de legumes congelados ou secos na panela de cozimento lento, com um bloco congelado de caldo de frango ou peru, e ter uma sopa estupenda para o jantar. Mas, quando *não* planejo com antecedência, um pote de molho de espaguete, um pacote de massa e queijo ralado são a salvação. Assim como meio litro de molho agridoce assado por cima de peitos de frango e uma tigela de arroz. Encaro meus enlatados como fast-food, pagos adiantados com o tempo que lhes é preciso dedicar.

A recompensa não decorre do trabalho que muitos acreditam ser enfadonho. Na alta estação, destino alguns sábados ao enlatamento em família ou com os amigos. Uma cozinha cheia de vapor e mulheres fofocando não está muito distante do típico círculo de leitura que você faz em sua casa, com a diferença de que terminamos o encontro com potes de refeições futuras. Enlatar não é apenas para os fazendeiros e agricultores. Conservar os produtos do verão é uma opção útil para qualquer um que possa comprar produtos locais em feiras, como uma forma de incorporar esses legumes à sua dieta durante o ano inteiro. É também uma forma de mostrar apreço pelos fazendeiros que precisam sustentar suas famílias, em dezembro, com o que conseguem vender em agosto. Eles não podem depositar os tomates não vendidos em uma conta bancária. Comprá-los agora, em grande quantidade, aumenta a probabilidade de esses fazendeiros voltarem no verão seguinte.

Se enlatar parece ser trabalhoso demais, existem outras maneiras de conservar, em grande quantidade, os legumes comprados durante a estação. Dez quilos de tomates cozidos se transformam em um pote de molho de tomate que cabe em cinco caixas próprias para congelamento, com capacidade de um litro cada, a medida certa para uma refeição familiar. (Prepare-se, pois o aroma em sua cozinha provocará pedidos de casamento vindos de espectadores inocentes.) Os tomates podem até ser congelados inteiros, individualmente, em cima de formas colocadas no congelador; depois de endurecidos, ponha-os em sacos grandes (eles esbarrarão uns nos outros, fazendo um som parecido com bolas de croqué) e, mais tarde, remova alguns de cada vez para fazer sopas e cozidos durante o inverno. Já que não viajaram para nenhum lugar nesse meio tempo, continuarão a ser locais em fevereiro.

Em algumas cadeias de supermercado da Virgínia, da Carolina do Norte e do Tennessee, os clientes podem encontrar hortaliças orgânicas da estação em embalagens em cujos rótulos vem escrito "Colheita da Appalachia". As letras do nome da marca são dispostas em um arco, acima de uma imagem ensolarada e estilizada de campos arados, um riacho azul transparente e a declaração: "Comida saudável, fazendas saudáveis, perto de casa."

Tenho plena consciência de que os rótulos podem ser mentirosos. Muitas empresas utilizam logomarcas enganosas para insinuar que sua carne de animais criados em confinamento provém de pastos verdes, ou que seus tomates são colhidos à mão por proprietários de fazendas felizes, em vez de por imigrantes que ganham dois centavos por quilo. Mas as hortaliças da Colheita da Appalachia realmente vêm de fazendas saudáveis, eu mesma vim a saber disso, porque a empresa fica perto de *minha* casa. O reconhecimento de marcas em supermercados convencionais é uma novidade emocionante para os fazendeiros daqui, em uma região que luta contra problemas ambientais crônicos, desemprego acima de 10% e um abandono gradual da economia agrícola por parte dos jovens de nossa comunidade.

No entanto, colocar parte da colheita appalachiana nessas embalagens não foi uma tarefa simples. Cada embalagem revestida de celofane e com código de barras de produtos orgânicos contém um mundo de trabalho e promessas específicas ao consumidor. Para apoiá-los, os fazendeiros precisam de treinamento especial, certificação orgânica, mercados confiáveis e instalações para embalagem. Uma entidade sem fins lucrativos denominada Desenvolvimento Sustentável da Appalachia fornece todos esses elementos para apoiar empreendimentos agrícolas lucrativos e ecologicamente corretos em uma região de dez condados, na Virgínia e no Tennessee. Em 2005, dez anos após o início do programa, as fazendas familiares participantes comercializaram ao todo produtos orgânicos num valor de 236 mil dólares para varejistas e supermercados regionais, os quais, por sua vez, foram vendidos ao consumidor por quase 300 mil.

As instalações de embalagem da Colheita da Appalachia ficam em um vale entre montanhas, perto da divisa da Virgínia com o Tennessee, que é tão bonito quanto a fazenda-modelo mostrada no rótulo dos produtos. Em seu primeiro ano, o grupo engenhoso usou a ala modificada de um antigo celeiro de fumo como sede, utilizando uma grande geladeira doada para armazenar hortaliças para que pudessem ser classificadas e transportadas até as lojas. Agora as instalações de embalagem ocupam todo o espaço do celeiro, incluindo as plataformas para carregar caminhões, as geladeiras comerciais e as esteiras transportadoras para ajudar a lavar e classificar os produtos. Os tomates são os produtos mais lucrativos desse empreendimento, mas também são os mais temperamentais, pois perdem o sabor na refrigeração padrão e logo estragam no calor abafado; portanto, o mais novo acréscimo às instalações de embalagem é uma sala de tomates com dimensões de 30 por 4 metros, onde a temperatura é mantida constantemente a 13°C.

Os fazendeiros participantes trazem para cá caminhões cheios de hortaliças, em caixotes especiais que nunca foram utilizados para produtos convencionais. Da mesma forma, o equipamento da instalação de embalagem é usado apenas para produtos orgânicos. A maioria dos agricultores tem menos de um hectare de hortaliças orgânicas, em meio a outras hortaliças cultivadas convencionalmente. Aqueles que persistem no programa podem aumentar a área dedicada às hortaliças orgânicas, mas raramente a mais de três hectares, uma vez que esse tipo de cultivo exige muita mão-de-obra. Após plantar, capinar e manter a cultura livre de pragas e sem produtos químicos durante a estação inteira, o passo final, a colheita, começa muitas vezes antes do amanhecer. Alguns fazendeiros precisam viajar mais de uma hora para chegar à instalação de embalagem. Na alta estação, precisam fazer três ou mais viagens por semana. No ano passado, o maior produtor do grupo, com oito hectares em produção, entregou duzentas caixas de pimentões e quatrocentas de tomates em um único dia. Já são 23 os tipos de produto vendidos com a marca Colheita da Appalachia, incluindo melões, pepinos, berinjelas, abóboras, ervilhas, alface e muitas variedades de tomates e pimentões.

O gerente da instalação de embalagem marca cada caixote que chega para que a identidade do produtor acompanhe os legumes enquanto são lavados, classificados e embalados por todo o caminho até o ponto de venda no atacado. Os fazendeiros são pagos após a emissão do cheque pelo supermercado; a Colheita da Appalachia retira uma comissão de 25%, uma receita que ajuda a pagar pelo treinamento orgânico e pelas despesas de embalagem e certificação orgânica. Os fazendeiros cooperados podem vender seu produto sob o guarda-chuva da certificação coletiva, economizando centenas de dólares em taxas e em contabilidade complexa, mas ainda precisariam de certificação individual para comercializar seus produtos de qualquer outra forma que não seja sob a marca da Colheita da Appalachia (por exemplo, em uma feira de fazendeiros). As vendas do projeto cresceram significativamente, ganhando alguns produtores comprometidos a cada ano, embora os fazendeiros sejam notoriamente cautelosos. Muitos continuam em cima do muro, observando seus vizinhos para ver se esse enorme comprometimento com os novos métodos acabará em salvação ou desastre. O termo "produto de alto valor" é uma comparação com os grãos baratíssimos, tipo *commodity*, como o milho; na estação, mesmo os tomates orgânicos de alta qualidade rendem ao fazendeiro de um dólar a 1,50 dólar por quilo. (O preço mais baixo para o produto convencional é de quarenta centavos.) Mas isso pode se traduzir em um estilo de vida cauteloso. Os participantes consideram o projeto atraente por múltiplas razões. Após aprender a cultivar legumes de maneira orgânica, muitas famílias ficaram motivadas a cultivar toda a produção da fazenda organicamente, inclusive os campos de feno.

A Colheita da Appalachia emprega uma gerente de comercialização em tempo integral chamada Robin, que passa grande parte de sua vida ao telefone, em seu carro ou visitando mercearias, negociando cada venda com os supermercados, um legume e uma semana de cada vez. Por também ser fazendeira, ela conhece bem o que está envolvido. Estão também na folha de pagamento o gerente e os trabalhadores sazonais que transformam as cargas de legumes colhidos do solo em itens embalados ou envoltos em celofane, que eventualmente chegam ao supermercado após os produtos serem lavados e classificados de acordo com o tamanho e grau de maturidade.

Em um dia típico de verão, na instalação de embalagem, os legumes passam pela linha de processamento em uma quantidade que faz o trabalho em minha cozinha parecer ínfimo. Os tomates rolam saltitantes por uma transportadora de classificação, vários quilos por minuto, e caem por buracos de tamanhos diferentes em uma esteira vibratória. Trabalhadores os pegam por ambos os lados da linha de produção, verificam o grau de maturidade e a existência de defeitos, os embalam tão rapidamente quanto conseguem movimentar as mãos e, finalmente, afixam uma etiqueta adesiva que diz "orgânico certificado". Ao ver a operação, fico pensando em pessoas que conheço que mal agüentam ouvir essa palavra, por causa da maneira com que o termo *orgânico* é personificado para eles.

— Sempre fico temeroso de que vou precisar ouvir o discurso do sr. Natural — confessou-me um amigo. — Você sabe, aquela pessoa meio lerda com cabelo feio, fazendo alongamentos enquanto fala com você...

Eu rio porque, embora leve comida a sério, também conheço esse tipo: cabelos com *dreadlocks*, sandálias nos pés, na caixa do supermercado, segurando uma garrafa de suco de grama de trigo, que é bom para os intestinos, se aproximando para olhar meu carrinho, fedendo levemente a alho e com uma vontade de reparar algum erro em meu carma alimentício.

Para fins de registro, os agricultores orgânicos da Colheita da Appalachia têm a seguinte aparência em sua origem: botas de trabalho Red Wing, cabelos bem aparados, jeans com um pouco de lama nas bainhas, homens e mulheres que provavelmente vão à igreja todo domingo, mas não falam de religião enquanto trabalham na instalação de embalagem que funciona dentro de um antigo armazém de fumo. Se há adição de religiosidade aos produtos, isso ocorre em algum outro momento.

A sala de tomates oferecia um refúgio a 13°C do calor abafado de julho, mas lá também todos estavam ocupados: caixotes cheios empilhados em *pallets*, em colunas que quase alcançavam o teto. As pilhas de uma ponta da sala aguardavam o processamento, enquanto as outras esperavam para serem transportadas para mercados próximos. Sobrava no meio apenas espaço suficiente para os trabalhadores manobrarem os *pallets*, separá-los, classificá-los e, depois, afixarem uma daquelas etiquetas adesivas enfadonhas em cada um dos milhares de tomates que passam por aqui todo dia — junto com cada pimentão, repolho, pepino e melão. É assim que, no final das contas, os caixas ficam sabendo quais produtos são orgânicos.

Os supermercados aceitam apenas produtos adequadamente embalados, marcados, etiquetados e em conformidade com certos padrões de cor, tamanho e forma. Os melões não podem vir acompanhados de caules, os pepinos não podem ter um comprimento inferior a 15 centímetros, nem superior a 20. Berinjelas tortas não são aceitas. Cada colheita gera uma proporção significativa de legumes aptos para o consumo, mas que, por seu tamanho pequeno ou forma esquisita, são considerados "lixo" de acordo com os padrões do mercado.

Cultivar um legume torto demanda tanto trabalho quanto cultivar um de aparência perfeita, e suas propriedades nutricionais são idênticas. Os trabalhadores, na instalação de embalagem, ficavam tão angustiados quanto os fazendeiros ao ver caixas desses produtos rejeitados se transformando em montanhas de comida desperdiçada. A pobreza e a fome não são abstrações aqui onde vivemos; jogar fora comida boa não faz sentido. Com a ajuda de vários grupos religiosos e de justiça social, a Colheita da Appalachia se organizou para entregar legumes "de segunda linha" a famílias necessitadas durante todo o verão. Assim, produtos orgânicos frescos entraram nas dietas de muitas dessas pessoas pela primeira vez.

FUI CRIADA ENTRE FAZENDEIROS. NA escola, pertencíamos a uma condição social de maneira tão rígida quanto os hindus, havendo apenas duas castas: "fazenda" e "cidade". Embora meu pai trabalhasse na cidade, não vivíamos lá, logo, pelas regras numinosas, porém rígidas, de uma escola de ensino médio, eu era da "fazenda". Pode parecer estranho que tal distinção entre rural e urbano pudesse ser feita em um condado que tinha, em toda sua extensão, apenas dois sinais de trânsito, uma loja de ferragens, nenhum bar (a venda de bebidas alcoólicas era proibida) e menos residentes do que um típico navio de cruzeiro do Caribe. Quando fui para a universidade, sempre me admirei com o fato de que minha assim chamada pequena faculdade de artes liberais, com cerca de dois mil alunos, era 25% maior do que minha terra natal.

No entanto, mesmo em uma comunidade rural como essa, tínhamos uma burguesia auto-identificada, categoricamente distinta dos rústicos. Os integrantes dessa última tribo podiam ser identificados pelos sapatos (algumas vezes lamacentos, quando tínhamos de atravessar terra acidentada antes de chegar ao ônibus escolar), pelas roupas (compradas menos freqüentemente), ou simplesmente pelo endereço rural. Passei a infância admirando os endereços de contos de fada de alguns de meus colegas, como "14, rua dos Gafanhotos". Pensando bem, não estou certa se essa distinção tinha uma base verídica: muitas das crianças da "fazenda" tinham uma boa aparência e até mesmo se vestiam na moda. Mesmo assim, existia uma linha irrevogavelmente marcada nos separando. Muito pouca socialização atravessava essa linha, exceto em eventos especiais forçados pelos adultos, como o jantar do Clube de Francês, e os namoros entre as castas eram impensáveis a não ser para os românticos com gosto pela tragédia.

Sustentando o insustentável

A legislação agrícola não ajuda todos aqueles pobres fazendeiros?

Não. No passado, ajudava, mas desde sua entrada em vigor, logo após a Depressão, a Lei Agrícola Federal foi lentamente alterada pelos lobistas do agronegócio. Agora, virou, em grande parte, um subsídio a empresas. A fórmula dos subsídios se baseia no tipo e no volume da cultura: de 1995 a 2003, três quartos de todos os desembolsos foram destinados aos 10% dos produtores com maior renda. Em 1999, mais de 70% dos subsídios foram alocados para apenas duas culturas de *commodities*: o milho e a soja. Essas formas de apoio promovem a produção em escala industrial, não as pequenas fazendas diversificadas, e, no final das contas, criam um ambiente onde os produtores de *commodities* subsidiados recebem ajuda para expulsar os pequenos do negócio. Foi isso, em vez de qualquer melhoria na eficiência ou produtividade, que permitiu às grandes empresas tomarem conta da agricultura nos Estados Unidos, deixando apenas um terço de nossas fazendas ainda serem administradas por famílias.

No entanto, essas fazendas familiares são aquelas mais propensas a utilizar técnicas sustentáveis, proteger o meio ambiente à sua volta, preservar áreas verdes, aplicar a rotação de culturas, a gestão de controle de pestes e pragas e a utilização de menos produtos químicos. Em outras palavras, elas fazem exatamente o que 80% dos consumidores americanos dizem preferir apoiar, enquanto o dinheiro dos contribuintes faz exatamente o oposto.

Devido a significativos protestos contra essa falta de apoio, o Congresso incluiu uma alocação mínima de recursos para as comidas locais na mais recente (2002) Lei Agrícola: algum apoio para as feiras de fazendeiros, projetos de comida comunitária e uma dieta de alimentos regionais nas escolas. Mas o valor total de todos esses programas é menos de 0,5% do orçamento total da lei, e nada disso é destinado à comida em si, apenas à divulgação e à administração desses programas. Os consumidores preocupados com comida, saúde e com o fornecimento de calorias baratas que soterram os programas de merenda escolar, por exemplo, podem achar útil fazer com que seus representantes saibam que buscamos reestruturar a Lei Agrícola dramaticamente. Até lá, o apoio à agricultura local e sustentável terá que vir diretamente dos consumidores motivados.

Para obter mais informações, visite www.farmaid.org.

STEVEN L. HOPP

Qual teria sido a razão de tudo isso? Por que os quarteirões arborizados e com calçadas largas, atrás da sede do jornal, conferiam a seus residentes uma identidade diferente do que as casas aninhadas entre os pastos para gado e as plantações de fumo? O orgulho dos moradores urbanos teria sido rapidamente eliminado (agora compreendo) se os confiantes rebentos dos comerciantes fossem repentinamente jogados na Filadélfia ou em Louisville. "Urbano" é relativo. Mas, no fim das contas, o que importa é que isso faz diferença. A antipatia entre o urbano e o não urbano em nossa cultura é tão duradoura que tem um vocabulário próprio: (A) pilantra, vigarista; (B) caipira, bronco, botocudo, caboclo, roceiro, mocorongo, sertanejo, jeca, matuto, provinciano, bocó, mané. Talvez seja possível entender onde estou querendo chegar com essa série de palavras. A lista é desequilibrada. Não acho que exista dúvida, de ambos os lados, sobre qual classe está ganhando as guerras entre as classes.

A maioria das pessoas do campo que conheço não gostaria de abrir mão de sua condição. Da mesma forma que outras minorias, elas conseguiram transformar várias das maledicências mencionadas acima em identificadores culturais que são festejados (para uso apenas dos que os conhecem). Ao longo de minha vida, tive várias oportunidades para me reinventar como uma pessoa da cidade — para *me fazer passar*, em outras palavras — mas mantive minha identificação tácita com o campo em minha psique, mesmo enquanto vivia em algumas das maiores cidades do mundo. É provavelmente essa minha condição de dupla cidadania que me deixou sensível à antipatia entre o rural e o urbano nos Estados Unidos, e a como isso afeta as pessoas de ambos os lados. As questões que interessam ao campo são pouco divulgadas pelos meios de comunicação convencionais e, muitas vezes, consideradas intrinsecamente cômicas. A corrupção nos governos das grandes cidades é reportada como sendo uma notícia ruim em todos os lugares; quando ela ocorre em vilarejos (ou no Tennessee) vira material de piada para os humoristas. Thomas Hardy escreveu sobre o tipo de pessoa que ordenha vacas, mas os escritores que explorarem o mesmo tema na era moderna serão rejeitados como periféricos. A política de nossa nação é feita nas cidades, controlada em grande parte pelos eleitores urbanos mal-informados a respeito das mudanças no campo e dos homens e mulheres que lá trabalham.

Essas mudanças podem ser mapeadas como linhas de preocupação: com o passar dos anos, à medida que as fazendas deixaram de existir, os Estados Unidos dão uma parcela cada vez menor de cada dólar gasto nos alimentos aos fazendeiros (essa proporção agora está abaixo de 19%). O abismo psíquico entre as pessoas rurais e urbanas é seguramente parte desse problema. "Os comedores precisam entender", escreve Wendell Berry, "que o ato de comer ocorre necessariamente dentro do mundo, que é um ato agrícola por natureza, e que a maneira com que nos alimentamos, em uma medida considerável, determina a forma como é usado o mundo". Os comedores *precisam*, diz ele, mas parece claro que a maioria deles *não* entende. Se entendessem, como poderíamos construir a frase sugerida pelos hábitos contemporâneos de compra de alimentos? "Que comam lixo" não constitui nenhum exagero. A classe média urbana dos Estados Unidos parece mais especificamente preocupada com a exploração de trabalhadores em fábricas asiáticas.

Sintomática dessa crise de identidade rural-urbana é nossa aceitação entusiasmada de uma divisão recém-imposta: os Estados Vermelhos e os Estados Azuis. Esse mapa colorido chega a nós com a sugestão de que ambos os litorais são habitados por pessoas educadas que defendem os direitos civis, enquanto o interior e o sul são cortados pelos rastros de utilitários esportivos que largam pelo caminho latas de cervejas vazias e gritos de rebeldia. Admito, estou exagerando um pouco. Mas certamente sinto isso quando meus amigos da cidade me perguntam como posso agüentar viver aqui "*tão longe de tudo*". (Quando ouço essa pergunta ao telefone, em geral estou olhando pela janela e vendo uma floresta, um riacho borbulhante e uma horta, pensando: defina *tudo*.) Os moradores das costas, de outra forma apurados, se referem ao grande pedaço de nosso continente que fica entre a serra Cascades e o rio Hudson como "o Interior". Entendo que isso se tornou uma designação corriqueira. Para mim, é difícil enxergar a utilidade de juntar Minneapolis, Atlanta, minha pequena cidade natal no Kentucky, o parque Yellowstone, e assim por diante, em uma categoria única que não inclui Nova York e Califórnia. "Viajar para o interior" soa como uma aventura selvagem que requer facões para cortar os cipós enroscados.

Na verdade, a política nas regiões rurais é tão imprevisível quanto aquela das cidades. Ser "conservador" é uma posição razoável para um fazendeiro que pode perder seu lar e sustento no decorrer de um ano ao se arriscar a plantar uma nova cultura. Porém, isso é *conservador* no sentido de "ansioso por conservar o que temos, relutante a mudar as regras da noite para o dia", e não tem nenhuma relação com a maneira em que o termo é atualmente (muitas vezes de forma incompreensível) usado na política partidária. O condado rural em que cresci tinha tão poucos republicanos que eles se registravam como democratas para poder votar na única eleição primária local. Meu primeiro contato com a política radical baseada na luta de classes derivou das greves dos mineiros em uma das partes mais rurais de meu estado e de nossa nação.

A única generalização útil que eu arriscaria a respeito da política em áreas rurais é que ela tende a se dividir com base nos "de dentro" contra os "de fora". Quando meus vizinhos de condado conhecem um novo grupo social, a primeira pergunta que fazem uns aos outros não é "Em que você trabalha?", mas, em vez disso, "Quem é a sua gente?". Em geral, passamos os primeiros minutos após sermos apresentados tentando descobrir possíveis laços de parentesco entre nossas famílias. Se não forem sanguíneos, procuramos os laços por casamento. Se ainda assim isso não funciona, procuramos identificar alguém importante que é de nosso conhecimento comum. Somente após esse ritual de pesquisa familiar é que a conversa passa, de forma natural, para outros assuntos. Tenho a sorte de ter um antepassado que foi o médico do condado desde cerca de 1910 à década de 1940. Das pessoas mais idosas, freqüentemente ouço falar de um parto difícil ou um acidente em uma fazenda, para o qual meu tio-avô foi chamado; minha sorte é que ele foi um bom profissional e obedecia ao juramento hipocrático. Porém, até mesmo um antepassado criminoso confere o status de alguém "de dentro", entre os magnânimos. Menos sorte têm aqueles que se mudam para cá sem quaisquer laços de família. Esse "patinho feio" está fadado a ser "o sujeito novo" pelo resto de sua vida natural, mesmo que tenha chegado jovem e atinja os cem anos de idade.

A tradição do condado de desconfiar dos forasteiros pode ser injusta, mas não é difícil de compreender. Durante grande parte da história dos Estados Unidos, as regiões rurais foram tratadas essencialmente como propriedade colonial das cidades. Os nortistas rapinantes que dominaram o sul após a Guerra da Secessão não foram os primeiros, tampouco os últimos, oportunistas a tirarem vantagem de uma economia extrativista. Quando as empresas sediadas nas cidades chegam ao condado com um grande plano — seja sua atividade o carvão, a madeira ou a agricultura em escala industrial — o plano é extrair o que é bom, transportá-lo aos centros populacionais, embolsar uma fortuna e deixar para trás uma porcaria.

Com essa história, seria de se esperar que os assim-chamados Estados Vermelhos votassem consistentemente nos candidatos que apóiam os valores da classe trabalhista. Na verdade, nossa nação em quase todas as regiões está dividida quase igualmente entre dois partidos que aparentemente não se distinguem, de forma clara, em termos de classe. Se todo estado fosse visualmente representado com a mistura exata de vermelho e azul verificada em eleições recentes, teríamos um grande país roxo. Essa nítida divisão é uma invenção dos meios de comunicação.

O relacionamento desconfortável entre o interior e os litorais, fazenda e fábrica, campo e cidade, é certamente verdadeiro. Mas é ao mesmo tempo mais rudimentar e mais sutil do que a maioria dos analistas políticos faz parecer. Tem a ver com votos de fidelidade, comunidades distintas e com as coisas que cada lado dá importância em relação à terra, literalmente, na qual pisamos. Wendell Berry resumiu tudo isso de uma forma muito melhor do que "azul e vermelho" em um diálogo de seu romance *Jayber Crow*, que é povoado por fazendeiros que lutam para sobreviver com base no que o mercado moderno, majoritariamente urbano, está disposto a pagar por comida. Após ver quase todas as fazendas no condado quebrarem, um desses homens comenta:

— Muitas vezes desejei que aqueles filhos-da-puta morressem de fome. E agora temo que isso realmente aconteça.

No auge do verão, naquela época em que eu só via vermelho em minha cozinha, a mesma coisa acontecia com os fazendeiros de tomate de nosso condado. Eles aprenderam métodos orgânicos, descartaram os produtos químicos e fizeram tudo certo para cultivar um produto que os consumidores diziam desejar. Eles esperaram três anos pela certificação. Irrigaram, capinaram, colheram, separaram os redondos dos deformados e produziram os tomates orgânicos perfeitos, encomendados pelas cadeias de supermercados. Então, de repente, quando os fazendeiros estavam finalmente entregando caminhões cheios desses tomates e esperando uma renda digna, alguns dos compradores mudaram de idéia. "Essa semana não", disse uma loja, sem qualquer aviso, e depois outra. Nem na próxima semana ou na outra. Tomate não é o tipo de coisa que pode ser armazenado. As montanhas de frutas maduras ficaram cada vez maiores atrás da instalação de embalagem e se transformaram em uma gosma laranja, coberta por moscas-das-frutas.

Os tomates eram perfeitos, e os consumidores tinham fome. Acordos foram feitos. Mas *pallets* de tomates orgânicos californianos começaram a aparecer a um preço ligeiramente mais baixo. É difícil acreditar, dado o volume de combustível necessário, mas as empresas podem deduzir o custo de transporte dos impostos, então nós, contribuintes, pagamos pelo frete. Os agricultores californianos precisavam apenas das economias de escala a seu favor, um exército de lavradores de baixo custo e clientes que estão sempre dispostos a optar pelo preço mais baixo.

Assim, dessa forma bem simples, um ano de planejamento e trabalho familiar virou uma pasta vermelha.

Nossos agricultores foram alertados sobre essa possibilidade — os compradores dos mercados em geral não assinam contratos que os vinculam. Os produtores arriscaram e levaram prejuízo. Alguns farão uma nova tentativa no ano que vem, embora seja provável que tentem diminuir seus riscos ao plantar também abóboras Delicata e ervilhas. Coragem, praticidade e enxergar o lado positivo de toda situação são posturas constantes na agricultura. Antes dos tomates apodrecerem, a Colheita da Appalachia encontrou uma maneira de doar e distribuir o enorme excedente a famílias necessitadas. Os pobres do condado ficaram ricos em tomates naquele verão.

— Foi um prazer fazer essa doação — contou-me um dos fazendeiros. — Gostamos de ser generosos e de ajudar os outros, não há nenhum problema nisso. Mas muitos de nós mal conseguiram fechar as contas. Parece que sempre os que menos têm são os que mais dão. Por que será?

Em Charlottesville, Asheville, Roanoke e Knoxville, os clientes dos supermercados não tinham como saber quanto sofrimento e traição estavam envolvidos naqueles pacotes de celofane, cada um com dois tomates da Califórnia. Talvez tenham notado a falta de outros tomates naquela semana, aqueles locais com a etiqueta "Fazendas saudáveis, perto de casa". Ou talvez tenham apenas visto "tomates orgânicos", selecionado alguns e os colocado em seus carrinhos de compras, em cima das caixas de cereal e dos rolos de papel toalha. *Os comedores precisam entender que o ato de comer determina a forma como usamos o mundo.*

Eles entendam ou não, a música ambiente alegre continua a tocar nos supermercados.

Estação de enlatamento

Por Camille

Quando eu era criança, o verão parecia durar uma vida toda. Um mês inteiro podia passar sem que eu soubesse em que dia da semana estávamos. O tempo parecia se estender e formar um dia extremamente longo e preguiçoso para colher amoras-pretas e caçar pernilongos. Minhas amigas e eu passávamos o tempo inteiro juntas, fazendo viagens de ida e volta entre a piscina da cidade e os bosques, onde fingíamos ser órfãs esquecidas em um lugar ermo. A escola estava longe de nossas cabeças. Nosso mundo era feito de grama verde, luz solar e imaginação.

Então chegava agosto: sempre uma tragédia. "Já? Como pode ser?", me perguntava, desolada por causa da constatação terrível de que precisava de um fichário e de alguns lápis. Não que a escola fosse tão ruim assim. O verão é que era muito melhor.

O mês de agosto raramente é anunciado para as crianças em um calendário. Para algumas de minhas amigas, os pisos brilhosos e as lâmpadas florescentes das lojas fazendo suas promoções de volta às aulas eram os indícios. Para mim, era a máquina de enlatamento borbulhante e o cheiro de tomate. Na minha família, o fim do verão significa o zumbido de nosso desidratador de comida como música de fundo, sendo impossível abrir a geladeira sem que sacolas volumosas de verduras despenquem e machuquem nossos pés. Todo tempo livre disponível é usado para cortar algo que precisa ser guardado: as vagens e o milho precisam ser escaldados e congelados, os pepinos são fatiados e postos em conserva, as abóboras são congeladas, desidratadas ou doadas a amigos. E, depois, ainda há os tomates. Quilos deles chegam do jardim todos os dias, manchando nossos panos de prato com seu suco rubro. Fatiamos os pequenos às centenas e os colocamos em bandejas dentro de nosso desidratador de comida. Enlatamos os de tamanho médio, esperando para ouvir o "ploc", que significa que a tampa do pote está devidamente vedada. Os demais são jogados em caldeirões grandes e borbulhantes de molho de tomate.

Tenho certeza de que isso parece trabalhoso e sujo para os que nunca o fizeram. Contudo, para nós, é uma parte importante do verão. Não apenas porque resulta em refeições fabulosas durante o resto do ano, mas porque o processo é nossa maneira de dizer adeus ao sol e ao ritmo acelerado do verão, além de ser uma forma de refletir sobre o que a estação nos proporcionou. A cozinha agitada de agosto é nossa transição das horas longas e infindáveis do trabalho fora de casa no verão para as rotinas mais rígidas da escola e do trabalho no outono. Gosto de considerar isso como uma meditação de final de verão.

Na cultura norte-americana, não há muito espaço para longas reflexões. Observo os trabalhadores que deveriam servir de modelos para mim levados a não parar nunca e a não tirar suas férias por inteiro. E muitas vezes as férias acabam sendo cheias de atividades incessantes, sendo possível voltar exausto de sua "folga". Enlatar molho de tomate não significa exatamente uma semana em um *spa*, mas certamente força uma pausa na movimentação das multitarefas da vida cotidiana. É um processo "desacelere e faça uma coisa de cada vez": primeiro cortar os legumes, depois mexê-los com a colher até que o molho engrosse, agora esterilizar os potes, assegurando-se de que estão vedados. Se for fazer alguma outra coisa nesse meio tempo, é melhor que seja apenas escutar os próprios pensamentos. Qualquer distração pode levá-lo a estragar o lote inteiro. Enlatar sempre me põe em uma espécie de transe. Chego a um ponto onde remexer o molho borbulhante é a única tarefa existente no mundo, e eu poderia continuar a fazê-la eternamente. Seja sentando em uma pedra, em um lugar tranqüilo, ou remexendo um caldeirão com uma colher de pau, faz bem ao corpo acalmar-se e entrar em sintonia.

O processo básico de enlatamento é simplesmente o seguinte: (1) os tomates são colocados em água fervente e descascados, ou então cozidos com outros ingredientes até virar um molho; (2) eles são despejados em potes esterilizados (nós os tiramos diretamente do lava-louças) fechados com tampas de rosca de duas partes; e (3) os potes cheios são fervidos pelo número de minutos especificado na receita, em um recipiente grande com água. Usamos uma chaleira de enlatar esmaltada com capacidade para dez litros.

As receitas abaixo são algumas de minhas favoritas para guardar a abundância de legumes de verão para o ano inteiro. O segredo de família de nosso molho de tomate (que obviamente não será mais segredo) é o uso de canela e noz-moscada, geralmente consideradas especiarias de sobremesa, mas utilizadas em saborosos pratos de tomate na culinária grega e de alguns países do Oriente Médio. A receita de três molhos é adaptada do *The Busy Person's Guide to Preserving Food* [O guia da preservação de comida para os atarefados] de Janet Chadwick. Nossa pasta de vagens foi inspirada em *Recipes from a Kitchen Garden* [Receitas de uma horta de cozinha] de Renee Shepherd e Fran Raboff — um livro muito útil para a preparação de refeições feitas com verduras frescas. As receitas são simples, porém criativas.

PASTA DE VAGEM (*FRIJOLE-MOLE*)

225g de vagens com as bordas aparadas

Cozinhe no vapor até ficarem macias

1 cebola cortada em pedaços grandes

1 colher de sopa de azeite de oliva

Refogue as cebolas em temperatura média até ficarem ligeiramente translúcidas.

3 ovos cozidos

2 xícaras de folhas de manjericão frescas

1 colher de sopa de suco de limão (opcional)

Coloque as vagens, as cebolas cozidas, os ovos, o manjericão e o suco de limão no liquidificador e bata até formar um creme grosso.

Maionese ou iogurte

Sal e pimenta

Passe o creme para uma tigela e adicione maionese ou iogurte suficiente para formar uma mistura consistente. Acrescente sal e pimenta a gosto. Essa pasta é fantástica quando servida sobre pão com casca, biscoitos salgados ou bolinhos de arroz.

MOLHO DE TOMATE "SEGREDO DE FAMÍLIA"

O objetivo desta receita é preparar um volume grande de uma só vez, quando os tomates estiverem na estação. *Se você for enlatá-los, siga a receita rigorosamente*; acrescentar legumes frescos alterará o pH, o que não é seguro para o enlatamento em água. Se você for congelá-los, não tem problema algum adicionar pimentões, cogumelos, alho fresco, o que você quiser. Essa receita rende de seis a sete litros — você pode combinar recipientes de tamanhos diversos.

9,5 litros de massa de tomate (cerca de 14 quilos de tomate)

4 cebolas grandes, picadas

1 xícara de manjericão seco

½ xícara de mel

4 colheres de sopa de orégano seco

3 colheres de sopa de sal

2 colheres de sopa de casca de limão seca

2 colheres de sopa de tomilho

2 colheres de sopa de alho em pó (ou mais, a gosto)

2 colheres de sopa de salsa seca

2 colheres de chá de pimenta

2 colheres de chá de canela

½ colher de chá de noz-moscada

Amoleça as cebolas em um tacho de 11 litros – acrescente um pequeno volume de água, caso necessário, *mas não utilize azeite se você for enlatar (muito importante!).* Acrescente a polpa de tomate e todos os temperos, ferva e cozinhe em fogo brando por duas a três horas até que o molho tenha engrossado e atingindo o ponto desejado. Mexa constantemente, sobretudo perto do fim, para evitar que queime. Enquanto isso, aqueça água em banho de enlatamento, esterilize os potes em água fervente, ou na lava-louças e despeje água fervente sobre as tampas dos potes.

Suco de limão ou ácido cítrico engarrafado – NÃO é opcional!

Acrescente duas colheres de sopa de suco de limão ou ½ colher de sopa de ácido cítrico a cada pote de 1 litro (metade dessa quantidade para os potes de meio litro). Isso assegura que o molho será suficientemente ácido e seguro. Quando o molho estiver pronto, tampe os potes, coloque-os suavemente dentro do enlatador e ferva por 35 minutos. Remova, esfrie, verifique todas as tampas, coloque a etiqueta e guarde para o inverno.

CONDIMENTO, MOLHO E *CHUTNEY* – TUDO NO MESMO DIA

Se você não tem uma horta, você pode fazer um estoque de tomates, pêssegos, maçãs e cebolas no final do verão, quando sua feira de fazendeiros terá esses produtos com a melhor qualidade e o preço mais baixo do ano. Então, programe uma tarde inteira e chame um amigo para participar desse projeto interessante que gera três produtos diferentes e deliciosos para comer durante todo o inverno.

Potes para enlatar e tampas: 14 potes de ½ litro e 7 de ¼ litro

Comece com uma panela bem grande e pesada. Você precisará acrescentar ingredientes diversos e enlatará molhos diversos ao longo do processo.

4 litros de polpa de tomate
24 maçãs
7 xícaras de cebolas picadas
2 litros de vinagre de maçã
6 xícaras de açúcar
⅔ xícara de sal
3 colheres de chá de cravos-da-índia moídos
3 colheres de chá de canela
2 colheres de chá de páprica
2 colheres de chá de mostarda

Faça um purê de tomate; retire o miolo e pique maçãs; pique cebolas em grandes pedaços. Coloque tudo em uma panela grande junto com o vinagre, o açúcar e as especiarias. Aqueça até o ponto de fervura e cozinhe em fogo brando por 2 horas, ou até engrossar. Enquanto isso, pré-aqueça a água em um banho de enlatamento, esterilize potes e tampas (em água fervente ou na lava-louças) e os mantenha quentes até a hora de usá-los. Encha **7 potes de ½ litro** com parte do **condimento de churrasco** engrossado, deixando sobrar um espaço de 1,25 centímetro no topo de cada pote. Coloque os potes cheios no enlatador com tampas bem apertadas e ferva por 10 minutos. Retire e deixe esfriar.

2 litros de pêssegos fatiados
6 xícaras de açúcar
½ xícara de água
2 colheres de chá de alho em pó
1 colher de chá de molho Tabasco

Em uma panela separada, cozinhe os pêssegos em água por 10 minutos, até amolecerem. Acrescente o açúcar e aqueça lentamente até o ponto de fervura, mexendo até dissolver o açúcar. Ferva até engrossar (15 minutos), mexendo para evitar que queime.

Acrescente a mistura de pêssegos à mistura de tomate no tacho e aqueça novamente até o ponto de fervura para fazer um

molho agridoce. Encha **7 potes de ½ litro**, deixando sobrar um espaço de 1,25 centímetro no topo de cada pote; ferver no enlatador durante 10 minutos. Retire e deixe esfriar.

1 xícara de passas

1 xícara de nozes

Acrescente esses ingredientes ao caldeirão, mexa bem, e leve novamente ao ponto de fervura para fazer ***chutney***. Encher **7 potes de ½ litro**, deixando sobrar um espaço de 1,25 centímetro no topo de cada pote. Ferva no enlatador durante 10 minutos. Retire.

Quando todos os potes esfriarem, assegure-se de que todas as tampas estejam vedadas e criem um vácuo à medida que seus conteúdos esfriem. Você os ouvirá fazer "ploc". Para verificar mais uma vez, após esfriarem completamente, pressione o centro de cada tampa para baixo — deve dar uma sensação de firmeza e de não estar solto. (Caso um pote não vede, refrigere e use o conteúdo em pouco tempo.) A porção anelar da tampa pode ser removida antes da armazenagem; quando corretamente processadas, as tampas ficarão adequadamente seladas até você abrir cada pote com um abridor de latas.

Coloque uma etiqueta em cada produto antes que você esqueça o conteúdo do pote e divida com o amigo que o ajudou. O molho de churrasco vai bem com peixe ou frango grelhado. O molho agridoce dá um sabor asiático aos pratos de arroz. O *chutney* dá um toque especial a tudo.

Baixe da internet essas e todas as receitas do livro em www.animalvegetablemiracle.com.

PLANO DE REFEIÇÕES PARA A ESTAÇÃO DE TOMATES

Domingo – Frango grelhado com salada de tomate e milho na espiga.

Segunda-feira – *Gazpacho* caseiro com pão fresco e requeijão.

Terça-feira – *Ratatouille* de tomate e berinjela com arroz (ou pão) e queijo parmesão ralado.

Quarta-feira – Peixe ou carneiro grelhado, servido com pão com casca, *chutney* e pasta de vagem.

Quinta-feira – Refogado de legumes asiático com macarrão *soba* (ou arroz) e molho agridoce.

Sexta-feira – Pizza com tomates fatiados, manjericão fresco, mussarela e gotas de azeite de oliva.

Sábado – Massa com molho de tomate caseiro fresco e almôndegas.

14

Não se pode fugir em dia de colheita

Setembro

O feriado do Dia do Trabalho, na primeira segunda-feira de setembro, amanheceu com um frescor doce e translúcido, como uma maçã Delícia Dourada. Sempre mantenho a esperança infantil, durante os meses repletos de frutas de junho e julho, de que o verão permanecerá para sempre. Mas aí um dia, no começo de outono, me lembro por que ele deve finalmente acabar. Em setembro, a qualidade da luz solar muda para um flerte. As frutinhas verdes nos arbustos de *spicebush*, ao longo do caminho que leva à nossa casa, de repente ficam vermelhas, primeiro uma depois outra, como luzes festivas vacilantes, porém resolutas. Os bosques se enchem do canto agitado das aves migrantes se preparando para voar rumo ao Sul. O ar mais frio nos deixa agitados também: época de jeans e suéteres, perfeito para uma caminhada. Naquela manhã, Steven e eu acordamos cedo, olhamos pela janela, olhamos um para o outro e começamos aquele eterno confronto conjugal: isso foi idéia *sua*?

Não íamos caminhar hoje. Nem teríamos o luxo de, em um sábado pós-verão, ficar sentados na varanda com uma xícara de café, observando o despertar da fazenda. Teríamos um dia de trabalho árduo, que não podia ser postergado. Na manhã anterior, segregamos meia dúzia de galos e um número igual de perus machos em uma sala do celeiro que denominamos o "corredor da morte". Lá, colocamos aves em um ambiente limpo e confortável, com água, mas sem comida, em jejum de 24 horas antes da colheita. Isso torna o processo mais limpo e parece acalmar os animais. Eu também diria que isso coloca suas emoções em ordem, se é que isso ajuda. Mas eles têm emoções limitadas, e nenhuma idéia do que está por vir.

Nós tínhamos muito mais noção de ambas as coisas. Nosso plano naquele dia maravilhoso era remover alguns de nossos animais do reino dos vivos para o reino da comida. Aos cinco meses de idade, nossos galos haviam atingido um peso bom para serem abatidos, e nos últimos tempos começaram a fazer rixas, dando vazão à sua crescente angústia hormonal contra qualquer ser móvel, inclusive nós mesmos. Quando um galo ataca com as esporas, ele deixa marcas. Lily agora precisava se armar com um pedaço de cano para retirar os ovos. Nosso quintal não era grande o suficiente para tanto machismo. A tarefa certamente não nos daria prazer, mas chegara a hora do programa de redução de testosterona. Suspiramos com o clima maravilhoso e calçamos nossos velhos tênis sujos de sangue, próprios para o dia da colheita.

PROVAVELMENTE, HOUVE UMA ÉPOCA EM que eu considerava um eufemismo falar em "colher" animais. Agora não mais. Calculamos os "meses até a colheita" ao planejar a época certa de criar aves. Convidamos os amigos para "festas de colheita", independentemente de se tratar de hortaliças ou animais. Uma colheita implica planejamento, respeito e esforço. No caso dos animais, tanto o planejamento quanto o esforço físico costumam ser maiores, e o respeito pelo empreendimento é substancialmente mais complexo. É muito menos divertido do que passar um dia de outono colhendo maçãs, mas em princípio trata-se de uma operação semelhante, e a palavra é a mesma.

Matar é um termo com conotações culturais pesadas, pois para muitos de nós está inextricavelmente vinculada a alguma versão do mandamento "Não matarás". Toda religião tem os seus mandamentos. E, para todos, talvez menos para os jainistas da Índia, esse mandamento é absolutamente condicional. Sabemos que não se refere aos mosquitos. Quem entre nós nunca matou uma coisa viva de propósito? Quando uma criança está com uma infecção, pegamos logo um remédio e cometemos um massacre ávido e proposital dos estreptococos. Jogamos ácido bórico ou usamos uma lata de inseticida para livrar nossas cozinhas das baratas. O que queremos dizer por "matar" é tirar uma vida de forma cruel, como em um assassinato — ou então de forma mais acidental, como em "Ihh, parece que matei minha violeta africana". Embora os resultados não sejam comparáveis, essas "matanças" têm em comum um desperdício desnecessário e uma certa porção presumida de remorso.

A maioria de nós, se souber apenas um pouco sobre a origem de nossa comida, entenderá que cada colherada colocada na boca desde a infância (exceto por uma ou outra pedra ou bola de gude) era anteriormente algo vivo. A verdade biológica inescapável é que nós animais nos mantemos vivos somente porque nos alimentamos de outras vidas. As plantas são inerentemente menos culpadas, tendo nascido com o talento de criar a própria comida, pacificamente e sem fazer barulho, a partir de luz solar, da água e dos ingredientes minerais sugados por suas raízes. Estranhamente, atribuímos alguns direitos aos animais, enquanto mutilamos e decepamos as pacíficas plantas com impunidade moral. Quem pensa em pedir perdão ao cortar um gramado?

Quanto mais nos aprofundamos nessa reflexão, mais complexas e emaranhadas ficam as regras morais referentes à destruição da biota. Se estabelecermos um limite de aceitabilidade para matar entre "animais" e "plantas" e, portanto, excluirmos carne, aves e peixes de nossa dieta por razões morais, ainda precisaremos lidar com o fato de que cada saco de farinha e cada pedaço de tofu feito de soja veio de um campo onde incontáveis vidas aladas e peludas foram extintas com o processo de arar, cultivar e colher. Estima-se que 67 milhões de aves morrem todos os anos devido à exposição a pesticidas, ao longo do ano, nas fazendas americanas. As borboletas também são universalmente mortas na forma larval pelo pólen geneticamente modificado, contido na maior parte do milho americano. As raposas, os coelhos e os gatos selvagens são expulsos de seus lares pela fome, ou desmembrados pelas ceifadeiras. Os insetos são "controlados" até mesmo por pesticidas orgânicos, e as minhocas são cortadas ao meio pelos arados. E, ao contrário do que diz a sabedoria popular, as duas partes não vingam; ambas as metades morrem.

Acreditar na possibilidade de viver sem tirar outras vidas é uma ilusão. Os humanos só conseguem cultivar a não violência em suas dietas até certo ponto. Já ouvi um monge budista sugerir que o *número* de mortes causadas pela comida é minimizado em refeições com um bife, por dividir uma só morte em várias refeições, enquanto a equação fica invertida no caso de uma tigela de mariscos. Outros perderam toda a vontade de comer a carne que tenha passado pela linha de montagem da vida confinada, por mais que essa responsabilidade seja compartilhada por todos nós. Eu sigo as idéias de Wendell Berry, que escreve em *What Are People For* [Para que servem as pessoas]: "Não gosto do fato de que algum animal tenha levado uma vida miserável para servir de comida para mim. Caso decida comer carne, quero que seja de um animal que teve uma vida ao ar livre, prazerosa e não apinhada, com um pasto abundante, boa água por perto e árvores de sombra. E estou chegando quase no mesmo nível de exigência com relação às plantas comestíveis".

Considero-me fundamentalmente aliada ao vegetarianismo em todos os sentidos menos um: por mais seletivamente que seja, eu consumo carne. Não me impressiono com os argumentos que condenam a colheita animal enquanto ignoram a matança de animais em grande escala, causada pela colheita das comidas derivadas de plantas. Incontáveis mortes provocadas por pesticidas e pela remoção de *habitats* — os besouros e coelhos que morrem colateralmente para que tenhamos pão e hambúrgueres de legumes — são vidas totalmente desperdiçadas. Pelo menos, a colheita de animais não é gratuita, pois fazem parte de um plano que envolve trabalho e recompensa. Nutrimos essas criaturas por uma razão. Tal premeditação pode parecer perversa, mas sem ela nossos dóceis animais domésticos, em suas formas e cores pitorescas e propósitos específicos, nunca teriam a honra de existir. Para pensar em uma versão vegana da civilização, comece por apagar para sempre os Três Porquinhos, o menino que gritou lobo, *A menina e o porquinho*, o bezerro dourado, *Tess of the d'Urbervilles*. Em seguida, apague a civilização, engendrada pelas pessoas que começaram a domesticar os animais. Finalmente, reescreva a história de nossa evolução, uma vez que o *Homo sapiens* é a espécie que é por conta de surtos freqüentes de carnivorismo.

Mais confuso ainda, no revisionismo vegano, são os capítulos que dizem respeito ao futuro. Se os animais de fazenda têm direitos, quais aspectos de sua servidão aos humanos precisam ser superados? A maioria não sobreviveria dois dias sem ela. Recentemente, enquanto eu fazia ovos cozidos, minhas filhas se sentaram à mesa da cozinha e me divertiram ao ler em uma revista o perfil de uma estrela de cinema bastante jovem e vegana. Seu sonho era criar uma fazenda segura, onde frangos e vacas pudessem ter vidas livres e felizes e morrer por mortes naturais. Avisei para que esperasse até que aquelas vacas começassem a berrar para serem ordenhadas. Por ter amamentado e desmamado meus rebentos, posso afirmar que não existe dor igual à de uma mama excessivamente cheia. Pensamos o que a artista poderia fazer pelas Jérseis de tetas estufadas, sem mencionar os ovos que as galinhas botariam por todo lado. Que trabalho para a pobre menina: andar pela fazenda de salto alto, evitando as pilhas de bosta de vaca, se curvando elegantemente para pegar os ovos e colocá-los em uma incubadora onde, para sua frustração, eles dariam crias que cresceriam com vontade de botar ainda *mais* ovos. É um trabalho sujo, tentar salvar uma seqüência infindável de vidas não ingeridas. Na vida real, observaram minhas filhas, ela contrataria alguém.

Perdoe-nos. Sabemos que ela tinha boas intenções e que, comparada com as fantasias de outros ricaços, é mais criativa do que a maioria. Mas o ar de majestade é exasperador; quando a superioridade moral se junta à ignorância flagrante, elas enchem um balão de ar quente que é difícil deixar de furar. A fantasia da fazenda livre simplesmente reflete uma confusão cultural moderna relativa aos animais de fazenda. Eles são propriedade dos humanos, não apenas do ponto de vista legal, mas também do biológico. Ao longo de milênios de nossa história inteligente, criamos, a partir de seus ascendentes selvagens, classes de animais inteiramente novas cujo único propósito é nos fornecer comida. Se os deixássemos soltos em um ambiente selvagem, eles morreriam de fome, sucumbiriam a predadores e destruiriam os *habitats* e as vidas da maioria ou de todas as coisas naturais. Se alojadas às expensas do grande público, iriam se tornar um fardo cívico maior do que as escolas e as prisões juntas. Nenhum ser pensante deseja de fato que isso aconteça. Contudo, por viver longe da realidade da fazenda, muitos humanos não aprendem mais os modos de pensar apropriados sobre a colheita de animais. Ao saber que nossa família cria animais para abate, muitos amigos nos dizem — não de forma categórica, mas como uma confissão: "Acho que eu não conseguiria matar um animal." Pego-me explicando: Não é como você pensa. Não é como sacrificar seu cachorro.

A maioria dos não fazendeiros tem intimidade com a vida animal em apenas três categorias: pessoas; animais domésticos (isto é, pessoas em miniatura); e a vida selvagem (conforme vemos na televisão sobre a natureza, presumida como sendo linda e rara). A decapitação proposital de qualquer um dos acima citados é impensável, por razões óbvias. Nenhuma outra categoria se apresenta próxima o bastante para que seja considerada. Então entendo porque é difícil pensar sobre a colheita, um ato categórico que inclui cortar a cabeça de alfaces vivos, estendido a culturas que piscam seus olhos lacrimejantes. Em nossa fazenda, processar nossos animais não nos dá nenhum prazer especial, mas valorizamos esse ato como um ritual importante para nós e para qualquer amigo corajoso o bastante para vir nos ajudar, pois aprendemos em função disso. Restabelecemos a conexão com o motivo de criar esses animais. Dispensamos todas as ilusões sobre a *vida* dos animais e sobre sua morte.

Uma amiga que nos fornece carneiros e aves criados em pasto aberto concorda conosco nesse ponto. Kristy Zahnke foi criada no Reino Unido e observa que as atitudes americanas com relação à vida e à morte provavelmente aumentam os receios.

— Parece que as pessoas neste país fazem de tudo para ludibriar a morte. Ao invés de ficarem felizes com cada momento, elas se preocupam demais com o que vem depois. Acho que isso é passado para os animais, a preocupação com "tirar uma vida". Todos os meus animais tiveram vidas boas, tendo a morte como um desfecho natural. Não abato meus animais impensadamente ou sem agradecê-los, isso é uma coisa difícil de fazer. Precisei de muito tempo até conseguir comer os carneiros com os quais brincara. Mas sempre recordo as palavras de Kahlil Gibran:

Ao matar um animal, diga-lhe em pensamento:
O mesmo poder que o mata, também me matará, e também serei consumido.
Pois a lei que o coloca em minhas mãos me colocará em uma mão mais poderosa.
Seu sangue e meu sangue são nada mais que a seiva que alimenta a árvore do céu.

Kirsty trabalha com uma organização ambiental local e freqüentemente hospeda voluntários vindos de fora do estado, que acampam em sua fazenda enquanto trabalham na região. Muitos desses ativistas não comeram carne, por muitos anos, antes de chegar à fazenda de corte dos Zahnke, uma fórmula não para o desastre, ela observa, mas para a educação.

— Conhecer os mantras dos fazendeiros pode levar a uma mudança de ponto de vista. Eu diria que 75% dos veganos e vegetarianos que passaram pelo menos uma semana aqui começaram a comer carne ou nossos produtos animais, simplesmente porque eles viram que o que eu fazia estava certo (para os animais, para o meio ambiente e para os humanos).

Respeito todo comedor que faz decisões motivadas por questões morais relativas ao consumo. Sou a favor da não violência, pois sou uma daquelas mães radicais que não deixam os filhos fingirem atirar uns nos outros, *nunca*, ou fazer qualquer brincadeira envolvendo a idéia do assassinato de uma pessoa. Mas cheguei a conclusões diferentes com relação à pecuária. Os panfletos veganos-evangélicos mostrando frangos entalados e vacas doentes geralmente declaram, como seu primeiro princípio, que toda carne é produzida em condições industriais. Isso é falso, além de ser uma afronta a todos os que se esforçam para criar animais de uma forma humanitária, ou que apóiam tais práticas por meio do poder de compra. Não quero causar sofrimento a qualquer criatura, por isso não consumo conscientemente nada que tenha ficado parado, enfiado nas próprias fezes até a altura da barriga, desejando a morte até que *pá!*, um dia ela chega. (Em restaurantes, peço sempre peixe ou um prato vegetariano.)

Mas carne, aves e ovos de animais criados em pasto aberto são a comida de inverno tradicional de meus avós e são convenientes para nós naqueles meses em que gastaríamos uma quantidade muito grande de combustíveis fósseis, se comêssemos apenas tofu. Deveria eu ignorar o sofrimento das vítimas de furacões, da carestia e das guerras causadas por esse mundo de consumo pródigo de combustível? As bananas que custam uma floresta tropical inteira, o leite de soja transportado em caminhões refrigerados e o espinafre pré-lavado que percorre mais de três mil quilômetros em recipientes plásticos não parecem livres de crueldade, nesse contexto. Uma centena de caminhos diferentes pode aliviar o peso do sofrimento desse mundo. Deixar de comer carne é uma maneira; deixar de comer bananas é outra. Quanto mais estivermos cientes de nosso sistema alimentício, mais enfrentaremos escolhas complexas. Parece fútil proibir apenas uma fruta quando os humanos vivem embaixo de tantos tipos diferentes de árvores.

É possível criar menos animais de abate no futuro; diminuir os tipos destinados ao confinamento é um plano que ajudo a colocar em prática ao criar raças de linhagem herdada. A maioria dos humanos faria bem em comer mais hortaliças e menos carne. Porém, de um ponto de vista global, a opção vegetariana é um luxo. O argumento energético, freqüentemente citado a favor do vegetarianismo, de que é necessário dez vezes mais terra para produzir um quilo de carne que um quilo de grãos somente se aplica ao tipo de terra em que a chuva cai abundantemente sobre um solo rico em nutrientes. Muitas das pessoas pobres do mundo vivem em terras marginais que não suportam a agricultura baseada em plantas. Aqueles não abençoados com planícies frutíferas e ondas amarelas de grãos precisam se contentar com vagens que crescem em árvores, arbustos com folhas duras ou gramas ralas. Camelos, renas, carneiros, cabras, gado e outros ruminantes são singularmente adaptados para transformar todos esses tipos de celulose indigerível em leite e carne próprios para o consumo. As periferias dos desertos, da tundra e dos cerrados marginais em todos os continentes — o litoral peruano, o sudoeste dos Estados Unidos, o Kalahari, o Gobi, o interior da Austrália, o norte da Escandinávia — são habitadas por pastores. Os navajos, mongóis, lapões, masais e incontáveis outras tribos engenhosas morreriam de fome sem seus animais.

Os rebanhos domésticos podem também trazer problemas a esses *habitats*. O uso exageradamente intensivo do pasto já causou muitos estragos às paisagens mundiais, assim como o desmatamento de florestas tropicais para dar lugar a fazendas de gado. Porém, um pasto bem gerenciado pode trazer benefícios a *habitats* naturais, onde pastores nativos vivem ou viveram no passado. A pesquisa ambiental nos desertos da América do Sul e do Norte demonstrou que a introdução criteriosa de gado, carneiros ou cabras em alguns cerrados ajuda a trazer de volta o equilíbrio da vegetação nativa, sobretudo as árvores algarobeiras e afins, que evoluíram ao longo de milênios com animais de pasto de grande porte (mastodontes e camelos) que agora estão extintos. As sementes da algarobeiras germinam melhor após passar pelo estômago de um ruminante. Mais adiante, o cerrado precisa do retorno do fogo e do comportamento predatório das marmotas com as mudas de algarobeira — admito que seja complicado. Mas os pastores têm seu lugar.

No noroeste do Peru, na região extremamente árida e desmatada de Piura, um projeto inovador utiliza uma ferramenta de quatro patas para promover o reflorestamento em larga escala: a cabra. Esse lugar sem grama perdeu a maior parte de suas florestas nativas de algarobeiras para refugiados que foram deslocados de locais mais verdes para se assentarem lá, cortando a maior parte das árvores para usar como lenha. As cabras podem se alimentar das sementes das algarobeiras que ainda restam (sem danificar as árvores espinhentas) e espalhá-las pelo solo em elegantes bolinhas de fertilizantes. As cabras também fornecem carne e leite para seus pastores, em um lugar onde o índice pluviométrico é tão ínfimo (zero, em alguns anos) que é impossível manter culturas plantadas. Os rebanhos ficam livres para procurar comida na estação das sementes de algarobeiras e vivem o resto do ano de vagens guardadas em depósitos feitos de blocos de cimento. Esses animais que precisam de cuidados mínimos também se reproduzem de graça, assim o projeto amplia sua capacidade de reflorestamento e de alívio da fome em toda a região, ano após ano.

Nós ambientalistas excêntricos tendemos a achar que os humanos e seus sistemas de comida são sempre nocivos à terra. No entanto, quando visitei Piura para estudar o projeto baseado em cabras e algarobeiras, não encontrei qualquer indício de que ele não fosse bem-sucedido. A situação "anterior" envolvia famílias mal-nutridas em uma paisagem marrom e ressecada. Poucos anos após receberem cabras, as famílias ainda moravam em casas simples, feitas de ripas e argila, mas seus vilarejos eram sombreados por oásis de vegetação nativa em rápido crescimento. Os moradores ordenhavam as cabras, fabricavam queijo, queimavam as vagens de algarobeira para cozinhar e gostavam de comer carne várias vezes ao mês. Pequenas hortas irrigadas de vagens e verduras folhosas forneciam alimentação suplementar, porém, nesse clima, são os produtos animais que oferecem uma perspectiva de acabar com a desnutrição. A família que possui uma cabra faz um acordo com as organizações doadoras (a Heifer International e o grupo local ACBIODESA) para doar o primeiro filhote fêmea a outra família, alterando assim seu próprio status de "pobre" para o de "benfeitor" — uma distinção muito importante em termos da estrutura de poder local e administração futura da terra. Pelo mesmo dinheiro, um carregamento de trigo, arroz ou milho doado teria apenas mantido a pobreza generalizada da região durante mais alguns meses e aprofundado sua crise ambiental. Entre as soluções animais ou vegetais para os problemas da região, meu voto vai para as cabras.

A região montanhosa dos Estados Unidos onde moro, embora não seja nem carente nem ressecada, enfrenta seus desafios específicos. As fazendas são pequenas e íngremes. O uso de tratores movidos a diesel para remexer a terra durante toda a primavera (nos lugares onde isso é possível) desloca a camada superficial do solo morro abaixo até os riachos quando chove, criando diversos problemas ao mesmo tempo. Uma das melhores opções da região para alimentar a nós mesmos e a nossos vizinhos urbanos pode ser os animais e as aves de pasto. Gado, cabras, carneiros, perus e frangos, todos têm maneiras eficientes de transformar encostas de morro íngremes e cobertas de grama em comida, enquanto fertilizam a terra discretamente com estrume. Eles fazem isso sem beber um pingo de gasolina.

A pastagem controlada é mais saudável para a maioria das paisagens, na verdade, do que o ciclo de aragem e plantio anual, e mais eficiente em termos de consumo de combustível. A grama é um recurso infinitamente renovável gerado pelo sol. À medida que os consumidores descobrem os benefícios à saúde trazidos pela carne feita a partir de grama, mais fazendeiros poderão parar de arar a terra e, em vez disso, deixar os animais trabalharem-na. Uma parte crucial desse empreendimento envolve recuperar a pecuária de raças de linhagem herdada que conseguem engordar com a grama de pasto. Para muitas pessoas, o fato de que frangos, perus e porcos conseguiam comer folhagem é uma novidade, pois estamos acostumados a vê-los confinados e sendo alimentados. Até mesmo o gado come cada vez menos grama, já que os programas de criação do século XX resultaram em animais que toleram (mal) uma dieta baseada em grãos durante os últimos oito meses de confinamento. Durante décadas, o público exigiu apenas esse tipo de animal de corte.

Ultimamente, no entanto, vozes tão diversas, como a da apresentadora de televisão Oprah Winfrey e a de Eric Schlosser, autor de *Fast Food Nation* [Nação fast-food], expuseram as condições dentro das CAFOs. Em um ensaio intitulado *Food with a face* [Comida com um rosto], o jornalista Michael Pollan escreveu: "Mais do que qualquer outra instituição, a fazenda pecuária industrial dos Estados Unidos oferece uma visão horripilante da aparência que o Capitalismo pode adquirir na ausência de regulamentação ou de limites morais. Nesses lugares, a vida em si é redefinida — como produção de proteína — e, com ela, o sofrimento. Essa palavra venerável vira 'estresse', um problema econômico em busca de uma solução viável do ponto de vista de custos... A industrialização — e desumanização — da pecuária americana é um fenômeno relativamente recente, evitável e local: nenhum outro país cria e abate seus animais com a mesma intensidade e brutalidade que nós." Os consumidores norte-americanos podem escolher muitas razões para desconfiarmos do produto resultante: hormônios de crescimento, bactérias resistentes a antibióticos, composição de colesterol pouco saudável, tipos de *E. coli* mortíferos, consumo de combustível, concentração de matéria fecal em lagoas, resultando em resíduos tóxicos, e a obscenidade de manter criaturas confinadas nos limites de sua resistência fisiológica e psicológica.

O último fator é que foi decisivo para mim. Sim, sou uma pessoa que cria alguns animais com o objetivo de cortá-los em pedaços para alimentar minha família. Contudo, esse trabalho me tornou mais, não menos, solidária com as pessoas pobres e infelizes que vivem apinhadas com seus irmãos, esperando a próxima refeição de um mingau que corrói seus estômagos. Em 1997, quando minha família parou de comer carne das CAFOs, essa escolha era sinônimo de adesão ao vegetarianismo. Não havia alternativas viáveis. Agora elas existem. Os frangos e perus criados em pasto já podem ser encontrados em lojas de produtos orgânicos e supermercados convencionais. As feiras de fazendeiros são fontes possíveis de ovos, aves e carne de vaca, carneiro e porco criados em pasto aberto. Os fazendeiros que criam animais em pasto precisam cobrar mais caro, claro, do que as fábricas que se utilizam de todos os meios para economizar em relação à saúde do animal. Alguns consumidores se sentem forçados a comprar o produto mais barato. Outros comerão carne menos freqüentemente e comprarão o produto mais caro. Quando a demanda aumentar e mais fazendeiros decidirem deixar o sistema industrial, a estrutura de custos mudará.

Após muitos anos sem carne, pareceu-nos estranho quebrar o tabu, mas com o tempo, nossa família voltou ao carnivorismo. Gosto de ouvir uma ave cozinhando no forno numa tarde de domingo, seguindo o conselho de Julia Child de "regular o frango para que faça barulhos de cozimento baixos" enquanto seu cheiro gostoso invade a casa. Quando um amigo começou a criar gado totalmente no pasto (em vez de mandar as vacas a um CAFO quando novilhos, como faz a maioria dos pecuaristas), nos reconciliamos com a idéia do hambúrguer. Podemos visitar seus animais caso precisemos renovar nossa confiança na qualidade misericordiosa da vida de suas vacas.

Como pecuaristas, estávamos aprendendo com a prática, criando raças de linhagem herdada: aquelas antiguidades que sabem ficar em pé ao sol, mirar um pasto e mastigar (sabem até acasalar sem ajuda!). Estamos agradecidos por essas raças antigas não terem sido fadadas à extinção durante os últimos cinqüenta anos, embora isso quase tenha acontecido. Não fossem esses animais que prosperam ao ar livre e as fazendas saudáveis que os mantêm, eu teria ficado com os tofu-búrgueres para sempre. Aquela vida não era má, mas estamos gostando dessa também.

ACREDITAR NA HONRADEZ DE UM trabalho, infelizmente, não o faz acontecer. No dia da colheita, calçamos nossos tênis manchados, afiamos as facas, acendemos o fogo sob o tacho e nos preparamos para todo o espetáculo: lama, sangue e um monte de pequenas penas. Alguns aspectos da colheita de frangos são irresistivelmente engraçados, e um deles são as penas: nos cabelos, no dorso das mãos, coladas no sapato esquerdo como papel higiênico nos filmes de comédia. Pequenas etiquetas brancas e penosas acabam grudadas no cepo e na mesa de corte como lembretes de um além galináceo. Às vezes, suportamos as partes mais desagradáveis com piadas infames, fazendo gracejos sobre as penas, sobre o corredor da morte do celeiro e "a dança dos galos mortos".

Mas hoje não foi uma dessas vezes. Alguns amigos chegaram para nos ajudar, incluindo uma família que recentemente perdera seu filho adolescente em um afogamento acidental. Os outros filhos, Abby e Eli, eram amigos íntimos de Lily. As crianças estavam compreensivelmente sérias e os adultos mediam as palavras sob o peso imenso da dor enquanto trabalhávamos. Lily e Abby foram pegar o primeiro galo do celeiro, enquanto eu coloquei em ordem as facas e estendi pedaços de plástico por cima da mesa de corte no quintal dos fundos. Os homens alimentaram o fogo embaixo do caldeirão de 200 litros, um antigo instrumento de latão que Steven e eu compramos em um leilão de fazenda.

É sério, não somos loucos

As vacas devem ter amigos influentes. Se um carregamento de carne moída, por alguma razão, for contaminado por substâncias patogênicas, o governo federal não tem autoridade para retirar o produto do mercado, ele pode apenas solicitar à empresa que o faça. Quando a retirada voluntária começa, o governo federal não divulga informações sobre onde a carne contaminada está sendo vendida, já que essa informação é considerada confidencial. Aparentemente, é mais importante proteger as vacas do que as pessoas que as comem. Agora, preciso tomar cuidado com minhas palavras, pois (para a proteção dos próprios animais) existem leis em 13 estados que tornam ilegal dizer qualquer coisa negativa a respeito das vacas.

Uma doença séria relacionada às nossas amigas vacas surgiu nos últimos vinte anos: a encefalopatia bovina espongiforme [BSE], ou a assim chamada doença da vaca louca. A doença da vaca louca e seu variante humano, a doença Creutzfeldt-Jakob, são invariavelmente fatais tanto para as vacas quanto para os humanos. Infelizmente, o rastreamento da doença da vaca louca é complicado pelo fato de que ela freqüentemente fica incubada durante anos na vítima. A doença atingiu notoriedade durante um surto na Inglaterra na década de 1980, quando mais de 150 humanos morreram por terem comido carne contaminada, e milhares de vacas foram eliminadas. Uma minúscula proteína malformada, chamada príon, é a causa da doença.

Os príons fazem com que outras proteínas se reestruturem na vítima em uma forma incomum que destrói os tecidos. Os príons restringem suas atividades ao sistema nervoso, e lá causam a morte. Como é que as vacas contraem príons? Aparentemente, ao comerem outras vacas. Quê? Sim, vacas mortas são misturadas à ração, impondo o canibalismo ao seu estilo de vida. É uma forma de aumentar a eficiência do uso dos subprodutos dos abatedouros.

Uma medida apropriada seria acabar com essa prática, como fizeram os britânicos. Eles também começaram a fazer testes de encefalopatia bovina espongiforme em todas as vacas com mais de dois anos na hora do abate e a remover todas as vacas "caídas" (vacas que não conseguem andar sozinhas) da cadeia alimentar. Como resultado, o Reino Unido erradicou a doença quase completamente em um prazo de dois anos. Por motivos muito razoáveis, o Japão implantou as mesmas políticas.

Nos Estados Unidos, a reação foi um pouco diferente. As políticas americanas restringem a alimentação de vacas diretamente com o tecido de outras vacas, mas ainda permitem que as vacas sejam comidas por outros animais (como os frangos), cujos resíduos podem ser usados como alimento para as vacas. Uma vez que os príons não são destruídos por calor extremo ou por qualquer droga conhecida, eles sobrevivem facilmente a esse círculo da cadeia alimentar. O sangue de vaca (que delícia) pode ser usado para alimentar outras vacas e aos novilhos, e as sobras de restaurantes também podem ser servidas a eles.

Após a detecção do primeiro caso de doença de vaca louca nos Estados Unidos, 52 países baniram a carne bovina norte-americana. O Departamento de Agricultura passou então a exigir que 2% das vacas "caídas" fossem testadas, assim como 1% de todas as vacas abatidas. Depois disso, o número informado de vacas "caídas" nos Estados Unidos diminuiu em 20% (será que mencionei que eram dados informados voluntariamente?) e apenas mais dois casos da doença foram detectados. Em maio de 2006, o Departamento de Agricultura decidiu que a ameaça era tão pequena que apenas 0,1% das vacas abatidas precisariam ser testadas. Jean Halloran, diretora de assuntos de política alimentar de uma associação de consumidores, respondeu:

— É quase uma política do não procure, não ache.

Como os consumidores podem responder a isso? Podemos procurar carne testada pelos abatedouros e declarada livre da doença por eles? Não. Uma companhia tentou testar toda sua carne, mas o Departamento de Agricultura declarou que a prática era ilegal (possivelmente para livrar as vacas infectadas pela encefalopatia bovina espongiforme de qualquer constrangimento). Defenderia eu um boicote à carne? De jeito nenhum; as vacas são nossas amigas (além do que, acho que isso seria ilegal). Mas vale a pena lembrar que nenhum caso de encefalopatia bovina espongiforme foi registrado em vacas criadas com grama de pasto ou ração orgânica. Com relação aos 99% restantes de carne de vaca dos Estados Unidos, minha recomendação seria considerar as palavras de Gary Weber, chefe de assuntos de regulação da Associação Nacional de Carne de Vaca: "Os consumidores que participaram de nossas pesquisas estão satisfeitos com o fato de que se trata de uma doença raríssima."

Para mais informações, visite www.organicconsumers.org/madcow.html.

Steven L. Hopp

As garotas voltaram trazendo o galo número um pelas pernas, de cabeça para baixo. A inversão imediatamente leva um galo a um estado de sonolência, ou algo muito parecido. O que acontece em seguida é rápido e definitivo. Colocamos o galo suavemente sobre o grande cepo (uma atração lendária de nosso quintal dos fundos, cujas manchas de sangue fascinam as crianças), e o machado cai. Todas as sensações cessam com aquele golpe rápido. Em seguida, ele precisa ser erguido pelas pernas acima de um grande balde plástico até que todo o sangue tenha escorrido. Os fazendeiros que habitualmente processam aves têm equipamentos mais sofisticados, incluindo bancadas de "cones matadores" ou funis invertidos que abrigam as aves enquanto o processador fura cada pescoço com uma faca afiada, cortando duas artérias importantes, acabando assim com as funções cerebrais. Não somos profissionais, logo nossa infra-estrutura é mais rudimentar. Ao adormecê-lo e rapidamente decapitá-lo, asseguro que minha manipulação relativamente inexperiente não prolongará o procedimento ou causará dor.

O que dizem por aí é verdade: o galo bate as asas com força durante essa etapa do processo. Se ele se soltar, baterá as asas pelo quintal inteiro, espalhando sangue desagradavelmente por toda parte, embora o corpo não *corra* — a coordenação não chega a esse nível. A boca abre e fecha silenciosamente na cabeça recém-separada, lá no fundo do balde de resíduos, longe de toda a confusão. A causa de todos esses movimentos é uma grande explosão de neurônios sem um cérebro para supervisioná-los. A maioria das pessoas que diz que estão correndo por aí como um frango decapitado não chega nem perto de tal comportamento. A coisa mais próxima seria os últimos segundos convulsivos de uma final de campeonato de luta livre.

Para o galo número um, já estava tudo acabado, e ele foi jogado em um caldeirão para ser rapidamente escaldado. Após um minuto de imersão em água a 60°C, o tecido muscular solta as penas tornando mais fácil remoção destas. "Mais fácil" é relativo — cada uma das penas ainda precisa ser puxada, com bastante cuidado para não rasgar a pele. A penugem do peito sai aos punhados, porém as penas das asas e do rabo às vezes precisam ser removidas individualmente com alicate. Se fôssemos profissionais, teríamos um escaldador elétrico, e um depenador automático — um balde fascinante cheio de dedos de borracha giratórios que fazem a tarefa em tempo exíguo. Em colheitas futuras, talvez peguemos emprestado o equipamento de um amigo, mas hoje tínhamos uma polia no galho de uma árvore para içar a carcaça escaldada até a altura dos nossos ombros, suspendendo-a lá para permitir que vários de nós pudessem depenar ao mesmo tempo. Lily, Abby e Eli arrancaram penas do pescoço e do peito, fazendo as observações necessárias como "Que nojo, veja o lugar onde a cabeça foi cortada" e "Quais desses tubos é a traquéia?". A maioria das crianças precisa de apenas noventa segundos para ir do nojo à curiosidade científica. Algumas semanas depois, Abby fez uma apresentação, que foi premiada e se intitulava "Não se pode fugir em dia de colheita".

Laura, Becky e eu respondíamos às perguntas das crianças e ao mesmo tempo falávamos sobre os assuntos de mãe, enquanto trabalhávamos nas penas das costas e das asas. (Nossos maridos estavam ocupados com a próxima decapitação.) Laura e eu comparávamos observações sobre nossas filhas adolescentes — motoristas relativamente inexperientes que transitam entre a casa, os empregos e a casa dos amigos — e as preocupações daí derivadas. Eu estava extremamente consciente a respeito do silêncio de Becky, sua dor pelo filho adolescente que nem chegara a tirar a habilitação de motorista. O acidente que matara Larry não poderia ter sido evitado por mais cuidado que ela tivesse. Todos nós cultivamos ilusões de segurança que podem dissipar-se em um segundo.

Pensei em como passaríamos o resto da tarde, como *ela* agüentaria viver com essa perda impossível durante meses e anos. Perguntei-me se eu não havia sido um pouco indelicada ao convidar amigos tão queridos para passar uma tarde acabando com vidas. Depois me senti tola por pensar assim. As pessoas em luto estão acompanhadas de um sentimento de morte o tempo inteiro. Quando sentimos medo de algo que nos lembra da existência da morte é porque não estamos em contato com sua realidade. A colheita de perus — que essa família logo faria em sua própria fazenda — era apenas mais um tipo de trabalho. O encontro com a morte, para eles, era acordar toda manhã sem seu filho e irmão.

NO COMEÇO DA TARDE, SEIS galos haviam perdido as cabeças, penas e vísceras, e estavam esfriando no gelo. Ainda faltavam seis perus, a parte mais difícil de nossa tarefa simplesmente porque os bichos são maiores e mais pesados. Alguns desses animais pesam quase vinte quilos. Eles teriam um papel de destaque em nossa mesa festiva e nas de alguns de nossos amigos. Pelo menos um seria transformado em salsicha — no jardim havia salva, alecrim, alho, cebolas, tudo que era necessário para fazer salsichas de peru. E os primeiros dois galos que havíamos colhido seriam assados mais adiante naquela tarde.

Fizemos um intervalo antes de enfrentar o desafio de içar, depenar e desbastar os perus. Enquanto Lily e seus amigos faziam cocares de penas e corriam até o poleiro para verificar os vivos, os adultos abriram cervejas e se esticaram em cadeiras de armar ao sol de setembro. Nossa conversa logo enveredou para a preocupação nacional daquele outono: Katrina, o furacão que acabara de devastar o sul da Louisiana e do Mississippi. Ficamos aterrorizados com as notícias que começavam a sair daquela escuridão inundada, as crianças ilhadas nos tetos das casas, as famílias desoladas e confusas andando com água até a cintura, quebrando janelas de vidro para pegar garrafas de água. Pessoas morrendo afogadas e de sede ao mesmo tempo.

Já estava claro que seria um desastre épico. Nova Orleans e várias outras cidades do sul da Louisiana e do Mississippi estavam sendo evacuadas e deixadas para trás. As câmeras dos noticiários de televisão focavam somente os prejuízos humanos, enviando imagens de ruas alagadas, pessoas nos tetos, vitrines de loja quebradas e os gritos desesperados de pessoas na cidade sem recursos para se mudar ou evacuar a região. Eu não vi nem uma fotografia sequer do campo — um campo de golfe destruído foi a coisa mais próxima que aparecera. Pensei nos fazendeiros cujo ano de trabalho ainda permanecia nos campos, a apenas semanas ou dias antes da colheita, quando a enchente levou tudo. Ainda não sei dizer se as vítimas rurais do Katrina encontraram sistemas de apoio mais fortes ou se suas agruras simplesmente não foram reportadas.

O desastre atingiu o resto do país com tentáculos inesperados. Nossa vila e escolas ainda estavam acolhendo pessoas que haviam perdido tudo. O escritório para onde eu mandei meu passaporte para ser renovado agora estava inundado. A gasolina passou dos onze dólares por litro, em nossa região e por todo lado, deixando as pessoas atordoadas com a alta dos preços. Cidadãos norte-americanos faziam declarações inusitadas sobre deixar de viajar. Os cientistas especializados em clima diziam: "Se aquecermos o globo, mais cedo ou mais tarde pagaremos por isso." Os economistas analisavam nossos déficits orçamentários, prognosticando confusão e o colapso da infra-estrutura. De diversas formas, o desastre nos faz reavaliar tudo. Em mim, despertara desejos fortes de viver de acordo com nossas possibilidades. Não estava pensando tanto sobre minha economia doméstica ou a nacional, mas na economia macro que envolve consumir aproximadamente as mesmas coisas que produzimos. Aproveitando a deixa fornecida pelo meu passaporte presumidamente encharcado, repentinamente tive vontade de ficar bem perto de casa, participando bem de perto da produção de minha família, mesmo quando esta não era uma tarefa muito fácil ou divertida — como no caso de hoje.

Os analistas buscavam culpar os administradores. Nada mais justo, mas parecia haver vulnerabilidades óbvias aqui — populações inteiras dependendo de cadeias de transporte extensas para sua vida cotidiana, um fornecimento intensamente centralizado de comida, água, combustível e tudo mais. Isso é o que consideramos uma vida normal. Agora, a natureza colocara um ponto de interrogação imenso e anormal na parte de baixo de nosso mapa. Eu queria saber quais as possíveis respostas.

CONTINUAMOS TRABALHANDO SERIAMENTE ATÉ QUE Eli apresentou seu show de humor com uso de membros de aves. Ele aplicou sua arte e engenhosidade à prova de nojo às matérias-primas recuperadas do balde de restos. Enquanto trabalhávamos, Eli encenava, dirigia e produzia. Inventou o coçador de costas feito de pé de peru e o balão inflado no qual utilizava o papo do animal. As crianças, mesmo aquelas que já haviam passado pelo impensável, têm o dom de saber o momento em que os adultos precisam de um pouco de diversão. Ficamos meio bobos aplaudindo as duas cabeças de peru que mexiam seus bicos de acordo com as palavras de Eli, estrelando em uma paródia de um programa de televisão. Ao limpar a última ave do dia, comecei a pensar duas vezes a respeito dos itens que eu jogava no balde de restos. Não tinha certeza se eu queria descobrir o que um menino de oito anos conseguiria inventar com três metros de tripas.

As boas novas eram que tínhamos praticamente acabado o trabalho. Encorajei os outros adultos a pararem e se limparem. Eu tinha tudo sob controle. Eles tiraram as camisetas que os faziam parecer figurantes de *Coração valente*. As meninas convenceram Eli a aposentar as cabeças falantes e a tomar um banho de mangueira. Nossas conversas finalmente se descontraíram e se voltaram para as novidades pessoais, as queixas e celebrações triviais que os amigos trocam entre si: as coisas intoleráveis que aconteciam no trabalho; como as crianças estavam na escola e em seus outros projetos; como eu me sentia em relação a ser colocada *naquela lista*.

Essa pergunta dizia respeito a um livro que foi lançado naquele verão, alertando nossa nação sobre os perigos relacionados a cem pessoas que estavam destruindo os Estados Unidos. Ele alcançara certa popularidade durante uma semana e meia, por isso fui avisada de que era a 74ª pessoa mais perigosa nos Estados Unidos. Achei que isso acrescentava um certo *frisson* à minha vida cotidiana, enquanto eu saía por aí enlatando tomates, lavando roupa, embarcando as crianças no ônibus escolar e, aqui e acolá, escrevendo um romance, ensaio ou outra coisa, sabendo bem que esse tipo de coisa sempre causa problemas. Meu status novo e emocionante não teve qualquer impacto sobre minha posição doméstica. Ainda precisava esperar até que os quadrinhos fossem lidos para ter acesso às palavras cruzadas, e o cachorro continuava me ignorando, como sempre. Alguns dos meus heróis alcançaram uma posição muito mais alta na lista. Jimmy Carter era o número seis.

— Quando se está no 74º lugar, é preciso se esforçar mais — disse a meus amigos, enquanto enfiava a mão na cavidade peitoral de um peru através da, digamos, entrada inferior. Eu tentava meter os dedos entre os pulmões e as costelas para puxar o pacote inteiro de vísceras em um só movimento. É preciso prática, destreza e aptidão para lidar com situações ameaçadoras para estripar um peru morto. "Bond, *James* Bond", uma pessoa poderia dizer como introdução, em muitas situações desse tipo. Meus amigos me olharam, expressando abertamente as suas dúvidas em relação à minha real periculosidade. Eles achavam que eu nem ao menos merecia ser o número 74.

— Esperem — disse eu, agora que tinha certeza de ter a moela em minhas mãos — não me distraiam. Estou trabalhando. Destruir os Estados Unidos não é tão fácil quanto vocês imaginam.

Alguém havia me mandado um exemplar desse livro, possivelmente para que eu pudesse me defender de mim mesma. Alguns de meus amigos foram até a casa para pegá-lo, para que pudessem encenar leituras dramáticas dos dizeres da contracapa. Esses amigos que eu conhecia há anos descobriram segredos que nunca souberam sobre mim, sobre o presidente Carter e sobre outros da mesma estirpe. "*Esses*", o livro alertava, "são as elites culturais que desdenham dos americanos 'comuns'... ".

Todos me olharam amedrontados. Minha camiseta comemorativa do campeonato de basquete universitário da Universidade de Kentucky estava tão ensangüentada que parecia que eu a vestira em um jogo contra a Carolina do Norte. Além disso, meu cabelo estava cheio de penas grudadas. Eu estava ajoelhada em uma pose de ioga pouco harmoniosa, com ambos os braços enfiados no traseiro de um peru, até os cotovelos.

De repente, com um barulho de sucção, as vísceras se soltaram e eu caí para trás, cheia de intestinos na mão. Meus compatriotas caíram na risada. Riam *comigo* e não *de mim*, eu tinha certeza.

Assim terminava mais um dia de trabalho. Lavei o açougue com uma mangueira e coloquei roupas mais civilizadas (feliz por constatar que minha aliança ainda estava em seu lugar), enquanto os outros colocaram pratos e copos na grande mesa de piquenique em nosso quintal, junto com toda a comida que havíamos preparado. O cheiro da carne assando era maravilhoso, e ajudava a direcionar a mentalidade dos presentes para as etapas finais de nossa proposta de "cozinhar desde o início". Steven temperou a carne de frango com nosso molho especial agridoce, e abrimos o vinho. Ao anoitecer, finalmente sentamos para nos deliciarmos com salada de vagem fria, tomates fatiados com manjericão, salada de batatas azuis e a carne que havia cumprimentado o amanhecer com cacarejos.

Sentíamo-nos extremamente cansados, porém abençoados pela vida de uma forma duradoura e amiga, pelo menos naquele momento. Nós, os vivos, damos cada passo em sincronia com a morte, somos *nada mais que a seiva que alimenta a árvore do céu*, estejamos ou não conscientes disso. Suportamos essa realidade pela dádiva da amizade, das boas refeições e, caso necessitemos, das cabeças de peru falantes.

Carnivorismo

Por Camille

No verão em que eu tinha 11 anos, nossa família fez um desvio pelo Meio Oeste quando voltávamos de carro, em nossa viagem anual, de nossa fazenda, na Virgínia, para Tucson. Passamos por um confinamento após o outro. O cheiro me horrorizava, e a visão daqueles animais foi assombrosa: vacas em pé entre montanhas do próprio excremento, tão amontoadas que não tinham nem como andar. Tudo que podiam fazer era mugir fatigadamente e comer os grãos misturados com bosta a seus pés.

Ver esses animais pela janela do carro me deprimiu, e deixou meu estômago sem qualquer interesse. A parte exterior da operação parecia mais cruel que qualquer coisa que pudesse estar acontecendo dentro de um abatedouro. Estivesse ou não programado para morrer, cheguei à conclusão de que nenhum ser vivo deveria ser forçado a passar a vida como aquelas vacas. Quando chegamos em casa, disse a meus pais que nunca comeria carne criada em confinamento novamente. Surpreendentemente, eles concordaram e fizeram a mesma promessa.

Tive outra experiência reveladora naquele outono, no refeitório de minha escola: aprendi que a maioria das pessoas não tem idéia do que se passa com um hambúrguer antes de ele chegar ao pão. Algumas das meninas com as quais eu costumava almoçar pararam de sentar comigo por não gostarem das razões que lhes dava para não comer o molho de espaguete com carne moída ou a salada de *tacos* que as responsáveis pelo refeitório serviam. Não conseguia acreditar que minhas amigas se importavam tão pouco com algo que parecia tão importante. Para meu desgosto, elas não expressaram qualquer intenção de mudar seus hábitos e ficaram furiosas *comigo* por envergonhá-las de suas escolhas. Foi uma lição muito importante para mim.

Ninguém (inclusive eu) deseja receber ordens a respeito de qual igreja freqüentar, ou como se vestir, e as pessoas também não gostam que lhes digam o que comer. A comida é uma escolha extremamente pessoal, então esse é obviamente um assunto delicado para ser debatido em público. Oito anos após meu drama no refeitório, enxergo claramente que foi um erro tentar impor minha ética alimentícia aos outros, mesmo que fossem amigos. Recentemente, fiquei chateada porque alguém me disse para não comer iogurte argumentando que "se você fosse uma vaca, gostaria de ser ordenhada?". Ao mesmo tempo, criamos padrões pessoais e morais baseados nos elementos que possuímos, e a maioria de nós (já tendo passado da sétima série) deseja fazer escolhas bem embasadas.

As indústrias de carne e ovos dos Estados Unidos tomam bastante cuidado para não divulgar informações específicas sobre a maneira como criam os animais. Frases como "inteiramente natural", na carne embalada dos supermercados, não significam necessariamente que a vaca ou o frango concorda com isso. Os animais em CAFOs vivem sob um estresse fisiológico tremendo. As vacas que comem grãos em confinamento são universalmente assoladas por doenças gástricas, em geral a acidose subaguda, que gera úlceras estomacais e, finalmente, a morte, embora as vacas não vivam o bastante para morrer disso. A maioria das vacas criadas neste país inicia sua vida em pastos, mas é confinada para engordar na primeira metade da vida. Os frangos e perus criados em confinamento muitas vezes passam a vida inteira sem ver a luz do sol.

Por outro lado, se o gado permanece no pasto até o fim, esse tipo de carne é categorizado "com acabamento de grama". As diferenças entre essa carne e a dos CAFOs são relevantes não apenas para a sua boa vontade para com os animais: a carne e os ovos dos animais de pasto têm uma composição nutricional sensivelmente diferente. Muitas pesquisas recentes foram publicadas sobre esse assunto, que começa lentamente a chegar ao público. Estudos do Departamento de Agricultura encontraram níveis muito mais baixos de gorduras saturadas e teores mais altos de vitamina E, betacaroteno e ômega-3 em carne de vacas engordadas com grama de pasto (sua dieta natural) comparado com os animais de CAFO. Em uma abordagem direta, a *Mother Earth News* apresenta uma "Página de carne e ovos" em seu portal na internet, convidando os fazendeiros de todas as partes do país a enviar ovos para serem submetidos a uma análise nutricional em um laboratório, divulgando os resultados em seguida. O veredicto confirma as pesquisas publicadas há 15 anos no *New England Journal of Medicine*: os ovos de frangos que pastaram livremente em grama têm cerca de metade do colesterol dos ovos produzidos em condições industriais, sendo a maioria LDL, o colesterol benigno. Eles também têm mais vitamina E, betacaroteno e ácidos gordurosos ômega-3 do que seus equivalentes gerados em confinamento. Quanto mais tempo de pasto tiver o frango, maiores as diferenças.

Assim como nos frangos, os benefícios nutricionais da carne bovina são diretamente proporcionais à parcela do tempo de vida do novilho passado em um pasto se alimentando de grama em vez de mingau de grãos. A carne de pasto também é menos suscetível à contaminação bacteriológica, uma vez que comer grama mantém níveis normais de acidez no estômago do bicho. Correndo o risco de fazer você perder a vontade de se sentar comigo no almoço, devo dizer-lhe que os estômagos altamente ácidos das vacas que comem grãos geralmente abrigam tipos de *E. coli* resistentes à acidez que são muito perigosos para os humanos. Por os CAFOs serem tão comuns em nosso país, esse tipo específico de bactéria mortífera está começando a aparecer cada vez mais no solo, na água e em outros animais, causando incidentes de contaminação, como o surto nacional de doenças e mortes relacionadas ao espinafre, em 2006. A criação em pastos não apenas é mais bondosa com os animais e o meio ambiente local; ela gera um produto inteiramente diferente. Dito isso, a decisão é sua.

A carne com acabamento em grama é cada vez mais fácil de ser encontrada, e os ovos de frangos criados fora do confinamento são comercializados em quase todos os lugares. Aqui está a receita de minha família para uma refeição tradicional e fácil, com base de ovos. Se você for mais ousado, compre carne de peru criado em pasto e surpreenda os amigos de seus filhos com a receita de salsicha de meus pais.

FRITADA VEGETARIANA

Azeite de oliva para a frigideira
8 ovos
½ xícara de leite

Bata os ovos e o leite juntos e depois despeje tudo em uma frigideira untada com azeite, em fogo médio.

Couve, brócolis, aspargo ou espinafre picado, dependendo da estação
Sal e pimenta a gosto
Queijo *feta* ou outro tipo (opcional)

Acrescente imediatamente os legumes e mexa até que sejam absorvidos uniformemente na mistura de ovos. Nesse ponto, você pode acrescentar o *feta* ou outro tipo de queijo. Mantenha em fogo baixo sem mexer até que os ovos estejam quase sólidos, e então transfira a frigideira para o forno e deixe assar de 2 a 4 minutos, até ficar ligeiramente dourada por cima. Espere esfriar até que a massa solidifique antes de servir.

SALSICHA DE PERU TEMPERADA

1,1kg carne de peru crua, picada, incluindo carne escura e gordura
½ xícara de cebola picada
¼ xícara de alho picado
½ colher de sopa de páprica
1½ colheres de sopa de cominho moído
2 colheres de chá de orégano fresco (ou 1 colher de chá se for seco)
2 colheres de chá de tominho fresco (ou 1 colher de chá se for seco)
1 colher de chá de pimenta-do-reino moída
2 colheres de chá de caiena (opcional)
Tripas de porco (pedir para seu açougueiro, opcional)

Junte os temperos em uma tigela grande e misture bem. Acrescente-os à carne de peru até que esta esteja uniformemente coberta. Se a carne não for gordurosa, talvez seja necessário acrescentar azeite de oliva para umedecer. Cubra e deixe refrigerar por uma noite. Depois moa a mistura em um moedor de carne ou liquidificador. Você pode fazer bolas ou encher tripas para fazer salsichas. É possível encontrar dispositivos baratos de encher salsicha da Kitchen-Aid e outros moedores; seu açougueiro talvez conheça um fornecedor de tripas de porcos orgânicos.

Baixe da internet essas e todas as receitas do livro em www.animalvegetablemiracle.com.

15

Onde os peixes ostentam coroas

SETEMBRO

Steven desceu as escadas com as malas e me encontrou na cozinha examinando uma caixa cheia de bulbos revestidos com uma espécie de papel. Minhas sementes de alho encomendadas por correio haviam chegado.

Seu rosto ficou tenso.

— Você vai plantá-las agora?

Em duas horas partiríamos em nossas primeiras férias verdadeiras, sem as crianças, desde nossa lua-de-mel — uma viagem à Itália com a qual sonhávamos há dez anos. Meu novo passaporte escapou, por um dia, do furacão que destruíra o escritório de Nova Orleans responsável por sua emissão. Organizamos escrupulosamente um esquema para tomar conta da Lily, um esquema reserva, um reserva do reserva, além das tarefas com os animais e assim por diante. Abandonamos a horta durante aquela estação, limpamos a casa e, finalmente, faríamos aquilo: jantares românticos ao ar livre, o sol toscano. A noiva em segunda lua-de-mel fedendo a alho...

— Desculpa — disse eu. Coloquei os bulbos de volta na caixa.

Confesso que tenho um instinto absurdo para projetos de última hora antes de grandes eventos. Removi nove metros cúbicos de solo um dia antes de começar o trabalho de parto de minha primeira filha. (Ela estava atrasada, então, sim, eu estava tentando provocar o parto.) Na tarde de meu jantar inesquecível na Casa Branca com o presidente e a senhora Clinton, minhas mãos estavam ligeiramente manchadas de roxo porque havia enlatado azeitonas no dia anterior. Já arei, plantei e até mesmo abati aves horas antes de entrar no palco para um grande evento beneficente. Algumas divas fazem as unhas antes de entrar no palco; eu só procuro me assegurar de que não existe nada muito amedrontador embaixo delas. Minha mãe criou filhos que acham que as pessoas precisam fazer por merecer o que esse mundo nos dá. Ao sentar e descansar no vôo para Roma, deixara uma cozinha luminosamente limpa, a colheita do ano inteiro já guardada e um pouco de alho por plantar. Eu sobreviveria a isso.

Com a pista do aeroporto Leonardo da Vinci já à vista, e nossos corações prontos para um *andiamo*, no último momento possível o piloto decidiu abortar o pouso. Uma ventania forte, ele anunciou sucintamente. Voamos em círculos por cima de Roma, a uma altitude baixa, sobrevoando campos setembrinos corados, casas de fazenda com telhas e muros de pedra baixos. O vôo transcorreu tranqüilo durante a noite, mas agora eu tinha dez minutos adicionais para remoer minhas dúvidas. A viagem seria tudo que esperávamos? Eu conseguiria esquecer o trabalho e as crianças e deliciar-me com o luxo dos hotéis e as refeições preparadas por outros?

Finalmente, o nariz do avião abaixou e nosso 767 passou rugindo por cima de um campo arado próximo ao aeroporto. Solta na zona intermediária entre a espera e o começo, suspensa pela aerodinâmica moderna acima de um campo antigo de solo preto com cascalho, me peguei examinando os sulcos frescos e o próprio fazendeiro. A uma distância mínima da correria do aeroporto internacional de Roma, esse fazendeiro idoso estava arando com cavalos em arreios. Por razões que ainda não entendia muito bem, eu pensei: estou de volta ao lar.

SOU ITALIANA PELO LADO DE meu marido: os avós maternos de Steven nasceram aqui e emigraram quando eram jovens adultos. A mãe e as tias cresceram em uma casa onde se falava italiano, profundamente identificadas com as tradições culinárias e outros costumes do país de origem. Steven tem antepassados de outros países também, mas não sabemos muito sobre eles. Minha experiência diz que quando os genes italianos estão presentes, eles dominam os outros. A filha dele parece a maçã que caiu perto da oliveira; quando a perguntam, Lily se identifica como americana e invariavelmente acrescenta:

— Mas, na verdade, sou italiana.

Após chegar à terra dos ancestrais, entendi logo por que aquela herança sobrepuja toda a concorrência. É uma cultura que nos atrai, nos coloca sentados na cozinha e nos alimenta tão bem que não se tem vontade de sair. Em toda a Itália, não conseguimos achar uma refeição ruim. Não que estivéssemos buscando isso. Mas um viajante que não faz planejamento inevitavelmente acabará com a barriga vazia, em algum lugar onde o forte não é a culinária: a lanchonete de um museu ou uma loja de sanduíches perto de uma sala de concertos.

Estabelecimentos de comida onde a culinária não seja o forte — isso não é uma noção estranha? Talvez, mas nos Estados Unidos eles estão por toda parte: lanchonetes fast-food onde o forte é o *fast* [rapidez]; lanchonetes preocupadas, sobretudo, com uma carga eficiente de calorias; bares com temas esportivos onde o interesse inicial são os "esportes", e o verdadeiro é entupir as artérias o máximo possível. Na maioria dos restaurantes de aeroporto, a premissa é tirar vantagem de uma "clientela cativa e faminta". Em nosso país, é razoável presumir que, se não for feito um esforço grande para se encontrar comida boa, acabaremos nos conformando com comida medíocre, na melhor das hipóteses.

O que descobrimos na Itália foi que, se um estabelecimento serve comida, então *comida é o ponto forte*. As lanchonetes dos museus oferecem *pannini* crocantes e sobremesas caseiras; qualquer boteco que serve a turma do almoço geralmente prepara e corta a própria massa, servida com trufas ou combinações especiais da casa. As pizzarias cobrem suas pizzas com ingredientes locais frescos em combinações amplamente conhecidas e com nomes evocativos. Passei a lê-las no cardápio em voz alta. A maioria das refeições com nome que conheci tinha denominações machistas como Whopper [Grandalhão], Monster [Monstro] e Gulp [Golão]. Fiquei encantada com a idéia de um almoço chamado de Margherita [Margarida], Capricciosa [Caprichosa] ou Quattro Stagioni [Quatro Estações].

Ler o cardápio era sempre divertido por outras razões também. Aparentemente, os italianos freqüentam mais as escolas de culinária do que as de tradução. Isso não é uma reclamação; acredito que, quando se está em Roma, é preciso falar o melhor italiano que se conseguir improvisar. Então, improvisamos. Conheço algumas línguas, mas essa não é uma delas. O italiano de Steven consistia apenas de termos carinhosos e palavrões que ele ouvira sua avó falar na infância. Eu conhecia o vocabulário italiano da música clássica, além daquela única música de *A dama e o vagabundo*. Mesmo assim, nem morta eu viraria um daqueles americanos que andam pela Itália desferindo comandos em um inglês cada vez mais alto. *Eu* seria um daqueles americanos que atravessam a Itália com a testa franzida pela concentração, adivinhando as palavras a partir de suas raízes latinas e respondendo ao inserir palavras francesas conhecidas, com uma pronúncia italiana em uma conjugação de verbos de padrão espanhol.

Para meu espanto, essa técnica funcionou muito bem em 80% dos casos. Os italianos são pessoas profundamente magnânimas. Ou, então, são educadas e estão sempre gargalhando. *Va bene*. Com um dicionário e um livro de gramática em mãos, aprendendo um pouco mais de italiano autêntico a cada dia, viajamos de Roma em um carro alugado, por estradas de montanha sinuosas, até a cidade natal da avó de Steven em Abruzzi, depois rumamos para o norte pelas fazendas da Úmbria e da Toscana e, finalmente, de trem até Veneza, tendo conversas fascinantes ao longo de todo o trajeto com pessoas que não falavam inglês. Sempre dependi da generosidade de estranhos. Nesse caso, eles foram afáveis o bastante para simplificarem suas explicações e pacientemente desenrolar um emaranhado de línguas com raízes latinas.

Portanto, não esperávamos traduções inglesas nos cardápios. Nenhum problema. Muitas vezes, nem havia um cardápio, apenas a refeição do dia com pequenas variações. Contudo, os restaurantes com cardápios impressos geralmente ofereciam alguma tradução, sobretudo nas cidades e nos destinos turísticos. Fiquei menos envergonhada de meu patuá esquisito enquanto tentava decifrar itens como "Peixe de nariz", "Pizza com fungo" e, ainda menos apetitoso, "Pólipos assados ou grelhados". Parecia que "Cogumelos porcinos" estavam na estação por todo lado, junto com a sempre favorita (porém desafiante do ponto de vista biológico) "mussarela de boi".

A diversão não acabava nos cardápios impressos: uma escultura impressionante no museu do Vaticano estava identificada como "Gênio Padroeiro da Natividade". (Então foi *ele* que inventou a tal coisa.) Um folheto dos parques nacionais fornecia informações sobre como se preparar para caminhadas, fechando com essa dica útil: "Assegure-se de ter os equipamentos necessários para fazer passeios divertidos com respeito à natureza!" Uma dia, logo após o café-da-manhã, encontramos um pequeno aviso educado em nosso quarto de hotel que alertava: "Devido a trabalhos gerais no vilarejo, nenhuma água e energia elétrica entre 8h30 e 11h. Agradecemos sua compreensão."

Compreensão é justamente o que é preciso nessas situações. Mais cedo ou mais tarde sempre acabamos entendendo os cardápios, embora tenhamos ficado permanentemente mistificados com um item recorrente chamado "losango assado ao forno". Ficamos tentados a pedi-lo somente para ver do que se tratava, mas nunca o fizemos. Quadrado demais, acredito.

A COMIDA ITALIANA NÃO É deliciosa por ser elaborada ou complexa, mas muito pelo contrário, por ser simples. E isso é uma obsessão. Por algum tempo, pensei que fosse minha imaginação, a sensibilidade exagerada de uma estrangeira diante de uma nova forma de expressão cultural. Mas não era. Na famosa catedral de Siena, usei meus binóculos para estudar as esculturas em mármore acima do portão de entrada (posicionadas acima dos afrescos de Donatello) e descobri que esses ícones eram berinjelas, tomates, repolhos e abobrinhas. Nos cafés com mesas na calçada e nas *trattorias* com toalhas de mesa quadriculadas, ouvimos as discussões dos italianos em outras mesas, sempre muito gesticuladas. Aos poucos, começamos a entender que eles não discutiam política, mas sim azeite de oliva ou os melhores vinhos. (Ou os times de futebol.) Nos vilarejos, os garçons sempre tentavam nos convencer a experimentar o azeite local e nos diziam sorrateiramente que o azeite de oliva do vilarejo vizinho era horrível. Na verdade, era pior do que horrível: (em voz baixa) era uma *mierda*! Os empregados dos restaurantes no vilarejo seguinte repetiam a mesma história, só que invertida. Sempre concordávamos. Tudo era o melhor.

No entanto, uma culinária simples não significa *escassa*. Uma refeição italiana é como uma peça com vários atos, com a diferença de que, se você não tomar cuidado, estará empanturrado antes mesmo do intervalo. Demorou um pouco até conseguirmos encontrar o ritmo certo. Primeiro vem o *antipasto* — em setembro isso consistia de *prosciutto* cortado em fatias finas e melão fresco, ou um *crostini* de pão torrado com tomates maduros e azeite de oliva. Para mim, isso seria o suficiente para um almoço. Mas não é. Em seguida, chega a massa, geralmente feita a mão, no estabelecimento, no mesmo dia, servida com um molho de trufas ou queijo *pecorino* ralado e *pomodoro* picado. E *isso*, para mim, seria suficiente para o jantar. Mas não, ainda estamos à mesa do almoço. Logo, vem o *secondo* (na verdade o terceiro), um prato de carne ou peixe. Nas montanhas, no outono, muitas vezes era coelho servido ao estilo "caçador", ou salsicha de javali com cogumelos *porcini*; perto do litoral, consistia de enguias, pitus, anchovas, ou algum outro peixe fresco refogado com suco de limão e azeite de oliva fresco.

Após absorver tudo isso, você entra na reta final com a salada ou *contorno* — um prato de pimentões vermelhos, berinjelas ou tomates fatiados com manjericão. Finalmente — caso você tenha escapado do cativeiro após um seqüestro e descubra que continua com fome — vem a opção da sobremesa, o único prato que pode ser dispensado impunemente. Tentei educadamente rejeitar outros pratos, mas isso gerava grandes controvérsias sobre por que antipatizamos com a comida, se os danos poderiam ser de alguma forma reparados, até que comecei a perguntar qual parte de "*No, grazie*" era um insulto ao cozinheiro. Certa vez, insisti em pular o prato de massa, o garçom consentiu somente com a condição de trazer, em seu lugar, o *antipasto* da casa, que descobrimos ser um prato de *prosciutto*, queijos diversos, legumes em conserva, cogumelos recheados, flores de abobrinha fritas recheadas com presunto e diversos tipos de pastéis de carne. (O *secondo* ainda estava por vir.) Também quase obrigatórios, após a refeição, são o café e o licor: grappa, limoncello, meloncello ou alguma outra especialidade regional poderosa.

Esse tipo de refeição não era completamente estranho para mim. Mas antes de nossa viagem, eu esperava encontrar essa culinária somente em restaurantes finos e caros. Tolinha. Seja na cidade ou no campo, freqüentado por turistas, trabalhadores de escritório, mecânicos ou convidados de um casamento, um restaurante para se comer sentado na Itália procura fazer com que você se sente e *fique por lá*. Steven e eu imediatamente começamos a pensar se caberíamos nos assentos que reservamos no avião para nos levar de volta duas semanas mais tarde. Como é possível que cada cidadão da Itália pese menos de 150 quilos? Eles não pesam tanto assim, posso assegurar.

Observando nossos vizinhos, aprendemos a suportar a maratona de almoço (seguida pela saga do jantar) ao consumir cada prato como uma pequena migalha. A comida nas cidades é mais formal, mas nos lugares rurais preferimos ser servidos em estilo família, o que nos permitia pegar só um pouco da bandeja que nos era oferecida. Se um prato específico era de nosso gosto, não tinha problema comer mais, porém, na maioria dos casos, a norma parecia ser apenas uns beliscos. Em seguida, mastigar lentamente e desfrutar. Observar os italianos comendo (sobretudo os homens, devo dizer) é uma forma de turismo que os guias não nos contam. Eles fecham os olhos, levantam as sobrancelhas em acentos circunflexos e fazem barulhos para mostrar sua grande apreciação. É bastante sensual. Claro que não sei como esses homens se comportam dentro de casa, se ajudam na cozinha ou são vaidosos e grosseiros e tratam mal suas esposas. Entendo que as culturas mediterrâneas têm seus problemas. Tudo bem, mas não seja um estraga-prazeres. Eu não queria me casar com esses tipos, queria apenas olhá-los.

O objetivo de comer um prato de cada vez, ao invés de misturar tudo em um prato lotado de comida, parece ser a oportunidade de concentrar a atenção em cada sabor, cada ingrediente perfeito, uma receita descomplicada de cada vez. Um consumidor acostumado a uma digestão tão cuidadosa não se atreveria a entrar em um bar com tema esportivo que servisse coisas fritas e indigeríveis. E o consumo controla o mercado, pelo menos na opinião dos economistas. É por essa razão que é difícil encontrar uma refeição ruim na Itália. Quando o McDonald's inaugurou sua primeira loja em Roma, cozinheiros e consumidores juntos realizaram um protesto gastronômico na praça de Espanha, ato que levou à fundação da Slow Food International.

Passamos por alguns apertos gastronômicos em nossas viagens, ou assim pensamos até a comida chegar. No começo, quando ainda não estávamos acostumados ao fuso horário e esquecíamos de comer nas horas certas, nos encontramos certa tarde em uma remota estrada rural, repentinamente ávidos por comida. Por alguma razão, pulamos o café-da-manhã e o almoço, por um grande intervalo de tempo. O mapa não mostrava nenhuma cidade em um raio de uma hora de distância. À medida que minha taxa de glicose passava da ranzinzice e entrava na zona da estupefação, Steven fazia uma promessa que todos já fizemos, em algum momento na vida, e nos arrependemos: ele pararia o carro *no primeiro lugar que estivesse aberto.*

Regozijamo-nos quando um hotel-restaurante apareceu em um cruzamento da estrada, mas, para ser honesta, também ficamos um pouco desapontados. Os recém-salvos rapidamente se tornam exigentes. Tinha uma aparência genérica: um hotel barato de uma cadeia que, nos Estados Unidos, serviria comida requentada de uma grande empresa distribuidora. Resignamo-nos de que seria um almoço medíocre.

No estacionamento, os membros de uma comitiva barulhenta tiravam fotografias uns dos outros com taças de champanhe erguidas. Passamos cautelosamente por eles e fomos cumprimentados na entrada do restaurante por uma recepcionista com ar preocupado. "*Mi dispiace*", disse ela, genuinamente aflita. O salão fora reservado pela tarde inteira para um almoço de casamento. Enquanto procurava não desmaiar, tentei transmitir nosso desespero. As palavras *affamatto* e *affogato* se tornaram indistintas em minha cabeça. (Uma significa "faminto" e a outra, acho, "ovo cozido".) A recepcionista nos deixou entrar, determinada a encontrar um lugar para esses peregrinos vindos de Esperanto. Ela nos sentou perto da cozinha, literalmente atrás de uma planta artificial. Era perfeito. Daquele ponto secreto, poderíamos ser intrusos na festa de casamento, espiões, até ovos cozidos, se isso fosse a nossa preferência, *e* poderíamos almoçar.

A recepcionista correu para nos trazer o *antipasto* e, em seguida, a melhor massa que já provei. Não estávamos comendo o banquete de casamento, apenas os três pratos costumeiros feitos para alimentar os empregados do restaurante. Enquanto comíamos e nos recuperávamos, vimos o banquete passar, um prato elaborado após o outro. Esqueça todos os comentários anteriores sobre a simplicidade ser a característica marcante de cozinha italiana, isso era um desfile de carnaval comestível. O clímax foi o Peixe-Espada Coroado: uma criatura marítima completa, com mais de um metro de comprimento do nariz ao rabo, recheado, cozido e apresentado no que parecia ser levemente a forma de um "S" em seu próprio carrinho com rodas. Ele parecia sorrir enquanto jazia em sua glória piscosa lânguida em um leito de legumes coloridos outonais, todos dispostos delicadamente em um ninho de folhas de repolho. Sobre a cabeça, em um ângulo agudo, o peixe trazia uma coroa esculpida em um pimentão vermelho gigantesco. O nariz pontudo se estendia para além da borda do carrinho, justamente na altura dos olhos de todos os *bambini* que corriam por todo lado; então, em nome da segurança dos convidados, a ponta da espada de sua majestade estava discretamente coberta por um limão cortado em forma de tulipa.

Pensei nos empregados da cozinha que esculpiam a coroa de pimentão e a tulipa de limão, dispondo o peixe sobre seu trono. Nada de obreiros apressados aqui, mas verdadeiros poetas da comida, até mesmo em um hotel comum, de baixo custo, de beira de estrada. Entramos esperando comida requentada e, ao invés disso, encontramos repolhos e reis.

AS ESTRADAS DE ABRUZZI, ÚMBRIA e Toscana nos guiaram por paisagens agrárias espetaculares, uma após a outra. Nas cercanias das grandes cidades, a maior parte do espaço verde entre os edifícios residenciais era dividida em hortas asseadas e vinhedos familiares. Cultivar a própria comida, até mesmo engarrafar vinho de seu próprio consumo, não eram atitudes excêntricas lá. Já vi essas hortas pessoais arrumadas em blocos circundando cidades européias por todo lado: Frankfurt, Londres, todas as províncias da França. Após a dissolução abrupta da infra-estrutura alimentar da União Soviética, os horticultores comunitários reagiram e começaram a produzir a maioria das frutas e dos legumes para as populações das cidades que, se não fossem eles, poderiam ter morrido de fome.

Ao atravessar o interior italiano, com sua aparência ridiculamente perfeita, corroboramos ainda um outro clichê: todas as estradas realmente levam a ROMA. Todo cruzamento apresentava uma escolha de setas azuis apontando em ambas as direções, para ROMA. Além das cidades, os largos vales entre os vilarejos medievais no alto dos morros eram ocupados por pequenas fazendas, cada uma com seu pequeno bosque de oliveiras, vinhedos, algumas figueiras ou macieiras (as duas últimas com frutos maduros em setembro) e cerca de uma dúzia de tomateiros carregados. Cada casa tinha um pequeno pedaço de terra com abóboras e algumas fileiras de brócolis, alface e vagem. Quando passamos por uma pequena casa de fazenda estucada, avistamos uma pilha de abobrinhas enormes, amareladas e para lá de maduras. Mandei Steven tirar uma fotografia, como prova de um fato universal da vida: eles também não conseguiam se livrar das abobrinhas. Em casa, as teríamos considerado como "lançadoras" (isso é o que fazemos com elas, por cima da cerca, para dentro do bosque). Mas estas estavam cuidadosamente amontoadas contra a parede dos fundos da casa, como uma pilha de lenha em miniatura, presumivelmente para servir de comida para porcos ou frangos durante o inverno. Os *secondos* dessa horta iriam se tornar o *prosciutto* do ano seguinte.

"Cave! Cave! Cave! E seus músculos crescerão"

Em 9 de julho de 2006, em Edimburgo, na Escócia, o mundo perdeu um de seus mais bem-sucedidos defensores da comida local de todos os tempos: John Raeburn. No começo da 2ª Guerra Mundial, quando a Alemanha tentou impedir as importações de comida para o Reino Unido usando submarinos, Raeburn, um economista agrícola, organizou a campanha "Cave para a vitória". Os cidadãos britânicos se animaram, começaram a cultivar hortas em seus quintais, parques, campos de golfe, terrenos baldios, pátios escolares e até mesmo no fosso da Torre de Londres. Essas hortas urbanas logo produziram o dobro do volume da comida anteriormente importada, cerca de 40% do abastecimento de alimentos da nação, e inspiraram a campanha de "Hortas da vitória" nos Estados Unidos. Quando o dever os chamou, esses fazendeiros urbanos responderam.

Um sentimento semelhante de necessidade está por trás do atual crescimento mundial de produção urbana de alimentos. Nos países em desenvolvimento, onde o número de pessoas pobres que vivem nas áreas urbanas está crescendo, o cultivo espontâneo em terra disponível está fornecendo um volume substancial de comida: em Xangai existem mais de 240.000 hectares de hortas dentro da cidade. Em Moscou, dois terços das famílias cultivam comida. Em Havana, Cuba, mais de 80% das hortaliças consumidas na cidade se originam de hortas urbanas.

Além de fornecer produtos locais frescos, hortas como essas funcionam como filtros de ar, ajudam a reciclar resíduos, absorvem a chuva, apresentam espaços verdes atraentes, diminuem a perda de terra para o desenvolvimento imobiliário, fornecem segurança alimentar, reduzem o consumo de combustíveis fósseis, geram empregos, educam as crianças e revitalizam as comunidades. As áreas urbanas cobrem 2% da superfície da terra, mas consomem 75% de seus recursos. As hortas urbanas podem ajudar a reduzir os malefícios desses lugares dispendiosos, em termos de seu efeito sobre a ecologia. Agora precisamos de slogans promocionais tão bons quanto os usados na campanha de John Raeburn: "Cave! Cave! Cave! E seus músculos crescerão."

Para obter mais informações, visite www.cityfarmer.org ou www.urbangardeninghelp.com.

Steven L. Hopp

Em uma estrada rural perto do lago Trasimeno, paramos em uma barraca de beira de estrada que vendia hortaliças. Explicamos que não éramos compradores de verdade, apenas turistas que gostavam de legumes. Mesmo assim, o proprietário, Amadeo, pareceu emocionado ao falar conosco (devagar, para ajudar o nosso entendimento), acerca do trabalho e da paixão de sua vida. Ele era inflexivelmente orgânico, um orgulhoso membro fundador da sociedade italiana de agricultura orgânica.

Sua exibição outonal tinha como base melões, cabaças coloridas e variedades de abóbora suficientes para encher um catálogo de sementes para especialistas. Fiquei especialmente encantada com uma que estava empilhada em pirâmides em volta de sua barraca. Não era muito vistosa, de acordo com os padrões convencionais: um azul-verde-escuro, menor do que a abóbora padrão americana, um pouco achatada e com todo o corpo coberto por verrugas azuladas. Ele a identificou como Zucche de Chioggia. Tiramos fotos dela, conversamos mais um pouco e seguimos adiante, aceitando a obrigação de qualquer turista na Itália de visitar obras-primas mundiais em vez de pirâmides de abóboras com verrugas de Amadeo.

No final do dia, fizemos o caminho de volta, após desfrutar de um museu de azeite de oliva, uma feira de fazendeiros, dois castelos, um museu de piscicultura e uma manifestação em favor da paz patrocinada pelo governo italiano. Passamos pela mesma barraca de hortaliças e não pudemos deixar de cumprimentar o proprietário. Amadeo reconheceu que éramos turistas sem qualquer intenção de comprar legumes, mas continuou sendo hospitaleiro. Ele reportou que tivera um dia ótimo, embora suas pirâmides não houvessem diminuído muito. Admirei aquela abóbora, perguntei o nome dela novamente (e dessa vez o anotei) e também perguntei se era comestível. Amadeo suspirou pacientemente. *Comestível, signora*? Ele me informou que a hortaliça coberta de verrugas em minha mão era o legume mais delicioso que a humanidade já conheceu. Disse que se eu fosse uma boa cozinheira, ou uma boa agricultora, eu mesma precisaria criá-las e comê-las.

Perguntei se ele teria algumas sementes, olhando em volta à procura de uma prateleira. Ele se aproximou, usando a boa disposição que todas as pessoas do mundo mantêm em relação aos ignorantes bem intencionados: as *sementes*, explicou ele, estavam *dentro das abóboras*.

Ah. Sim, claro. Mas... me esforcei (naquele estilo ao qual já me acostumara) para explicar nossa situação, fazendo gestos para o carro alugado. Estávamos apenas de passagem, não tínhamos facas, nem uma cozinha, e portanto não havia forma de tirar as sementes da abóbora. Amadeo assistiu ao nosso sofrimento com paciência. Ele perguntou se nós não estaríamos indo a um hotel. Um hotel com... *uma cozinha*? Lá a abóbora poderia ser preparada de uma infinidade de maneiras, assada, refogada, transformada em sopa, tudo isso após as sementes terem sido devidamente separadas para o uso.

Francamente, não conseguia conceber entrar na cozinha de nosso hotel e pedir a qualquer um para esquartejar uma abóbora, mas já estávamos tão envolvidos na situação que decidi comprar a pobre coitada e largá-la em algum lugar à beira da estrada. Ou talvez, de algum jeito, encontrar uma maneira de extrair as sementes. Mas, ainda precisava fazer mais uma pergunta. Uma abóbora cultivada em um campo com outros tipos de abóbora de inverno seria objeto de polinização cruzada de abelhas. As sementes brotariam em um sem número de combinações diferentes, nenhuma das quais seria de fato a desejada. Perguntei sobre isso em meu italiano hispânico meio afrancesado.

O rosto dele se iluminou. Ele entendeu perfeitamente e começou a falar soltando mil palavras por segundo. Gesticulou para uma cesta com diversas variedades de cabaça, coloridas e de formas irregulares, e me disse que foi permitido que *aquelas* cruzassem umas com as outras gerando os resultados sórdidos que eram óbvios. Ele quis se assegurar de que eu entendera.

— *Signora*, seria como se você não fosse casada com um italiano. Seus filhos poderiam ser qualquer coisa!

Não casada com um italiano — Mamma mia! Arrepiei-me toda, para deixar claros meus sentimentos. Amadeo então se satisfez com o fato de que poderia continuar com sua aula de genética. Em sua fazenda, as Zucche de Chioggia eram prezadas acima de todas as outras abóboras e, portanto, criadas em um "seminário" onde as sementes eram mantidas puras.

Um *seminário*? Tentei entender a palavra, procurando semelhanças com outras conhecidas, capaz apenas de imaginar uma sala de aula cheia de jovens abóboras beatas dedicadas ao estudo da Bíblia. Aí comecei a rir, me dando conta de que deveria haver uma raiz comum em algum lugar — a condição definidora tendo a ver com esses tipos castos guardando suas sementes para si mesmo. Como poderíamos deixar de comprar um legume com qualificações tão extraordinárias? E lá fomos nós com nossa carga preciosa, verrugas e tudo mais.

De volta ao nosso quarto de hotel, andei em círculos olhando para a abóbora, tentando encontrar coragem para levá-la à sala de jantar.

— Leve *você* — cutuquei Steven.

— Sem chance. — Foi sua resposta prestativa.

Somos americanos demais. Não tínhamos cara-de-pau. Jantamos bem, mas nenhuma abóbora seminarista foi ao encontro de seu criador naquela noite.

EXISTE UM TIPO DE ESTABELECIMENTO na Itália que não é fácil de ser traduzido: uma categoria denominada *agroturismo*, que consiste em uma hospedagem situada em uma fazenda familiar ativa. Na maioria das vezes, o número de quartos é pequeno, decorados charmosamente, com mobília pitoresca, semelhante a um estabelecimento do tipo cama-e-café-da-manhã, sendo que com o acréscimo de almoço e jantar, além da oportunidade de ajudar a capinar os nabos e colher uvas se o hóspede assim estiver disposto. O ponto principal da visita, no entanto, é o jantar, em geral servido no estilo família, em uma longa mesa de madeira, ao lado da cozinha. Quase tudo colocado em cima da mesa, desde o vinho, o azeite de oliva até os queijos e o licor pós-prandial, é orgulhosamente cultivado e fabricado no local. Os cultivadores e fabricantes estão sempre por perto para ouvir as perguntas e as demonstrações de apreço dos comensais. A família responsável pela hospedagem muitas vezes se junta às visitas à mesa, discutindo a forma de preparo da refeição enquanto ela está sendo degustada. Por lei, esse tipo de estabelecimento precisa ser administrado por fazendeiros cuja principal fonte de renda deriva da agricultura, ao invés do turismo. Os quartos precisam ser convertidos a partir de construções de fazenda; toda a comida servida deve ter origem na própria fazenda. As fraudes não são toleradas.

A tradição da hospitalidade é um negócio de grandes proporções na Itália, com nove mil estabelecimentos, cujo número de diárias passa dos dez milhões ao ano se tomado por base um ano típico, com um faturamento de quase quinhentos milhões de euros. A idéia de férias agrícolas se originou naqueles dias (não tão distantes) em que os italianos urbanos costumavam fazer viagens ao interior para visitar parentes e amigos que ainda viviam no campo. Qualquer fazenda com um excedente no celeiro era autorizada a pendurar um galho frondoso nas estradas, indicando aos viajantes que eram bem-vindos a darem uma parada, podendo experimentar e comprar alguns dos tesouros locais e levá-los para casa. Era comum que os italianos que moravam nas cidades passassem algumas noites no campo, sempre que tinham a oportunidade de dar uma escapada, degustando as especialidades regionais enquanto estavam mais frescas e gostosas.

Continua sendo comum. O negócio de férias em casas de fazenda atrai alguns estrangeiros, mas durante nossa experiência com o agroturismo italiano encontramos pouca gente de fora, a maioria era de outros países europeus. Grande parte de nossos companheiros à mesa da fazenda viajara menos de cem quilômetros. Fossem jovens ou idosos, de Roma ou Perugia, seu objetivo comum era recordar os melhores sabores oferecidos pela região. Conversamos com casais idosos que sentiam falta dos sabores de suas infâncias rurais. Um casal jovem, trabalhadores ocupados, esperou pela escapada romântica ansiosamente desde o nascimento de seus gêmeos, dois anos antes. A maioria dos hóspedes era formada por profissionais urbanos cujas vidas agitadas eram acalmadas nos fins de semana na fazenda, onde podiam trocar o toque do telefone celular pelo cocoricó matutino de um galo e pelo suave mugido das vacas Chianina. E, mais objetivamente, *comer* esses mesmos bichos.

Esses agrituristas italianos eram excelentes companheiros de mesa e saudavam a chegada de cada prato com imenso interesse, muitas perguntas e, às vezes, aplausos. Minha tradicional opinião sobre a antipatia entre o rural e o urbano caiu por terra naquele lugar, onde nossos anfitriões fazendeiros, vestindo aventais por cima das roupas de trabalho, eram as estrelas da noite, inflados pela apreciação respeitosa de seus hóspedes da cidade.

Os hotéis fazenda muitas vezes têm a palavra *fattoria* em seu nome. Parece ser um lugar projetado para deixá-lo *fat* [gordo, em inglês], o que me parece apropriado, mas na verdade significa "fazenda", derivada da mesma raiz que *factory* [fábrica, em inglês] — um lugar onde se fazem coisas. Nossa *fattoria* favorita ficava na Toscana, perto de Siena, onde muitas coisas estavam sendo feitas no dia em que chegamos, inclusive vinho. Vimos as uvas passarem pelo esmagador e entrarem nos imensos tanques de fermentação, de aço inoxidável, em um celeiro perto de nosso quarto. Alguns hóspedes trouxeram luvas de trabalho para ajudar a colher uvas na manhã seguinte. Estávamos de férias das tarefas de fazenda, muito obrigado, mas isso não impediu que andássemos pela propriedade para investigar as hortas e os cercados das vacas. A especialidade da casa era a carne de Chianina, a maior e mais antiga raça de gado do mundo, cujos antepassados datam da era etrusca. Brancas como a neve, com uma altura de 1,80 metro, elas têm a reputação de serem dóceis, mas eu as achei tão intimidadoras quanto os bisões.

Na horta perto da casa principal, um trabalhador idoso andava lentamente de joelhos, plantando alface. Quando acabou a fileira, ele veio falar conosco, fazendo uso agradável da única palavra que sabia em inglês: "Yes!" Mesmo assim, conseguimos passar uma hora lhe fazendo perguntas; ele teve paciência com a falta de habilidade com a língua, e seu conhecimento era enciclopédico. São necessários 100 quilos de azeitonas para fazer 14 quilos de azeite. O pH é extremamente importante. A qualidade das azeitonas criadas nessa fazenda era (naturalmente) a melhor, produzindo um azeite de oliva com os mais baixos teores de acidez do mundo. Essa fazenda também produzia uma marca de vinho famosa nacionalmente, assim como carne e outros produtos. Fiquei curiosa a respeito das temperaturas do inverno naquele lugar, que ele afirmou raramente caírem abaixo dos 0°C, embora em 1987 um vento siberiano tenha trazido temperaturas de –23°C, matando oliveiras em toda a área central da Itália. Nessa fazenda, não houve colheita nos seis anos seguintes, mas como tinham uma horta muito antiga e bem estabelecida, ela se recuperou.

Todas as azeitonas aqui eram colhidas a mão. Em muitos outros lugares da Itália, as árvores mais antigas foram substituídas, nas duas últimas décadas, por oliveiras mais jovens, alinhadas em quadrados regulares para possibilitar a colheita mecânica. A mecanização obviamente aumenta a produtividade, mas o governo italiano agora está tomando medidas para preservar as antigas plantações de oliveiras, como as dessa fazenda, considerando seus troncos enroscados e copas largas como parte do patrimônio cultural da nação.

Nosso novo guia turístico se chamava Amico. Parecíamos estar percorrendo o alfabeto de patriarcas italianos pitorescos. E, se Amadeo era poeticamente devoto, Amico era realmente a Amizade em pessoa. Ele nos mostrou um campo de açafrão, uma cultura toscana antiga e quase extinta que está sendo regenerada. Em seguida, vieram os vinhedos. Perguntei-lhe como faziam para proteger as uvas das aves. Ele respondeu que era necessário proteger seus predadores: gatos de *civet*, falcões e corujas patrulham a fazenda em turnos, dia e noite. Amico também era fã dos morcegos, que ajudam a controlar os insetos, e das joaninhas benéficas. Ele *realmente* adorava as andorinhas, que constroem seus ninhos de lama nos celeiros. São aves maravilhosas, insistiu ele, revirando os olhos para os céus e colocando a mão sobre o coração. Sua paixão mais profunda parecia ser o Cavalo Nero de Toscana — a couve negra de Toscana. Ele nos deu um pacote de suas sementes minúsculas e instruções detalhadas de como cultivá-las e cozinhá-las. Teríamos sopa de couve toscana naquela mesma noite, um segredo que ele revelou com um daqueles longos suspiros italianos.

Na hora do jantar, ficamos surpresos quando Amico ocupou seu lugar na cabeceira da mesa. Ele se apresentou aos outros hóspedes, abrindo os braços para se declarar "*Amico de tutti*". Esse velhinho carinhoso de jeans sujos que pensamos ser um trabalhador agrícola era, na verdade, o dono dessa propriedade substancial. Precisei reconsiderar minhas presunções acerca dos fazendeiros e donos de terra, a modéstia e a soberba. Estou acostumada a uma cultura onde os fazendeiros são invisíveis, ou uma piada. Desde o momento em que vi cavalos de carga arando o solo nas cercanias de uma cidade glamorosa, a Itália não parava de me surpreender.

Pronto, disse a Steven naquela noite, retirando nossa Zucche de Chioggia já bastante viajada de nosso carro. Eles não vão nos expulsar de um lugar como esse por posse de uma abóbora com intenções agrícolas. Na pior das hipóteses, poderiam nos dizer que era de má qualidade por ter sido plantada em outra província. Mas não, na manhã seguinte, o chefe dos empregados a admirou, e os cozinheiros, sem hesitação, nos entregaram uma enorme faca e uma colher. Sugeriram que a cortássemos perto do galinheiro e do chiqueiro, onde quaisquer resíduos seriam bem aproveitados.

De fato, os enormes porcos cor-de-rosa cheiraram o ar, grunhiram e guincharam enquanto abríamos nosso prêmio. Sua polpa grossa era de um amarelo vivo, com uma pequena cavidade central, cheia de imensas sementes brancas. Com pena dos porcos gemedores, os deixamos comer a abóbora, distribuindo cuidadosamente os pedaços entre os vários chiqueiros para evitar um tumulto suíno generalizado. De volta ao nosso quarto, lavei a polpa pegajosa das sementes, da melhor maneira possível, na pia, mas precisava de um coador, que o pessoal da cozinha também forneceu sem problema. Durante o resto de nossa estadia, espalhamos as sementes sobre toalhas ao sol, mas elas não estavam completamente secas quando chegou a hora de deixarmos a *fattoria*. Elas mofariam e iriam se tornar inviáveis se as deixássemos enfurnadas em uma mala, então o resto de nossas férias italianas (na chuva, no trem) foi organizado em torno de oportunidades para espalhar as sementes para secarem ainda mais. O lugar mais desafiante foi no quarto de um hotel de luxo em Veneza, onde as coloquei em um cinzeiro de vidro pesado, soprado artesanalmente, em cima da cômoda. Íamos passar o dia inteiro fora, então deixei um recado para a arrumadeira, para que não as jogasse no lixo. Fiz o melhor que pude, algo como: "Por favor não perturbar meus seminários importantes. Muito obrigada!"

Mas a maior parte dos dias foi passada em lugares bucólicos, onde eu e as sementes podíamos desfrutar do sol toscano, cercadas por vistas charmosas demais para serem verdade. A paisagem rural da Itália central não é nada parecida com os pontos turísticos tradicionais dos Estados Unidos: nem o panorama selvagem e desabitado dos Grand Tetons, nem a grandeza artificial dos edifícios de Manhattan. A Toscana é constituída apenas de fazendas, como o condado onde nasci. Sua beleza é uma combinação harmoniosa do natural com o doméstico: colinas onduladas divididas em fileiras auriverdes de vinhedos perfilados de um lado, círculos prateados e verdes de oliveiras espalhados por outro. Os campos de alfafa, girassóis e legumes formam uma colcha de retalhos em tons amarelos e verdes, todos colocados em ângulos diferentes, com triângulos escuros de cercas vivas e bosques entre eles.

O efeito é simultaneamente doméstico e selvagem, igualmente geométrico e caótico. A assinatura visual de pequenas fazendas diversificadas são os cartões-postais daqui, além da celebrada gastronomia. Será que os americanos não poderiam aprender a gostar de paisagens como essas ao redor de nossas cidades, valorizando-as não apenas gastronômica, mas também esteticamente, em vez de entregar tudo ao desenvolvimento dos subúrbios? Será que amamos a agricultura apenas em cartões-postais?

Os toscanos e os úmbrios tiveram muito mais tempo do que nós, obviamente, para reconhecer o fim do espírito de fronteira ao depararem-se com o mesmo e a fazer as pazes com seu lugar. Eles viviam e se sustentavam nessa paisagem humana, cuidadosamente lapidada, mais de mil anos antes dos peregrinos aprenderem a enterrar uma cabeça de peixe embaixo de cada planta de milho no Novo Mundo. Eles escolheram conservar em sua comida um valor central e importante: ser fresca e ter sido criada no solo bem embaixo dos pés de quem irá comê-la. As massas simples ainda carregam o gosto do sol e do grão; os tomates temperados com azeite de oliva frutado capturam os açúcares e o calor do final do verão; as folhas de alface e a chicória vermelha ainda trazem o gosto mineral específico do solo; a sopa de couve negra tem o gosto da horta rica em húmus.

Na estrada, a caminho da *fattoria,* passamos por um modesto anúncio que pareceu simbolizar a diferença intraduzível entre a cultura gastronômica italiana e a nossa. É uma declaração que você não ouve das instituições de turismo dos Estados Unidos. Fazia a simples promessa:

Nostra terra...
E suo sapore.

Não sou nenhuma especialista, mas entendo o que está sendo dito: você pode sentir o gosto de nossa terra.

16

Abóboras assassinadas

Outubro

Dirigindo por nossa cidadezinha, no fim do outono, ainda um pouco enamorada pelo charme da Toscana, comecei a ver minha casa com outros olhos. Não temos vilarejos medievais no topo de nossas colinas, mas temos decoração sazonal bucólica e não tememos usá-la.

— Olhe — gritei para minha família —, vivemos na Vila Aprazível.

Eles foram obrigados a concordar. Cada vitrine de loja tinha seu arranjo outonal festivo para celebrar a estação. Os postes de iluminação, na rua principal, tinham palha de milho atada em volta deles com lustrosas fitas laranjas. Na frente da delegacia havia um espantalho.

Como já mencionei, a decoração de quintal é uma forma de expressão levada a sério por aqui. O outono, que lembra a alegria da colheita e a brincadeira do "doce ou travessura" do Dia das Bruxas, faz florescer o melhor e o pior dos quintais dianteiros: exibições coloridas de crisântemos e cabaças. Um grande fardo de feno com um par de pernas saindo do meio. (Um par de jeans e botas preenchidas com jornal, espero; vamos chamá-lo de um lembrete da necessidade de segurança no campo.) Um tema comum está presente em todas essas atrações: a venerável abóbora. Elas são alinhadas em fileiras, polidas, são orgulhosas e eminentemente visíveis, os grandes botões de latão no uniforme de nosso vilarejo. No caminho de volta das tarefas matutinas, passamos até mesmo por uma plantação de abóboras onde um idoso e um jovem trabalhavam juntos para fazer a colheita, repassando os globos alaranjados e empilhando-os na caçamba de um caminhão para levá-los ao mercado. Era como se tivéssemos entrado em um quadro de Norman Rockwell.

A mais reles das criaturas tem seu dia de festa, e até mesmo a humilde abóbora tem seu mês. Podemos desdenhar das abobrinhas em julho, mas em outubro coroamos sua prima gorda como Rainha das Abóboras e Suprema Guardadora de nossas portas de entrada. Na Itália, senti um temor crescente de que as tradições alimentícias americanas tivessem sido tomadas pelo celofane. Agora, meu coração se encheu de alegria. Aqui estava um autêntico legume nativo dos Estados Unidos, saudável, não empacotado com plástico transparente, criado localmente e em sua estação, pomposamente sentado na varanda de todos nós.

O diabinho sobre meu ombro cochichou: "*Ah é*? Você acha que as pessoas sabem mesmo que ela é comestível?"

O anjo, no outro ombro, declarou "Sim" (um tanto presunçosamente para um anjo, muito provavelmente) na manhã seguinte mesmo. Então, abri o jornal local na seção de culinária e encontrei uma reportagem colorida de duas páginas sob a manchete "Versatilidade das abóboras". Sopa de abóbora com *curry*, espetinho de abóbora! O repórter de culinária nos instigou a pensar além das tortas e a realmente aproveitar ao máximo esse legume rico em vitaminas. Fiquei empolgada. Plantamos três tipos diferentes de abóboras que agora jaziam em nosso porão e estavam empilhadas nas escadas. Eu planejava uma refeição especial para uma reunião familiar no fim de semana. Virei a página para ver as receitas.

Ao olhá-las, o diabo debochou do anjo. Todas começavam com o mesmo ingrediente: uma lata (425g) de abóbora.

Conseguia ver a lista de compras agora:

1 lata de abóbora (para a sopa com *curry*)

1 daquelas coisas grandes e alaranjadas (para a decoração da varanda)

Vamos *lá*, pessoal. Será que ninguém se lembra de como pegar uma faca, abrir uma abóbora, raspar as sementes e levá-la ao forno? Sabemos esculpir um rosto nela, mas não sabemos limpá-la e cortá-la? Não somos uma nação conhecida por sua propensão a fazer explosões, nas telas de vídeo, ou dos cinemas e/ou na vida real? Será que somos, na verdade, delicados demais para golpear uma abóbora com uma faca grande? Espere só até nossos inimigos saberem disso.

Dois dias depois, minha mãe adentrou a porta da cozinha e, ao me pegar justamente no ato de tal assassinato, exclamou:

— Barbara! Isso parece perigoso.

Estudei a situação objetivamente: a abóbora estava azulada (não por asfixia), mas lutava tenazmente para manter-se viva. Eu estava usando uma faca de açougueiro verdadeiramente enorme, mas protegia os dedos de qualquer perigo.

— Mãe, isso é seguro — insisti. — Eu sei muito bem usar uma faca.

No que diz respeito a seus descendentes diretos, a opinião de minha mãe é que nunca se é velho demais para perder os dedos, ou a vista, no desenrolar natural das coisas.

Meu pai é outra história. Para ser franca, ele é a razão pela qual a capacidade de se preocupar de minha mãe é tão aguda. Naturalmente, ele queria me ajudar.

— Chega mais! — disse.

A carreira de meu pai, antes de sua aposentadoria, englobou a maior parte das técnicas cirúrgicas de emergência imaginadas no século XX, realizadas em centros cirúrgicos que ocasionalmente não eram equipados com energia elétrica. Não seria eu que ia duvidar de suas habilidades com uma faca.

A abóbora nos fez ficar cortando e transpirando por, pelo menos, meia hora durante a qual não parecíamos ter feito qualquer progresso. Nossa vítima era uma abóbora bem grande da variedade denominada Queensland Azul. O catálogo de sementes me atraíra com depoimentos sobre seu porte físico australiano, bonito e grande, e sua polpa amarela e saborosa. Ano que vem, a enverrugada Zucche de Chioggia, que conseguimos de Amadeo, disputaria o título da Copa do Mundo de nossa plantação de abóboras, mas por enquanto a Queensland Azul era a rainha. E ela não estava disposta a deixar o trono. Meu assistente cirúrgico e eu serramos mais um pouco, fazendo pausas freqüentes para pensar e planejar. Em meu coração, desejava ardentemente uma daquelas receitas de "1 lata (425g) de abóbora".

Cozinhar abóboras desde a estaca zero pode ser intimidador, mas em geral não é *tão* difícil assim. Eu não estava querendo apenas cortá-la em pedaços — se esse fosse nosso objetivo, meu pai a teria despachado rapidamente. Mas eu estava sendo feminina, insistindo em cortar uma tampa no topo, de forma tão caprichosa quanto possível, para retirar as sementes e transformar a coisa inteira em uma vasilha grande e bonita na qual eu cozinharia a sopa de abóbora. Tenho dois livros de receita diferentes que consideram essa como uma receita para convidados especiais. Enquanto isso, recebemos muitos conselhos dos espectadores (para que servem as famílias?), todos chegando à mesma conclusão de que o gosto seria exatamente igual se simplesmente a estraçalhássemos. Mas esse seria um jantar especial e eu estava determinada a fazer tudo do jeito certo.

— Vocês verão, saiam daqui — disse docemente, brandindo minha faca. Nunca freqüentei uma escola de culinária, mas sei o que elas enfatizam: apresentação, apresentação, apresentação.

Nossa ocasião era o Dia de Ação de Graças comemorado com um mês de antecedência, já que não poderíamos estar juntos na data certa. Um monte de perus apinhava o congelador após a colheita, mas a reunião familiar de hoje incluía alguns vegetarianos que não gostariam de ver uma grande ave morta sobre a mesa, por mais feliz que a vida dela tivesse sido. Cozinhar sem carne é normal para mim; estava feliz por preparar uma festa vegetariana. Mas hoje, na condição de anfitriã, me senti estranhamente pressionada, pela tradição, a ter algum tipo de *ser* grande e colhido no outono, ao invés de apenas ingredientes, como a peça central de nossa refeição. Uma vigorosa abóbora cozida em seu próprio corpo maravilhoso seria ideal para um Dia de Ação de Graças sem peru.

Ou assim pensei, antes de descobrir que essa abóbora não entraria com doçura naquela noite acolhedora (como diria Dylan Thomas em "Do Not Go Gentle Into That Night"). Mesmo o mais bravo dos galos não havia batalhado tão ferozmente contra — ainda nas palavras do poeta galês — a luz cujo esplendor já não fulgura. Com a passagem do tempo, papai e eu apuramos que o problema era nossa Queensland Azul, que era quase inteiramente composta de polpa, sem a grande cavidade aberta no centro, a qual torna a abóbora comum fácil de ser decorada para o Dia das Bruxas. Acabamos por realizar em nosso cliente uma operação semelhante a uma cirurgia cerebral, criando uma vasilha central escavada, desgastada, porém ainda razoavelmente apresentável. Esfreguei a cavidade com sal grosso e a enchi de leite previamente aquecido com bastante salva e alho assado. (Os leites de tipo normal, sem lactose, ou de soja, funcionam igualmente bem.) Coloquei-a cuidadosamente no forno para assar. De acordo com a receita, após cerca de uma hora assando, seria possível usar uma colher grande para raspar suavemente o interior da cavidade, misturando a carne da abóbora, mole e assada, à sopa.

O comércio justo e solidário

O movimento da comida local aborda muitas questões importantes e interligadas, incluindo a responsabilidade ambiental, a sustentabilidade agrícola e a remuneração justa àqueles que trabalham para produzir nossa comida. Comprar diretamente de pequenos produtores alcança todos esses objetivos. Mas como lidar com coisas como os temperos de nossa torta de abóboras, ou o *café*, que não são produzidos nos lugares onde vivemos?

Podemos aplicar as mesmas medidas positivas, na ausência de um mercado consumidor local, a alguns produtos importados. Café, chá e especiarias são produzidos de forma ambientalmente responsável por alguns pequenos produtores, principalmente nos países em desenvolvimento. Podemos encorajar essas boas práticas ao oferecer uma remuneração justa por seus esforços. Essa abordagem, denominada comércio justo, cresceu ao ponto de se tornar um esforço internacional expressivo ao combate da crescente exploração dos fazendeiros naqueles mesmos países. O apoio dos consumidores aos pequenos produtores conscienciosos ajuda a diminuir a vantagem das empresas e apóia o seu sustento, o meio ambiente e as comunidades.

O café é um exemplo de como o comércio justo pode trazer vantagens para produtores, consumidores e o meio ambiente. Por ser uma planta de estatura baixa, café foi tradicionalmente cultivado embaixo de uma mistura sombreada de árvores frutíferas, nogueiras e de árvores próprias para a extração de lenha. As técnicas modernas de produção em larga escala o tornaram uma monocultura, substituindo florestas nativas por plantações de uma única cultura, inteiramente inúteis como habitat para a fauna, com uso pesado de fertilizantes e herbicidas. Essa abordagem é altamente produtiva a curto prazo, mas causa erosão do solo e diminui a biodiversidade tropical — incluindo as aves migratórias que costumavam retornar aos nossos quintais no verão. Sem contar os resíduos químicos em seu café. Por outro lado, os fazendeiros que utilizam métodos de cultivo tradicionais dependem da diversidade da floresta para fertilizar a cultura (a partir das folhas que caem no solo) e controlar as pragas do café (por conta dos predadores que são mantidos). Embora sua produtividade seja menor, o método sombreado se sustenta e ajuda a fauna florestal da região. Dar preferência aos cafés sombreados e de comércio justo oferece a esses produtores em pequena escala uma chance de concorrer com a produção monocultural em grande escala e ajuda a manter os habitats da vida selvagem.

Agências independentes de certificação (semelhantes àquelas que supervisionam a agricultura orgânica) asseguram a manutenção dos padrões de comércio justo. À medida que a demanda cresce, a variedade de produtos disponível aumenta de modo a abranger chocolate, nozes, óleos, frutas secas e até mesmo produtos feitos a mão.

Para obter mais informações, acesse www.transfairusa.org, www.fairtrade.net ou www.ifat.org.

STEVEN L. HOPP

Agora, acrescentarei minhas próprias observações acerca dessa receita: não raspe com muita força e não asse além do ponto. Confesso que eu esperava uma onda modesta de aplausos, do tipo beije-a-cozinheira, ao colocar o prato magnífico na mesa, em vez dos gritos e da correria para pegar toalhas, o que efetivamente aconteceu. A coisa inteira ruiu. Felizmente, eu a cozinhara em uma grande travessa. Conseguimos salvar a toalha de mesa e 90% da sopa.

Meus entes queridos degustaram meus sucessos e fracassos desde meu primeiro arroz doce, aos nove anos de idade, para o qual segui religiosamente a receita, mas não entendi que "1 xícara de arroz" precisava ser cozinhada primeiro. Comparada com aquela invenção de quebrar os dentes, todos agora concordaram, minha sopa de abóbora estava ótima. E estava mesmo, avaliada por qualquer padrão que não seja *apresentação* (no qual eu levei *bomba*, *bomba*, *bomba*) e, além disso, qual é o sentido de uma reunião familiar se não tem ninguém para fazer o bobo da história que será lembrado em inúmeros eventos familiares futuros? Junto com a lasanha de acelga de Camille, nossa própria mussarela fresca e os tomates fatiados do ano passado, fizemos uma bela festa com nosso prato principal danificado. Se qualquer um suspeitava que papai e eu cometemos uma crueldade vegetal, ninguém nos entregou. Continuamos livres, leves e soltos.

A ABÓBORA É O MAIOR legume que ingerimos. De casca dura, polpa firme e sementes plenamente amadurecidas, ela é o último vagão do trem da horta. Desde os primeiros brotos, folhas e botões de brócolis, no começo da primavera, às pequenas e macias frutas de verão, como os tomates, os pimentões e as berinjelas, até os melões de maior porte, e finalmente as sementes duras e maduras, como as vagens e os amendoins, enfrentamos um desfile longo e impressionante. Recentemente, colhemos o último cultivo a amadurecer: amendoins, que abrem suas folhas alaranjadas, parecidas com as das ervilhas, no meio do verão, polinizam e colocam suas sementes e depois desenvolvem hastes curvas e de um comprimento inusitado que empurram as vagens em direção ao subsolo, impelindo-as vários centímetros para dentro do solo em volta da base da planta. Muitas pessoas sabem que os amendoins são um cultivo subterrâneo (seu nome comum na África é "noz da terra"), embora poucos parem para se perguntar por que uma *semente*, produto de uma *flor*, cresce embaixo da terra. Caso você tenha se perguntado, eis a resposta. Os amendoins são uma das plantas mais determinadas a plantar suas sementes sem qualquer ajuda. No entanto, esse processo demora uma eternidade. Nosso último ritual antes da chegada do tempo frio é arrancar os arbustos de amendoim e tirar a sujeira desse quitute botânico esquisito.

Estávamos prontos agora para receber as geadas em nossos campos. Consumimos, na ordem correta, uma colheita inteira repleta de desenvolvimentos botânicos. Vários meses passariam antes que qualquer folha nova brotasse do solo. Então... e agora?

Uma outra categoria diferente de legumes ajudava as pessoas a sobreviverem ao inverno antes das cadeias de supermercados acabarem com o conceito de estação. Essa variante do crescimento vegetal não era uma exceção, mas sim uma auxiliar da seqüência temporal de folha-broto-flor-fruta-semente que postulei inicialmente como a "regra da hortaliçanual" para determinar o que está em estação. Algumas poucas plantas comestíveis não são anuais, mas sim bienais. Seu plano de ação é crescer durante o verão partindo de uma semente, descansar no inverno e depois florescer na primavera seguinte. Para isso, elas frugalmente conservam os açúcares que fabricam durante o verão em volumosos bulbos ou tubérculos que se escondem sob o solo, aguardando a primavera, após a morte das folhas durante o inverno.

Os seres humanos as surpreendem de forma oportunista, assassinando a planta e roubando sua caderneta de poupança justo quando o saldo está mais alto. Cenouras, beterrabas, nabos, alho, cebolas e batatas são todas unidades de armazenagem adquiridas a duras penas por uma planta que pretendia viver mais uma estação para cumprir seu destino sexual. Por eu também ser um tipo frugal, criada para confiar no trabalho duro, me sinto como uma trapaceira completa quando escavo as plantações de raiz. Se eu deixasse as emoções ditarem minha dieta, não seria apenas vegetariana, acabaria vivendo do ar e de massinhas como uma criança de três anos, já que também tenho pena das plantas. Em um silêncio verde virtuoso, elas trabalham tão duro quanto qualquer frango ou vaca. Elas não balem ou gritam quando as decepamos, as arrancamos pela raiz, desprendemos seus filhos de seus braços. Não temos nenhuma misericórdia com elas.

Mas, Deus me perdoe, eu as consumo como uma louca. As plantas de raiz são a salvação para qualquer devoto da comida caseira. Junto com as vagens e os grãos, elas fornecem nutrição vegetal nos meses em que não há nada fresco disponível. Por serem convenientes de armazenar, é fácil para os agricultores produzirem um volume suficiente para um ano em uma única estação de cultivo. Alguns dos meus vizinhos resmungam por causa do trabalho que dá cultivar batatas quando um saco grande delas no supermercado custa menos do que o jornal de domingo. Mesmo assim, toda primavera, lá estamos nós lutando contra o solo frio e lamacento do fim de inverno, tentando colher nossas batatas na hora certa. Não fazemos isso por causa dos centavos que economizamos. Sabemos que as do saco do supermercado têm o *sabor* do jornal de domingo, comparados com as que cultivamos. Um lote de Carolas ou Vermelhos Dourados novas e tenras, recém colhidas, no começo do verão, são legumes especiais: cerosas, doces e semelhantes a nozes. As Azuis Peruanas, as Bananas Russas de "dedinho", as Douradas do Yukon: as cerosas mantêm a consistência quando cozidas e cortadas para fazer salada; outras ficam fofas e da cor de manteiga quando cozidas; outras ainda são ideais para irem ao forno. Um amante das batatas precisa de todas elas.

O conselho padrão a respeito da época certa para plantar batatas é o mesmo para as cebolas e ervilhas: "tão cedo quanto for possível trabalhar o solo". Essa é uma data subjetiva, diretamente relacionada à impaciência. Sempre fico empolgada por volta de 17 de março, Dia de São Patrício, e faço meu ritual anual de ir até a plantação de batatas com uma pá, enfiar esta no solo e descobrir, de forma científica, que a terra continua sendo um charco semicongelado. Não é preciso ser uma marmota para entender: espere mais algumas semanas. Em geral, fazemos a colheita por volta do primeiro dia de abril, quando as marmotas já despertam da hibernação e inauguram a primavera.

As plantas das batatas não se importam com o tempo frio, contanto que não se afoguem. Elas foram desenvolvidas a partir de ancestrais silvestres nos planaltos secos e frescos dos Andes onde os dias e as noites têm duração igual, o ano inteiro. Elas não reagem às mudanças ao longo do dia para controlar seu amadurecimento. Outros cultivos de raiz são acionados durante os longos dias do verão para começar a armazenar amido, preparando-se para o inverno vindouro. Na verdade, as cebolas são tão sensíveis à duração dos dias que seus cultivadores precisam escolher suas variedades com base em um mapa de latitudes.

As temperaturas nem sempre são uma diretriz confiável — elas podem subir e cair obstinadamente durante a estação, nos dando o inverno dos cornisos, o verão indiano e todas as outras falsas estações com alcunhas folclóricas. Mas nenhum vento volúvel atrapalha a trajetória do sol. É uma decisão crucial para um ser vivo: escolher a data certa, exatamente, para interromper o crescimento foliar e direcionar todos os esforços às raízes, para armazenagem do inverno. Um erro pode custar à planta a oportunidade de passar seus genes adiante. Portanto, nos climas temperados, a evolução vinculou tais decisões de vida ou morte à duração do dia. Os animais também o usam, para começar a acasalar, construir ninhos, botar ovos ou migrar.

Mas as batatas, devido à sua origem nos trópicos sem verão, sem inverno e de alta altitude, se desenvolveram sem quaisquer indícios relativos à duração do dia. Ao invés disso, elas possuem uma fase de descanso intermediária que é um período neutro no calendário, e até que essa fase termine os tubérculos não brotam. Aprendi isso na prática, da maneira mais árdua, no início de minha carreira de horticultora, quando plantei algumas batatas compradas na loja. Esperei até o clima ficar mais quente, mas nenhum broto apareceu. As batatas são freqüentemente tratadas com químicos para ficarem adormecidas, mas plantei variedades orgânicas para não haver desculpa para preguiça. Após alguns meses, escavei-as para ver o que diabos estava acontecendo com aquelas indolentes. (Sou muito mais calma com minhas filhas, juro.) Minhas batatas ainda estavam dormindo. Nem um olho estava aberto, nem um calombo, flor ou broto.

Agora eu sei: as batatas têm um período de repouso pré-programado que não pode em hipótese alguma ser perturbado. As batatas de semente não estão prontas para serem plantadas até que tenham passado seus devidos meses de descanso em um local fresco para armazenagem. Eu presumira que uma batata de primavera era uma batata de primavera, mas aquelas que comprei no mercado em março devem ter sido recém-colhidas em um algum lugar distante, onde março não era o final do inverno. As confusões geradas por um universo de hortaliças sem estações são incomensuráveis.

Se as batatas na seção de verduras do mercado já estão brotando, isso significa, por outro lado, que elas estão prontas para despertar. Elas podem ser consumidas nessa condição, contanto que não tenham sido expostas à luz e nem desenvolvido sequer um leve matiz verde em sua casca. Ao contrário de todo o folclore infantil, essas batatas fotossintetizadoras não são mortíferas, mas da mesma forma que toda a família dos *solanaceae* — incluindo os tomates e as berinjelas — as partes verdes da planta contêm toxinas e agentes mutagênicos perigosos. Quando estão com brotos e um tanto enrugadas, no entanto, ainda podem ser comidas sem nenhum risco. Enroladas em um saco de papel na gaveta inferior da geladeira, elas se conservam por seis meses ou até mais. Porém, quando abro as sacolas etiquetadas de sementes de batatas em abril, sempre encontro uma confusão longilínea, formada por um emaranhado de brotos compridos.

Isso significa que a hora de despertar finalmente chegou. Jogamos no solo e fazemos montinhos de terra em volta das sementes. De cada batata, cresce um arbusto baixo com nódulos na raiz, os quais vão se transformar em oito ou mais novas batatas. (As batatas tipo "dedinho" produzem até vinte por cada monte, embora sejam menores.) As plantas têm folhas macias e uma flor cuja cor varia do branco ao cor-de-rosa ou alfazema, dependendo da variedade. Nos Andes peruanos, onde os fazendeiros até hoje cultivam mais tipos de batata do que podemos imaginar, já vi campos de batatas com flores púrpuras tão cativantes quanto uma fazenda holandesa de tulipas em plena florada.

As pequenas batatas nas raízes continuam a crescer até que a planta cansa e morre, quatro ou cinco meses após o plantio. Poucas tarefas relacionadas ao cultivo são mais prazerosas para as crianças do que recuperar esse tesouro enterrado no final da estação. Plantamos oito tipos diferentes, além de uma sacola mista que Lily chama de "caça ao tesouro" quando a desenterramos: reviro cada montinho com um forcado e ela mergulha atrás dos tubérculos vermelhos, azuis, dourados e brancos. Da minha parte, é uma mistura de caça ao tesouro com centro cirúrgico, pois tenho que gritar "Cuidado!" toda vez que cavo, para evitar um encontro infeliz com possíveis dedos que ainda estejam no caminho.

Muito embora a grande recompensa só chegue no final do verão, passamos a estação inteira sorrateiramente enfiando as mãos por baixo dos arbustos, para bolinar as batatinhas redondas. Isso parece um pouco com as peripécias dos adolescentes, mas é uma prática tão antiga que já adquiriu um verbo próprio: *grabbling*. (Os editores de revista vivem querendo mudar a palavra para *grabbing* [agarrar]. Os escritores tentam perdoá-los.) O horário certo para fazer isso é logo antes do jantar: assim como o milho, as batatas precoces são mais doces principalmente quando são cozidas vivas.

No fim do verão, terminamos de escavar as Douradas do Yukon, as Todo-Azuis e as outras batatas grandes próprias para armazenagem, que são melhores quando assadas. Em setembro, colhemos as do tipo "dedinho" — batatas *gourmet* amarelas, com formato de um dedo, que os consumidores americanos descobriram apenas recentemente. Encontrei-as em um catálogo de sementes, encomendei algumas por puro capricho e fiquei viciada. A batata mais produtiva em nossa horta é um "dedinho" adorado pelos franceses, que leva o nome pouco romântico de La Ratte. (O significado é bem o que parece.) O nome me deixava incomodada. Até que passei a criá-las. Quando um montinho maduro é descoberto, ele tem a aparência de um ninho de 15 roedores em fase de amamentação, todos orientados de forma que os narizes chatos estejam no centro e os rabos compridos apontando para fora. Por causa de seu sabor e vigor incríveis, esses ratinhos ocupam uma área cada vez maior de minha plantação de batatas a cada ano que passa.

Quando chega outubro, todas as batatas estão em nosso celeiro de raízes, junto com as beterrabas, cenouras e batatas-doces (uma vinha tropical que não tem qualquer relação botânica com as batatas). Nossas cebolas também já foram colhidas a essa altura. Nós as arrancamos no fim do verão após seus talos compridos começarem a envergar, deixando a plantação com um visual "de vestido de um ombro só" com bulbos que avançam sensualmente por cima da superfície do solo. A comparação com um sutiã é impossível de ser evitada. Quando atingem a maturidade, as cebolas se empurram umas as outras para fora do solo. É uma tarefa fácil, em um dia seco, no fim do verão, andar pelas fileiras puxando-as, deixando-as secar ao sol por uma tarde, depois as estendendo em cima de jornais por algumas semanas, em um barracão ou uma garagem com bastante circulação de ar.

O alho recebe um tratamento semelhante. Por mais arejado que seja, o barracão de secagem sempre fica com um cheiro intenso; em dias longínquos as crianças eram forçadas a sentar lá para curar a categoria de enfermidades que minha avó denominava *epizootie*. Ela também costumava falar de crianças usarem bolsas de *asafetidy* em volta do pescoço para prevenir resfriados. A assafétida verdadeira é uma planta européia da família da salsa, mas a raiz da palavra é *fétido*. O alho também funcionava igualmente bem, sendo sua propriedade medicinal o fato de que ninguém se aproximaria o suficiente de seus filhos para tossir em cima deles. Como se dizia em Nova York: "Uma moeda é suficiente para ingressar no metrô, mas o alho fará com que você consiga um assento." Para ser justa com seus devotos, devo mencionar que já foi atribuído um valor medicinal genuíno ao alho, derivado de seus compostos sulfúricos antibactericidas e de sua capacidade de quebrar as fibrinas e afinar o sangue. O profeta Maomé recomendava o alho no tratamento das mordidas de cobra; Eleanor Roosevelt o consumia em comprimidos cobertos de chocolate para aguçar a memória; e Plínio, o Velho, alegava que o alho era bom para o vigor sexual. Eu não apostaria nessa última hipótese.

Nós nos restringimos a suas propriedades culinárias. Quando os talos secos do alho e das cebolas desbotam de verde para marrom, mas continuam flexíveis, e seu cheiro forte já amainou, faço tranças pesadas que enfeitam nossa cozinha durante todo o inverno. Os bulbos são mais bem conservados quando pendurados ao ar livre, em temperatura ambiente, e cortamos as cabeças quando precisamos, trabalhando de cima para baixo. O alho é a alma de nossa cozinha: molho de macarrão, lasanha, sopa de frango, quase tudo, a não ser as tortas de maçã, inclui alguns dentes de alho refogados com azeite de oliva. Utilizo o alho como se fosse a moeda de nossa felicidade culinária, cortando as cabeças, semana após semana, torcendo as tranças lentamente até atingir a ponta, observando-as como se fossem o saldo de uma conta bancária. Com uma boa gestão, chegam ao fim em meados do verão, bem quando a nova safra é colhida. Mas sempre entramos na reta final com o tanque vazio.

O alho, assim como a batata, é uma hortaliça mais sutil do que pensam muitas pessoas, já que a maioria dos supermercados comercializa apenas uma variedade de casca prateada que se conserva como os faraós egípcios. Os amantes do alho conhecem o resto da história. A Bolsa dos Guardadores de Sementes lista centenas de variedades, cada uma estimada por suas qualidades de cultivo e sabor. Elas se dividem em duas categorias básicas: as de pescoço duro, vigorosas e primitivas, têm um caule florido que brota do centro do bulbo no começo da primavera, desenvolvendo uma trajetória incompreensivelmente circular, parecida com um nó intricado, antes de florescer. As de pescoço macio, mais domésticas, são melhores para trançar e guardar. Além disso, os alhos são tão difíceis de serem categorizados quanto são os vinhos tintos e brancos, possuindo legiões de fãs igualmente entusiásticos. O Vermelho Inchelium tirou primeiro lugar em testes de degustação em vários continentes. O Vermelho Toch (de acordo com meu catálogo de sementes) tem "uma qualidade multidimensional, um odor picante e sabor incomparável". A Estrela da Pérsia, obtida em um mercado de Samarcanda, no Uzbequistão, tem um "gosto picante suave". O Tempestade Marrom começa quente e intenso e depois termina gostoso e ameno; o alho Música é intenso e penetrante; o Vermelho Chesnok é melhor assado, "muito aromático e com um sabor duradouro". O Elefante é simplesmente gigantesco.

Quem consegue decidir? Sempre confiante em relação aos textos dos catálogos de sementes, encomendei seis variedades e plantei cerca de uma dúzia de dentes de cada. Enterrados no solo, sob uma camada de adubo orgânico de palha, cada dente passaria o inverno criando raízes pequenas e fibrosas. A planta começa a despontar do solo no começo da primavera, assim que a temperatura do ar fica acima de zero grau. Quando chega o meio do verão, ela tem de oito a 12 folhas compridas, com um dente na base de cada folha, aninhado em um nó apertado. Faço a colheita no final de junho e tendo a encarar esse momento como uma espécie de fim do ano fiscal da horta. Na verdade, o negócio de cultivar nunca termina — o alho é novamente plantado em outubro, justamente quando os outros cultivos mortos pelo frio estão sendo jogados na pilha de adubo orgânico. A comida não é um produto, mas um processo, e nunca adormece. Apenas mergulha na superfície da terra por uns tempos.

Outubro nos cedeu os presentes inesperados de uma primeira geada atrasada: mais algumas semanas de tomates, berinjelas, pimentões e manjericão. Em geral, o frio chega no final de setembro para derrubar essas plantas frágeis e transformá-las em caules enegrecidos — um evento bastante previsível, mas que, por alguma razão, sempre nos surpreende. O noticiário noturno com a previsão de geada sempre gera um pequeno tumulto na vizinhança, fazendo com que todos os cultivadores saiam no frio para pegar tomates verdes e arrancar pimentões no escuro.

Tanto os pimentões quanto as berinjelas são tropicais por natureza, acordando lentamente no verão e atingindo o pleno desenvolvimento no final de setembro. Ficamos felizes com o bônus de outubro, recolhendo cestas de grandes pimentões vermelhos, amarelos e alaranjados, despreocupadamente e sem pressa. À noite, fizemos fogueiras no quintal e enfileiramos os pimentões ombro a ombro na grelha, como banhistas em uma praia cheia. O calor faz com que a casca queime e borbulhe. Depois, os congelamos em sacos, para que seu gosto esfumaçado confira um toque picante a nossas pizzas durante todo o inverno. Para muitas pessoas, o cheiro de folhas queimadas lembra o outono; para nós, é o cheiro de pimentões assando.

Os rituais de colheita mais nostálgicos de minha infância diziam respeito às maçãs. Meus pais nos levavam em excursões anuais a pomares de propriedade de nossa família no condado vizinho, onde víamos a cidra ser espremida e subíamos nas árvores para colher as frutas que os adultos, pesados, não conseguiam alcançar. Comíamos quantidades descomunais de maçãs naqueles galhos. O clima outonal ainda traz um gosto verde e revigorante à minha boca. Dei-me conta de que outros membros de minha família também tinham essa lembrança olfatória do passado quando nossa reunião de outubro espontaneamente incluiu uma visita a um pomar perto de nossa fazenda. Compramos cestas grandes, inspirados a voltar para casa e fazer suco e pasta de maçã.

Não sei quais rituais minhas filhas lembrarão na vida adulta, se gostarão de pizza caseira nas noites de sexta-feira, do cheiro de pimentões assando em cima de uma fogueira, ou seja lá do que for. No que tange às minhas filhas, desejo para elas as coisas mais simples: que, se algum dia almejarem pomares onde seus filhos possam subir em galhos e roubar maçãs, o mundo tenha árvores suficientes para recebê-los.

Batatas esplêndidas

Por Camille

Os nutricionistas parecem ter uma relação de amor e ódio com as batatas. Ou esse legume é uma grande fonte de carboidratos de boa qualidade que traz energia e nos mantém satisfeitos. Ou, então, deveria ser evitado porque seu teor pecaminoso de amido engorda loucamente.

Qual é a verdade, afinal? Em primeiro lugar, tecer generalizações não é uma prática segura. As batatas de Idaho dos supermercados são apenas a ponta do *iceberg*. Já comi batatas cujos tamanhos variavam de uma bola de golfe a um porquinho da Índia, douradas, vermelho tijolo ou até mesmo azul brilhante. Quando retiradas do solo, elas são quase negras, mas, após uma boa lavagem, elas ficam com o brilho púrpuro intenso que se esperaria encontrar em uma joalheria, não embaixo de camadas de lama incrustadas. Sempre fico maravilhada ao enfiar a faca na primeira Azul Peruana da estação e encontrar seu interior tão vívido quanto um mirtilo maduro. Na verdade, o produto fitoquímico responsável pela cor exuberante dos mirtilos e das batatas azuis é o mesmo — um poderoso antioxidante. Alguns cosméticos faciais antienvelhecimento contêm mirtilos amassados como o principal ingrediente. Ninguém em nossa casa experimentou esfregar batatas no rosto para preservar o tom de pele jovem, mas as ingerimos, apreciando todos os nutrientes de nosso arco-íris de batatas. Até mesmo as batatas brancas, quando comidas com a casca, fornecem as vitaminas C e B6, e quase duas vezes o volume de potássio de uma banana.

A má reputação das batatas deriva de seu índice glicêmico (IG), uma ferramenta usada para medir o incremento do açúcar sanguíneo causado pelo consumo de certas comidas. Os alimentos com um IG alto (como o açúcar e também o adoçante a base de milho) ocasionam um aumento acentuado nos níveis de glicose sanguínea que estimula altos níveis de insulina no sangue. É duro para o corpo quando isso acontece com freqüência, tanto que esse fenômeno foi ligado ao diabetes tipo 2. Contudo, se as batatas forem consumidas junto com alimentos que contêm fibra, proteína e gordura, esses itens reduzem a resposta glicêmica do corpo de forma que os níveis de insulina permanecem baixos.

O valor nutritivo da batata é maior quando ela é entregue no próprio invólucro. Infelizmente, comer a casca nem sempre é seguro. Por crescerem embaixo da terra, as batatas convencionais estão entre os legumes mais contaminados por pesticidas. As batatas nos Estados Unidos comumente contêm inseticidas de hidrocarbonetos clorinados e, algumas vezes, até mesmo resíduos de DDT, dieldrin e clordano, produtos químicos de extrema periculosidade que estão banidos desde 1978, mas ainda permanecem no solo. As batatas cultivadas de forma convencional costumam ser tão contaminadas que o Grupo de Trabalho Ambiental alerta os pais a não as darem a bebês e crianças jovens, a menos que tenham sido cuidadosamente descascadas e cozidas. Isso constitui um argumento forte a favor das batatas orgânicas oriundas de agricultores confiáveis, que conheçam a história da terra onde seu produto foi cultivado.

Temos sorte de termos batatas cultivadas em casa. A salada de batata é um prato que nunca falta em nossa mesa, embora ele mude com as estações. Também comemos muitas hortaliças de raiz, bastante batatas-doces e abóboras de inverno nos meses do outono. Incluí aqui a notória receita de sopa de abóbora de mamãe e cardápios de jantar de uma típica semana de outono em nossa casa.

QUATRO ESTAÇÕES DE SALADA DE BATATA

INVERNO

4 xícaras de batatas grandes, picadas em pedaços grandes e cozidas até ficarem firmes, porém tenras

3 ovos cozidos picados em pedaços grandes

¾ de xícara de picles endro do último verão, picados em pedaços pequenos

2 xícaras de sopa de endro

Sal a gosto

Maionese – algumas colheres de sopa

Misture as batatas, os ovos e o picles, tomando cuidado para não amassar tudo. Acrescente endro e sal à mistura e mexa bem. Acrescente maionese em um volume suficiente apenas para tornar a salada compacta.

PRIMAVERA

4 xícaras de batatas picadas em pedaços grandes

1/3 de xícara de folhas de hortelã fresca

1 a 2 xícaras de ervilhas pequenas

1 xícara de queijo feta esfarelado

¼ de xícara de azeite de oliva extra virgem

Cozinhe as batatas conforme acima. Misture os ingredientes.

VERÃO

1kg de batatas pequenas vermelhas ou douradas, cortadas em pedaços de 2,5cm

3 xícaras de sopa de azeite de oliva

Sal grosso

2 pimentões amarelos ou vermelhos, cortados em pedaços grandes

2 xícaras de vagem (cortada em um comprimento de 2,5cm)

1 a 2 espigas de milho doce ainda no sabugo

Misture as batatas com sal e azeite e as espalhe em uma assadeira. Asse no forno a 230ºC até ficarem macias (20 a 30 minutos). Coloque as espigas de milho, levemente azeitadas, junto com elas. Acrescente os pimentões e as vagens para cozinhar pelos últimos 10 minutos. Quando prontos, solte os legumes com uma espátula, remova os grãos de milho das espigas e junte tudo em uma grande tigela rasa.

2 xícaras de tomates cortados em pedaços

½ xícara de manjericão fresco

¼ xícara de azeite de oliva batido junto com 1 colher de sopa de vinagre suave ou balsâmico

Misture os tomates, o manjericão e o molho aos legumes cozidos; acrescente sal a gosto.

OUTONO

1kg de batatas do tipo "dedinho" (tais como Banana Russa, Finlandesa Cor-de-rosa, La Ratte)

Legumes da estação

4 colheres de sopa de manjericão seco

¼ de xícara de azeite de oliva batido com 1 colher de sopa de vinagre balsâmico

Prepare as batatas cozidas conforme o cardápio de "Verão", juntando os pimentões, vagens, *shelly* e limas de fim de estação, cozidos junto com as batatas. Misture com os pedaços de tomate fresco, o manjericão e o molho. À medida que a estação avança e outras coisas ficam disponíveis, é possível misturar outros legumes de sua preferência às batatas, mantendo as proporções aproximadamente iguais. As abóboras de inverno e as batatas-doces picadas ficam maravilhosas nesse prato cozido, exigindo um tempo quase igual no forno. Não hesite em juntar as batatas normais com as doces — elas não são da mesma família, portanto farão um casamento perfeito!

SOPA DE ABÓBORA NA PRÓPRIA CASCA

1 abóbora de 2,25kg (caso maior ou menor, ajuste o volume de líquido)

Corte uma tampa na parte de cima da abóbora, retire as sementes e os fios de polpa, e esfregue sal na parte interior. Coloque a abóbora em uma grande assadeira.

1 litro de caldo de frango ou de legumes

1 litro de leite de vaca ou de soja

½ xícara de folhas de salsa fresca (use menos se forem secas)

3 dentes de alho

2 colheres de chá de sal grosso

Pimenta a gosto

Cozinhe os dentes de alho no forno ou em uma panela coberta, em fogo baixo, até amolecerem. Junte o líquido e os temperos em uma panela grande, amassando os dentes de alho e aquecendo cuidadosamente para não queimar o leite. Despeje o líquido na abóbora e coloque a tampa de volta, colocando uma folha de papel alumínio entre a abóbora e a tampa para que ela não caia lá dentro. (Se você tiver acidentalmente destruído a tampa ao esvaziar a abóbora, simplesmente a cubra com papel alumínio.) Asse a abóbora cheia a 190°C por 1 a 2 horas, dependendo da espessura da abóbora. De vez em quando, tire a tampa e confira com uma colher, cuidadosamente raspando a polpa interna para dentro do líquido quente. Se a abóbora desabar ou a polpa tiver muitos fios, coloque o líquido e a polpa em um liquidificador e bata. Com sorte, será possível servir a sopa em uma sopeira de abóbora.

Baixe da internet essas e todas as receitas do livro em www.animalvegetablemiracle.com.

PLANO DE REFEIÇÕES SEMANAL PARA O OUTONO

Domingo – Bife grelhado e salada de batata outonal.

Segunda-feira – *Quesadilla* de batata-doce e acelga.

Terça-feira – Batatas duplamente cozidas com queijo e brócolis de fim de estação.

Quarta-feira – *Tortilla* espanhola (fritada de batata e cebola).

Quinta-feira – Sopa de três tipos de feijão com pão fresco.

Sexta-feira – Pizza com molho de tomate, salsicha de peru, cebolas cozidas e mussarela.

Sábado – Quiche de queijo e abóbora.

17

Dias de festa

NOVEMBRO-DEZEMBRO

A derradeira estação do ano levou-nos a montar as janelas de dupla proteção e a drenar os canos exteriores, mas Lily tinha tarefas completamente diferentes a cumprir: sua empresa de ovos abrira as portas. Os pintinhos de abril cresceram e viraram galinhas poedeiras, surpreendendo-nos com os primeiros ovos no final de outubro. O inverno é a baixa estação para os ovos, pois muitas espécies param de botá-los por completo quando os dias passam a durar menos de 13 horas. Aconselhamos Lily a não depositar grandes esperanças em seu bando até a próxima primavera.

Nunca subestime o valor das palestras de motivação dadas pelo chefe. Lily pulava da cama bem cedo toda manhã para passar um bom tempo no galinheiro antes da chegada do ônibus escolar. As galinhas tinham caixas especiais para botar ovos, capazes de ser abertas pelo lado de fora do local onde as galinhas se recolhiam, tornando possível recolher os ovos de pé (com os sapatos limpos), na parte dianteira do celeiro das aves. Ou, no caso de Lily, passar horas à espreita, supervisionando de perto o trabalho das galinhas. De fato, ela já viu ovos saindo dos ovodutos das galinhas — uma visão compartilhada por poucas pessoas neste mundo, creio. Ao planejar esse bando, ela escolheu espécies antigas e corpulentas, que tinham a boa reputação de botar ovos até mesmo em clima frio. Em meados de novembro, suas 19 poedeiras estavam produzindo até uma dúzia de ovos por dia.

Aparentemente Lily tinha certeza, desde sempre, de que sua força de trabalho poderia atingir seu potencial máximo. Ela preparou sua clientela durante meses, anotando números de telefone com antecedência. Os presidentes de empresa precisam desempenhar múltiplas tarefas — contador, supervisor, lavador de ovos —, mas o ponto forte dessa companhia eram as relações públicas. O planejamento antecipado levara em conta não apenas a produção durante o inverno, mas também a cor dos ovos. Os produtos das diferentes espécies de galinha variavam do verde-claro ao cor-de-rosa, bege e marrom chocolate. Lily arrumou-os de modo que cada caixa formasse um arco-íris, além de imprimir sua própria etiqueta, "Lily's Lovely Layers" [As lindas poedeiras de Lily], com uma foto dela segurando uma de suas aves preciosas. Ela colou essa etiqueta por cima das marcas comerciais nas caixas recicladas que seus amigos juntaram para ela. Quando fez a primeira venda, já se formara quase uma fila de clientes no caminho à nossa casa.

Lily estava em êxtase, dançando pela cozinha segurando seus primeiros dólares. Ver minha jovem empreendedora realizar seu sonho também me deixou orgulhosa, assim como mistificada, como todos os pais que vêem seus filhos adquirirem capacidades que não têm. Quando tinha a idade dela, a perspectiva de vender até mesmo biscoitos para arrecadar dinheiro para as bandeirantes me levava aos prantos. Agora, eu via minha filha de nove anos crescer alguns centímetros toda vez que pegava o telefone para combinar uma nova entrega, sempre se lembrando de perguntar primeiro: "Como você está hoje?" e "Como vai sua família?" De noite, ela sentava-se à mesa da cozinha com o livro de contas que eu a ajudara a montar para registrar as informações dos clientes, o estoque e as despesas. Finalmente ela começou a escrever números na coluna de "Receita".

Em pouco tempo comecei a me perguntar se eu também teria de entrar na fila. Lembrei a Lily que nossa família também precisava de ovos. Durante o último ano, fomos supridos pelas três antigas galinhas de estimação dela, que eu presumira que não fariam parte da folha de pagamento. Mas agora seus ovos iam direto para as caixas das Lindas Poedeiras, juntamente com todos os outros. Fui informada de que poderia adquiri-los ao preço de 2,50 dólares por dúzia. Levando em conta o custo da ração, esse preço dava a Lily uma pequena margem de lucro e ainda agradava seus clientes.

Contudo, eu não estava disposta a pagar tal preço. É claro que não me importava em recompensar minha filha tão trabalhadora, esse não era o problema. Ela se empenhara em cuidar das galinhas, fechando-as no galinheiro toda noite para ficarem seguras, até mesmo quebrando o gelo que se formava na tigela de água nas manhãs frias. Ela prestava muita atenção às vozes das galinhas lá fora, percebendo imediatamente quando um coiote entrava no quintal, e saía em disparada, porta afora, aos gritos, antes que qualquer um de nós tivesse qualquer idéia do que estava acontecendo. (Não sei o coiote, mas eu certamente quase tive um enfarte.) Essas galinhas deviam suas vidas e seus ovos a Lily, sem dúvida.

Mas, já que ela levava seu negócio tão a sério, eu queria que ela o entendesse por completo. As empresas têm custos para iniciar suas atividades. Lembrei-lhe que eu pagara pelos pintos e também pela ração que eles consumiram durante seis meses, antes de começar a botar ovos, e até mesmo as galinhas ciscadeiras precisavam de proteína suplementar, cálcio e outros nutrientes. Expliquei a Lily o que era capitalização, crédito e investidores. Ela ouviu tudo com interesse.

— Pago tudo de volta a você — disse ela imediatamente. — Quero que esse negócio seja realmente meu, não uma brincadeira de criança.

Ela sentou com o livro de contas para calcular o tamanho do empréstimo sem juros que eu adiantara a ela como capital de risco. Tínhamos todos os recibos. Precisamos comprar a ração orgânica a granel, portanto já havíamos adquirido tudo que ela precisaria até a próxima primavera. Ela então precisava calcular o custo dos 32 pintos encomendados pelo correio e o valor necessário para manter as poedeiras produzindo durante um ano inteiro. (Os galos foram liquidados.) Eu mesmo me perguntei qual seria a quantia. Ela se debruçou sobre o livro de contas por muito tempo, as pontas de suas marias-chiquinhas roçando a mesa enquanto escrevia, apagava e escrevia de novo. Finalmente ela falou:

— Duzentos e oitenta e cinco dólares!

Ela desabou da cadeira, se jogou dramaticamente no chão, com os olhos bem fechados e a língua para fora para mostrar desespero, ou então uma grave situação fiscal. Como já mencionei, um presidente de empresa precisa desempenhar múltiplas funções.

— Não entre em pânico — disse, sentando no chão a seu lado. — Vamos discutir isso.

Ela abriu um olho.

— Mãe, não vou ganhar todo esse dinheiro antes de atingir os cinqüenta anos ou até mais.

— Confie em mim, você vai ganhar sim. Não é tanto quanto parece ser. Além disso, se formos registrar tudo, devo a você pelos galos que comemos e todos os ovos que usamos desde abril. Esqueci disso. Calcule tudo isso e vamos ver qual é a nossa situação.

A nossa situação, no começo de novembro, era uma dívida dela de quase 155 dólares. Lily e eu fizemos um trato. Ela me daria todos os ovos que eu quisesse, subtraindo 2,50 dólares, por caixa, de sua dívida. Eu não cobraria juros, mas seria considerada uma cliente preferencial. A duas caixas por semana, sua dívida estaria liquidada em cerca de trinta semanas. Para uma estudante do quarto ano, isso soa como uma sentença de prisão perpétua sem possibilidade de liberdade condicional.

— Mas você ainda estará ganhando dinheiro de verdade com seus outros clientes — lembrei. — Daqui a pouco, você estará pronta para abrir uma conta bancária. E todo mundo vai precisar de ovos extras para fazer bolos durante a época das festas.

Animada pela perspectiva dos bolos de fim de ano, a presidente da empresa tomou as rédeas da situação. Até onde sei, as trabalhadoras nunca souberam da crise.

De todos os feriados que comemoramos nos Estados Unidos, poucos são os acompanhados de tradições culinárias realmente nossas. A maioria dos feriados, religiosos ou não, em nosso calendário é derivada de outras culturas, algumas delas muito antigas, outras modernas demais para terem seus próprios cardápios. Os únicos feriados cujos costumes alimentares podem ser considerados verdadeiramente norte-americanos, me parece, são o Dia da Independência e o Dia de Ação de Graças.

Eles não poderiam ser mais diferentes. O primeiro tem tudo a ver com o ato de queimar coisas em uma grelha, hambúrgueres, cachorros-quentes e afins, cuja degustação é acompanhada de muita cerveja e refrigerante, com o objetivo de permanecer ao ar livre durante uma longa tarde que culmina ao anoitecer com explosões rebuscadas de pólvora. Além da bandeira hasteada que provavelmente está em algum lugar nas cercanias, não há nada neste piquenique que tenha raízes em nossa terra. Tecnicamente, a pirotecnia é chinesa, e o resto da comemoração é tão pré-fabricada quanto comida industrializada. Talvez seja isso que a torna tão americana. Ao final da festa do Dia da Independência, se fôssemos solicitados a revelar as fontes de tudo que consumimos, teríamos dificuldades em elaborar uma lista de ingredientes.

O outro feriado diz respeito a tudo que a América do Norte tem a oferecer ao final de uma boa safra. O Dia de Ação de Graças é meu favorito, e sempre foi. Suponho que seja porque, como filha de fazendeiros, aprecio como ele honestamente nos pertence. No Dia de São Patrício, qualquer bebedor de cerveja e seu irmão repentinamente se tornam irlandeses. A música natalina enche nossos ouvidos com histórias de um parto milagroso na Palestina, um generoso santo turco que os holandeses vestiram de vermelho e uma árvore cerimonial dos druidas... eu acho. Mas o "Dia do Peru" pertence a *meu* povo. Os perus perambulavam livres por este continente durante a última era glacial, enquanto a Velha Europa não tinha nem um peru sequer. (Esse fato por si só lhes granjeou um número de votos quase suficiente para torná-los nossa ave nacional, mas, no fim das contas, as aparências são importantes, creio.) O empadão de milho talvez seja o mais antigo prato tradicional do Novo Mundo; as abóboras e os *cranberries* são, também, exclusivamente nossos. É tudo norte-americano, as coisas certas na hora certa.

A esse conjunto saboroso acrescente uma horda de familiares do sexo feminino dividindo o trabalho e a fofoca na cozinha, crianças deitadas no chão da sala assistindo a personagens de desenho animado gigantescos desfilando por uma avenida nova-iorquina na TV; e os homens no quintal fingindo que ainda têm força e preparo físico para jogar futebol americano. Esse é um dia americano perfeito. Se precisamos de uma desculpa melhor para nos concentrar por um dia inteiro na preparação e no consumo de uma refeição, e em grunhir de felicidade com sorrisos nos lábios após sua degustação, acrescente apenas uma pitada de humildade e aleluia. Louvada seja a colheita. Conseguimos passar por mais uma virada das estações.

Em tempos modernos, é claro, esse regozijo pela colheita e por ter chegado ao limiar do inverno com comida suficiente é mais simbólico. Mas, nesse ano, em nossa casa, a colheita de fato existiu e fora realmente um alívio. Da mesma forma, pela primeira vez desde que começamos nossa experiência com comida local, nos aproximávamos de um evento culinário importante para o qual o roteiro já havia sido escrito. Peru local? Tínhamos alguns cujas vidas começaram nas palmas de nossas mãos e acabaram a poucos passos de nossa porta dos fundos. Tortas de abóbora, purê de batata, empadão de milho, batatas-doces, vagens, aipo e castanhas para o recheio — como poderia ser tão fácil? Em nosso continente, essa festa planeja a si mesma.

Eu não tinha nada contra celebrar o Dia de Ação de Graças duas vezes, dessa vez com direito a carne. Qualquer pretexto para passar um dia com os amigos, meu marido e minhas filhas é válido para mim, e prefiro o cardápio tradicional. Adoro destrinchar o peru na mesa e depois reencontrá-lo nas semanas seguintes em sanduíches, sopas e pratos de forno. Gosto muito do recheio, tanto que, na minha infância, meu maior desejo quando passava o Dia de Ação de Graças era fazer sanduíches com o recheio. (Dr. Atkins, revire-se no túmulo.) Nossa receita começa com uma frigideira cheia de cebolas refogadas, alho, aipo cultivado em nossa horta e castanhas de nossa castanheira chinesa, misturados com uma forma inteira do pão de trigo, feito por Steve, cortado em pedaços, amolecido com caldo e temperado com bastante salva e tomilho.

Começamos na noite anterior, assando várias formas de pão e conferindo o processo de descongelamento de nossa ave. Também retalhei em pedaços uma Queensland Azul (em apenas dez minutos, a vingança é doce) para ser cozida e fazer tortas de abóbora. Lily ajudou a fazer a massa. As meninas sempre ajudaram com o jantar do Dia de Ação de Graças, desde que eram suficientemente altas para ficar de pé em uma cadeira e misturar o recheio com as mãos, como se fosse uma esplêndida torta de lama. Um ano antes, quando tinham oito e 17 anos, elas assumiram a responsabilidade pela refeição comemorativa inteira quando eu estive fora de ação por causa de uma perna quebrada. Com alguma ajuda de Steven na parte mais pesada, elas fizeram um ótimo trabalho: peru, tortas e tudo mais. Cozinhar é 80% confiança, uma virtude mais bem adquirida enquanto ainda se consegue dar duas voltas em torno da cintura com as tiras do avental.

Na manhã de quinta-feira, assamos as tortas. Durante a tarde, cozinhamos as batatas-doces, assamos abóboras de inverno na panela, refogamos as vagens com castanhas, cozinhamos e amassamos batatas, sempre vigiando o peru. Sozinha, Lily quebrou meia dúzia de ovos em uma tigela (subtraia 1,25 dólar da coluna "Dívida com Mamãe") e fez o empadão de milho, usando aquele que havíamos tirado da espiga e congelado no verão. Nossa horta forneceu tudo, com uma exceção. Os *cranberries* são, em geral, cultivados mais ao norte. Iniciei uma pequena plantação de *cranberries*, mas ainda não tinha nada para mostrar como fruto de meus esforços. Discutimos a possibilidade de um Dia de Ação de Graças sem *cranberries* e concordamos que era como chupar bala sem tirar o papel. Quem é que precisa de uma coisa dessas?

Será que *nós* precisávamos — seria essencial que 100% do cardápio dessa festa fosse cultivado por nós? As metas pessoais costumam adquirir um impulso próprio, mesmo quando ninguém mais percebe ou se importa: os corredores ocasionais se esforçam para correr mais um quilômetro, os aficionados por palavras cruzadas querem resolvê-las cada vez mais rápido. Nosso projeto de comida local nos impulsionava constantemente a atingir novos recordes pessoais. Mas ele sempre foi uma fascinação, não um fanatismo. Ainda comíamos em restaurantes com amigos, de vez em quando, e aceitávamos com prazer os convites para jantar em suas casas. As pessoas que conheciam nosso projeto ficavam constrangidas em nos convidar, ou quando nos viam em um restaurante se comportavam como se tivessem nos flagrado fazendo algo errado. Sempre explicávamos: "Ainda estamos no processo de conversão, não somos pregadores. Não seguimos leis imutáveis." Nosso jantar de Dia de Ação de Graças incluiria um pouco de azeite de oliva californiano, uma pitada de noz-moscada africana e um pouco de farinha da Virgínia, que provavelmente incluía trigo da Pensilvânia e de outros lugares mais ao norte. Levando em conta os imperativos da tradição, também compramos um pacote de *cranberries* orgânicos, com cor de batom, originários de Wisconsin. Por ser a primeira hortaliça ou fruta comprada em um supermercado a entrar em nossa casa há muitos meses, elas pareciam extremamente exóticas, dispostas sobre nossa bancada, envoltas pelo celofane que não negava sua prodecência. Todos nós, eu acho, as manipulamos carinhosamente em sigilo, antes que Camille as cozinhasse em um molho de gengibre.

Nossos convidados chegaram de tarde para bater papo na cozinha e sentir o aroma que enchia o ar enquanto tudo cozinhava. Demos de presente alguns Vermelhos Bourbons que colhemos, mas o sr. Dia de Ação de Graças fora escolhido enquanto ainda estava de pé, destinado por toda a vida ao seu encontro com a nossa mesa. Ele pesava oito quilos, mesmo sem o grande peito que os Brancos de Peito Largo desenvolvem. As espécies históricas tendem a ter uma proporção maior de carne escura e, como seria de se esperar, esse peru compensava seu peito mais estreito com mais carne nas pernas, coxas e em outros lugares. Sua cor e textura eram tão diferentes dos perus tradicionais que era difícil compará-lo. Foi um prazer cozinhá-lo, pois permaneceu excepcionalmente úmido e tenro o tempo todo. Graças a uma camada fina de gordura da cor de uma gema de ovo embaixo da pele do peito, a carne parecia regar a si mesma, ganhando aroma e sabor delicados parecidos, juro, com os de uma lagosta. Os preços que essas aves alcançam no mercado de produtos finos são justos. O gosto é a razão pelo sucesso do projeto de perus da Slow Food EUA, por meio do qual os clientes reservam perus com linhagem herdada ainda na primavera, os quais serão entregues pelos fazendeiros no Dia de Ação de Graças. Esse Bourbon Vermelho, nós e nossos amigos concordamos ao prová-lo, era o peru mais saboroso e complexo que já havíamos comido.

Porém, o peru perfeito não é mais importante do que qualquer outra parte deste ritual: acender as velas, passar o molho, contar as mesmas histórias mais uma vez. Comer até jurar que está passando mal e, sorridentemente, comer a sobremesa também. Além das tortas de abóbora, nossa amiga Maruśka trouxe um *strudel* que ela aprendera a preparar quando jovem, na Eslovênia. Ela pediu desculpas pelo formato, explicando que, para as festas, ele deveria ter a forma de uma ferradura, mas ela não tinha a assadeira certa. Todos disseram para ela que, é claro, não importava, pois o gosto seria igual. Mas eu entendi seu desejo de recriar, nos mínimos detalhes, uma memória comestível. É por essa razão que necessitávamos de *cranberries* para dar aquele toque picante e rosa que perpassa o molho e é típico do Dia de Ação de Graças. É por essa razão que nos demos ao trabalho de fazer uma refeição com mais pratos à base de legumes do que a maioria das pessoas consome em uma semana, e muito mais carne de ave do que qualquer um necessita em uma única refeição.

Ter mais do que o suficiente, tenha vindo da horta ou do mercado, é uma marca desse feriado. Na maioria dos casos, pode ser apenas ostentação, mas os feriados são simbólicos de qualquer maneira e fornecem as linhas pontilhadas no mapa do tesouro do contrato social que firmamos entre nossas famílias e nações.

Em termos de simbolismo, o que poderia ser mais emblemático do que essa relação da necessidade, do medo da fome e da salvação que chega por meio da bênção inesperada da colheita? Até mesmo fingir surpresa, reagir como se fosse algo inesperado e fazer um agradecimento ritual é certamente mais sábio do que esperar que tudo caia do céu sem qualquer preocupação. Acorde, reaja, pois esse é um dia de folga que temos para louvar a Criação: o peru, a abóbora e o milho, essas coisas que comeram e beberam a luz do sol, a grama, a lama e a chuva, e depois nos dias cada vez mais curtos, deram suas vidas em prol de nosso bem-estar e futuro. O milagre está bem diante de você, o produto de um sacrifício absoluto que ainda retém as sementes: o germe de uma promessa de fazer tudo novamente, outra vez.

Ah, sim. Conheço a história do índio Squanto, que ajudou os peregrinos ingleses no primeiro inverno, a repetimos incessantemente nas peças da escola primária ("Amigos peregrinos! Enterrem um peixe embaixo de cada planta de milho!"). No entanto, essa associação esperançosa acabou tão mal que detesto pensar nela. A história pertence ao passado. Detesto ficar relembrando-a. Minha filosofia é deixar para lá. Nas crenças de minha casa, o Dia de Ação de Graças é o aniversário da Criação. Louvem a colheita — uma pausa e um suspiro no sopro da imortalidade.

A NEVE CAIU SOBRE NOSSA horta em dezembro, deixando as hastes de milho secas e os pés de tomate murchos, fazendo contraste entre preto e branco, como um desenho de caneta e tinta intitulado *Descanso*. Os que se dedicam de corpo e alma a projetos que parecem intermináveis — criar filhos, limpar a casa, cuidar da plantação — conhecem o valor de fechar para balanço de vez em quando. Precisamos de nossos momentos de trégua declarada.

A feira de fazendeiros encerrou suas atividades do ano. Fizemos nossa última visita aos vendedores de lá, pegando seus números de telefone e prometendo manter contato por razões diversas: sentiríamos falta de nossas conversas habituais; precisaríamos de conselhos sobre os carneiros de raça islandesa que iríamos adquirir na primavera, poderíamos fazer um passeio de carro de vez em quando para pegar verduras de inverno de suas estufas. Fizemos um estoque grande de carne congelada para nos abastecer durante o inverno, incluindo uma grande perna de carneiro para uma de nossas refeições festivas.

O túnel do inverno se sobrepôs às nossas vidas, com sua chegada marcada pelo grande Embuste oficial, o fim do horário de verão. Pessoalmente, eu votaria a favor de *mais* uma hora de luz nas noites de inverno em vez de um entardecer extemporâneo. De quem foi a idéia de nos trapacear dessa maneira, nos largando no frio de novembro com os resquícios não economizados da luz do dia esvaindo antes do final do horário de trabalho? Na minha infância, me lembro de observar o mesmo desespero todos os outonos: o sentimento de que a luz solar, o verão e, provavelmente, a vida em si passara por mim antes que eu tivesse finalizado a construção de um forte minimamente decente feito de troncos de árvores. Mas não é do meu feitio questionar aqueles que empurram a primavera para frente e o outono para trás. Apenas faço um juramento todo inverno de que farei um esforço maior para viver como uma batata, com seu entendimento tácito de que o tempo é o tempo, não importa o que diga o relógio. Consigo superar os meses de hibernação ao ficar o mais perto possível do forno a lenha, sem necessariamente praticar a auto-imolação, pondo em dia a leitura, alegrada por interrupções periódicas decorrentes do excesso de feriados que se juntam em um congestionamento festivo no final de nosso calendário.

Somos um lar que abriga tradições espirituais das mais variadas, e alguns dos principais feriados não são nossos, incluindo quaisquer deles que transmitam a seus seguidores a idéia de comprar coisas de que ninguém precisa. Mas festejamos muito. Damos de presente nossos molhos e *chutneys* e fazemos refeições especiais para a família e para os amigos: peru e recheio. Perna de carneiro ao molho de hortelã e legumes de raiz cozidos e temperados com alecrim e azeite de oliva. Para o Ano-Novo, o tradicional feijão fradinho e o arroz sulista para dar sorte. Sempre ao fundo, sem esperar por qualquer ocasião especial, ouve-se o zumbido eficiente das pás da máquina de fazer pão, seguido pelo cheiro do pão do dia de Steve preenchendo a casa inteira. Temos nossas maneiras de tornar esses meses de prisão domiciliar uma pena mais agradável.

Quando uma nova fábrica de salgadinhos de milho orgânico abriu as portas, a trinta quilômetros de nossa casa, pelo menos um dos membros de nossa família interpretou isso como a realização de um sonho. No entanto, encontrar farinha de trigo para nosso pão continua a ser a nossa busca mais frustrante. Um moinho histórico que fica a apenas oito quilômetros de nossa casa processa milho e outras farinhas especiais, mas não o trigo integral. Portanto, ficamos entusiasmados quando descobrimos um moinho de farinha de trigo a apenas uma hora de distância de carro, um negócio familiar que tínhamos prazer em apoiar. Mas o produto, francamente, não era o que queríamos: farinha branca clareada com brometo. Eles também comercializavam uma farinha para fazer biscoitos fortificada com MSG. Perguntamos se eles poderiam processar lotes de trigo integral ou farinha branca não clareada para nós, mas éramos apenas uma família sem influência suficiente para mudar o planejamento de uma empresa pequena. Precisávamos de parceiros consumidores de comida local para dar mais peso à nossa busca e, com o tempo, os teremos. Por agora, suplementamos nosso produto local, em grande medida, com farinha integral de trigo cultivado em Vermont. Às vezes, fazíamos a própria massa, mas em muitas ocasiões também a comprávamos fora do estado. Idem para os cereais matutinos, embora a fonte principal fosse um pacote grande da maravilhosa farinha de aveia de David e Elsie, que eles nos enviaram de presente. Trouxemos algumas coisas de volta da Itália também, inclusive um paladar definitivamente modificado em relação ao vinho. Mas mantivemos nosso compromisso para com as carnes e os produtos locais. No reino dos alimentos processados, demos as costas a quase tudo que estava disponível e praticamente esquecemos que esses alimentos eram vendidos lá fora.

Há muito tempo, nos despedimos das frutas do verão, em troca de algumas que são mais abundantes em dezembro: maçãs tradicionais, cujo sabor melhora com o clima frio, caquis nativos, que não podem ser comidos até que a primeira geada atinja a árvore. É também a estação dos cítricos no extremo sul e, se você não mora lá, a transferência de laranjas por alguns estados, vindas da Flórida ou do Texas, continua a parecer mais razoável do que uma fruta que enfrenta toda uma jornada para vir de outro hemisfério. Nossa ostentação festiva, no que diz respeito à comida, foi uma pequena caixa de tangerinas, que achamos ridiculamente emocionante, após ficar oito meses sem os cítricos. Não importa onde eu estivesse na casa, aquele cheiro resinoso e vívido, que lembrava as laranjas, despertava meu nariz assim que alguém descascava uma na cozinha. Lily abraçava calorosamente cada uma em seu peito, antes de despi-la tão suavemente como a uma boneca. Certa manhã, ao olhá-la fazer isso, de pernas cruzadas no chão, em seu pijama cor-de-rosa, com o contentamento iluminando suas bochechas, pensei: o mundo tem muita sorte por receber essa criança tão agradecida. O valor não reside no dinheiro, mas em um equilíbrio tênue entre a expectativa e a esperança.

Como impressionar sua mulher usando uma máquina

Tenho certeza de que você possui uma: talvez no armário. Ou em cima da bancada da cozinha, tão empoeirada que ninguém se lembra que ela ainda existe. Uma máquina de fazer pão. É possível utilizar aquela geringonça para fabricar pães requintados por cerca de cinqüenta centavos a forma, e ainda se tornar um herói aos olhos de seus entes queridos.

Primeiro, retire a máquina do armário (ou da caixa, se ela ainda estiver lá). Segundo, desculpe, mas você precisará ler o manual o suficiente para saber como fabricar um pão de forma básico. Depois, faça justamente isto: encontre uma receita básica para fazer um pão de forma branco ou integral, e faça-o algumas vezes para aprender o jeito de fazer a coisa. Use ingredientes frescos; jogue fora aquela farinha e aquele fermento velhos e comece com farinha nova moída específica para pão, preferivelmente orgânica.

Agora começa a parte criativa. Visite uma loja ou mercado local de produtos verdes e vá até a seção de farinhas. A maioria comercializa o que se poderia denominar de farinhas alternativas; elas são a chave de seu pão requintado. Entre elas, é possível encontrar variedades de trigo como *kamut*, *pumpernickel*, durum, além de outros grãos como o favo, aveia ou centeio. Outras farinhas são feitas a partir de arroz, soja, trigo-sarraceno, milho miúdo, milho tradicional, batata e cevada. Além dessas, existem outros grãos menos conhecidos (e menos apreciados) como *teff*, amarante ou quinoa, tubérculos, como as batatas-doces e a araruta moídas para fazer farinha e farinhas grossas feitas de nozes ou sementes: grão-de-bico, linhaça ou amêndoas. Em alguns lugares, é possível encontrar algarobeira ou mangará. Escolha algumas que você gostaria de experimentar e guarde-as junto com os outros ingredientes.

Ao fazer seu próximo pão, substitua algumas de suas farinhas alternativas pela farinha normal. Faça experiências, mas use apenas um pouco no começo, apenas ¼ a ⅓ de xícara — um volume exagerado de farinha que não seja de trigo pode comprometer a textura ou o crescimento da massa. A farinha de linhaça e o trigo-sarraceno são acréscimos especialmente saudáveis e bem-sucedidos. Após algumas tentativas, você encontrará misturas desejáveis e poderá ser tentado a experimentar fazer uma forma em seu forno. Até mesmo as experiências mal-sucedidas serão frescas, quentes e farão com que a casa tenha um cheiro ótimo. Os bons resultados vão se tornar suplementos essenciais de suas refeições locais saborosas.

Steven L. Hopp

No dia depois do Natal, recebemos uns amigos para comer uma refeição italiana completa, feita a partir de produtos de nossa horta (ravióli recheado com castanhas e abóbora de inverno) combinados com alguns itens especiais que trouxemos da Toscana: trufas, azeite de oliva, feijões brancos. Começamos preparando os raviólis, prosseguimos com os queijos e o pão trazidos pelos convidados, uma garrafa maravilhosa de vinho Bordeaux, presente de um colega francês, antepasto de nossos tomates secos Príncipe Borghese, verduras para salada de uns amigos generosos donos de uma estufa, e vários outros pratos que culminaram em uma sobremesa de iogurte caseiro, figos com gengibre e mel local. Conseguimos esticar o jantar em um evento social com duração de cinco horas, no estilo mediterrâneo. Demorou dez anos para Steven e eu tomarmos coragem e passarmos férias na Itália, mas daí em diante aprendemos rapidamente como fazer um jantar.

Para muitas pessoas a todos os lugares, tenho certeza de que a comida é a base de muitas tradições festivas. Provavelmente, passei vários anos negando o bem que havia nisso, em geral subconscientemente — convencida a recusar a torta do Dia de Ação de Graças, aceitando o estigma que minha cultura associou à celebração da comida, sobretudo no caso das mulheres da minha idade. Por causa das marcas deixadas em nossos corpos pelas crianças que parimos, da diminuição da marcha do metabolismo e das inevitáveis mudanças morfológicas, devemos fingir que, se tivermos força de vontade suficiente, a comida não tem tanta importância assim. Comam agora e sofram as conseqüências mais tarde, somos avisadas. Pisem na balança, revirem os olhos e decidam voltar a ser pessoas sérias no Dia de Ano-Novo.

Contudo, a maior parte dos quilos excedentes dos Estados Unidos não é acumulada nos feriados nacionais. Após certa idade, não podemos continuar comendo tortas, é verdade, mas é um dogma desalmado afirmar que precisamos desdenhá-las até mesmo no Dia de Ação de Graças. As pessoas boas comem. Assim como as pessoas más, os magros, os gordos, os altos e os baixos. Por mais que Deus nos ajude, nunca aprenderemos a fazer fotossíntese. Planejar refeições complexas e bonitas e dedicar corpo, alma e tempo à sua preparação é o oposto da auto-indulgência. Os encontros familiares na cozinha são orientados para os processos cooperativos e, no melhor dos mundos, nutritivos e afetivos. Muitas calorias são consumidas antes que as pessoas se sentem para comer. Porém, mais importante, muita conversa ocorre nesse intervalo, novidades são trocadas, segredos revelados através das gerações, caminhos abertos com um toque no braço. Dei e recebi alguns dos abraços mais calorosos de minha vida enquanto estava com luvas térmicas nas mãos.

Os encontros festivos fornecem um tipo de alegria de que preciso sobremaneira no inverno, após o episódio deprimente do Roubo da Luz do Dia. Felizmente, o primeiro acontece logo após a mudança de horário, no começo de novembro: o Dia de los Muertos. Aprendi a comemorar o Dia de Finados mexicano por causa dos muitos anos que passei convivendo com amigos mexicano-americanos, e trouxe-o comigo para uma comunidade surpreendentemente receptiva, no sudoeste da Virgínia. Parecia importante demais para ser deixado de lado.

A comemoração tem suas raízes na cultura asteca, cuja Mictecacihuatl — "A dama da morte" — presidia rituais que acolhiam com alegria os amigos e ancestrais de volta ao convívio com os vivos. Os padres espanhóis que chegaram com a colonização ficaram alarmados ao encontrar pessoas dançando com esqueletos, montando altares floridos e geralmente fazendo uma grande festa em memória de seus mortos. Isso nunca seria aceitável. Os padres tentaram mudar a data da festa, do meio do verão para o primeiro dia de novembro, e assim camuflá-la sob a forma católica do Dia de Todos os Santos. Claro, todos tirariam mais proveito dessa alegre festa pagã se ela fosse renomeada e incorporasse uma série de falas monótonas em latim a respeito de uma lista interminável de santos falecidos.

A data é a única parte do plano que funcionou. O Dia de los Muertos continua sendo um ritual inteiramente feliz de lembrança dos entes queridos que se foram, acolhendo-os na sala de estar com altares cobertos de fotografias e outras coisas benquistas que trazem lembranças aos presentes. As famílias também visitam os cemitérios para decorar os túmulos. Já vi jazigos adornados não apenas com flores, mas também com conchas, moedas, brinquedos, a Virgem Imaculada, cigarros e garrafas de tequila. (Para trazer todo mundo de volta, é preciso fazer de tudo.) Depois os membros da família fazem um piquenique, muitas vezes em cima mesmo de um túmulo, e compartilham lembranças de todos os mortos, sejam eles atraídos pelas flores ou pela tequila, e é a melhor festa do ano. A comida está no cerne dessa ocasião, sobretudo os pratos aromáticos que são considerados como nutrientes à presença dos espíritos. A única comida indispensável é o *pan de muerto*, o pão dos mortos, uma invenção maravilhosamente doce, cheia de ovos, que Frida Kahlo transformou em uma obra de arte. Para nossa própria comemoração do Dia de los Muertos este ano, quebramos ovos suficientes para fazer *pan de muerto* para trinta pessoas. Assim, Frida também deu uma mãozinha a Lily para abater sua dívida.

Os antropólogos que escrevem a respeito desse feriado sempre parecem surpresos com o caráter agradável desses festivais, a despeito de suas conexões óbvias com a mortalidade. A maioria das pessoas do mundo atual tem pouquíssimos dias no calendário para falar e pensar sobre as pessoas das quais sentimos falta por já terem falecido. A morte é um tabu que raramente discutimos, muito menos celebramos com alegria. Por coincidência (ou, para dizer a verdade, novamente por causa dos padres), um outro feriado não cristão, vindo do norte da Europa, também é celebrado nessa época. É chamado de Dia das Bruxas e reforça uma tradição oposta, que caracteriza a morte como sendo horrenda e grotesca. Não serei eu que criticarei uma oportunidade de vestir uma fantasia e pedir doces de graça, mas prefiro o Dia de los Muertos. Não é nada horripilante. É alegre e amigável.

Muito do que sabemos sobre as práticas religiosas no México antes da chegada dos espanhóis chegou até nós por causa de um padre católico chamado Hernando Ruiz de Alarcón, um dos poucos que se tornou fluente na língua nahuatl. Ele passou a década de 1620 escrevendo seu *Tratado sobre as superstições e os costumes pagãos que existem hoje entre os índios nativos da Nova Espanha*. Ele originalmente concebeu-o como uma espécie de "guia prático para os pagãos", para ajudar os padres a reconhecer e exterminar os ritos religiosos indígenas e seus praticantes. No processo de sua documentação, no entanto, fica claro em seus escritos que o padre Ruiz de Alarcón se tornou um simpatizante. Ele ficou especialmente fascinado com a maneira com que o povo nahuatl celebrava o sagrado nos objetos cotidianos e encorajava as realidades vivas e espirituais a se encontrarem no aqui e agora. Notou que o conceito de "morte" como um *fim* não existia para eles. Quando os astecas deixavam seus corpos, presumia-se que começavam uma viagem emocionante pelo éter. Não era algo a ser lamentado, exceto pelo fato de que os vivos ainda queriam visitá-los. A tristeza das pessoas não era pelos que haviam ido, mas por si mesmas, e poderia ser enfrentada por meio de visitas rituais denominadas Xantolo, uma comunhão usual entre os mortos e os vivos. A tradição mexicana ainda sustenta que o Xantolo está sempre presente em certos lugares e atividades, inclusive nos campos de cravos-de-defunto silvestres, no cultivo do milho, na preparação de *tamales* e de *pan de muerto*. Curiosamente, diz-se que as feiras de fazendeiros estão permeadas de Xantolo.

Sou atraída por essa comemoração, tenho certeza, porque vivo em uma cultura que não reserva quase nenhum espaço para os mortos. Celebrei o Dia de los Muertos nas casas de amigos vindos de formações diferentes, com *seus* ancestrais falecidos, por muitos anos antes de me dar conta disso. Mas agora acho que entendo. Quando cultivo minha horta, na verdade estou passando um tempo com meu avô, às vezes resgatando lembranças profundamente enterradas, décadas após sua morte. Ao tirar feijões de um envelope, sou tomada pela visão dos feijões pontilhados e das sementes de milho achatadas em potes de manteiga de amendoim na garagem do Vovô, em fileiras cuidadosamente dispostas, como se fosse o acervo de um museu. Isso é Xantolo, um espaço da memória aberto diante de meus olhos, que não tem tradução em minha língua.

Quando cozinho, encontro-me habitando o companheirismo emocional da pessoa que me ensinou a fazer aquele prato específico, ou a pessoa com quem eu costumava prapará-lo. Fechar a porta para os feriados ricos em comida, declarar a comida como inimiga, envia todos os avós e as tias-avós para um lugar solitário. Para mim, é um alívio muito grande acolhê-los de volta: minha minúscula tia-avó Lena, que servia refeições gigantescas e elaboradas em sua mesa, mas que nunca se sentava lá conosco, em vez disso insistia em comer sozinha na cozinha. Minha avó Kingsolver, que planejava qualquer cardápio começando pela sobremesa. Minha outra avó, que fazia pães e molhos perfeitos. Meu avô Henry, que usava um sótão fresco para secar presuntos escuros e salsichas cheirosas envoltas em panos, tudo feito de seus próprios porcos. Meu pai, que foi o primeiro a me levar para caçar cogumelos e a me ensinar a amar os aspargos silvestres. Minha mãe, cuja maneira especial de bater ovos fazia-os girar em uma elipse na tigela.

Aqui estou na presença consagrada de todos os que me quiseram bem e cozinharam para mim. Aqui mesmo, enlatando tomates com Camille e fazendo pão de ovos com Lily. "Volte", eu me deparo suplicando a cada memória. Volte para aquele abraço com luvas térmicas.

Medo da comida

Por Camille

Quando viajo de avião, muitas vezes me delicio com um dos meus prazeres vergonhosos favoritos: revistas de fofoca. Nada faz o tempo passar mais depressa do que histórias de casos amorosos constrangedores e dicas de moda completamente irreais. E, é claro, sempre, as dietas de "certo" e "errado". Quais os dez alimentos que você deveria comer para derreter a gordura *e* ter mais energia. Em uma viagem recente, encontrei um artigo alertando sobre as comidas perigosas a pessoas em dieta: os riscos das calorias ocultas e dos disparadores de desejos ardentes, revelados em um tom que eu presumia que fosse reservado a programas como *Mistérios não solucionados*. Será que eu conseguiria dormir naquela noite com medo da vitamina de frutas de 800 calorias (disfarçada em uma vitamina de frutas saudável) saindo de debaixo de minha cama e derramando-se por meu esôfago abaixo? Pasmem!

Podemos mesmo ter medo do que sustenta a vida humana? Da origem de nossos alimentos e do que eles podem nos fazer? Podemos e temos. As refeições prontas e a gelatina azul neon *são* mistérios não solucionados. Por estarmos tão distantes dos processos de cultivo e fabricação de nossa comida, faz um certo sentido encará-la como uma inimiga. É muito natural ter medo do desconhecido.

O primeiro passo para dar valor e confiar na comida é provavelmente ingerir algo que tenha algum grau de integridade. As pessoas que valorizam suas tradições de preparo e de apresentação da comida tendem a não pechinchar para comer calorias baratas. Associar a comida ao conforto emocional pode levar a uma vida de armadilhas e hábitos alimentares assustadores, se o pano de fundo for chocolates em troca de boas notas e pirulitos por não chorar ao tomar uma vacina. Mas existem outras formas de viver. Algumas de minhas lembranças familiares mais felizes envolvem fazer e consumir refeições rebuscadas em ocasiões especiais. A comida transforma os eventos em comemorações. Não se trata apenas de comida, mas da experiência de fazê-la e consumi-la. As pessoas precisam de famílias e de comunidades para esse tipo de experiência. As crianças precisam de pais, ou de algum tipo de guia, para orientá-las sobre as rotinas alimentares que seus corpos necessitam. Familiarizar-se com o processo de produção da comida gera ao mesmo tempo respeito e uma tranqüilidade maior com relação a tudo que envolve a idéia do jantar.

Este empadão de milho do Dia de Ação de Graças combina com um de nossos perus cozidos, batatas-doces assadas, couve-de-bruxelas cozida no vapor, ou abóbora de inverno assada no forno, além de muito recheio. Aqui também está uma receita de *pan de muerto*, a comida tradicional para as comemorações do Dia de Finados. Finalmente, incluí algumas receitas que desenvolvemos para nossos tomates armazenados. Os tomates secos são uma daquelas comidas ridiculamente caras para comprar e baratas de fazer. Se você tiver (ou puder pegar emprestado) um secador de comida, poderá rapidamente economizar cem dólares ao comprar 2,5kg adicionais de tomates pequenos toda vez que for ao supermercado e desidratá-los. No inverno, os acrescentamos em sopas e ensopados e, ao mesmo tempo, fazemos *antepasto* e *pesto*, que muitas vezes colocamos em potes de anchovas vistosos para darmos de presente.

EMPADÃO DE MILHO FESTIVO QUE UMA CRIANÇA DE NOVE ANOS PODE FAZER

3 xícaras de grãos de milho
2 ovos batidos
1 xícara de leite
1 xícara de queijo Gouda ou *Jack* ralado
2 colheres de sopa de salsa (seca)
1 colher de sopa de manjerona (seca)
Sal e pimenta a gosto

Junte todos os ingredientes e despeje em uma assadeira untada. Assar a 175°C por 45 minutos ou até que a parte de cima fique estufada e dourada.

PAN DE MUERTO DE FRIDA KAHLO

Essa receita rende trinta pãezinhos. A parte mais difícil é fazê-los ficar como os que ela fazia: em formato de caveiras e ossos dançantes. Torná-los saborosos não é complicado, mas é preciso começar a massa na noite anterior à festa, e assá-los um pouco antes de servir.

7½ xícaras de farinha branca, peneirada

2 xícaras de açúcar (ou 1½ xícaras de mel)

1¼ xícaras de manteiga

2 pacotes de levedura seca ativa dissolvidos em 5 colheres de sopa de leite morno

12 ovos

2 colheres de chá de canela

2 colheres de chá de extrato de baunilha

Coloque a farinha em uma tigela grande, faça uma abertura no centro e despeje a levedura e o leite, os ovos, o açúcar ou o mel, a canela e a baunilha. Misture com uma colher e depois com as mãos, até que ela solte dos lados da tigela. Se a massa ficar muito mole, ponha mais farinha. Se utilizar mel, mais farinha pode ser necessária. Faça uma bola, unte, cubra com uma camada leve de farinha e deixe descansar em um lugar morno durante 2½ horas, até que dobre de tamanho. Deixe refrigerado por uma noite. Forme bolas do tamanho de um pêssego com a massa fria. Depois molde ou decore-as de um jeito que o faça recordar de seus falecidos ancestrais. Coloque sobre assadeiras untadas e deixe crescer até que dobrem de tamanho, cerca de 1½ hora. Polvilhe com açúcar fino e canela e asse a 175°C por 30 minutos, até que os fundos façam um barulho oco quando batidos de leve.

ANTIPASTO DE TOMATES

Muitos tomates

Esse passo envolve planejar o futuro. Os tomates pequenos são melhores para secagem — Julietas, Príncipe Borgheses, Dourados de Sol, ou tipo cereja. Corte em metades e arrume-os, com a casca para baixo, em bandejas em um desidratador de comida, ou ao sol se você morar em um lugar de clima seco. Deixe secar até ficarem com uma textura entre o couro e o quebradiço.

Vinagre
Tomilho seco
Alcaparras
Azeite de oliva

Coloque os tomates secos em uma tigela. Aqueça o vinagre em uma panela, ou no microondas, e despeje em uma tigela até cobrir os tomates. Deixe de molho por 10 minutos, depois despeje e reserve (faz um ótimo molho vinagrete). Esprema o vinagre excedente com as costas de uma colher de pau. Em seguida, misture os tomates úmidos com tomilho, ou outros temperos de sua preferência. Acondicione-os soltos em potes de vidro com alcaparras e azeite de oliva suficiente para cobri-los. Eles podem ser guardados assim na estante por várias semanas, mas são tão saborosos que provavelmente não durarão tanto.

PESTO DE TOMATE SECO

2 xícaras de tomates secos
1 xícara de nozes picadas em pedaços grandes
¾ xícara de azeite de oliva
⅓ xícara de queijo parmesão ralado
¼ xícara de manjericão seco
4 dentes de alho
2 xícaras de sopa de vinagre balsâmico ou outro vinagre de boa qualidade
½ xícara de chá de sal

Bata todos os ingredientes até fazer uma pasta homogênea. Acrescente um pouco de água se ficar muito pegajoso, mas deve ficar consistente o bastante para poder ser passado em uma fatia de pão.

Baixe da internet essas e todas as receitas do livro em www.animalvegetablemiracle.com.

18

O que comer em janeiro?

"JANEIRO TRAZ NEVE..." começava o livro infantil, ilustrado e bem conservado, sobre as estações do ano, no qual minhas filhas acreditavam como se fosse o evangelho, enquanto cresciam em um lugar onde janeiro não trazia nada disso. Nossos invernos ensolarados no Arizona talvez trouxessem uma fina camada de gelo nos bebedouros de passarinhos ao amanhecer, mas no meio da tarde geralmente estava suficientemente quente para poder abrir as janelas do ônibus escolar. Os lares de Tucson ficam sistematicamente sem moletons e suéteres em janeiro, pois as crianças os vestem ao sair de casa pela manhã e os esquecem totalmente antes mesmo do meio-dia, formando montanhas de moletons abandonados nos cantos das salas de aula.

Mesmo assim, em todos os invernos, as crianças do Arizona dobram e cortam papel em forma de flocos de neve para colar no quadro negro. Em outubro, elas cortam folhas de árvore de papel laranja, e tulipas na primavera, do mesmo jeito que as crianças americanas e australianas, na época colonial, memorizavam poemas sobre cotovias britânicas enquanto gaios azuis ou cacatuas (dependendo do continente) piavam do lado de fora, totalmente ignorados. A cultura dominante sempre encontra uma forma de se tornar mais real do que tudo que está de fato à volta das pessoas.

Agora, em nossa fazenda, quando a neve tão prevista caía do céu, ou as folhas mudavam, ou as tulipas saltavam do solo, sentíamos um arrepio de emoção intensa. Para as crianças, era como se vivessem em uma terra saída dos contos de fada; para Steven e eu era mais como um tradicional retorno à infância, aos tempos antigos, à maneira como as coisas deveriam ser. Se lembrávamos que a camada de neve era mais profunda e as caminhadas até a escola mais duras e longas, não mencionávamos isso a qualquer pessoa mais jovem. Mas as estações do ano ainda me deixam encantada.

E assim aquelas palavras do poema de Sara Coleridge, "Janeiro traz neve" ressoavam em minha cabeça, enquanto eu sentava à mesa da cozinha olhando os flocos voarem de um lado para o outro numa daquelas tempestades de neve que lembram uma luta de boxe peso pena. Estava começando a soprar em ângulos bizarros, em lugares muito esquisitos, tais como os beirais do barracão de lenha. Provavelmente, o ônibus escolar traria Lily de volta para casa mais cedo se o tempo continuasse assim, mas, por enquanto, eu estava só em casa. Meu único companheiro era o pipocante forno a lenha que aquece nossa cozinha: barulhento, mas fácil de ignorar. Estava aproveitando profundamente meu intervalo de almoço solitário, totalmente deslumbrada com o romance do inverno, tomando sopa de batata e alho-poró requentada e observando a neve. Em breve, pretendia me aventurar a ir lá fora para apanhar lenha, mas era mais fácil deixar a tarefa para depois. Preferi ler o jornal.

Metade da primeira página (a parte superior) estava coberta com uma foto de um *cocker spaniel* com uma flecha atravessada em seu pobre corpo peludo. A manchete — UM MILAGRE: ILESO! — aparecia em letras garrafais, um tamanho de letra que os jornais das grandes cidades provavelmente reservam para ocasiões especiais, como o Apocalipse, por exemplo. Aqui no interior, não esperaríamos tanto tempo. A atitude de nosso diário local para com as letras grandes das manchetes era: se elas existem, são para serem usadas.

O resto de nosso jornal é uma leitura parecida com qualquer diário local em nosso país, com notícias importantes, artigos e editoriais dos mesmos serviços de notícias que enchem os jornais das grandes cidades, os quais também leio. O que diferencia nosso jornal do seu, seja lá onde você estiver, é a notícia exclusiva da primeira página — o cachorro transpassado e ileso, o galinheiro totalmente queimado, a descoberta de um depósito de lixo clandestino. Isso, além de nossos próprios obituários e uma seção festiva sobre estilo de vida, que é produzida localmente.

Todos nós leitores de jornal temos nossas aflições particulares. Em algum lugar dessas seções existe uma coluna que lemos somente para discordar do colunista. Enfaticamente. Até que os membros da nossa família, revirando os olhos, nos lembram que este é um país livre e que não é preciso ler a coluna *todas* as vezes. Minha nêmese específica não se encontra na seção de notícias internacionais ou na página editorial, mas sim na coluna de culinária. Embora esteja cansada de guerra, crimes empresariais e escritores científicos que não entendem a diferença entre causa e correlação, tento manter a mente aberta. Porém, esse colunista culinário tinha um senso sobre a origem dos alimentos menor do que aquele concedido por Deus aos gansos.

Tentei estabelecer um bom relacionamento, passando pelas etapas de frustração, negação e perguntando diretamente a ele:

— Onde você mora, na *lua*?

Eu sabia a resposta, ele não. Ele era um tipo local que escrevia apenas para nossa região de hortas e fazendas abundantes, fazendo o melhor que podia, tenho certeza. No entanto, ninguém poderia terceirizar mais ingredientes do que ele. As abóboras de seu mundo cresciam em latas, nem é preciso dizer. Se você precisar de ingredientes frescos, pode ter certeza de que as combinações que ele advoga não estarão disponíveis durante a mesma estação e os ingredientes não habitarão no mesmo continente um dos outros, nem no mesmo que você. Nesse dia de inverno *aconchegante*, enquanto eu curtia a neve que colava em pequenos triângulos nas minhas janelas, ele queria falar de *pesto*.

Para dar um toque picante a tudo, desde as massas ao frango, disse ele, eu deveria usar *pesto* de manjericão fresco nesta semana. Como fazê-lo? Fácil! Era só selecionar as folhas mais jovens, mais frescas, apertando-as entre os dedos para soltar os óleos, antes de jogá-las em meu liquidificador com azeite de oliva para fazer um molho picante para minha refeição.

Como é que é? As folhas de manjericão das zonas temperadas de nosso continente já foram congeladas até virarem hastes enegrecidas por, vamos contar, três meses. Algumas vezes, nessa época do ano, o mercado vendia pequenos pacotes, cada um contendo cerca de seis folhas (jovens e com sabor suave?) por três dólares. Se eu carregasse uma sacola grande de dinheiro até o carro e passasse os próximos dois dias dirigindo pelas estradas geladas, fazendo buscas intensivas nas seções de verdura de todo esse condado e dos condados vizinhos, talvez conseguisse encontrar folhas de manjericão suficientes, cultivadas na Califórnia, para fazer uma refeição de *pesto* a cem dólares por porção no fim de semana. Uau, obrigado pela ótima idéia.

Está bem, eu sei, é um país livre e sou uma chata. (Apenas duas semanas depois, esse cozinheiro foi trabalhar em uma cidade distante, onde ele está a salvo de meu olhar de reprovação com a testa franzida.) Mas, se as crianças do Arizona precisam recortar flocos de neve de papel no inverno, talvez os estudantes de culinária pudessem ser forçados a trilhar um caminho semelhante, recortando papéis coloridos para fazer aspargos na primavera, abóboras no outono e manjericão no *verão*. Talvez eles devessem ser obrigados a fazer viagens ao interior para visitar fazendas, quatro vezes por ano? Em nossa horta de verão, eles veriam arbustos de manjericão sendo criados não como um enfeite, mas como um cultivo. Quando as folhas começam a soltar sua fragrância no calor seco de agosto, colhemos cestas cheias e fazemos *pesto* em lotes grandes, congelando-os em sacos de meio litro. Nas feiras de fazendeiros, ele começa a aparecer em pequenas quantidades em junho e em maior volume nos dois meses seguintes: fresco, cheiroso e barato o suficiente até para os que não o cultivam fazerem um estoque que dure o inverno inteiro.

O *pesto* é ótimo para ser congelado. Quando feito durante a estação, custa apenas uma fração do que os supermercados ou delicatessens cobram pelos potes pequenos. Ocupa muito pouco espaço quando congelado achatado em sacos plásticos e depois colocados no congelador como livros em uma estante. Um saco de meio litro descongelará em uma tigela de água morna em menos tempo do que a massa leva para ficar pronta. Misturado com nozes-pecã ou azeitonas, tomates secos e queijo parmesão ralado, é a melhor das refeições fáceis. No entanto, a época para esfregar as folhas para soltarem os óleos seria agosto. Os que não moram no sul da Califórnia ou na Flórida precisam planejar com antecedência, não apenas o *pesto*, mas a comida local em geral. Isso parece óbvio. Mas aparentemente não é, pois nas discussões públicas sobre o assunto, a primeira pergunta que surge é sempre: "O que você come em janeiro?"

Gostaria de contar um dramalhão, histórias horripilantes de uma família comendo a sola de seus sapatos. Da minha infância, guardo uma memória vívida da saga de uma família perdida dentro do carro, no deserto do Mojave, que sobreviveu ao comer a caixa de lápis de cera dos filhos. Espero que, naqueles tempos, os lápis de cera fossem feitos de alguma coisa mais saborosa, como banha de porco processada, em vez de petróleo. De qualquer maneira, minha imaginação de criança especulou durante anos sobre a parte não contada da história, que dizia respeito ao *banheiro*. Comparada com essa, a história de nossa família é insípida. Nada de cores exóticas para nós. Comemos apenas coisas prosaicas, como massa com *pesto*, preparadas com antecedência.

No inverno, tínhamos o costume de comer mais carne, provavelmente em conseqüência do anseio metabólico do corpo por ensopados quentes com mais gordura e óleos. Nossa comida local é sempre congelada, exceto nas raras semanas em que acabamos de colher aves, fazendo portanto com que a estação não determine o que está disponível. Um fazendeiro de carnes precisa planejar, durante a primavera, para o ano inteiro, começando com os perus do Dia de Ação de Graças, em abril; logo, é nesse momento que o cliente precisa fazer sua encomenda. Mas a colheita chega e acaba, da mesma forma que as hortaliças. Quando a nossa feira de fazendeiros fechou para o inverno, nos asseguramos de que o congelador estava cheio de costeletas de carneiro e carne moída de animais criados no pasto e abarrotado de nossas próprias aves. E agora teríamos ovos frescos todo mês, graças à atitude precavida de Lily de criar galinhas com boa capacidade de botar ovos no inverno.

As pessoas que habitam os lugares mais frios e escuros do mundo há muito confiam em grandes quantidades de peixes oceânicos de água fria como parte de suas dietas. As pesquisas sobre esse assunto descobriram mais um caso em que seres humanos são capazes de ser um animal inteligente, antes dos petiscos Little Debbie se apoderar de nossas mentes. Vários estudos multiculturais (publicados no *Lancet* e no *American Journal of Psychiatry*, entre outros) demonstraram que as populações que comem mais frutos do mar têm menos depressão e distúrbio bipolar; estudos neurológicos revelam que são os ácidos gordurosos ômega-3, dos peixes oceânicos, que especificamente combatem a melancolia. Esses compostos, importantes também para a saúde cardiovascular, se acumulam nos corpos dos predadores cujas cadeias alimentares são plâncton ou grama — como o atum ou o salmão. Como os humanos já foram um dia, antes dos animais que lhes serve de comida passarem a ser ingeridos em recintos fechados. Joseph Hibbeln, médico do Instituto Nacional de Saúde, salienta que, na maioria das dietas ocidentais, "comemos muito menos ácidos gordurosos ômega-3 hoje em dia. Sabemos também que as taxas de depressão aumentaram radicalmente, talvez em cem vezes".

Nas noites longas e escuras de janeiro, fiquei com uma enorme vontade de seguir os conselhos daquele médico. Sentíamos muita falta de um de nossos suprimentos principais: salmão do Alasca pescado em alto mar. Não havíamos encontrado qualquer fonte local de peixes. Os riachos de nossa região estavam lotados de trutas, mas descobrimos que as únicas trutas nos restaurantes eram as do tipo voador, transportadas por avião, congeladas. E não iríamos começar a pescar no gelo. Entretanto, em vez de comedores de plâncton, nossa cadeia alimentar local tinha comedores de grama: a carne de vaca finalizada no pasto tem níveis de ômega-3 seis vezes maior do que a carne CAFO; isso e as gemas dos ovos de Lily iriam nos satisfazer. Steven adicionou algumas sementes de linho (também ricas em ômega-3) em seus pães, para manter a felicidade geral.

Os legumes foram nossa base de sustento. Nossa refeição favorita nos dias de neve começa com um panelão de feijão cozinhando em fogo brando durante a tarde inteira no fogão a lenha, aquecendo a cozinha enquanto fica pronto. Uma hora antes do jantar, refogo cebolas e pimentões picados em uma frigideira até despedaçarem-se suavemente; passar metade da vida no Sudoeste me tornou uma aficionada por iniciar o *chili* com um *sofrito*. Além disso, também uso minha receita de *chili* do Kentucky: ao panelão de feijão acrescento as cebolas e os pimentões refogados, dois potes de nossos tomates enlatados, um punhado de *chilis* secos picantes, folhas de louro e um pouco de macarrão *corneti*. (O macarrão não é negociável.)

O inverno também é a melhor época para assar: tortas de frutas, empadões de legumes saborosos, pães de abobrinha picantes e tortas cobertas com uma crosta levemente dourada de purê de batatas. O forno quente é mais bem-vindo nessa época do que no verão, e ajuda a recapturar as frutas e verduras que armazenamos enquanto estavam em estação. Congelamos abobrinha ralada, maçãs fatiadas e outros recheios exigidos por nossas receitas de tortas e pães.

Tantas opções, e ainda aquela pergunta onipresente sobre quais alimentos locais poderíamos comer em janeiro. Entendo a preocupação. A alimentação mais sadia geralmente começa dando um ou dois passos gigantes para trás, ou seja, se afastando da gôndola de comida processada. Assim se expressa a premissa mor dos fanáticos por comida, a saber, de que o fresco é bom, o congelado é ruim e coma saladas todos os dias. Eu própria já gostei desse tipo de programação, considerando-a um progresso em relação às vagens e coquetéis de fruta enlatados da época da minha infância, quando as gôndolas de produtos frescos não tinham uma variedade expressiva na maior parte do tempo.

Embora me recusasse a voltar à culinária metade-da-pêra-com-queijo-*cottage* das minhas aulas de Economia Doméstica do ensino médio, repensei algumas das minhas premissas. Superar o esnobismo com relação às comidas congeladas é importante. Os brócolis e as verduras de nosso congelador substituem bem as saladas frescas, tanto do ponto de vista nutritivo quanto estético. No inverno, penso criativamente em como usar molhos de frutas e legumes, *chutneys* e picles, todos conservados desde o verão, quando os ingredientes abundavam. Acelga e couve são campeãs de produção durante o ano inteiro (as nossas crescem mesmo com a neve) e, provavelmente, aparecerão em qualquer feira de fazendeiros que esteja aberta durante o inverno. Usamos couve fresca em sopas, folhas de acelga cozidas no vapor para embalar *dolmades* e acelga refogada em omeletes.

Outro produto que é a salvação em tempos frios é a abóbora de inverno, uma hortaliça que não recebe o devido respeito. Elas são ricas em betacaroteno, saborosas, versáteis e mantêm a juventude tão misteriosamente quanto as estrelas de cinema. Cultivamos abóboras amareladas, *butternuts* alaranjadas, Bush Delicatas listradas de verde e uma beldade francesa castanha avermelhada chamada *potimarron,* que tem gosto de castanhas cozidas. Arrumei uma pilha outonal delas em uma grande tigela de madeira em outubro, como uma decoração sazonal, e me esqueci de admirá-las após certo tempo. Fiquei surpresa ao constatar que elas ainda mantinham uma aparência exuberante em janeiro. Acabaríamos por comer a última em abril. Fiquei um tanto obsessiva colecionando receitas de abóboras de inverno, acreditando secretamente que nossa família poderia sobreviver indefinidamente só com elas se o mundo, tal como o conhecemos, chegasse ao fim. Minha receita favorita até o momento é feijão branco com tomilho, servido em uma meia abóbora *hubbard* assada. É uma refeição fácil e impressionante o suficiente para oferecer a convidados.

Com comida como essa disponível, quem é que precisa de alface *iceberg*? Ocasionalmente, ganhamos salada mista de presente no inverno, de amigos que possuem estufas, e eu mesma já cheguei a cultivar espinafre em uma miniestufa. Mas a estação normal das verduras é a primavera. Não sei bem como a alface se entranhou em tantos lares de forma a se tornar uma presença permanente. Tendo a esquecê-la durante todo o inverno. Nas refeições *potluck* (onde cada convidado contribui com um prato surpresa), em janeiro, fico surpresa quando uma amiga sugere com naturalidade "Traga uma salada verde". Levo uma pretensa salada de acelga cozida no vapor com *antipasto* de tomate, queijo de cabra esfarelado e vinagre balsâmico. Ou o favorito secreto de todos: ovos temperados.

Em nosso primeiro ano de comida local, consumida de forma consciente, nos deparamos com muitas coisas que não esperávamos: a verdade sobre a vida sexual dos perus; a taxa de reincidência dos quatis ladrões de milho; o tamanho alcançado por uma abobrinha deixada a sós por 24 horas. Mas nossa maior surpresa foi em janeiro: não foi tão difícil assim. No inverno, nossa cozinha é de longe muito mais descontraída do que no verão, quando está cheia de abates e enlatamentos. Novembro trouxe a época de praticar Ações de Graças por diversas outras razões além do feriado. O trabalho duro acabara. Sempre pratiquei o enlatamento e o congelamento, mas esse ano nossa despensa estava cheia como nunca, motivada por nosso compromisso de comer comida local. Agora poderíamos descansar e recorrer ao manjericão.

"Motivado" é pouco enfático, confesso. Escave os sentimentos de qualquer mãe e você verá a Scarlett O'Hara mastigando aquela beterraba contorcida que ela arrancou do solo. "Nunca mais passarei fome" é aparentemente o grito de guerra, codificado pelo DNA, para muitos de nós que nunca passamos fome. Quando minha família adentrou o inverno, meus instintos afloraram, instigados pelos livros de crenças indígenas que eu li na infância, todos eles mencionavam que a palavra que significa fevereiro em cherokee (e todas as outras línguas indígenas conhecidas) era "Mês da Fome".

Após o fechamento da feira de fazendeiros e da nossa horta pelo resto da estação, fiz um inventário em nossa despensa. Durante nosso diligente verão, enlatamos mais de quarenta potes de tomates, molhos à base de tomate e *salsa*. Também guardamos muitos potes de picles, geléias, suco de frutas e cerca de 50 litros de hortaliças secas, em sua maioria tomates, mas também feijões para sopa, pimentões, quiabos, abóboras, legumes de raiz e temperos. Em pequenas caixas de isopor, congelamos brócolis, vagens, abóboras, milho, *pesto*, ervilhas, tomates cozidos, berinjelas defumadas, pimentões cozidos na fogueira, cerejas, pêssegos, morangos e mirtilos. Em grandes sacos transparentes, congelamos nosso petisco favorito, *edamames* inteiros, que Lily sabe descongelar no microondas, salgar e jogar goela abaixo. Reconheço que tenho sorte em ter filhas que preferem grãos de soja cozidos no vapor a doces açucarados. Mas cerca de vinte milhões de mães japonesas têm filhos semelhantes, então isso não é uma coisa tão extraordinária assim.

Nossos frangos e perus, outrora espevitados, agora jaziam em meditação silenciosa (com as pernas para cima) em nosso grande congelador. O alho e as cebolas estavam pendurados, como as tranças de Rapunzel, na parede, atrás do forno a lenha da cozinha. No *hall* de entrada e no porão de armazenamento, tínhamos três cestas de batatas, mais duas de abóbora de inverno, além de beterrabas, cenouras, melões e repolhos. Uma pirâmide de abóboras alaranjadas e azul-esverdeadas estava formada perto da porta dos fundos. Em uma prateleira na despensa, havia pequenos potes de sementes, em ordem alfabética, guardados para o recomeço — presumindo que a primavera nos encontrasse em plena saúde e dispostos a fazer tudo de novo.

Este é o resumo básico: aquilo que fiz durante o verão. A maioria das noites e dos muitos fins de semana de meados de agosto a meados de setembro foi ocupada com o corte, a secagem e o enlatamento. Esforçamo-nos como trabalhadores braçais, dobrando os turnos, enquanto nossos amigos viajavam para a praia para desfrutar o fim do verão, e pensando bem, isso parece um desperdício até para mim. No entanto, tiramos férias em junho, espremidas entre as datas importantes da Queda das Cerejas e do Começo dos Tomates. Talvez, no próximo verão, iremos à praia. Mas agora, ao olhar todos aqueles potes na despensa, senti-me feliz, como se tivesse raízes crescendo através das solas de meus sapatos para dentro do solo de nossa fazenda.

Entendo que esse é um valor bastante subjetivo, que não, necessariamente, impressiona os que olham de fora. Mesmo assim, é um valor. A segurança dos alimentos não é mais a preocupação isolada dos paranóicos esquizofrênicos. Alguns de meus amigos muito sensatos de Nova York e de Washington, D.C. me informaram que os lares urbanos foram instruídos a manter permanentemente um estoque de alimentos capaz de durar dois meses. Esse tipo de alerta é diferente daquele de fita isolante e plástico contra ataques terroristas, ou dos treinamentos de minha infância para se abrigar embaixo de móveis no caso de ataques nucleares. Agora temos ameaças iminentes e maiores do que a imaginação calculista de qualquer ser humano já pôde conceber. A mudança climática global criou novos padrões de tempo, alterou o percurso migratório das aves e mudou os *habitats* dos organismos portadores de doenças, abrindo portas para catástrofes que não estamos sequer preparados para prever.

— Não é mais uma questão de "talvez" — disse-me uma amiga de Columbia ao telefone. Fotógrafa profissional, ela foi para Nova Orleans alguns meses após o Furacão Katrina para documentar o falecimento cruel de um pedaço de nossa nação que presumíamos ser permanente. — Estou começando a encarar os desastres como uma coisa verdadeira; não uma questão de *se*, mas de *quando*. Sinto-me desamparada. Quando eles dizem que é preciso manter tanta comida à mão, tudo que consigo pensar é em ir ao supermercado e comprar um monte de latas. Será que não há nada melhor que eu possa fazer?

Marcamos um encontro para o fim da estação dos tomates: ela viria passar um fim de semana de companheirismo e enlatamento. A terapia do tomate.

Nossa família não estava se preparando para o céu desabar, mas agora tínhamos o volume necessário de comida à mão. Senti-me agradecida pela sorte descomunal que nós tínhamos. Ou então se não fosse pela *sorte*, seria pelo estranho contentamento que sentimos após o esforço necessário para chegar até onde estávamos, como as formigas diligentes da fábula de Esopo, que fazem um trabalho duro de preparação, porque é de sua natureza. Nossa sorte consistia em estar próximo da terra onde a comida é cultivada e ter os meios de adquiri-la.

Tecnicamente, a maioria dos cidadãos americanos tem essa mesma sorte: mais da metade vive a uma distância pequena de uma feira de fazendeiros (existem estimativas que chegam a 70%), e muitos têm dinheiro suficiente para comprar coisas que vão além da refeição. Uma dessas coisas poderia ser um saco de 14 quilos de tomates, comprado em algum sábado de julho e transportado para casa para ser transformado em comidas de inverno. Muitas pessoas têm congeladores que funcionam para resfriar, entre outras coisas, pedaços de papelão. Esse espaço poderia ser dedicado a vagens e abobrinhas locais. Qualquer garagem ou despensa grande o bastante para acomodar dois meses de produtos enlatados vindos do supermercado poderia guardar, ao invés disso, algumas cestas de batatas, cebolas e maçãs, compradas a preços baixos durante a estação. Mesmo nas feiras de fazendeiros mais chiques da área de D.C., as batatas orgânicas Douradas de Yukon custam dois dólares por quilo no fim do verão. Uma cesta delas custa tanto quanto um jantar para quatro pessoas em um bom restaurante e dura 2.800 vezes mais. As cebolas e maçãs locais na mesma feira custam menos do que as batatas e o mesmo preço, ou até menos, do que seus equivalentes transportados no supermercado local.

Em outras palavras, não custa uma fortuna. Nem exige uma picape ou um chapéu de palha. Apenas a crença singular de que o verão é a época certa para ir à feira com algum dinheiro na mão e dizer aos feirantes: dêem-me tudo que vocês têm. É um impulso eminentemente sensato, guardar aquilo que está na estação.

A maioria dos meus amigos fazendeiros e horticultores faz isso. Nos outros lugares, Esopo faz parte da história. Os gafanhotos reinam, as formigas babam.

PASSADOS TRÊS QUARTOS DE NOSSO ano de comida local, o processo começava a se tornar a própria recompensa para nós. Estávamos sentindo uma falta aguda de certas coisas, é verdade, incluindo o tempo de lazer: de vez em quando eu batia nas tampas das panelas e declarava uma greve na cozinha. Mas, na maioria das vezes, a hora do jantar me atraía à cozinha por causa do conforto das rotinas estabelecidas, como um descanso do pesado resíduo intelectual de uma vida e de um trabalho que são inevitavelmente mais confusos do que caldeirões e panelas. Em uma cultura que atribui um valor ínfimo ao trabalho doméstico, em geral, me autodeprecio quando alguém comenta sobre meu estilo de vida de cultivar-e-cozinhar-da-estaca-zero. Explico que preciso fazer algo que não exija raciocínio para me desligar um pouco de meu trabalho e que não gosto de assistir à televisão. Contudo, a verdade é que gosto desse trabalho assim chamado "descerebrado". Gosto do tipo de família que consigo criar com esse tipo de alimentação.

Mesmo assim, que tipo de pessoa não se pergunta ao final de um longo dia de trabalho: será que valeu a pena? Talvez por causa da natureza altamente documentada de nossa experiência, agora me sentia compelida a quantificar o trabalho que fizemos em termos que poderiam atravessar o abismo cultural — isto é, grana. Mantive registros detalhados da colheita em meu diário. Sentei à minha escrivaninha e comecei a fazer contas.

Entre abril e novembro, o valor total das hortaliças, frangos e perus que criamos e colhemos foi de 4.410 dólares. Para chegar a esse número, atribuí um preço unitário a cada hortaliça e estabeleci um valor por quilo de carne de ave, baseado em seus equivalentes orgânicos (a maioria importada da Calfórnia) no estabelecimento varejista mais próximo, onde estariam disponíveis na época em que nós mesmos fizemos a colheita. Os produtos de valor agregado, várias centenas de potes de molho de tomate e outras comidas em conserva, além da contribuição anual total dos ovos de Lily, acrescentariam mais 50% ao valor monetário da produção de nossa horta.

Isso é o valor de varejo, é claro, muito mais do que ganharíamos se tivéssemos vendido nossos produtos no atacado (como faz a maioria dos fazendeiros), mas é o verdadeiro valor monetário que tem para *nós*, economizado do orçamento alimentar anual por meio de nossa produção e do processamento de animais e hortaliças. Economizamos também ao comermos sempre em casa, cozinhando nós mesmos, mas isso não foi incluído no cálculo. Nossos custos, além de sementes, ração de frango e do próprio trabalho, eram mínimos. Nosso segundo emprego no quintal, como o passamos a considerar, nos trouxe o equivalente a 7.500 dólares de renda anual.

Esse valor não pode ser desprezado. Quando jovem, passei vários anos como jornalista autônoma antes de atingir esse marco. Ironicamente, essa parece ser a renda anual média dos trabalhadores que trabalham nos campos e pomares de nosso país. Nós que literalmente colhemos os frutos de nossos trabalhos somos os afortunados.

Tive algumas dúvidas se seria possível uma família de quatro pessoas realmente consumir (ou "dar de mão beijada") esse valor de comida em um ano. Mas isso é apenas 1,72 dólar por pessoa, por refeição; o fato de que havíamos gasto isso e muito mais foi confirmado pelos recibos de supermercado que eu conservei do ano anterior ao que começamos a comer localmente. Ao sentar à minha escrivaninha folheando os recibos antigos, eles me levaram por uma trilha de papel através de um tempo em que comprávamos rotineiramente itens como MAÇÃ ORG GALA EMB, NTP PANDA PFF E LARANJ VALNC 4#BG (não tenho a mínima idéia, mas custou 1,99 dólar), sem levar em consideração o lugar onde essas coisas foram cultivadas, se é que foram cultivadas de alguma forma.

Ainda íamos ao supermercado, mas os recibos tinham uma aparência completamente diferente hoje em dia. Nos primeiros seis meses de nosso ano local gastamos um total de 83,70 dólares com farinha orgânica (cerca de 12 quilos por mês) para fazer nosso pão diário e a massa de pizza semanal, e aproximadamente o mesmo valor em azeite de oliva. Gastamos cerca de cinco dólares por semana em café de comércio justo e compramos também um suprimento pequeno, mas constante, de miudezas não locais, tais como alcaparras, fermento, castanhas de caju, passas, massa de lasanha e alguns artigos que eu considerava como prontos-socorros: barras energéticas para levar em minha bolsa para emergências em caso de queda de açúcar no sangue; pacotes de macarrão e queijo. Minhas filhas tinham amigos queridos que comiam apenas, literalmente, macarrão e queijo de um certo tipo de marca. Não queria que ninguém passasse mal em minha casa.

Mesmo assim, nossas contas de supermercado nesse ano diminuíram consideravelmente em relação ao ano anterior, e a maior parte dos gastos foi destinada à aquisição de produtos produzidos na região que descobrimos em nosso supermercado: vinagre de cidra, leite, manteiga, queijo e vinhos, todos cultivados e processados na Virgínia. Cerca de cem dólares por mês foram gastos com nossos amigos, na feira de fazendeiros, em carne e hortaliças que compramos lá. A feira estaria fechada durante o resto de nosso ano fiscal, portanto esse valor era enganosamente alto e incluía todos os estoques comprados no outono. Em termos de dinheiro vivo, nosso ano de comida local estava nos custando bem menos que cinqüenta centavos por refeição. Acrescente o crédito de 1,72 dólar pelas hortaliças que cultivamos, e ainda assim continuava a ser um bom negócio. Estávamos economizando toneladas de dinheiro, em todos os sentidos, ao comer em casa.

No fundo, nossa meta não era economizar, mas exercer algum controle sobre o tipo de economia que apoiaríamos. Estávamos alcançando sucesso em ambos os sentidos. Se tivéssemos que comprar todas as hortaliças, como faz a maioria dos lares, no lugar de arrancá-las de nossa horta, ainda estaríamos economizando mais ao fazer as compras dessa nova maneira, começando sempre pela feira de fazendeiros e organizando as refeições a partir daí. Sei que algumas pessoas nunca acreditarão nisso. É fácil demais ver o preço de um tomate ou melão cultivado localmente e observar que é (em geral) mais caro do que o produto convencionalmente cultivado e importado disponível no supermercado. É mais difícil enxergar, ou talvez admitir, que todos esses NTP PANDA PFFS acabam somando um valor considerável. As grandes economias derivam do hábito de organizar refeições que não incluem ingredientes caros e processados.

De pontos de vista mais objetivos e mensuráveis, podíamos ver que nosso trabalho duro havia valido a pena. Mas a verdade é que não nos empenhamos por outras razões, em grande parte porque não era nosso emprego principal. Steven e eu certamente poderíamos ter ganhado mais dinheiro ao usar as horas que ficávamos na fazenda para dar mais aulas ou escrever mais artigos, utilizando habilidades que nossa cultura recompensa e valoriza muito mais do que a produção e o processamento de comida. Camille também poderia ter ganhado mais dinheiro dando aulas de ioga e dedicando um número maior de horas a seus outros empregos. Lily provavelmente era a única entre nós que estava maximizando seu potencial de geração de renda com o trabalho agrícola.

No entanto, ocupar todo o seu tempo em apenas uma atividade é enfadonho, seja lá como você a encare. Após oito horas dedicadas à profissão que escolhi, chego ao meu limite. Estou pronta para passar duas ou três horas fazendo algo diferente, preferivelmente ao ar livre, movimentando os membros, liberados ao ritmo de uma outra batida. Inclua-me entre aqueles que não se dispõem a maximizar seus rendimentos por meio de uma vida cujas semanas têm noventa horas dedicadas a uma profissão. Muitas pessoas se dispõem a fazer isso, eu sei, seja por necessidade ou opção — o trabalho em excesso é valorizado em uma sociedade cuja santíssima trindade é a eficiência, a produtividade e a aquisição material. Reclamar disso é o equivalente moderno a rezar em público. O "trabalho" nesse contexto se refere a tarefas que são estressantes e externamente avaliadas, cuja carga de trabalho o trabalhador almeja desesperadamente reduzir. "Não trabalhar" é algo invejado por muitos, porém mais difícil de definir. O oposto de trabalhar é se divertir, também um verbo ativo. Pode ser o tênis ou a observação de aves, contanto que vise à meditação e faça você se sentir melhor posteriormente.

Cultivar girassóis e vagens tem esse mesmo efeito, para alguns de nós. Cozinhar também é assim. Assim como enlatar tomates e fazer mussarela. Fazer todas as atividades acima com minhas filhas traz uma felicidade verdadeira à nossa família. Quando as pessoas vêem o tamanho de nossa horta ou dos estoques em nossa despensa e balançam a cabeça, dizendo "Quanto trabalho", sei bem o que elas estão realmente dizendo. Isso é uma maneira educada de dizer "Que tola". Elas podem até pensar dessa maneira. Mas estão erradas.

ISSO NÃO SIGNIFICA QUE NOSSA vida familiar seja um mar de rosas. As aulas, as reuniões e os prazos finais são conflitantes; as pilhas de correspondência são assustadoras. As crianças se esquecem de baixar o tom de voz quando irrompem porta adentro querendo saber qual será o jantar. As mães também se esquecem de moderar seu tom de voz quando avisam que a pilha de coisas de certa pessoa está em cima da mesa e precisa ser retirada em três segundos senão VAI PARA O DEPÓSITO DE LIXO. As reuniões de pais na escola aparecem do nada, e aquela coisa que prometi preparar para aquele evento da Lily precisa estar pronto *amanhã de manhã, mamãe!* As lágrimas correm. Nas típicas noites de janeiro, ficava imensamente grata de jogar um punhado de macarrão na panela e pegar um daqueles potes de meio litro de molho de tomate que Camille e eu enlatamos em agosto do ano anterior. Nossa despensa estava transformada. Não era mais aquela briga de foice das Abobrinhas Monstruosas (não ouse entrar sem uma faca), era agora um depósito bem organizado de alimentos saudáveis e práticos. Os legumes escaldados e congelados necessitavam apenas ser levemente cozidos no vapor antes de ir à mesa, e os legumes secos podiam ser facilmente jogados na panela de cozimento lento junto com o caldo de galinha que fizemos e congelamos junto com cada ave assada. Durante várias semanas de intenso trabalho no verão passado, de inúmeras maneiras, preparamos previamente cada refeição. O que comemos em janeiro? De tudo.

Mas quando a pergunta surge, sobretudo quando estamos no meio do inverno, me sinto esquisita ao responder honestamente. Talvez me sinta constrangida de ser uma formiga trabalhadora em uma nação de gafanhotos. Talvez tema decepcionar alguém ao confessar que não estamos sofrendo como deveríamos. Ou que eu possa ser tão louca quanto o colunista do *pesto* em janeiro aos olhos das pessoas que tentam comer localmente, mas que se defrontam com feiras de fazendeiros que estão fechadas naquela estação.

Se você estiver lendo isso no meio do inverno, e se essa for a sua situação, deixe esse pensamento de lado. Não se importe, volte daqui a seis meses. Comer localmente durante o inverno é fácil. No entanto, a hora de pensar nisso é em agosto.

Superando a questão das bananas

Por Camille

Muitos verões atrás, minha melhor amiga Kate, de Tucson, veio visitar nossa fazenda na Virgínia pela primeira vez. Ela se encantou com nossas lindas colinas, gostou de trabalhar na horta e alegremente ajudou a colher amoras do mar de arbustos que permeiam os campos à nossa volta. Ela fez sua parte, carregando junto conosco as quantidades imensas de vagens, pepinos, abóboras e tomates que saiam de nossa horta todos os dias. Mas um dia, ao irmos ao supermercado, tivemos um pequeno problema. Quando meus pais perguntaram se ela queria alguma coisa específica, ela respondeu:

— Vamos pegar algumas bananas!

Meus pais trocaram olhares e pediram a ela outra sugestão.

— Por que não bananas? — perguntou ela, sem entender o motivo da recusa. Minha mãe não é do tipo que diz não para um hóspede. Ela esperou até que estivéssemos de volta no carro para explicar a Kate que parecia ser um desperdício comprar produtos cultivados a centenas de quilômetros de distância quando tínhamos tantas frutas frescas naquele momento, literalmente no fundo de nosso quintal. Colhemos quatro litros de amoras naquela manhã. Ela não queria que eles mofassem enquanto comíamos bananas.

— Além disso, pense em toda a gasolina necessária para trazer essas bananas até aqui — comentou mamãe. Minha amiga ficou quieta enquanto pensava no assunto.

— Nunca havia pensado nisso antes — admitiu ela.

Desde então, Kate se apaixonou pelo cultivo e pelo consumo de comida orgânica. Desde o incidente das bananas, ela fez trabalho voluntário em fazendas pequenas e desenvolveu um interesse sincero pelos métodos agrícolas que preservam a biodiversidade. Ela lembra daquela conversa no supermercado como um momento que mudou sua vida. Algumas coisas na vida só são assimiladas ao lidar com a palavra "não".

É claro que consumir produtos locais fica mais difícil no inverno. Para a maioria de nós, as frutas e hortaliças frescas são raras ou inexistentes nessa época do ano. Nos meses mais frios, precisamos pensar em raízes e não em frutas. Batatas, cenouras, beterrabas, nabos, pastinacas e aipo cobrem o espectro inteiro das cores. As abóboras de inverno são deliciosas também; a maioria das pessoas que conheço nunca comeu uma, provavelmente porque nunca precisou. Elas não conseguiam vê-las devido às bananas que tapavam a vista.

Cada estação exige pensar na comida de uma forma diferente. Em seu livro *Local Flavors* [Sabores locais], Deborah Madison escreve que, quando ensina um novo prato de berinjela para o verão em suas aulas de culinária, os alunos sempre dizem duas coisas: "Uau, nunca gostei de berinjela antes, mas adorei isso aqui!" e "Que tipo de berinjela devo comprar em dezembro para preparar isso no Natal?". Demorará um pouco para eles entenderem que essas berinjelas específicas eram tão saborosas *porque* não foram compradas no inverno. A maioria de nós concorda em guardar as sandálias e os biquínis quando as folhas das árvores começam a mudar de cor, ainda que estas sejam nossas roupas favoritas. Podemos aprender a aplicar o mesmo espírito de praticidade a nossos hábitos alimentares. Aqui estão algumas receitas deliciosas que incorporam hortaliças de inverno, além de uma semana de jantares próprios para os meses frios.

ABÓBORA DE INVERNO ASSADA NA PANELA

1kg de abóbora de inverno, descascada, cortada pela metade fatiada em rodelas de 1,25cm

2 colheres de sopa de manteiga

2 xicaras de cidra de maçã

1 colher de chá de sal

Alecrim e pimenta a gosto

Derreta a manteiga em uma panela junto com o alecrim; após alguns minutos, acrescente a abóbora, o sal e a cidra. Pode ser necessário acrescentar mais cidra (ou água), o suficiente para cobrir a abóbora. Leve ao ponto de fervura, depois abaixe a temperatura e asse por 20 minutos ou até que fique macia. Nesse momento, o suco deve estar reduzido a um glacê. Caso contrário, aumente a temperatura por alguns minutos até que o líquido em excesso evapore. Acrescente pimenta e um toque de vinagre balsâmico, caso desejado.

SOPA DE FEIJÃO COM ABÓBORAS *BUTTERNUT*

(4 porções)

1½ xícara de feijões brancos secos, deixados de molho por uma noite e drenados

3 chapéus de cogumelos portobello de tamanho médio, cortados na diagonal

6 dentes de alho

1 colher de sopa de tomilho

1 colher de sopa de salva

4 colheres de chá de alecrim

Misture os feijões e os temperos em uma frigideira grande, acrescente água para cobrir com sobra e cozinhe em fogo brando de 30 a 40 minutos, até que os feijões fiquem macios e a maior parte da água evapore. Acrescente os cogumelos quando estiver quase pronto.

2 abóboras *butternut* ou *hubbard*, cortadas pela metade longitudinalmente

Azeite de oliva

Enquanto os feijões estão cozinhando, respingue gotas de azeite de oliva em uma assadeira grande e disponha as abóboras com a casca para baixo. Cozinhe a 200ºC por cerca de 40 minutos, até que fiquem bem tenras quando furadas com um garfo. Remova do forno e sirva cada metade de abóbora com uma colherada generosa de sopa de feijão.

CHILI VEGETARIANO

450g de feijões secos, deixados de molho por uma noite e drenados

1 xícara de cenouras picadas

2 cebolas grandes picadas

1 xícara de pimentões congelados (ou ½ xícara de secos)

3 dentes de alho, moídos

Azeite de oliva

800g de tomates enlatados, não drenados

4 xícaras de caldo de legumes ou suco de tomate

3 a 5 colheres de sopa de *chili* em pó

4 a 5 folhas de louro

1 colher de sopa de cominho

Refogue o alho, os pimentões e as cebolas até dourar, acrescente as cenouras cortadas e cozinhe até ficarem macias. Misture com os feijões e os ingredientes remanescentes, mexa bem. Dilua com mais água, ou suco de tomate, conforme necessário. Cubra e cozinhe em fogo brando por uma hora. Se você for da família de minha mãe, é preciso acrescentar 225g de macarrão tipo *corneti*, 15 minutos antes de servir.

QUESADILLAS DE BATATA-DOCE

2 batatas-doces médias
½ cebola
1 dente de alho
1 colher de sopa de orégano
1 colher de sopa de manjericão
1 colher de sopa de cominho
***Chili* em pó a gosto**
Azeite de oliva para refogar

Corte as batatas-doces em pedaços grandes, cozinhe no vapor em uma peneira, ou no microondas, até ficarem macias, depois amasse. Corte o alho e as cebolas e refogue em uma frigideira grande. Acrescente os temperos e a batata-doce e misture bem, acrescentando um pouco de água se estiver muito grudento. Use fogo bem baixo para manter o calor, sem queimar.

4 *tortillas* de farinha de trigo
100g de queijo *brie* ou outro queijo de consistência média
2 a 3 folhas de acelga suíça (ou outras verduras)

Pré-aqueça o forno até 200°C. Unte uma assadeira grande, espalhe as *tortillas* sobre ela de modo a untar um de seus lados, depois espalhe recheio em metade de cada uma. Cubra com fatias de queijo *brie* e acelga em tiras, depois dobre as *tortillas* de modo a fechá-las (com o lado untado para fora). Asse até que fiquem marrons e crocantes (cerca de 15 minutos); corte em pedaços triangulares para servir.

Baixe da internet essas e todas as receitas do livro em www.animalvegetablemiracle.com.

PLANO DE REFEIÇÕES SEMANAL PARA O INVERNO

Domingo – Perna de carneiro cozida com molho de hortelã, batatas Douradas do Yukon assadas e salada de beterraba multicolorida.

Segunda-feira – *Chili* vegetariano.

Terça-feira – Massa com *pesto*, azeitonas e queijo ralado.

Quarta-feira – Bife com salada de batata de inverno ou batatas-doces assadas.

Quinta-feira – *Burritos* de feijão com cebolas refogadas e tomates secos.

Sexta-feira – Sopa de frango feita na panela de cozimento lento, servida com pão aquecido.

Sábado – *Tortellini* de queijo e cogumelos com molho de tomate.

19

O mês da fome

FEVEREIRO-MARÇO

À medida que envelheço, meus amigos são cada vez mais pessoas idosas. Suponho que, de certa forma, eu esteja treinando para entrar nesse clube. Sem dúvida, minha geração continuará a vestir jeans mesmo no asilo, expulsando Lawrence Welk ao chegarmos e tocando "Bad Moon Rising" no volume máximo. Mas estou me tornando mais compreensiva com relação a certos aspectos do estilo de vida dos idosos. Sobretudo, entendo melhor a estima dessa cultura pelo inverno. É uma estação a ser superada. Minha vizinha de 84 anos é incrivelmente jovial em todos os outros sentidos, mas ela dirá de um parente ou amigo: "Bem, ele continua conosco após o inverno."

Não se trata apenas de calçadas geladas e alguns inconvenientes: ela perdeu duas irmãs e uma grande amiga em invernos recentes. Ela ainda se lembra do tempo em que o frio intenso e as dietas limitadas comprometiam a imunidade de todos, e o clima forçava as pessoas a ficarem juntas e a compartilhar doenças contagiosas. As epidemias de inverno cobraram um preço altíssimo, não discriminando, sobretudo, os velhos e as crianças. Para os que cresceram sob o guarda-chuva moderno de avanços como as vacinas, a penicilina e o aquecimento central, é difícil entender a magnitude disso. Ficamos dentro de casa o tempo inteiro, para trabalhar e até para fazer exercícios, compartilhando os germes em todas as estações. Contudo, as vitaminas estão sempre disponíveis para aqueles que se importam, como também estão os antibióticos para consertar os danos caso necessário.

Vincular o destino alimentício de minha família às estações do ano não implicou qualquer risco real para nós, é claro. Mas nos fez conhecer, de formas inusitadas, o significado das estações, e como elas são importantes. O pulso cada vez mais lento e sutil das temperaturas e da duração dos dias criou um ritmo físico em nossas vidas, com batidas e períodos de descanso: músculos mais desenvolvidos, luz solar prolongada, dias mais curtos, menos trabalho, além do frio que nos fez refletir mais profundamente sobre nossas idéias e planos, embaixo de tetos de gesso, em vez de a céu aberto. Observei as fileiras de potes em nossa despensa minguarem de um exército a um pelotão e, finalmente, a sentinelas solitárias separadas umas das outras por espaços vazios nas prateleiras. Não estávamos fazendo racionamento ainda, mas não podia deixar de contar as semanas até as primeiras colheitas da primavera e o feliz dia da reabertura da feira de fazendeiros. Podia imaginar nossos vizinhos dizendo a nosso respeito: "Bem, eles continuam conosco após o inverno."

NO FIM DE FEVEREIRO, FINAL oficial do "Mês da Fome", eu estava prestes a acreditar que nós e nossos animais havíamos passado ilesos pelos tempos difíceis. Aí, uma de nossas peruas começou a andar curvada. Ela deixava as asas caírem soltas no chão em vez de dobrá-las nas costas como normalmente fazem os perus. Seus ombros encolheram e a cabeça caiu para frente, fazendo-a parecer com Nixon — sem as sobrancelhas e os planos ardilosos. Essa menina parecia atordoada.

Ah não, pensei. Lá vamos nós. Os animais de fazenda que têm a sorte de serem criados em pastos precisam lidar com o inverno, no fim das contas, e com os desafios de saúde semelhantes àqueles enfrentados pelas pessoas em gerações anteriores: menos ar fresco, mais congregação em ambientes fechados e risco de contágio, sem contar os riscos associados a sobreviver com apenas feno ou grãos armazenados, no lugar de verduras frescas e proteína caçada. No caso das doenças contagiosas, a criação de aves é notoriamente difícil. E os perus são mais propensos a contrair enfermidades do que os frangos.

— É impossível prever — avisou uma amiga minha grande conhecedora de perus, quando adquirimos nossos primeiros pintos. — Um dia eles estão caminhando por aí com uma aparência ótima. Logo em seguida, estão caindo pelas tabelas!

A lista de doenças que podem atingir os perus emocionariam qualquer hipocondríaco: nematódeos, coccidios, pullorum e muitas outras. Em um de meus manuais de criação de aves, o capítulo sobre perus é denominado "Uma dificuldade danada para se criar".

Até agora, meus perus tiveram boa saúde e eu encarava toda a propaganda negativa com ceticismo. Quase todos os serviços de informações sobre perus existentes (incluindo minha amiga de "cair pelas tabelas") se referem ao peru padrão, criado em confinamento, que também é a escolha favorita dos fazendeiros amadores e dos projetos escolares, simplesmente porque as alternativas não são bem conhecidas. Meus Bourbons Vermelhos de linhagem herdada são aves diferentes, não são criados para uma engorda lenta em ambiente fechado, mas para a sobrevivência renhida ao ar livre. Eles mantêm uma constituição genética apropriada para sair a procura de alimentos, voar, acasalar e — eu esperava — resistir aos germes.

Mesmo assim, meu objetivo de manter essas aves vivas durante o inverno e entrar em um segundo ano de criação era audacioso do ponto de vista estatístico. Quanto mais tempo se cria uma ave, mais chances ela tem de ser contaminada por elementos patogênicos. A grande maioria dos perus modernos tem uma expectativa de vida de quatro meses, antes de ir ao encontro de seu processador. Os perus de pasto livre podem demorar até seis meses para atingir o tamanho de abate. Mas qualquer ave que sobreviva a seu primeiro Dia de Ação de Graças habita um domínio ocupado por menos de 0,5% dos perus domésticos. Aos nove meses, meu bando entrou em uma faixa etária de elite, entre os perus vivos mais idosos dos Estados Unidos. Quando decidi manter um bando que procriasse naturalmente, não havia me dado conta do que eu enfrentaria.

Nem tinha qualquer idéia, agora, de que doença de peru poderia ter minha pobre perua curvada. O medonho nematódeo encabeçava a lista das minhas preocupações, já que a lista de seus sintomas começava com "aspecto curvado" e continuava com "aspectos" desagradáveis demais para serem mencionados. Removi imediatamente a sra. Curvada do resto do bando, presumindo que ela fosse contagiosa. Já tive crianças em idade pré-escolar — *até* esse ponto, entendo o que precisa ser feito. Tirei-a do quintal ao ar livre, ao lado do celeiro das aves, e escoltei-a por várias centenas de metros até uma sala de isolamento no porão de nosso celeiro grande. Sim, é o mesmo em que separamos os galos do corredor da morte; não mencionei isso para ela.

Para dizer a verdade, quando a tranquei lá sozinha, ela imediatamente pareceu melhorar, levantando a cabeça e dobrando as asas nas costas, sacudindo as penas felpudas de volta para o lugar, olhando alertamente à sua volta, procurando o que fazer. Não confiei muito nessa recuperação milagrosa, mas uma hora mais tarde, ao voltar para verificá-la, ela ainda estava alerta e clamava desesperadamente pelas amigas. (As peruas detestam ficar sozinhas.) Decidi que me preocupara à toa.

Levei-a de volta para o cercado dos perus. Ela caminhou entre seus companheiros, soltou um grande suspiro de peru e curvou-se novamente: a cabeça abaixada, asas arrastando pelo chão. Certo, não era imaginação minha, ela realmente tinha alguma coisa. Tirei-a e levei-a de volta ao celeiro. E, mais uma vez, observei abismada quando ela levantou a cabeça altivamente e começou a circular por lá, procurando algo para comer.

Olhei para ela.

— Você está fingindo estar doente? — perguntei.

Era um sábado ensolarado, nossa primeira visão antecipada da primavera. Steven estava trabalhando na cerca do novo pomar. Eu decidi que minha paciente avícola poderia se beneficiar de um dia de saúde mental. Tirei-a do celeiro e andamos juntas até o pomar. Ela poderia desfrutar da luz do sol e de algumas verduras, e eu veria se Steven necessitava de ajuda com a cerca. Ele nos viu descendo pelo caminho e riu. Os criadores de peru não são uma classe respeitada.

— Ela precisa de novos pastos — disse eu em minha defesa. — Está meio abatida.

— Ela parece estar bem — disse ele (o que não deixava de ser uma verdade exasperadora), retornando à cerca, construída para impedir os veados de comerem as pêras de nosso novo pomar. Durante alguns minutos, observei a sra. Perua procurar comida entre as árvores, bicando as sementes, alerta para qualquer movimento de insetos entre os torrões de grama. Ela parecia tão saudável quanto estivera no dia de seu nascimento. Algumas de nossas árvores, no entanto, mostravam sinais de danos causados pelos veados. Eu as inspecionei com cuidado e avaliei se seria uma hora oportuna para ir ao barracão para pegar a tesoura de poda. Esse dia de inverno certamente seria um bom momento para podar as árvores frutíferas.

Steven gritou:

— Pare com isso!

Olhei e vi que ele não estava se dirigindo a mim. Minha paciente tinha ido até ele, se aproximando pelas costas e bicado seu casaco, emitindo uma ordem de peru que eu traduziria como: *Ei! Olhe para mim!*

Ele a empurrou para o lado, mas ela insistiu. Após mais alguns empurrões, ele se virou para ficar de frente para ela, bateu os pés e bufou de um jeito bem masculino. Ao ouvir isso, ela timidamente virou o rabo para ele, salientou o pescoço e deixou as asas caírem até o solo.

Minha nossa. Não era *Ei! Olhe para mim.* Era *E aí, bonitão, novo por aqui?* Esse era o problema dela: falta de afeto. Steven me deu uma olhada que não traduzirei aqui.

— Pare com isso — gritei. — Ele não é seu tipo! — Eu corri para me interpor, caso ela quisesse levar o relacionamento para um nível ainda mais sério.

Pobrezinha, como ela poderia saber? Ela fora criada por humanos, sem qualquer oportunidade de criar vínculos afetivos com perus de qualquer gênero ou observar as relações apropriadas entre eles. Em sua cabeça, eu era sua mãe. Era apenas uma questão de lógica que a pessoa com a qual casei parecesse ser um bom par para ela.

Tão rapidamente quanto possível, levei-a de volta para o cercado dos perus, dando cabo do seu plano de roubar meu marido. E agora? Mantínhamos dois machos e seis fêmeas para fins de procriação, sem qualquer explicação lógica para chegar a esse número além da esperança de termos aves suficientes, caso perdêssemos algumas durante o inverno. Estariam todos prestes a entrar no cio? Será que nossos dois machos iriam de repente acordar e se engalfinhar por essa Lolita curvada? E as outras fêmeas? Quem precisaria ser separado de quem e por quanto tempo? Será que cada fêmea precisaria de seu próprio ninho e, caso necessário, como ele seria?

Eu presumira que passaria por essas etapas à medida que chegasse a elas. Lembro de ter exatamente o mesmo tipo de confiança injustificada antes do nascimento de minha primeira filha, e tempos depois relembrar minha ignorância e dar tapinhas na minha cabeça. Agora, repentinamente, muito antes de esperar quaisquer travessuras, do mesmo jeito que os pais de perus adolescentes em todo lugar, fui pega de surpresa. *Eles são jovens demais para isso, ainda é fevereiro!* Voltei para casa para examinar a minha biblioteca de fazenda e ver se havia algo sobre o comportamento sexual dos perus.

Passei grande parte de um lindo dia dentro de casa, no chão, com pilhas de livros à minha volta. Nossos manuais de como tratar as aves não continham nem *uma palavra* sequer sobre o sexo entre os perus. Continuei a procurar, buscando nos índices por alguns eufemismos do campo. Vejam só, as estantes de nossas filhas ao longo dos anos adquiriram bastante literatura do tipo "Agora que estamos ficando maiores". É possível pensar que alguns perus fundamentalistas haviam passado por aqui e queimado alguns livros.

O verdadeiro problema, claro, era que eu procurava uma categoria de informação que ninguém precisava há décadas. Toda a questão do sexo fora extirpada completamente da genética dos perus; logo, esse pedaço complexo do comportamento animal do passado agora não interessava a ninguém. Os criadores de perus em larga escala inseminam artificialmente o estoque de criação. Eles extraem os ovos de uma maneira similarmente estéril e os colocam em incubadoras, onde o calor elétrico e as máquinas automáticas de virar ovos desempenham o papel materno. Para os fazendeiros que compram e criam esses pintos, a história é ainda mais simples: engordá-los o mais rapidamente possível até chegar ao tamanho de abate e depois degolá-los. É assim. Os manuais de aves não se importam com o comportamento de acasalamento de perus porque ele tomou o mesmo rumo dos corseletes de borracha e dos cinemas *drive-in*.

Para restaurar o sexo à moda antiga em nossa fazenda, eu precisaria fazer uma pesquisa em fontes de educação sexual de boa qualidade. A internet não ajudou em nada. Uma busca por "acasalamento de perus" encontrou 670.000 registros, a maioria era parecida com a mensagem animada da Secretaria de Conservação do Missouri: "Mais emoção nessa semana — os caçadores no estado inteiro descobrirão que os perus são mais propensos a chamadas artificiais! O grande negócio é soar como uma perua em busca de amor."

Eu *já* tinha uma perua em busca de amor, não precisava tomar providências artificiais. Tentei limitar minhas buscas aos perus domésticos, ao invés dos silvestres. Consegui encontrar milhares de registros, mas nenhuma indicação factual sobre o acasalamento dos perus. Fiquei sabendo que as extensões azul-e-cor-de-rosa brilhantes no pescoço do peru macho são chamadas de "carúncula". Aprendi que o nome em inglês [*turkey* é igual a Turquia] dessa ave que habita exclusivamente a América do Norte deriva de um equívoco geográfico dos ingleses ocorrido há quatrocentos anos. Aprendi que os franceses a chamam de *dindon sauvage*. Foi nesse ponto que abandonei a biblioteca eletrônica, voltando às minhas páginas de papel limitadas, porém tranqüilizantes, onde poderia me sentir a salvo do assalto aleatório dos *dindons* selvagens.

Finalmente, encontrei o que procurava. Meu marido gosta de colecionar livros antigos de história natural. Sua coleção abrange uma gama que vai desde Piaget e Audubon a William J. Long, um etologista do começo da século XX que atribuía a comunicação dos animais a uma força telepática que ele denominava "chumfo". Você pode imaginar meu desespero ao consultar essas fontes em busca de ajuda na fazenda. Mas encontrei um volume grosso, escrito por E.S.E. Hafez, denominado *The Behavior of Domestic Animals* [O comportamento dos animais domésticos]. Publicado em meados do século XX, talvez seja o exemplar mais moderno da coleção de Steven, mas para meus propósitos era exatamente a época que eu procurava: a ciência dos animais avançara além do "chumfo", mas ainda não esquecera do machismo do peru macho.

O que atraiu minha atenção ao folhear o livro foi uma fotografia com a seguinte legenda: "Fêmea de peru em posição reprodutiva para um homem..." Bingo! O texto confirmara minhas piores suspeitas: os perus que tomaram os humanos como modelos, enquanto ainda eram pintos, eram propensos a sentir atração também por humanos. Contudo, se lhes fosse dada uma chance, dizia o livro, eles estariam abertos a formar relacionamentos com sua espécie também.

Ah, bom! Ao continuar a leitura, descobri que a tal "posição" curvada característica era o primeiro sinal da receptividade sexual entre as peruas. Logo passaríamos a ver um cortejo mais prolongado, que incluiria bater os pés (menino), agachar ainda mais (menina), depois montar e sapatear enquanto o macho manipula a "área erógena ao longo do corpo" da fêmea, seguido por uma complexa "seqüência copulativa". Aprendi que os perus domésticos são promíscuos, sem qualquer propensão a formar pares. Elas começariam a botar ovos em cerca de duas semanas. O instinto da perua de sentar em cima do ninho para chocar os ovos, caso acontecesse, ocorreria quando um número suficiente deles se acumulasse no ninho. Esse número mágico era algo entre 12 e 17 ovos.

Tanto ovos quanto ninhos eram apenas teóricos a essa altura, mas o que me preocupava mais era como fazer aflorar o instinto de chocadeira nas peruas. Esses instintos maternais foram removidos dos perus por meio da criação seletiva. Para as aves em confinamento, esse desencorajamento foi proposital, e mesmo as raças de linhagem herdada são geralmente vendidas por criadouros que fazem incubação mecânica, então ninguém faz seleção com base no bom comportamento maternal. Os genes são passados adiante sem levar em consideração o comportamento de chocar ou não chocar. Até onde importa, provavelmente, o sentimento de posse das mães com relação a suas crias prejudica as operações do criadouro.

Se eu quisesse criar perus do jeito natural, entendi agora que teria que encarar uma forte possibilidade de fracasso, sem mencionar um envolvimento profundo com as atividades sexuais da ave doméstica. Meus interesses não eram libidinosos (embora você possa vir a duvidar disso mais adiante neste capítulo). Por ser bióloga *e* membro da associação de pais da escola, tenho um grande respeito pelos parâmetros complexos da maternidade. Quanto mais penso a respeito de uma indústria de alimentos organizada em torno de um animal que não consegue se reproduzir sem assistência técnica, mais desconfio dela. A avicultura, que ocupa um papel destacado na dieta moderna, é emblemática dessa história sórdida. A falta de quaisquer linhagens auto-sustentáveis para embasar a indústria é como a ausência do padrão do ouro para embasar o papel moeda. Manter um bando de aves que se reproduz naturalmente é uma rebelião, no nível mais básico, contra a natureza totalmente artificial da produção dos alimentos.

Eu era a rebelde, e aquela era minha causa. Tinha razões que iam além do sentimentalismo para querer ver minhas peruas chocarem seus bebês, por mais improvável que isso fosse. Continuei a ler minha referência antiga em busca de mais detalhes sobre como construir ninhos e chocar ovos, e que medidas eu deveria tomar, além de ferver água e colocar uma faca embaixo da mesa, para ser uma boa parteira. Meu novo manual de reprodução de perus ficava cada vez melhor. “Os perus machos”, eu li, “podem ser forçados a chocar quando ficam sonolentos depois de uma dose grande de conhaque, por exemplo, e depois colocados em cima de um ninho com ovos. Após se recuperarem da ressaca, o hábito de chocar terá sido estabelecido. Esse método era usado extensivamente por fazendeiros na Europa, antes que as incubadoras se tornassem amplamente disponíveis”.

Não me considerava o tipo que enche a cara de perus com conhaque para induzi-los a virarem pais. Mas uma garota precisa estar a par de suas opções.

Seis litros de molho de espaguete, quatro potes de tomates secos, quatro cebolas, um dente de alho no final de uma trança comprida, magra e vazia — e ainda havia semanas pela frente. Janeiro é amplamente considerado o ponto vulnerável da comida local, mas o mais faminto dos meses é março, se você planeja ir até o fim. Seus estoques estão diminuindo, suas batatas enviam sinais pálidos em direção ao vazio, mas para a maioria de nós não há nada de novo sob o sol de um mês de março lamacento, por mais que ele se comporte bem. Algumas flores silvestres primaveris talvez, mas nada para comer. Nossa família estava chegando ao fundo do poço.

Isso era bom para o grande congelador. Conheço pessoas que os enchem de coisas, prateleira após prateleira, ano após ano, deixando tudo aos arqueólogos do futuro, acredito, para lerem os anos bons e ruins das vagens como se fossem anéis de árvores. Já estudei microbiologia e, francamente, eca. Faço questão de esvaziar completamente o congelador antes de começar tudo de novo. Uma verificação rápida do inventário serviu para descobrir que nossas vagens congeladas já tinham acabado há muito tempo, mas que ainda tínhamos maçãs fatiadas, milho, um peru inteiro e algumas berinjelas defumadas do outono passado. E também muitas abobrinhas, *quelle surprise*. Não seríamos a família lápis de cera, portanto, mas uma família que sobrevivera com tortas de abobrinha. Bastante confortável para uma aventura tida como angustiante.

Talvez março não tenha uma reputação tão ruim porque não *aparenta* ter um ar faminto. Se o inverno ainda não acabou, já é possível vislumbrar seu final. Lily e eu já estávamos plantando nossas sementes de hortaliças e de flores dentro de casa, trabalhando duro sob as lâmpadas florescentes de nossas prateleiras de sementes caseiras. Ela abandonara qualquer esperança de mais dias de escola fechada por causa da neve. E, em uma tarde linda, desceu saltitante do ônibus com a notícia de que os alunos do quarto ano iriam estudar *horticultura* na escola. Para uma criança como Lily, isso era uma reviravolta inacreditável. Agora, crianças, vamos começar uma aula de recreio!

Viemos a saber depois que não era apenas o quarto ano. Toda a escola teve a mesma sorte, assim como mais três escolas primárias de nosso condado. Nos últimos tempos, os programas escolares de horticultura brotaram em escolas que vão desde lugares da moda, como a área da baía de San Francisco, à cidade proletária de Durham, na Carolina do Norte. Alice Waters fundou os programas em Berkeley, desenvolvendo um currículo que ensina às crianças, juntamente com a matemática e a leitura, como cultivar hortas, preparar seus próprios lanches escolares e sentar para consumi-los de forma civilizada. Ela motivou escolas no país inteiro a colocar comida fresca em seus refeitórios.

Mas a maioria dos programas de ensino de horticultura e jardinagem espalhados pelas escolas dos Estados Unidos foi criada independentemente, como em nosso caso. Uma entidade local sem fins lucrativos ajuda a apoiá-lo e a rede escolar tem colaborado, porém nosso currículo de Aprendizagem de Paisagens é o sonho e projeto em tempo integral de um anjo com dedos esverdeados chamada Deni. Ela ajuda as crianças do jardim de infância a cultivar milho de pipoca e plantar um arco-íris de flores para aprender sobre as cores. Os alunos do segundo ano fazem um jardim especial para colibris, abelhas e borboletas, enquanto aprendem sobre a polinização. Os do terceiro ano cultivam uma horta com ingredientes para pizza que abrange todo o reino das plantas. A classe de Lily estava plantando sementes de ervas da época colonial em uma horta, dando vida às aulas sobre a história da Virgínia. A programação de cada ano é vinculada a objetivos concretos que as crianças precisam dominar para passar pelos testes administrados pela entidade reguladora em nível estadual.

Quase todas as pessoas que conheço que fazem parte do sistema escolar se sentem oprimidas pelos regimes de testes que pairam sobre tudo. Os professores os vêem como enormes nuvens negras no horizonte de abril. Para as crianças, é mais como uma ameaça permanente de ataque aéreo. Em nosso estado — sem brincadeira — são denominados Padrões de Aprendizagem. Mas a Aprendizagem de Paisagens funciona porque leva os alunos para o ar livre, para serem testados enquanto acham que estão brincando na lama.

Deni sabe como obter a aprovação das juntas diretivas das escolas, mas ela tem objetivos maiores para essas crianças do que apenas passar no próximo teste.

— Uma das questões-chave que o cultivo pode ensinar aos estudantes é respeito: por si mesmos, por terceiros e pelo meio ambiente — diz ela. — Isso ajuda as gerações futuras a entender melhor nosso sistema alimentar, nossas florestas, nossa água e nosso ar, e como todas essas coisas se conectam.

De um ponto de vista biológico, criar crianças indefesas é um fracasso extremo. Todos os pais que conheço, que de fato merecem ser chamados de pais, querem evitar isso. No entanto, os valores do sistema vigente priorizam a Política Comparativa em Nível Avançado, por exemplo, muito à frente de Saber Como Preparar o Próprio Almoço. Crianças que sabem explicar o processo de formação de uma supernova, mas que talvez não sejam autorizadas a se sujar no recreio, e muitos adolescentes que sabem montar e gerenciar uma página na internet, mas que morreriam de fome se deixados a sós em uma fazenda agrícola em pleno funcionamento. Não que isso seja culpa deles. Todos nós talvez precisemos enfrentar meses de fome no futuro, talvez mesmo anos de fome, à medida que um globo aquecido muda as regras de um jogo que presunçosamente consideramos ganho. Talvez venhamos a nos arrepender de nossas prioridades em termos de aprendizagem. Contudo, os alunos da escola primária de, pelo menos, um condado da Appalachia crescerão sabendo preparar as próprias pizzas desde o começo, e tenho orgulho deles. Se eu pudesse escrever isso em uma etiqueta adesiva e colar no pára-choque do meu carro, eu o faria.

Legislação local

A epidemia da obesidade infantil nos Estados Unidos levou pais, comunidades e até mesmo legisladores a melhorar a alimentação das crianças no lugar onde elas invariavelmente comem: as escolas. A *junk food* foi banida por lei de muitos refeitórios e máquinas automáticas nas escolas. Mas, o que a juventude de nossa nação vai comer então – comida local fresca? Até parece!

Cara, a coisa já está acontecendo. Em 2004, por meio de uma emenda à Lei Nacional da Merenda Escolar, o Congresso autorizou um aporte de recursos inicial para o Programa da Fazenda ao Refeitório, promovendo projetos de hortas escolares e a aquisição de comidas locais de pequenas fazendas. A Unidade de Negócios de Pequenas Empresas do Departamento de Defesa adquire os produtos. Os benefícios desses programas, muito além da comida, incluem a educação agrícola por meio da horticultura, de visitas a fazendas, de palestras feitas por fazendeiros locais e de ganhos econômicos modestos para a comunidade. Mais de um terço dos estados agora tem programas ativos desse estilo da-fazenda-à-escola; os convênios da-fazenda-à-universidade também estão aumentando.

O Programa Especial de Nutrição Suplementar para Mulheres, Bebês e Crianças (WIC), do Departamento de Agricultura, possui um Programa de Nutrição em Feiras de Fazendeiros para a compra de comida local. Ele fornece cupons válidos para produtos frescos adquiridos de fazendas, feiras de fazendeiros e barracas de beira de estrada. Em 2006, cerca de vinte milhões de dólares em recursos públicos forneceram esses benefícios para mais de 25 milhões de pessoas.

Em uma iniciativa legislativa poderosa, o condado de Woodbury, em Iowa, estabeleceu, em 2006, que (sujeito à disponibilidade) "irá adquirir... comida orgânica produzida localmente nos casos em que uma agência do condado de Woodbury serve comida como parte normal de seus negócios". Até mesmo as prisões estão servindo comida local, em um condado que reconhece o valor do apoio à comunidade.

Para obter mais informações, visite www.foodsecurity.org e www.farmtoschool.org.

Steven L. Hopp

Meus alunos no cercado de perus não eram lá muito aplicados. A primeira fêmea que entrou no cio não conseguia atrair a atenção de nenhum dos dois machos, que passáramos a chamar de Tom Grande e Tom Mau. Esses caras já abriam as penas do rabo, em uma exibição de acasalamento urgente, desde o verão passado, mais ou menos constantemente, porém dirigiam a maior parte de seu espetáculo a mim, um ao outro, ou a qualquer coisa sensual que estivesse por perto, como um regador, por exemplo. Eles fizeram de tudo para conseguir algo com o regador. Lolita ficava se atirando no chão à frente deles, fazendo-os tropeçar nela, no entanto, eles só sentiam atração por coisas brilhosas. Ela ficava aborrecidíssima, e eu não a culpava. Quem não passou pela mesma experiência?

Eu estava determinada a criar um ambiente mais romântico, o que significava escoltar Lolita e um dos machos até sua suíte de lua-de-mel, uma pequena sala reservada dentro do celeiro principal, sem deixar de remover todos os regadores de seu raio de visão. Ela praticamente teve que ensinar tudo a ele — nenhum sutiã para desabotoar, graças a Deus — mas, até que enfim, ele entendeu o que precisava fazer. Ela agachou, ele se aproximou e finalmente parou de sacudir as penas do rabo para impressioná-la. Depois de tanto tempo, demorou um pouco até que ele fizesse a transição de "Pegue a garota! Pegue a garota!" para "Oh Yesss!". Pouco a pouco ele se aproximou das costas dela. Aí ele girou em círculos várias vezes, d-e-v-a-g-a-r, como o ponteiro dos minutos de um relógio, antes de aparentemente chegar a uma conclusão sobre a orientação certa. Eu estava pronta para estudar os argumentos a favor da inseminação artificial, mas agora parecia que ele estava pronto para ir fundo.

O derradeiro e importante evento que se segue a essas preliminares desajeitadas é o que os cientistas denominam de "beijo cloacal". Uma ave macho não tem o que você chamaria de "um membro", ou seja lá como você chama isso na sua casa. Ele tem apenas um orifício, ou cloaca, que é mais ou menos o mesmo equipamento da fêmea, exceto pelo fato de que o sêmen é ejetado do dele e os ovos saem do dela, mais tarde. Esses ovos serão férteis apenas se os dois orifícios fizerem previamente o tipo recomendado de contato tempestivo.

Fiquei observando, não tenho vergonha de dizer. Sejamos francos, você também não faria o mesmo? Talvez você não agachasse tanto quanto eu para ter uma visão melhor, mas puxa vida, nessas partes não há como instalar TV a cabo. E esse evento foi realmente extraordinário, algo que quase desapareceu de nosso mundo. Para 99,9% dos perus domésticos, a vida começa em uma seringa e permanece assexuada até o fim. Poucas pessoas vivas já testemunharam o que eu estava prestes a ver.

Beijo cloacal é o termo correto para esse ato. O macho realmente precisa esticar seu orifício, como se fizesse beicinho para dar um grande beijo. Tente visualizar a cena, ele está de pé, por cima das costas dela, sapateando constantemente e segurando sua dama para não despencar. O complemento inteiro de seu leque de penas no rabo se coloca entre seu equipamento e o dela. O beiço precisa ser heróico para superar tudo isso. Robert Browning expressou isso perfeitamente: *Ah, mas a ambição de um homem deve exceder seu alcance, ou então para que serve o Paraíso?*

O paraíso chega quando o macho acaba de amassar as zonas erógenas das asas de sua dama com os pés por muito, muito tempo, até que ela finalmente decida que seu pretendente tenha atingido a efervescência necessária. Sem aviso, tão rápido quanto um piscar de olhos, ela levanta as penas traseiras e se arrebita para alcançá-lo. Minha nossa! Eu fiquei com a respiração entrecortada ao ver o acontecimento.

Foi um *beijo aéreo.*

O pior é que eles erraram de alvo. *Plac*! Como um par de divas sobre um palco que não querem borrar o batom. (O que não se aplica à Britney e à Madonna.) Mas a primeira tentativa é raramente bem-sucedida, sei disso tão bem quanto qualquer um que já foi jovem.

Ela andou, um pouco atordoada, até um canto da pequena sala escura. Ele ficou olhando para ela, suas penas todas murchas pela primeira vez na vida, entendendo que esse não era o momento para fazer uma exibição de sacudir penas. Ele franziu a testa carúncula e, certamente, teria citado Shakespeare se pudesse: "Cesse as jornadas, minha linda; as viagens terminam em encontros amorosos..."

Ela bicou, sem vontade, uns grãos no chão de terra. Provavelmente ela esperava um serviço de quarto melhor.

"O que está por vir é ainda incerto; as delongas não trazem felicidade. Então venha beijar-me, doce jovem. A juventude é passageira."

Eu os deixei lá, para se amarem novamente na manhã seguinte. Ou talvez dentro de 15 minutos. Afinal, eles eram jovens.

Os estudiosos do comportamento animal se referem a um fenômeno de acasalamento chamado de "efeito Coolidge", um termo derivado de uma história apócrifa a respeito do presidente e da primeira dama. Em uma visita oficial a uma fazenda governamental no Kentucky, diz-se que eles ficaram impressionados com um galo muito diligente. A sra. Coolidge perguntou a seu guia quantas vezes se esperava que o galo fizesse seu trabalho, e foi informada: "Dezenas de vezes ao dia."

— Por favor, diga isso ao presidente — disse ela.

O presidente, após pensar um momento, perguntou:

— Ele faz isso com a mesma galinha toda vez?

— Ah não, sr. Presidente — respondeu o guia. — Cada vez é com uma diferente.

O presidente sorriu:

— Diga isso à sra. Coolidge.

Duas semanas após nossa Lolita ficar cheia de amores, todas as outras peruas fizeram o mesmo. Agora já reconhecíamos os sintomas. Sempre nos embasando em métodos científicos em nosso quintal, aplicamos o efeito Coolidge, separando o Tom Grande ou o Tom Mau com uma fêmea nova todo dia, no romântico quarto de celeiro, enquanto o outro macho caçava o resto das meninas pelo pasto. Precisamos separar os meninos um do outro, não tanto pelo fato de eles brigarem (embora assim o fizessem), mas porque toda vez que um conseguia montar em uma fêmea, o outro avançava feito uma bola de boliche pela pista e derrubava os amantes sem qualquer elegância, ka-*pum*. Isso não iria acabar bem.

No entanto, após o Fevereiro da Paixão pairar sobre nosso quintal, ele foi seguido pelo Março dos Ovos de Peru. Esperávamos que isso fosse bom, embora as primeiras tentativas parecessem mais um desastre no trilho do trem do amor. É normal que uma ave jovem precise de algum treinamento para que seu ovoduto funcione bem. Contudo, para dizer a verdade, nem reconheci o primeiro resultado como sendo um ovo. Entrei no cercado dos perus para reabastecer o depósito de ração e quase pisei em uma coisa esquisita no chão. Abaixei-me para ver o que era: uma bolsa clara de fluido, mole, no formato de uma gota com um saca-rolha branco e borrachudo na extremidade pontuda. Hmmmm. Um pequeno visitante de outro planeta? Deduzi, com alguma dúvida, que era um ovo, mas não abri a champanha.

Logo, surgiram ovos de verdade: maiores e mais pontudos do que os ovos de galinha, marrom claro com algumas pintas avermelhadas. Fiquei entusiasmada com os primeiros. Depois eles começaram a aparecer em todo lugar, jogados recatadamente no chão como se fossem lenços: aqui e ali na sala dos perus, lá fora no cercado e até mesmo no pasto. Quando dava vontade nas meninas, elas simplesmente davam à luz, como aquelas mães infelizes das quais tomamos conhecimento que têm bebês em saguões de restaurante e dentro de táxis.

Construí o que considerava ser um ninho de peru respeitável, no chão, em um canto da sala de perus, mas ele não era usado. Claramente, aquilo não parecia certo para eles, talvez não aconchegante o bastante. Construímos uma grande caixa de madeira com laterais abertas para ficar por cima do ninho e protegê-lo. Os perus se empoleiravam de noite no caibro do telhado, dentro de sua sala, e sempre voavam ruidosamente antes de dormir. Os Bourbons Vermelhos possuem asas e não têm medo de usá-las. Talvez o ninho no chão ficasse mais atraente, pensei, se eu o tornasse seguro contra ataques aéreos.

Isso ecoou de alguma forma na psique dos perus, mas não da forma certa: as fêmeas imediatamente começaram a por ovos em cima da plataforma de compensado, a cerca de um metro de altura. Meu livro de referência insistia que os perus usavam apenas ninhos no chão. Meus perus não sabiam disso. Em poucos dias, não havia mais ovos no chão, mas quase duas dúzias em uma ninhada precária sobre uma plataforma de compensado, da qual eles poderiam facilmente cair e se despedaçar. Cortei as laterais de uma grande caixa de papelão para formar uma bandeja rasa, enchi-a de palha e folhas, e coloquei os ovos lá.

Finalmente, cheguei à conclusão correta. A visão dessa pilha aconchegante de ovos dentro da embalagem de papelão de um monitor de computador era o detalhe que faltava para o despertar dos hormônios. Uma a uma, as peruas começaram a sentar no ninho. Desajeitadas e meio sem vontade, elas botavam um ovo, sentavam por apenas alguns minutos adicionais e saíam. Em pouco tempo, eu tinha mais de trinta ovos nesse ninho de plataforma e nenhuma mãe que se prestasse à função, para dizer o mínimo.

A maioria tentava, um pouco. Com o passar do tempo, e à medida que a pilha chegava a proporções ridículas, elas pareciam sentir um vago sentimento de dever a cumprir. Uma perua sentava nos ovos por uma hora. Depois levantava, se afastava e ia fazer um lanche. Ou pousava sobre o ninho, botava um ovo, sapateava na pilha até quebrar dois, comia-os e ia embora. Muitas vezes, duas peruas sentavam nos ovos ao mesmo tempo, em um clima de amizade, até começarem a brigar. Às vezes, o conflito crescia até que abriam as penas do rabo e se exibiam uma para a outra, exatamente da mesma forma que os machos. Aí, repentinamente, paravam e iam almoçar juntas. Comecei a ter esperanças quando uma perua (nem sempre a mesma) ficava sentada nos ovos até o fim da manhã, a hora em que eu costumava soltar os perus para eles irem para o pasto. Ela ficava para trás enquanto suas irmãs fofocavam na porta, mas sempre após algum tempo decidia que já não agüentava mais *aquilo* e gritava para ser solta e se juntar a suas amigas pelo resto do dia.

Com todo o devido respeito às mães muito jovens que se dedicam a seus filhos, comecei a encarar minhas peruas como típicas mães adolescentes. "Não estou pronta para compromissos" era a atitude que prevalecia. "Free Bird" [Pássaro livre], canção de Lynyrd Skynyrd, era o hino delas. Ninguém se importava com a pilha crescente de ovos, exceto eu. Eu me preocupava, enquanto elas passeavam, repreendendo cada mãe desleixada: Sua perua! *Dindon sauvage*, perdoem meu francês. Você fez seu ninho, agora sente nele.

Minhas censuras tiveram um efeito previsível, isto é, nenhum. Senti-me desamparada. Na maioria das noites, a temperatura ainda caía abaixo de zero grau. O que pode ser mais lamentável do que um ninho de ovos lindos expostos ao frio? Ovos valiosos e potencialmente viáveis deixados à própria sorte. Essa quantidade de ovos de peru de linhagem herdada, comprados pelo correio para serem incubados, custaria cerca de trezentos dólares, e isso não é nada comparado aos produtos reais do amor, desajeitado e sincero, entre os perus. Mas o que poderia ser feito, sentar eu mesma neles?

Isso, essencialmente, é o que fazem os profissionais. Nossa loja de ração comercializava vários modelos de incubadoras, os quais eu examinara mais de uma vez. Essa era a resposta simples: colocar os ovos em uma incubadora elétrica, observar os pintos emergirem e, de novo, criar eu mesma os bebês de peru. Perus que, mais uma vez, cresceriam querendo acasalar com alguém como eu.

É possível criar ovos em uma incubadora e enfiá-los embaixo de uma fêmea adulta após chocarem? A resposta é fácil: sim, mas ela os mataria. Talvez os comeria, por mais horripilante que isso possa soar. A maternidade é o trabalho supremo de muitas vidas, e a seleção natural não pode favorecer um investimento imenso de energia em genes que não são os seus próprios. É uma questão simples de matemática: a próxima geração não conteria qualquer rebento do indivíduo cujos genes o permitiram tomar tal decisão. Em outros animais que não os humanos, a adoção somente ocorre em circunstâncias raras e, em geral, acidentais.

No caso dos perus, o cérebro da mãe é programado para memorizar o som dos pios de seus pintos no momento em que emergem do ovo. Essa comunicação consolida seu vínculo com os filhos, levando-a a protegê-los intensamente durante suas primeiras semanas vulneráveis de vida, abrindo as asas e agachando para escondê-los embaixo de uma espécie de saia-balão de penas, dia e noite, enquanto eles fazem incursões rápidas pelo mundo, aprendendo a encontrar a própria comida.

Experiências (terríveis de se constatar), do começo do século XX, mostraram que peruas surdas que já eram mães eram incapazes de receber os sinais indispensáveis dos filhos. Essas mães destruíam os próprios pintos, mesmo após sentarem fielmente nos ovos durante semanas.

Minhas peruas pareciam ter bons ouvidos, mas regularidade para chocar não era sua característica mais forte. Mesmo assim, não comprei uma incubadora. Queria pintos de peru criados por mães peruas, criaturas que tivessem um compromisso com a própria raça. Esse projeto não permite qualquer atalho. Se conseguíssemos conceber, pelo menos, uma primeira geração dessas mães, as próximas teriam tanto genes melhores quanto uma criação melhor.

A possibilidade alternativa, ter um monte de pintos malformados, me entristecia. A tentação é de preservar o indivíduo que engaja suas emoções, mesmo que isso prejudique a raça. Quando entrei no pequeno clube dos criadores de espécies de linhagem herdada, parte do compromisso era abster-se desse tipo de sentimentalidade. Instintos maternais pouco desenvolvidos, animais nanicos e más-formações genéticas, tudo isso precisa ser eliminado. Em um mundo centrado nos humanos, que cada vez mais (e sabiamente em minha opinião) define todos os seres humanos como intrinsecamente iguais, é difícil não estender essa idéia a outras espécies. No entanto, as regras para as populações de animais domésticos saudáveis são inteiramente diferentes daquelas que aplicamos a nós mesmos. Deparei-me com isso quando tentei explicar a meu sobrinho por que não podíamos deixar o galo branco acasalar com as galinhas marrons. Decidi deixar o assunto de lado por alguns anos. Mas tocarei nele novamente, caso ele pergunte, já que se trata de uma informação relevante: o respeito assume formas diferentes em espécies diferentes. A macieira ganha força por meio dos cruzamentos controlados e das podas periódicas. Isso também é uma verdade para os rebanhos.

Nosso objetivo ao criar os animais de linhagem herdada é a segurança de nosso sistema alimentar, porém é também algo menos egoísta: a dignidade da verdadeira e específica natureza de cada raça. Uma porca Gloucester de Pintas Antigas no pasto, descendente de uma longa linhagem, que faz escolhas, minuto a minuto, acerca de fuçar a terra a procura de larvas e de criar seus rebentos, contém dentro de si um instinto suíno sensato e inteligente. É um estado de graça animal totalmente diferente das salsichas-com-cascos em um criadouro de porcos industrial. Só se pode esperar que esses animais tenham perdido qualquer senso de dignidade acerca de sua raça, um senso que fora roubado deles.

Se parece um tanto presunçoso usar a palavra *dignidade* na mesma frase em que usamos *porco*, ou sobretudo *peru*, isso serve apenas para provar meu ponto de vista. Nunca foi intenção deles próprios deixar que os eunucos brancos e apatetados tomassem conta de tudo, essa foi uma idéia nossa. Agora, os verdadeiros perus, capazes de se propagar independentemente, quase desapareceram desse mundo. Meus Bourbons Vermelhos e eu passamos por tempos difíceis juntos, e eu ainda torcia por eles. Cresceram bonitos e vigorosos, livres de doenças e se mostraram bons produtores de carne e eficientes na busca de comida no pasto.

Encontrei-me profundamente envolvida com a próxima etapa: queria que eles chegassem à próxima geração por si próprios. Parto Natural ou Nada. Todos os ovos estavam na mesma cesta agora. Se eles a deixassem cair, no próximo Dia de Ação de Graças comeríamos sopa de abóbora.

A comida local longe de casa

Por Camille

Tenho uma confissão a fazer. Passados cinco meses desde que minha família se dedicou à comida local, eu saí de casa. Não porque as horas enlatando tomates, no começo de agosto, me levaram à loucura ou porque fui tomada por uma vontade insaciável de consumir frutas tropicais. Simplesmente fui para a universidade. Era uma vida desafiante, tentando entender química e cálculo enquanto me ajustava a um lugar inteiramente novo; e as limitadas opções de comida que eu tinha, como uma estudante que vivia no campus universitário, não ajudavam. Imagino que eu pudesse arar uma plantação pessoal de hortaliças na praça interna de meu dormitório, ou encher meu quarto com pés de tomate e abobrinhas em vasos, mas aí as pessoas *realmente* teriam zombado de mim por ser originária da Appalachia. Em vez disso, comi alface e pepinos em janeiro, como todos os outros estudantes.

Morar fora de casa e falar com minha família apenas ao telefone são situações que me fizeram enxergar as coisas a partir de uma nova perspectiva. Não ter hortaliças frescas à minha disposição me fez entender como isso é bom. Notei também que minhas opiniões sobre comida não são compartilhadas pelas pessoas da minha idade. Ao contemplar o bufê de saladas do refeitório na hora do jantar, olhando com tristeza os tomates esfarinhados e cor-de-rosa e a alface *iceberg* com consistência de papel, eu conseguia determinar o que provavelmente viera da América do Sul ou da Nova Zelândia. Sempre mantive essa informação para mim mesma (porque quem se importa com esses assuntos quando há jogos de basquete e festas de arromba para se discutir?), mas eu não conseguia deixar de notar.

Acho que minha geração está mais distante da produção de alimentos do que qualquer outra, apenas mais um passo no longo do caminho trilhado pela indústria alimentícia americana. Mais do que nossos pais, dependemos de comidas que saem de embalagens brilhosas, ao invés de saírem de cascas ou de peles. Ainda constitui uma surpresa para uma garota como eu, que realmente mora em uma fazenda de verdade, com *animais de verdade* e coisas que crescem do *solo* — que tantos jovens adultos não consigam adivinhar de onde vem sua comida, ou se ela está na estação, no lugar onde moram. Não se trata de que minha geração emergente seja pouco inteligente ou ignorante — meus companheiros de classe são algumas das pessoas mais cultas e inteligentes que conheço. Contudo, informações sobre comida e agricultura não estão amplamente disponíveis. A maioria das pessoas com as quais tenho contato nunca viu uma fazenda em funcionamento, ou teve qualquer razão para fazê-lo. Viver entre pessoas da minha idade, vindas de várias cidades dos Estados Unidos, me levou a constatar que conheço muito sobre a produção de alimentos e não faço pouco caso disso.

Também não irei me esquecer de apreciar como a comida local tem um gosto melhor. Além de passar uma noite bem dormida em cima de um colchão bom, cozinhar comida boa se tornou a razão principal para visitar minha casa. É claro que ver a família era legal, mas prioridades são prioridades, certo? Foi ótimo, após semanas de vida de dormitório comer ovos com gemas de um dourado intenso e verduras que ainda tinham sabor e eram crocantes. Adorava poder olhar para uma mesa cheia de comida e saber onde cada hortaliça fora produzida, de onde a carne viera quando ainda era um animal vivo.

Durante meu primeiro ano na universidade, encontrei dois restaurantes para estudantes que usavam produtos orgânicos e localmente produzidos, e outro que regularmente usava carne de animais não confinados. Esses estabelecimentos não faziam questão de divulgar sua participação na economia alimentar local. Eu só descobri porque me importava com o assunto, passando a comprar a maior parte de minha comida nesses lugares.

Sei que minha geração tem a reputação de colocar iPods nos ouvidos e de não se importar com o que pode acontecer daqui a dez anos, ou mesmo na próxima semana. Ainda não temos condições de comprar veículos híbridos ou casas solares. No entanto, nos importamos com muitas coisas, inclusive com aquilo que comemos. A comida é algo real. Viver na terra que gerou meus próprios alimentos me dá uma sensação de segurança que tenho sorte de ter. Sentir-se seguro não é fácil para as pessoas da minha idade, que enfrentam ameaças detestáveis em nosso futuro, como o aquecimento global, a superpopulação e a guerra química. Mas, mesmo quando o suprimento de combustíveis do mundo acabar e as calotas de gelo derreterem, saberei quais são as fontes verdadeiras de minha subsistência. Minha formação universitária irá me proporcionar, ou não, um bom emprego mais tarde, porém minha formação agrícola me será útil independentemente disso. As escolhas que faço agora a respeito de meus alimentos influenciarão o resto de minha vida. Se um número grande de nós se sentir da mesma maneira e começar a pensar seriamente sobre nossos hábitos de consumo, apenas uma refeição por vez, poderemos influenciar o destino de nosso planeta. Por mais graves que sejam as perspectivas futuras, tanto para mim quanto para os que estão à minha volta, esse é um fato que me traz esperança.

20

O recomeço

ANOS ATRÁS, QUANDO LILY ainda não havia completado quatro anos, passávamos uma daquelas manhãs mãe-e-filha perfeitas em nosso jardim. Eu plantava amores-perfeitos enquanto ela ajudava caçando insetos para inspecioná-los mais minuciosamente, mas sem comê-los. Três anos é uma ótima idade. Ela fazia um monte de perguntas sobre a vida animal. Lembro porque esse foi o dia em que ela abordou a Grande Pergunta pela primeira vez. Não me refiro a sexo, essa é fácil. Ela queria saber de onde vinha *tudo*: besouros, plantas, nós.

— Como é que os dinossauros chegaram à Terra, e por que eles foram embora? — Foi seu ponto de partida mais do que razoável.

Seria ótimo evocar para minha filha, em apenas uma ou duas frases, o Mistério inexplicável. No entanto, estudei biologia da evolução na pós-graduação, o que, de certa forma, me obriga a entrar em detalhes. Lily e eu falamos dos milhões e milhões de anos, das algas marinhas, das águas-vivas e dos coelhos. Expliquei como a maioria das criaturas tem muitos filhos (algumas têm milhões) com minúsculas diferenças entre eles. Essas especialidades — coisas, como se esconder rapidamente ou devagar, selecionar a comida ou simplesmente abocanhar de tudo — podem fazer a diferença para a sobrevivência de um bebê até a idade adulta. Os que sobrevivem terão filhos mais parecidos com eles mesmos. E assim por diante. O grupo muda aos poucos.

Sempre pensei nisso como uma das mais bonitas histórias da criação, uma espécie de milagre mensurável, e fiquei satisfeita de ter feito com que um assunto tão complexo ficasse mais compreensível para uma criança pequena. Ela sentou no meio das flores, pensando. Após um intervalo, perguntou:

— Mamãe, *você* nasceu ou é uma daquelas que evoluiu dos primatas que viviam nas árvores?

Não tenho oito milhões de anos. Contudo, sou velha o bastante para saber que nunca, nunca mesmo, devo acreditar que expliquei alguma coisa perfeitamente. Alguma parte da platéia sempre ficará de todo confusa, ou apenas não convencida. Ao terminar esse relato, reflito sobre essa questão. É possível explicar o ano que vivemos? Posso lhes dizer que passamos a nos considerar, da melhor maneira possível, uma família de animais vivendo em nosso *habitat*. Isso revela o sentido de nossa travessia? Isso explica como mudamos, embora continuemos com a mesma aparência? Somos feitos de uma matéria diferente, com uma nova relação com nosso lugar. Temos um relacionamento novo com o clima. E daí, e quem se importa?

Dizem que todas as histórias começam de uma das duas formas: “Um forasteiro chegou à cidade”, ou então “Parti em uma viagem”. O resto é apenas metáfora e símile. Seu professor de literatura do ensino médio estava certo. Em *Moby Dick*, você saberia se não estivesse cochilando, a baleia não era apenas um mamífero aquático. Em nosso caso, os perus de linhagem herdada não eram apenas aves grandes, mas símbolos de um controle precariamente exercido sobre uma honestidade em processo de desaparecimento. Os frangos são protagonistas secundários, os tomates são alegóricos. As abobrinhas talvez sejam apenas abobrinhas.

Partimos em uma viagem. À primeira vista, parecia tão corriqueira, era tentar fazer aquilo que quase todas as pessoas costumavam fazer sem pensar duas vezes. Mas a viagem nos surpreendeu muitas vezes, por causa de todas as maneiras em que uma paisagem pode imiscuir-se na existência física de uma pessoa. Assim como muitos dos outros hominídeos extremamente pesados que andam por aí calçados, deixando de enxergar a floresta por causa das árvores trituradas, reencarnadas como jornais e coisas afins, eu esquecera a mais verdadeira das verdades: nós somos aquilo que comemos.

À medida que nosso calendário comestível se aproximava de sua conclusão arbitrária, ficamos mais do que normalmente conscientes de como tudo recomeça na primavera. Todos os marcos que nos levaram ao começo de nosso ano de comida local começaram a reaparecer. Nossas sementes começaram a brotar dentro de casa. A lama gelada derreteu, e os arbustos no caminho de acesso a nossa casa se cobriram de minúsculas flores amarelas. Os *tranqüilos* floresceram. Em três de abril, os discretos aspargos começaram a surgir do solo.

O que fazíamos quando *o dia* finalmente chegou? Estávamos postados, de pé, ao lado de nosso congelador vazio, à meia-noite, roendo o último bloco gelado de abóbora fatiada, olhando o ponteiro do relógio girar os últimos segundos para podermos sair correndo e comprar tortas pré-fabricadas? Não. Desculpe, mas a verdade é muito pouco dramática. Não consigo nem encontrar "o dia" em meu diário.

O melhor que posso fazer é me recordar do momento em que percebi que cumprira uma promessa feita a mim mesma e que tinha a ver com aprender a enxergar o mundo de uma forma diferente. Foi um dia no começo de abril, quando três pequenas árvores em nosso quintal estavam cobertas de flores — as do pessegueiro eram de um rosa escuro; as da ameixeira, rosa mais claro; e as da pereira, brancas — preenchendo o espaço como uma aquarela japonesa. Havia um tom picante no ar e o pasto marrom assumiu uma tonalidade vistosa de verde. Do lugar onde eu estava, na varanda da frente, conseguia ver os perus de asas brancas se movendo vagarosamente em meio àquele mar de esmeralda, mordiscando enquanto andavam. Imaginei como o pasto pareceria daqui a um mês, quando a grama atingisse a altura dos joelhos. Tive um súbito e vívido devaneio com minha família ocupando o lugar dos perus, fantasiando a emoção de passear no meio do próprio jantar, que atinge a altura do peito, como parte de uma rotina cotidiana. Quero dizer que imaginei todos nós nadando em meio a pilhas de verduras de salada, fazendo o nado de peito entre produtos como tomates, manjericão e mussarela.

Logo me deu um estalo e parei de sonhar acordada, reconhecendo que isso não era muito normal. Esse tipo de coisa estava em linha com o que minhas filhas astutas chamariam de "piração total". Entendi apenas que eu era uma mulher que se transformou com suas experiências.

No entanto, notei que minhas filhas também mudaram. Um dia, na feira de fazendeiros, um vendedor nos avisou que poderia haver algumas lagartas-de-espiga no milho porque ele não fora borrifado. Ele apontou uma grande se contorcendo na casca de uma das espigas em nossa bolsa e enfiou a mão para retirá-lo. Educadamente, Lily esticou a mão para impedi-lo, essa era a nossa lagarta, tínhamos pago por ela. Ela levaria essa proteína para seus frangos, que mais tarde seria transformada em ovos. Camille usou uma lógica similar para me consolar depois que meus perus atacaram a horta e levaram alguns dos tomates mais bonitos.

— Mãe — disse ela —, você vai comê-los mais tarde. — E assim o fiz.

Também não foi apenas nossa família que mudou em um ano. A comida tornou-se um assunto importante na esfera pública — não receitas, mas questões profundas. Quando fizemos os primeiros planos acerca do projeto, esperamos que nossa tarefa mais difícil fosse explicar, nos termos mais básicos, o que estávamos fazendo e por que nos importávamos com o assunto. Agora, nosso jornal local e os diários de circulação nacional freqüentemente apresentavam vários artigos sobre comida local em um mesmo dia. O movimento ganhava força em todos os estados, inclusive no Arizona, o ambiente alimentar que deixamos para trás. O Alasca estava experimentando um surto de popularidade nas feiras de fazendeiros, com a logomarca "Criado no Alaska" aparecendo em sacolas de compra feitas de pano em toda a Anchorage. A Lanchonete dos Fazendeiros de Tod Murphy mudara para o sul, na vila de Quechee, estado de Vermont (perto de Hanover, estado de New Hampshire) para acomodar mais clientes. Outros estabelecimentos com objetivos semelhantes se espalhavam agora pelas estradas, no caminho de muitas viagens de carro. Centenas de pessoas se registravam pela internet e relatavam sobre suas experiências de passar por um "Mês de comida local". Mudamos de estilo de vida parcialmente em reação a uma cultura alimentar baseada em nomes chamativos; agora, esse estilo de vida tinha seu próprio nome alimentar da moda: "O desafio da dieta dos 150 quilômetros." Que choque! Estávamos na moda.

Como uma comprovação adicional de que o movimento ganhava envergadura, a comida local agora enfrentava uma certa oposição oficial. As críticas padrões de que a comida local era quixotesca e elitista ficaram mais fortes, à medida que mais e mais de nós a considerávamos econômica e bastante prática. O *Christian Science Monitor* até publicou um artigo sobre como tanto foco nos assuntos locais poderia gerar um "provincialismo pouco saudável". John Clark, um especialista em desenvolvimento do (só poderia ser) Banco Mundial, afirmou que "os empregos que podem parecer degradantes para nós podem ser desejáveis" para outros — presumivelmente se referindo àqueles que ganham uns minguados dólares por dia da Dole, Kraft, Unilever ou Archer Daniel Midlands —, "mas tudo isso se perde se comprarmos apenas produtos locais". Ele expressou uma preocupação de que o viés a favor da comida local poderia gerar um desperdício de energia, à medida que os consumidores ativamente provincianos forçassem os fazendeiros de climas frios a cultivarem bananas em estufas.

Esse tipo de opinião contrária é bastante criativa, sem dúvida — um sinal certeiro de que o movimento pela comida local estava incomodando às indústrias alimentícias que até então controlavam as escolhas dos consumidores tão facilmente, mesmo prejudicando a saúde de nossas crianças e de nossa vizinhança. Os compradores começavam a mostrar certa determinação, claramente mudando algumas preferências com relação a quais comidas seriam compradas e de que fonte. Estima-se que 3% da oferta nacional de produtos frescos foram comercializados diretamente dos fazendeiros aos consumidores naquele ano.

A parte do "por que se importar?" da equação estava também se tornando óbvia para um número maior de pessoas. A mudança climática global mudou do indigno de menção à manchete no espaço de um ano. "O fim da economia petrolífera" estava agora sendo discutido por alguns políticos e por muitos economistas, e não apenas pelos ambientalistas convictos. Estávamos começando a ter noção do que se passava.

Contudo, também é verdade o que os estrategistas dizem a respeito de corações e mentes — é preciso conquistar ambos. Mudaremos significativamente nossos hábitos como nação não quando leis nos *ditarem* o que fazer (lembra da Proibição?), mas quando *quisermos* fazer. Durante o ano em que minha família optou por fazer escolhas alimentícias conscientes, as coisas mais importantes que aprendemos tinham tudo a ver com isto: a vontade de fazer. Nossas mentes inquietas nos levaram a começar o projeto de abstinência de comida industrial, mas foi com nossos corações que o terminamos. Não fizemos uma contagem regressiva dos dias que faltavam para o fim do projeto, porque não queríamos voltar aos hábitos antigos.

Alguns dias após meu devaneio momentâneo de ficar atolada de comida até a altura do peito, jantamos com nossos amigos Sylvain e Cynthia. Sylvain foi criado no vale do Loire, onde a comida local é uma questão de patriotismo comestível. Ele me fazia sentir o espírito de companheirismo na maneira com que ele celebrava cada garfada de nossa salada, inalando o aroma dos rabanetes e da rúcula. Ele nos contou que, na Índia, às vezes, é considerado um ritual de purificação ir para casa e passar um ano inteiro comendo tudo de um único lugar — idealmente, a própria pessoa cultiva sua comida. Eu gostava desse nome para o que havíamos feito: um ritual de purificação, para cultivar saúde e gratidão. Soa muito melhor do que "piração total".

Cegos guiando cegos

Os críticos da comida local sugerem que o movimento é ingênuo ou elitista, enquanto a agricultura industrial seria para todos: é aquilo que está na mesa do jantar, tem a ver com alimentar o mundo. "O milho geneticamente modificado e cultivado sob condições industriais", escreveu Steven Shapin para o *New Yorker*, "é o que alimenta as vítimas da fome na África, não a gloriosa acelga suíça orgânica e multicolorida de sua feira de fazendeiros local".

Os grandalhões tomaram conta das regras do jogo de uma forma tão completa que é difícil enxergar como os sistemas alimentares de fato funcionam, mas essa crítica está completamente equivocada. Um dos mais recentes esquemas para alimentar as populações pobres, constituído com base na agricultura industrial, é um bom exemplo para isso. O Elemento de Prova A: "arroz dourado." É uma variedade de arroz geneticamente modificado que contém betacaroteno no grão. (Todas as outras partes da planta de arroz já o contêm, mas não o grão após a moagem.) Os responsáveis pelo desenvolvimento dessa biotecnologia dizem que doarão as sementes — sujeito a certas condições — a fazendeiros do Terceiro Mundo. Isso é um ponto importante em termos de relações públicas porque o corpo humano converte o betacaroteno em vitamina A; uma deficiência dessa vitamina afeta milhões de crianças, sobretudo na Ásia, provocando a cegueira em meio milhão delas todos os anos. O arroz geneticamente modificado é a solução proposta pela indústria alimentícia.

Contudo, a maioria das crianças mal nutridas do mundo mora em países que já produzem excedentes de alimentos. Não há nenhuma razão para acreditar que elas teriam um melhor acesso a esse tipo de grão novo e especial. O arroz dourado é mais uma tentativa de impor uma solução de monocultura a problemas nutricionais que foram *causados* pelas monoculturas e pelo desaparecimento da diversidade. Apenas na Índia, tradicionalmente, os fazendeiros cultivavam mais de duzentos tipos de verduras, e recolhiam muitas outras variedades silvestres. Cada uma delas é uma boa fonte de betacaroteno. Como também o são as frutas e as hortaliças. Ademais, a vitamina A transmitida por meio de um grão de arroz talvez nem ajude uma criança mal nutrida, porque ela não é bem absorvida quando isolada de outros nutrientes. Jogar mais arroz em cima do problema do desaparecimento da diversidade nas dietas é uma abordagem cega do problema da cegueira. "Ingênuo" talvez descreva uma pessoa que acredita que a agricultura industrial desenvolve cultivos cercados de patentes para alimentar os pobres. (Existem setenta patentes somente para o arroz dourado.) A solução para os realistas: acelga multicolorida e afins sendo cultivados em hortas de vilarejos.

STEVEN L. HOPP

Ao longo dos anos, desde que fui mãe pela primeira vez e consegui meu primeiro emprego, muitas vezes fiz referência à preocupação em "alimentar a família". Eu usava a expressão da mesma maneira simbólica com que antes (antes das crianças e antes do emprego respeitável) eu falava de algo "custar uma erva". Na verdade, eu me referia ao dinheiro. Agora, quando digo erva, quero dizer erva. Entendo que a comida não simboliza alguma coisa, mas sim que ela é a verdadeira coisa em si: a beterraba, como vizinha de meu sapato; e a galinha, como uma outrora companheira. Uma vez li no diário de uma desbravadora do interior dos Estados Unidos que a fazendeira do Kansas adiou, semana após semana, a colheita da última galinha em seu quintal árido e ventoso. "Precisamos muito de comida", ela escreveu, "mas sentirei falta da companhia".

Nunca estive a ponto de sentir tanta solidão, mas entendo o relacionamento. Quando apanho maçãs, sinto falta da maneira como elas ficavam penduradas na árvore. As berinjelas parecem lâmpadas em seus talos, sobretudo as variedades brancas e púrpuras que parecem neon. Vejo a lâmpada se apagar quando as atiro dentro da cesta. Minhas peruas agora adquiriram nomes. Sei que isso trará problemas, mas não consegui evitar.

AO FINAL DE MARÇO, UMA das peruas mães encontrou sua vocação. Ela sentou no ninho de plataforma e não saiu de lá durante uma semana. Depois duas, e então três. Essa era Lolita, aquela que pretendia roubar meu marido — a primeira perua a mostrar comportamentos de acasalamento e em seguida a botar ovos. Agora ela foi a primeira a chocar dedicadamente. Apagamos o nome "Lolita" de seu registro e passamos a chamá-la de "Mãe Número Um".

Embaixo da plataforma onde ela agora chocava para fazer jus a seu título, montamos mais dois ninhos para dar conta do excedente. Enquanto a Mãe Número Um incubava duas dúzias de ovos, as Mães Número Dois, Três e Quatro começavam a mostrar um vago interesse pelas outras pilhas. A Mãe Número Dois começara a passar as noites sentando nos ovos, mas ainda achava que tinha coisas melhores a fazer durante o dia. As Mães Número Três e Quatro usavam o último ninho da mesma forma que as famílias usam uma casa de férias na Flórida.

Entretanto, algo no peito de plumas da Mãe Número Um foi acionado. Após se instalar, nunca mais a vi ficar de pé novamente, nem mesmo para um rápido gole de água. Com a cabeça achatada contra o corpo e um olhar distante, ela se entregou à maternidade. Passei a trazer-lhe punhados de ração e xícaras de água que ela consumia desesperadamente e pedi desculpas por tudo que já havia falado dela no passado.

Eu era a ave livre agora, andando sob a luz do sol sempre que possível para sentir o abraço apertado da primavera. Uma precipitação aromática de pétalas de cerejeira girava à nossa volta enquanto cumpríamos as tarefas da horta. As cabeças vermelhas das folhas de peônia se desenrolavam do solo. O jardim de aniversário, composto das flores que ganhei de presente no ano passado, agora me surpreendia como uma série de telefonemas inesperados: as irises floresceram; o capim-do-texas se espalhou por cima das pedras; encontrei os brotos de orquídeas enquanto capinava em volta da árvore de bordo. Um amigo me deu cinqüenta bulbos de tulipa, um para cada ano de minha idade, os quais plantei em uma longa fileira ao longo do acesso à nossa casa. Agora elas desabrochavam com fogosas cabeças vermelhas em cima de caules delgados, como velas em um bolo de aniversário. A marmota que desencavara alguns bulbos durante o inverno tirou férias prolongadas. Eu tentaria agradecer à marmota mais tarde, quando ela comesse minhas vagens.

A primavera é composta de uma sólida gratidão de 14 quilates, a recompensa por uma longa espera. Todas as tradições religiosas do hemisfério norte celebram, de alguma forma, a aleluia de abril, pois essa é a estação da redenção primorosa, um retorno palpitante da alegria após uma estação de frias reflexões. Nossa aleluia pessoal era o retorno da comida boa e fresca. Ninguém em nossa casa sentia falta dos doces pré-fabricados, mas lamentávamos a ausência de coisas crocantes, mais do que nos dávamos conta. Recomeçar o ciclo novamente era uma perspectiva emocionante: cortar aspargos, caçar moráceas, colher espinafre e acelga ainda tenros. Havíamos sobrevivido.

Nosso ano transcorreu conforme esperávamos? É difícil dizer. Não nos preocupamos com comida o tempo inteiro, já que nossa vida familiar estava ocupada com muitas outras coisas. Doenças devastadoras atingiram vários lares de nossos parentes mais próximos. Mandamos uma filha para a universidade e sentimos falta de sua companhia, além das suas habilidades na cozinha. Se nosso jeito especial de comer parecia intimidador no início, gradualmente se tornou apenas o ato de jantar, o pano de fundo espontâneo do tempo passado com a família, à medida que, um dia, encontraríamos nossos destinos, um telefonema, uma visita hospitalar, um casamento, um funeral, uma competição de soletrar e uma festa de aniversário de cada vez. Isso nos levou a observar mais de perto tradições alimentares de todos os tipos — o programa disciplinar escolar movido a doces, o conjunto avassalador de pratos cobertos que acompanham uma morte em nossa família. Porém, na maior parte, nossa vida sem bananas era agora apenas nossa vida. Tanto assim que, de vez em quando, me surpreendia ao encontrar coisas como bananas nas cozinhas dos outros — como descobrir um par de sandálias Manolo Blahnik em uma plantação de alface. Muito bonitas, tenho certeza, mas um tanto extravagantes para nosso gosto.

Sentimo-nos compelidos a chegar a algumas conclusões acerca de nosso ano. Nosso planejamento e armazenagem para o inverno foi bem-sucedido, já que ainda tínhamos *pesto* e hortaliças no congelador para durar confortavelmente até as abundâncias de junho. Plantamos abóboras demais e teria sido bom cultivar mais alho, mas tínhamos um volume satisfatório de tudo, o suficiente para nos manter felizes. A página na internet do casal de Vancouver que se dedicou à comida local informava que eles acabaram o ano sete quilos mais magros (apesar de consumirem o que disseram ser "um monte de batatas"), enquanto nossos pesos se mantiveram iguais, conforme nosso desejo — com exceção de Lily que ganhou 5,5 quilos e cresceu quase 13 centímetros. Obviamente, em nenhum momento passamos fome e não é possível que uma criança saudável cresça tanto comendo apenas batatas. Entretanto, os canadenses foram puristas, e nós não chegamos a tanto; mantivemos estoques de emergência de macarrão e queijo. (E qualquer um que abrisse mão do café teria direito a uma medalha a qual não tivemos o menor interesse em ganhar.) Mas, para ser franca, qualquer ano em que o xarope de milho, rico em frutose, não cruze a soleira de minha porta é puro o bastante para mim.

Nosso plano de fazer tudo do zero nos forçou a empreender muitas experiências interessantes. Em alguns casos, chegamos à conclusão de que isso era trabalhoso demais para o dia-a-dia: a massa feita em casa realmente é melhor, mas preferimos comprá-la a maior parte do tempo, e deixar a produção caseira para jantares especiais. Os queijos duros são *duros* de fazer. Nunca experimentei a receita de maionese da aula de francês. Também cheguei a imaginar, em algum rompante de irracionalidade, que eu aprenderia a fazer cidra e vinagre de maçã, mas, felizmente, me rendi ao realismo quando encontrei profissionais nas proximidades que faziam esses produtos com grande competência. Por outro lado, fazer o pão nosso de cada dia, os queijos moles e o iogurte tornaram-se atividades tão rotineiras que as fazíamos em minutos, sem precisar da receita.

Rotinas alteradas estavam no cerne de nosso novo pensamento. Aprendemos que muitas gôndolas de nosso supermercado não ofereciam qualquer produto local, por isso nem passávamos perto delas com os carrinhos: comida congelada, comida enlatada, refrigerantes (sim, é uma gôndola inteira só para eles). Pegue apenas os laticínios da Virgínia e a farinha orgânica e saia batido, esse era o nosso lema, antes que você comece a cobiçar os bens da gôndola vizinha. Uma pessoa consegue esquecer completamente dos limões e dos kiwis uma vez que a tentação é debelada.

Por mais bem-sucedidas que fossem nossas buscas nas feiras locais, nunca encontramos bons produtos de trigo, ou de frutos do mar. Definitivamente, eu estava disposta a me esbaldar com alguns produtos não locais nos meses seguintes: salmão do Alasca pescado em alto mar, vieiras e cogumelos portobello, viva! Com moderação, logicamente. Eu agora tinha uma noção muito melhor de minhas opções e poderia buscar um equilíbrio, comprando uma garrafa de vinho da Vírginia, por exemplo, para cada uma do produto importado.

O maior choque de nosso ano foi quando fizemos as contas. Alimentamo-nos de forma orgânica e esplêndida, pensamos, gastando cinqüenta centavos por membro da família, por refeição — provavelmente menos do que gastávamos nos anos em que tive direito a ajuda alimentícia do governo. É claro que agora eu tinha o luxo de ter terra para cultivar comida e suplementar nossas compras. Mas não era *muita* terra: 327 metros quadrados de terra arada foram suficientes para nos proporcionar toda nossa comida — isso representa uma área com 12 por 7 metros, por pessoa. (Parecia muito maior quando a capinávamos.) Gostamos das encostas arborizadas de nossa fazenda para fazer caminhadas e caçar cogumelos ocasionalmente — e por fornecer nossa água —, mas, em geral, não é possível comer uma reserva natural. Somando a área ocupada por nossas árvores frutíferas, os arbustos com amoras e outras frutinhas e o pasto usado por nossas aves, o uso da terra para fins nutricionais cobre cerca de mil metros quadrados — um montante ainda modesto. Nossa compra principal fora da fazenda, no ano, foi a ração orgânica para os animais e 135 quilos de farinha para nosso pão diário. Para colocar isso em perspectiva, um bom campo de trigo rende 725 quilos de farinha a cada 4.000 metros quadrados. No total, para nossos grãos, farinha, carne de pasto, produtos da feira de fazendeiros e para a nossa própria produção, o uso total de terra para gerar comida, durante o ano, foi de cerca de 4.000 metros quadrados.

Para fins comparativos, o atual consumo nutricional nos Estados Unidos exige, em média, 5.000 metros quadrados cultivados por cada cidadão — 20.000 metros quadrados para uma família de quatro pessoas. (Entre outras coisas, é preciso espaço para produzir xarope de milho o suficiente para compor os 830 litros de refrigerante dessa família hipotética.) Essas estimativas se tornam mais significativas quando comparadas com outra previsão: em 2050, a área de terra cultivável por cidadão norte-americano será de apenas 2.400 metros quadrados. De acordo com esses números, a família hipotética precisará enfrentar algumas mudanças. Por qualquer medida que seja, a nossa família descobrira uma maneira de comer que era mais engenhosa do que eu jamais poderia prever.

No ano seguinte, decidi que plantaria menos tomates e mais flores. Se não tivermos uma horta tão grande, se tirarmos férias na praia, no verão, faríamos isso graças aos nossos amigos da feira de fazendeiros. Entendo agora que o objetivo de virar comedores de comida local dedicados, por um determinado prazo, é internalizar a confiança em suas próprias fontes de comida. É natural ficar em pânico no começo, entrando em parafuso por causa de janeiro e das saladas, pensar que nunca conseguiríamos. Mas conseguimos. Sem racionamento, sem pular refeições, sem comprar um hambúrguer de boi alimentado por trigo do Meio Oeste, ou romper os compromissos com a exclusividade dos produtos locais, vivemos em nosso território durante um bom ano de vida alimentar.

— Não sei bem o que procuramos — disse para nossos convidados, me sentindo uma guia perfeitamente idiota. — Seu olho precisa educar a si próprio.

Estávamos de volta ao Lote do Velho Charley, vasculhando a terra da cor de folhas secas em busca de cogumelos da cor de folhas secas. Steven encontrou o primeiro grupamento, um trio inclinado em ângulos melindrosos, como gnomos de jardim. Ficamos todos olhando, tentando fixar os olhos. A cor, a forma, o tamanho, tudo nas moráceas se parece com folhas secas enroladas, deitadas no solo, entre milhões da própria espécie. Mesmo assim, o cérebro as percebe, indistintamente no começo e, posteriormente, com a prática, com uma eficiência estranhamente incisiva. Você as percebe antes de vê-las.

Essa era a verdadeira vocação humana: encontrar comida no solo. Fomos feitos para isso. É difícil parar também. Nossos amigos Joan e Jesse viajaram uma grande distância naquele dia, e sua idéia de ser um anfitrião perfeito talvez não fosse como o tipo líder de uma tropa de escoteiros que os obrigaria a subir uma encosta escorregadia e desprovida de caminhos, com salsaparrilha rasgando suas pernas. Mas eles não reclamaram, mesmo quando a chuva começou a cuspir em nossos casacos, e escalamos mais um emaranhado de vinhedos silvestres e toras cobertas de musgo.

— Podemos voltar agora — repetia eu. Eles insistiam que deveríamos continuar a procurar.

Passada a primeira meia hora, ficamos em silêncio, nos concentrando no solo, dando espaço uns aos outros para fazer nossas buscas. Era uma tarde das mais raras. Os tordos e as aves canoras, normalmente quietos assim que o sol atinge certo ponto, emitiram trechos de canto ocasionais, enganados a pensar que era de manhã por causa do céu fresco e sem sol. Os pica-paus de penacho vermelho trocavam idéias em sua linguagem secreta que soava como um tambor falante. Esses pica-paus enormes e espalhafatosos são freqüentemente encontrados em nossos bosques. Todos percebemos sua presença e fomos obrigados a quebrar o silêncio e comentar as novidades memoráveis sobre seus primos em primeiro grau ainda maiores, os pica-paus bico-de-marfim. Presumia-se, há cinqüenta anos, que essas criaturas magníficas, as "Aves Meu Deus", como costumavam ser chamadas no Sul, estavam extintas. Agora, uma equipe de pesquisa renomada havia publicado uma declaração inacreditável, porém bem documentada. Os bico-de-marfim estão vivos, em um pântano isolado do Arkansas. Meu Deus.

Era verdade? Um erro ou um logro? Seria apenas uma ave, ou poucas, talvez até mesmo um número suficiente para a espécie poder sobreviver? Essas perguntas permaneciam em aberto, mas eram questões que geravam manchetes, inspirando salas de bate-papo na internet, camisetas e uma nova indústria turística nos pântanos do Arkansas. Pessoas que antes não se importavam com aves agora se interessavam por essa. Era um milagre que alimentava nossas esperanças. Queremos muito acreditar que é possível nos redimir de nossos erros mais trágicos e ter mais uma chance.

— Como fazemos para encorajar as pessoas a manter a esperança — perguntou Joan — mas sem cair na autocomplacência? — Naquela primavera, ela estava profundamente envolvida na produção de um filme sobre as mudanças climáticas no mundo, e preocupada em encontrar esse ponto de equilíbrio. A verdade é tão apavorante: estamos caminhando rumo à própria extinção. Uma platéia que não entenda isso deixará o cinema sem ter se emocionado, irá para casa e não mudará nada. Mas uma platéia que *entenda* pode ficar tão aterrorizada que irá se sentir desde já condenada. Eles poderão sair com a cara pálida, mas mesmo assim não fazer nada. Como é possível inspirar uma postura apropriadamente arrependida em relação a um planeta que está muito, muito desordenado?

Eu estava tão perplexa com relação a essa resposta quanto estive em relação à caça aos cogumelos. Por mais que detestemos o monstruoso *serial killer* chamado aquecimento global, é difícil acusar alguém específico. Gostamos de nossas conveniências movidas a combustível fóssil, tais como o computador que uso para escrever estas palavras. Não podemos resolver esse problema com xingamentos ou votos. A cura envolve o ato de olhar para dentro de nós e nos transformar em pessoas diferentes. O problema prático, logicamente, é como fazer isso. É impossível ter uma atitude purista em relação ao combustível, e parece um fracasso mudar nossos comportamentos apenas pela metade, ou em patéticos 10%. Então por que valeria a pena tentar? Quando o escopo do problema parece insuperável, não é razoável dar isso por encerrado, desistir e continuar com a vida tal como a conhecemos?

Eu sei a resposta para essa pergunta: é abuso infantil. Quando a minha filha adolescente se preocupa com o fato de que sua geração será incapaz de resolver esse problema, preciso admitir que não cabe à geração dela. Cabe à minha. Esse é um projeto do tipo agora-ou-nunca.

Contudo, é um projeto, ainda assim. As mudanças em escala global, causadas pela poluição, não aconteceram quando as sociedades humanas começaram a usar um pouco de combustível fóssil. Elas aconteceram após o crescimento descontrolado, a gestão irresponsável e uma recusa cultural em atribuir qualquer valor moral ao consumo em excesso. Esses hábitos podem ser reformados. Eles *foram* reformados: por várias vezes, no último século, aprendemos que algumas de nossas coisas favoritas, como o DDT e os gases utilizados em latas de aerosol, estavam rapidamente comprometendo a estrutura e a substância de nossa biosfera. Abrimos mão delas e revertemos as ameaças. Agora, as reformas exigidas de nós são mais sistemáticas, e ninguém parece querer ser o primeiro a implementá-las. (Para ser mais precisa, os Estados Unidos parecem querer ser os últimos a implementar.) Pessoalmente, não consigo imaginar abrir mão de meu computador, mas estou tentando me ligar a fontes de energia derivadas do vento e da água, em vez do carvão minado a céu aberto. Até penso em instalar alguns dos novos painéis fotovoltaicos ultrafinos em nosso teto e procuro alguns congressistas inteligentes que me concederão um crédito fiscal para fazer isso. Em nossa comunidade e em nosso lar, temos hoje opções que desconhecíamos há cinco anos: veículos bicombustíveis, aquecimento geotermal. Eu me recusei a acreditar que uma indústria de comida movida a combustível fosse a única fonte capaz de alimentar minha família. Senti-me bem por ter acertado com relação a esse ponto.

Compartilho com quase todos os adultos que conheço uma mistura desajustada de otimismo e preocupação, me sentindo presa a certos hábitos, mas disposta a mudá-los na direção certa. Compartilho também a tendência a me sentir uma idiota por não fazer uma conversão total. Não sei bem por quê. Se um amigo tivesse um problema cardíaco e finalmente começasse a fazer exercícios três vezes por semana, quem é que reclamaria com ele por causa dos outros quatro dias? Seria o pior dos maus costumes — e autoproteção, eu acho, em uma sociedade nervosamente cínica — ridicularizar esse pequeno gesto. Esses esforços sinceros podem nos ajudar a superar os desastres anunciados na imprensa todos os dias, ou a angústia de estar junto com uma criança, olhando o caminho adiante, buscando a redenção onde a podemos encontrar: reciclando, dando caronas de carro, cultivando uma horta, salvando uma espécie ou *alguma coisa*. As mudanças pequenas e discretas dos hábitos pessoais não são triviais. Em última hipótese, elas juntas constituirão, ou não, aquilo que realmente fez a diferença.

Nós todos entramos em êxtase ao descobrirmos o pica-pau bico-de-marfim porque ele é a segunda chance de penas ruivas que fora proporcionada por Deus. Algo pode acontecer conosco, parece, ou por meio de nós, que impedirá essa degradação da Terra e reiniciará o relógio. Como todas as criaturas na Terra, nós também queremos sobreviver. Queremos mais tempo.

Os ciclos da natureza continuam sendo previsíveis, a despeito de todos os caprichos humanos. Foi provavelmente uma obra da biologia, e não da mágica, que a mesma data que Lily marcara em seu calendário um ano atrás agora estava marcada no meu, pela mesma razão. Quando a Mãe Número Um sentou em seu ninho de ovos, fiz uma anotação em meu diário. Agora eu contava quantos dias ainda tinha pela frente, como as mães grávidas em todos os lugares: *meus bebês estão por nascer!*

Eu estava ansiosíssima, esperando pela chegada da data. Tendo sido mãe duas vezes, sabia tudo sobre a expectativa das grávidas: concentrar-se e encontrar força para a tarefa que está por vir. Mas agora me encontrava em um papel mais parecido com o do futuro pai: tremendo inutilmente. Não podia fazer nada para ajudar, o que aumentava a minha necessidade de ficar por perto.

Na data esperada para o nascimento, fui ao celeiro de aves para dar uma olhada na Mamãe. Fiz isso, digamos, umas 16 vezes. Ela se irritou e me expulsou. Isso era uma atitude inteiramente diferente da prostração da véspera e dos 26 dias anteriores. Achei que seu nervosismo e agitação eram bons sinais. Os pintos começam a piar de dentro do ovo mais ou menos um dia antes de nascerem. Essa mãe devia estar ouvindo isso, pensei, se preparando para o evento abençoado.

O resultado do domingo, 23 de abril, no entanto, foi uma grande decepção. A segunda-feira foi igual. Alguma pessoa ansiosa, alguma vez, já respeitou o aviso de que uma panela sob observação nunca ferve? Tudo que posso dizer é parabéns para quem conseguiu, porque eu verifiquei aquele ninho de manhã, de tarde e de noite, esperando os pintos fofos que nunca apareciam. Após tudo que passamos juntas, a Mãe Número Um e eu, será que nada nasceria?

Na terça-feira, voltei ao meu diário e recalculei a data esperada do nascimento, pensando que talvez tivesse errado as contas. Não tinha. Então, eles nasceriam até o fim do dia, concluí logicamente, mas eles não o fizeram. Naquela noite, conferi novamente meus livros de referência, e todos concordavam que o período de incubação dos ovos de perus domésticos é "cerca de 27 dias". O que significa "cerca de"? Vinte e nove? Quarenta? Na quarta-feira, fui ver a pobre mãe e ela estava visivelmente exasperada. Cheguei a enfiar a mão por baixo dela para apalpar os ovos. Ela não saiu de cima do ninho, se prendendo a ele com força, mas ficou tão acostumada com minha manipulação que começou a me ignorar em vez de reclamar. Possivelmente, ela estava entrando em desespero por estar passando da data.

A procura pela boa hortaliça

Quão pequena é uma fazenda pequena? Quão perto algo tem de estar para ser considerado local? Ser orgânico é mais importante do que ser local? A qual dessas vertentes devemos dar preferência, e quando?

A ecogastronomia não é apenas uma competição de comprar comida a distâncias mínimas. Os três componentes básicos da alimentação responsável consistem em dar preferência à comida cultivada de uma maneira ambientalmente responsável, entregue com um consumo mínimo de combustível, em uma maneira que não explora os fazendeiros. A maioria de nós não tem uma fazenda diversificada por perto, ou uma loja de comida local a ser inaugurada nas redondezas, no futuro próximo. Aqui estão algumas diretrizes que podem ajudar a definir uma escolha responsável de alimentos.

Comece por visitar uma feira de fazendeiros próxima para ver o que está disponível. Não vá com o objetivo de comprar nada específico, mas simplesmente de aprender. É local? A maioria das feiras de fazendeiros tem regras que ditam quão recentemente as hortaliças precisam ter sido colhidas. Elas vêm de uma fazenda pequena? Provavelmente; caso contrário, dificilmente seriam vendidas lá. São orgânicas? Em geral, sim; embora a certificação nem sempre seja exigida nessas feiras, a maioria dos agricultores de feiras pequenas assume a sustentabilidade como parte de sua identidade. É provavelmente a dúvida mais comum que eles ouvem, então pergunte. Preste atenção ao que está disponível, ao que está na estação. Toda região tem seus pontos fortes e fracos. Alguns são óbvios (frutos do mar perto do litoral ou cítricos na Flórida). Outros precisarão ser aprendidos. Compre um suprimento razoável daquilo que você tem condições de consumir.

Agora, armado com o que aprendeu na feira de fazendeiros, você pode fazer uma visita a um supermercado convencional. A aplicação da ética a um supermercado moderno pode ser uma tarefa desanimadora, mas aqui estão algumas regras gerais que podem ajudá-lo a chegar a algumas conclusões.

- Se os produtos estão disponíveis na região, e estão na estação, compre-os de um fazendeiro ou peça para o mercado consegui-los de uma fonte local.
- Na medida máxima do possível, cozinhe e prepare a própria comida. Faça um planejamento de refeições para as estações, em vez de começar por uma receita e empreender uma caça ao tesouro atrás dos ingredientes.
- O processamento dos alimentos utiliza energia de duas formas principais: (1) extraindo, cortando, misturando e cozinhando os ingredientes; (2) transportando cada ingrediente individualmente. Os produtos com poucos ingredientes provavelmente consumiram menos gasolina. Por exemplo, a caixa de farinha de aveia na prateleira de sua despensa consiste em um ingrediente: aveia moída. Com o acréscimo de algumas nozes e mel produzidos localmente, dá um ótimo café-da-manhã.

Em compensação, a caixa de cereal orgânico de uma marca tradicional traz uma lista de 17 ingredientes, todos os quais tiveram que ser transportados até a unidade de processamento. Quem sabe quanto combustível fóssil foi necessário para fazer um cereal como esse?

- Para as frutas e os legumes frescos, leve em consideração a distância percorrida. Em uma visita durante o outono ao nosso mercado, encontrei maçãs cultivadas em um estado vizinho (Carolina do Norte), no estado de Washington e na Nova Zelândia. Essa escolha é fácil. Se morássemos no Oregon, ainda seria uma escolha fácil, mas diferente.
- Leve em consideração seus sentimentos a respeito do uso de energia para transportar água. Todos os produtos frescos contêm muito líquido. As diferenças aparentes entre itens mais ou menos suculentos podem ser enganadoras: as melancias contêm 92% de água; os pepinos, 96%; os tomates, 95%; enquanto, do lado mais firme, as cenouras têm 92%, os pimentões, 94%; e os brócolis, 91%. Todos compostos basicamente de água. Se você se importa com isso, ao examinar os produtos que fazem grandes viagens, dê preferência a frutas, hortaliças secas, temperos secos, nozes, grãos de café, feijões secos e grãos em geral.
- Se um produto ou item processado precisa ser refrigerado (ou congelado), é porque foi utilizada energia para mantê-lo frio, desde o ponto de origem até você. Como é possível saber isso? O produto está refrigerado (ou congelado) na loja!
- Você deveria comprar os produtos orgânicos industriais? Ao mudar para os métodos orgânicos, as fazendas empresariais estão reduzindo consideravelmente a carga de pesticidas no solo e na água. Isso deveria ser uma de suas considerações, além de tudo já listado acima.

Que distância poderíamos atribuir a "local"? Nosso amigo Gary Nabhan, em seu livro *Coming Home to Eat* [Voltando para casa para comer], definiu local como um raio de quatrocentos quilômetros no Sudoeste desértico e pouco produtivo. Por outro lado, o grupo de comedores locais da baía de São Francisco (www.locavores.com) recomenda um raio de 160 quilômetros no caso dos vales mais férteis da Califórnia. Isso depende da região e do produto. Para nós, na Appalachia, as hortaliças sazonais estão literalmente ao nosso lado, mas os laticínios vêm de uma distância de cerca de duzentos quilômetros. Acreditamos que isso é melhor do que dois mil, o que também é uma opção em nosso mercado. Levamos em conta diversas preocupações: o uso de combustível, o uso de pesticidas, a qualidade do produto e o apoio às fazendas. Ao influenciar o mercado por meio de nossos padrões de consumo, continuamente moldamos nossas escolhas na hora de comprar e a natureza da agricultura.

STEVEN L. HOPP

Talvez ela estivesse começando a acreditar no que eu detestaria admitir: que esses ovos estavam mortos. Centenas de coisas podem dar errado na primeira tentativa de procriação de um animal que nem foi selecionado, em primeiro lugar, por suas capacidades reprodutivas. A infertilidade é comum entre machos com apenas um ano, complicando ainda mais a situação se levarmos em conta tentativas incompetentes de acasalamento de seres criados por humanos. A presença de bactérias no ninho pode destruir os embriões aos poucos. A incubação inadequada também pode ser fatal. Será que a mãe deixou o ninho, em uma daquelas noites geladas que ainda marcavam presença no final de abril? Ela parecia dedicada, mas faltava-lhe experiência. Talvez tivesse voado, apenas uma vez, até o poleiro para se aquecer junto com suas companheiras sem ovos. Uma hora de exposição a esse tipo de temperatura poderia matar os pintos em desenvolvimento.

Cada vez mais desapontada, eu não tinha qualquer novidade para reportar na manhã de quinta-feira, quando voltei para casa após minha verificação do ninho ao amanhecer. E agora precisaríamos deixar a fazenda. Eu tinha um compromisso na Carolina do Norte que fora marcado há um ano. Steven e Lily me acompanhariam, já que planejávamos fazer uma visita rápida a Camille na universidade. Ao meio-dia, já de brincos e sapatos sociais, eu ainda me esgueirava aflita pelo celeiro das aves, postergando nossa saída até o último minuto sob o argumento de que os pintos provavelmente nasceriam no período mais quente do dia. Na verdade, não conseguia pensar em deixar a mãe grávida, embora tivesse consciência de que esse sentimento não era mútuo. Steven me assegurou de que ela poderia dar conta de tudo na minha ausência. Gentilmente, ele não disse "Querida, *trata-se de uma perua*". Eu suspirei, joguei minha pequena mala no carro e partimos.

O evento transcorreu sem qualquer problema. Fiz minha palestra no púlpito de uma magnífica capela gótica e não mencionei as aves nem uma vez. A sessão de autógrafos durou até depois da meia-noite, mas mesmo assim acordei, no dia seguinte, antes do amanhecer, e comecei a andar para cima e para baixo em nosso quarto de hotel. Assim que a hora parecia razoável, acordei Steven e insisti que voltássemos cedo para a fazenda.

A viagem de volta parecia interminável. Senti-me uma tola por causa de minha impaciência, ciente de que, se as tendências atuais persistissem, eu estaria nos apressando para encontrar uma perua mal-humorada sentada em cima de um monte de ovos mortos. Mesmo assim, quando chegamos perto da saída da estrada e Steven sugeriu que parássemos na vila para fazer umas compras, falei asperamente:

— Não! — Olhando reto para frente, ajustei o tom de minha voz e pedi: — Podemos ir direto para a fazenda, por favor?

Antes mesmo que a picape parasse completamente, saltei e me dirigi ao celeiro das aves. Quando entrei, achei que tivesse ouvido um novo som – um *pio*. Provavelmente eram os pardais que ficavam rondando o celeiro atrás de grãos caídos no chão. “Não se decepcione”, aconselhei a mim mesma e depois repeti a advertência em voz alta porque Lily estava logo atrás de mim. Abri a porta do viveiro dos perus e entramos sorrateiramente, nos aproximando devagar do canto onde estava o ninho, deixando que nossos olhos se adaptassem à escuridão da sala. A Mãe Número Um continuava sentada em seu ninho. No entanto, ela parecia diferente, com as asas em um ângulo estranho em relação ao corpo. Paramos e ficamos olhando.

Ali, embaixo da asa dela, não havia alguma coisa? Lily apertou minha mão e emitiu um ruído agudo, como o de um filhote de camundongo. *Havia* alguma coisa. Um olho escuro minúsculo, tão pequeno quanto uma tachinha, nos mirava. Uma cabeça felpuda emergiu. Duas cabeças!

Uma delas sacudiu-se para sair de debaixo da mãe, e era aquilo que tanto esperávamos: uma bola felpuda, parecida com um *marshmallow*, louro avermelhado com uma mancha escura no topo da cabeça. Podíamos ver um pedaço do ovo branco ainda na ponta de seu bico. Esse pinto ainda estava molhado do ovo, sua penugem ainda arrepiada e seu andar adoravelmente descoordenado. Lily olhou para mim com os olhos esbugalhados e disse:

— *Temos bebês.*

— *Ela* tem bebês — disse eu. Dessa vez, eles seriam criados do jeito certo, por uma perua mãe, acabando de uma vez por todas com a indignidade da intervenção artificial em nosso quintal. No entanto, meu coração estava com Lily: tínhamos bebês. Essa era uma das criaturas mais jovens que eu já vira, cambaleante sobre os pés sem apoio, tropeçando nas próprias pernas.

Foi difícil resistir à tentação de colocá-lo na palma da mão, mas conseguimos. Estávamos ansiosas para saber quantos filhotes já haviam nascido, há quanto tempo e se a ninhada já saíra do ovo. Porém, quando nos aproximávamos, ela abaixava a cabeça e fazia sons sibilantes, como uma cobra, mexendo as penas castanhas de modo a parecer dobrar de tamanho. Em seguida, ela desviava o olhar. A Mãe Número Um tinha coisas mais importantes para cuidar naquele momento e também tinha os instintos para dar conta disso perfeitamente.

Ela fora tão fiel a seu ninho que devia estar faminta e com sede. O suborno talvez fosse a solução. Lily correu lá fora para pegar grama, enquanto eu cheguei perto com uma xícara de água, aproximando-a o suficiente para que a perua tomasse longos goles. Ela aceitou a oferenda e se acalmou. Quando Lily voltou com a grama, ela devorou-a.

Enquanto se distraía com a comida, enfiei a mão por baixo das penas de seu peito. Com a ponta dos dedos, consegui sentir um número considerável de ovos lisos lá embaixo. O calor era quase espantoso. Um deles pareceu menos liso. Toquei cuidadosamente em sua superfície e decidi que estava ligeiramente rachado. Tão lentamente quanto possível, tirei o ovo de baixo dela e dei uma olhada de perto. Perto da extremidade pontuda, uma teia de aranha de rachaduras começara.

O ovo começou a tremer e bater na palma de minha mão, uma sensação ao mesmo tempo viva e esquisita. Coloquei-o junto a meu ouvido e escutei um pio agudo e persistente. Segurei-o junto ao ouvido de Lily e vi seus olhos se arregalarem. Esse ovo estava vivo, por mais que parecesse comida normal de café-da-manhã. O efeito foi alarmantemente inquietante. Meu coração batia com força enquanto eu devolvia o ovo quente para baixo da Mamãe.

Havíamos completado o círculo inteiro, criando nossos pintos encomendados pelo correio até virarem os perus mais velhos dos Estados Unidos. Agora, logo após seu primeiro aniversário, uma das mais velhas da nação gerou um dos mais novos. Poucas vezes na minha vida tive a oportunidade de ver uma vida começar, e *nunca* segurei na palma de minha mão esse milagre em pleno desdobramento.

O pinto que saiu mergulhou de volta para a segurança das penas, desaparecendo completamente embaixo da Mamãe. No entanto, continuamos a olhar. Não podíamos evitar. Ela olhava de volta ferozmente — suponho que ela também não conseguisse evitar. Passado mais um minuto, uma multidão de pequenos olhos negros apareceu embaixo da asa da mãe — dois, quatro, seis, oito, dez.

É difícil explicar o orgulho irracional que senti do sucesso desse acontecimento. Sucesso *deles*, da mãe e, de um jeito desajeitado, do pai também, mas acima de tudo dessas pequenas criaturas que bicaram heroicamente em direção ao grande mundo brilhante para dar uma chance à vida.

Lily e eu recuamos e saímos do viveiro dos perus passando pelo depósito de grãos. Pensei no dia em que tentei explicar a Lily o começo de tudo. Por mais que tivesse me atrapalhado, não estraguei o Mais Lindo dos Mistérios. Essa parte escreve a própria história. Em êxtase e um pouco tontas, lá no celeiro empoeirado, demos as mãos e dançamos: *Bebês!* Isso era tudo, e era o suficiente. Um ninho cheio de pequenos perus, e tudo começa mais uma vez.

Agradecimentos

TODA LISTA DE AGRADECIMENTOS deveria começar com as mãos responsáveis por nossa alimentação: Anthony e Laurel Flaccavento, Tom e Deni Peterson, Charlie Foster e família, Mike Hubbard, Paul Rizzo, Kirsty Zahnke, Kate Richardson, a família Kling, Will e Charlie Clark, David King e todos os outros da feira de Abingdon. As pessoas sempre dizem "Não poderia ter sobrevivido sem você", mas, em nosso caso, isso é literalmente a mais pura verdade.

Muitos mentores ajudaram a dar forma a esse projeto: Wendell e Tanya Berry estiveram sempre presentes; tudo que dissemos aqui, Wendell já disse anteriormente, em uma voz mansa, que faz as montanhas tremerem. Joan Gussow também fez de tudo antes de nós, e é o tipo de amiga disposta a ajudar em tudo, seja pesquisa acadêmica ou arrancar ervas daninhas. Gary Nabhan, companheiro de cozinha nas receitas de *chili* desde muito tempo atrás, continua a nos fazer sorrir mesmo estando longe. Wendy Peskin e a equipe peruana da Heifer International abriram portas extraordinárias para nos ajudar a entender o desenvolvimento sustentável. Marikler Giron foi uma salvação. Nossas dívidas com outros colegas e escritores são tão numerosas quanto os livros em nossa biblioteca: sobretudo Vandana Shiva, Michael Pollan, Wes Jackson e Brian Halweil. E na prateleira de culinária: Alice Waters, Deborah Madison, Mary Beth Lind e Cathleen Hockman-Wert.

A amizade com um escritor — ou, nesse caso, uma família inteira deles — significa que você pode, de repente, fazer parte da história sem mesmo perceber. Estamos gratos a todos os que abriram suas vidas dessa forma: mais corajosamente, David e Elsie Kline e a família Worth-Jones. Também Ricki Carroll, Tod Murphy, Pam Van Deursen, Anne Waddell e nossos amigos postais, Amy Klippenstein, Paul Lacinski, Wendell e Ginny Kingsolver, Joann Hopp e os Hopp-Ostiguys. Neta e Joe Findley não são apenas vizinhos, mas amigos e eméritos contadores de histórias. Bill, Sanford e Elizabeth estarão para sempre conosco. Kate Forbes ganhou uma entrada gratuita e sem prazo por ser nossa ajudante agrícola extra, junto com Abby Worth-Jones, que concebeu o título do capítulo 14. Abby, Eli, Becky e Roscoe Worth-Jones, Laura e Jerry Grantham e as famílias Malusa-Norman e Malusa-Froelich ganham medalhas de bravura por não fugirem no dia da colheita. Kay Hughes não deu o fora quando confrontada por uma multidão faminta. Nancy e Paul Blaney, Sandy Skidmore, Jim Warden, Tandy e Lee Rasnake, Dayle Zanzinger, Fred Hebard, Rob Kingsolver, Ann Kingsolver e tantos outros que nos sustentaram com pão e bondade, faça chuva ou faça sol. Will White enfrentou todos os desafios; Mary Hanrahan foi uma exímia arrancadora de ervas daninhas. Os Bobs foram destemidos e indomáveis. Jim Watson descobriu o Éden no meio dos pés de amora, e Cade ajudou. Nossos amigos que trabalham duro no desenvolvimento sustentável da Appalachia continuamente nos lembram das razões pelas quais os fazendeiros são importantes: Anthony Flaccavento, Tom e Deni Peterson, Robin Robbins, Rebecca Brooks, Kathlyn Chupik e todo o corpo de funcionários.

Richard Houser, o mais talentoso ilustrador-pintor-músico-*chef*-historiador da Vírginia, viu maneiras de fazer nosso livro sorrir, e conseguiu fazer isso. Judy Carmichael é muito mais do que uma gerente de escritório, estamos tentando encontrar um título melhor: pesquisadora exímia, domadora de galos, colega estimada, melhor amiga e anjo guardião são algumas possibilidades que nos ocorrem. Amy Redfern organizou o caos com alto estilo. Jim Malusa e Sonya Norman deixaram suas impressões digitais no manuscrito, com resultados positivos. Terry Karten é um editor campeão e nossa boa sorte. Não existem palavras suficientes para demonstrar nossa gratidão a Frances Goldin, então vamos dizer apenas algumas: nós a amamos. O mesmo vale para toda a equipe do escritório: Sam Stoloff, Ellen Geiger, Matt McGowan, Phyllis Jenkins e Josie Schoel.

Nós três agradecemos a nossos pais por colocarem as ferramentas em nossas mãos desde cedo e nos preparar para o projeto de fazer a comida acontecer. E agradecemos a Lily por absolutamente tudo — além dos ovos. Se você acha que ela é uma personagem cativante no livro, você deveria vê-la sair pela porta da frente.

— BK, SLH, CHK

Referências

Para obter atualizações e a lista completa das referências, acesse: www.animalvegetablemiracle.com

ABLEMAN, Michael: *Fields of Plenty*. São Francisco: Chronicle Books, 2005.

BERRY, Wendell. *What Are People For?* Nova York: North Point Press, 1990.

BROOKS Vinton, Sheri e ESPADUELAS, Ann Clarks. *The Real Food Revival*. Nova York: Jeremy P. Tarcher, 2005.

CHADWICK, Janet. *The Busy Person's Guide to Preserving Food*. North Adams, Mass.: Storey Publishing, 1995.

CHARLES, Daniel. *Lords of the Harvest: Biotech, Big Money, and the Future of Food*. Nova York: Perseus Books, 2002.

COOK, Christopher. *Diet for a Dead Planet: How the Food Industry Is Killing Us*. Nova York: New Press, 2004.

FALLON, Sally. *Nourishing Traditions: The Cookbook That Challenges Politically Correct Nutrition and the Diet Dictocrats*. Washington, D.C.: NewTrends, 2000.

FOWLER, Cary e MOONEY, Pat. *Shattering: Food, Politics and the Loss of Genetic Diversity*. Tucson: University of Arizona Press, 1990.

FOX, Michael W. *Eating with Conscience: The Bioethics of Food*. Troutdale, Oregon: NewSage Press, 1997.

FROMARTZ, Samuel. *Organic, Inc.: Natural Foods and How They Grew*. Nova York: Harcourt, 2006.

GOODALL, Jane, MCAVOY, Gary e HUDSON, Gail. *Harvest for Hope: A Guide to Mindful Eating*. Nova York: Warner Books, 2005.

GUSSOW, Joan Dye. *This Organic Life: Confessions of a Suburban Homesteader*. White River Junction, Vt.: Chelsea Green, 2002.

GUTHMAN, Julie. *Agrarian Dreams: The Paradox of Organic Farming in California*. Berkeley e Los Angeles: University of California Press, 2004.

HAFEZ, E.S.E. *The Behaviour of Domestic Animals*. Hagerstown, Md.: Williams and Wilkinson, 1969.

HALWEIL, Brian. *Eat Here: Homegrown Pleasures in a Global Supermarket*. Nova York: W.W. Norton, 2004.

KATZ, Sandor Ellix. *The Revolution Will Not Be Microwaved*. White River Junction, Vt.: Chelsea Green, 2006.

KIMBRELL, Andrew. *Fatal Harvest: The Tragedy of Industrial Agriculture*. Sausalito, Calif.: Foundation for Deep Ecology, 2002.

KIMBRELL, Andrew, ed. *The Fatal Harvest Reader*. Washington, D.C.: Island Press, 2002.

LAMBRECHT, Bill. *Dinner at the New Gene Cafe: How Genetic Engineering Is Changing What We Eat, How We Live, and the Global Politics of Food*. Nova York: St. Martin's Griffin, 2002.

LIND, Mary Beth e HOCKMAN-WERT, Cathleen. *Simply in Season*. Scottdale, Pa.: Herald Press, 2005.

LAPPE, Frances Moore e Anna. *Hope's Edge: The Next Diet for a Small Planet*. Nova York: Jeremy P. Tarcher, 2003.

LYSON, Thomas A. *Civic Agriculture: Reconnecting Farm, Food, and Community*. Medford, Mass.: Tufts University Press, 2004.

MADISON, Deborah. *Local Flavors*. Nova York: Broadway Books, 2002.

MAGDOFF, Fred, FOSTER, John Bellamy e BUTTEL, Frederick H., eds. *Hungry for Profit: The Agribusiness Threat to Farmers, Food, and the Environment*. Nova York: New York University Press, 2000.

MANNING, Richard. *Against the Grain: How Agriculture Has Hijacked Civilization*. Nova York: North Point Press, 2005.

MERZER, Glen e LYMAN, Howard. *Mad Cowboy: Plain Truth from the Cattle Rancher Who Won't Eat Meat.* Nova York: Scribner, 1998.

MIDKIFF, Ken. *The Meat You Eat: How Corporate Farming Has Endangered America's Food Supply.* Nova York: St. Martin's Griffin, 2005.

NABHAN, Gary Paul. *Coming Home to Eat: The Pleasures and Politics of Local Foods.* Nova York: W.W. Norton, 2002.

NESTLE, Marion. *Food Politics: How the Food Industry Influences Nutrition.* Berkeley e Los Angeles: University of California Press, 2003.

NORBERG-HODGE, Helena, GOERING, Peter e PAGE, John. *From the Ground Up: Rethinking Industrial Agriculture.* Londres: Zed Books, 2001.

NORBERG-HODGE, Helena, MERRIFIELD, Todd e GORELICK, Steven. *Bringing the Food Economy Home: Local Alternatives to Global Agribusiness.* Londres: Zed Books, 2002.

PETRINI, Carlo. *Slow Food (The Case for Taste).* Nova York: Columbia University Press, 2003.

PFEIFFER, Dale Allen. *Eating Fossil Fuels: Oil, Food and the Coming Crisis in Agriculture.* Gabriola Island, Canadá: New Society, 2006.

POLLAN, Michael. *The Omnivore's Dilemma: A Natural History of Four Meals.* NovaYork: Penguin, 2006.

PRINGLE, Peter. *Food, Inc.: Mendel to Monsanto — The Promises and Perils of the Biotech Harvest.* Nova York: Simon & Schuster, 2003.

PYLE, George. *Raising Less Corn, More Hell.* Cambridge, Mass.: Public Affairs, 2005.

RIFKIN, Jeremy. *Beyond Beef.* Nova York: Plume, 1992.

ROBBINS, John e ORNISH, Dean. *The Food Revolution: How Your Diet Can Help Save Your Life and Our World.* Boston: Conari Press, 2001.

ROBINSON, Jo. *Pasture Perfect.* Vashon, Wash.: Vashon Island Press, 2004.

ROGERS, Marc. *Saving Seeds.* Pownal, Vt.: Storey Press, 1990.

SHEPHERD, Renee e RABOFF, Fran. *Recipes from a Kitchen Garden*. Berkeley, Calif.: Ten Speed Press, 1993.

SHIVA, Vandana. *Stolen Harvest: The Hijacking of the Global Food Supply*. Cambridge, Mass.: South End Press, 2000.

SMITH, Jeffrey M. *Seeds of Deception: Exposing Industry and Government Lies About the Safety of the Genetically Engineered Foods You're Eating*. Fairfield, Iowa: Yes! Books, 2003.

TICCIATI, Laura e Robin. *Genetically Engineered Foods*. Nova York: McGraw-Hill, 1999.

WATERS, Alice. *Chez Panisse Vegetables*. Nova York: HarperCollins, 1996.

WILLETT, Walter. *Eat, Drink, and Be Healthy: The Harvard Medical School Guide to Healthy Eating*. Nova York: Free Press, 2005.

WIRZBA, Norman, ed. *The Essential Agrarian Reader: The Future of Culture, Community, and the Land*. Emeryville, Calif.: Shoemaker & Hoard, 2004.

Organizações

Veja também: www.animalvegetablemiracle.com.

Comida local, alimentação e segurança alimentar

EDIBLE COMMUNITIES
PMB 441, 25 NW 23rd Pl., Suite 6, Portland OR 97210-5599
www.ediblecommunities.com

FOODROUTES
37 East Durham St., Philadelphia PA 19119
Organização nacional sem fins lucrativos dedicada a apresentar os americanos a sua comida. www.foodroutes.org

LOCAL FOOD WORKS (UK)
40-56 Victoria St., Bristol BS1 6BY, UK
www.localfoodworks.org

LOCAL HARVEST
220 21st Ave., Santa Cruz CA 95062
www.localharvest.org

SLOW FOOD INTERNATIONAL
Via Mendicità Istruita 8, 12042 Bra (CN), Italy
www.slowfood.com
20 Jay St., Suite 313, Brooklyn NY 11201
www.slowfoodusa.org

Sustainable Table
215 Lexington Ave., Suite 1001, New York NY 10016
www.sustainable.org

The Community Food Security Coalition
PO Box 209, Venice CA 90294
Dedicada a construir sistemas alimentares de comida local e regional fortes e sustentáveis. www.foodsecurity.org

The National Farm to School Network
1600 Campus Rd., Mail Stop M1, Los Angeles CA90041
www.farmtoschool.org

The Sierra Club National Sustainable Consumption Committee
www.truecostoffood.org

USDA Food and Nutrition Service
3101 Park Center Dr., Alexandria VA 22302 www.fns.usda.gov/fns

Agricultura e cultivo sustentável

American Community Gardening Association
1777 East Broad St., Columbus OH 43203
www.communitygarden.org

City Farmer — Canada's Office of Urban Agriculture
Box 74567, Kitsilano RPO, Vancouver, BC V6K 4P4, Canadá
www.cityfarmer.org

National Sustainable Agriculture Information Service
PO Box 3657 Fayetteville AR 72702
www.attra.org

Organic Farming Research Foundation
PO Box 440, Santa Cruz CA 95061
www.ofrf.org

SUSTAIN: THE ALLIANCE FOR BETTER FOOD AND FARMING (UK)
94 White Lion St., London NI 9PF, UK
www.sustainweb.org

THE ECOLOGICAL FARMING ASSOCIATION (EFA)
406 Main St., Suite 313 Watsonville CA 95076
Promove a agricultura ecológica e economicamente viável.
www.eco-farm.org

THE INTERNATIONAL INSTITUTE FOR ECOLOGICAL AGRICULTURE
PO Box 1882, Soquel CA 95073
www.permaculture.com

THE LAND INSTITUTE
2440 E. Water Well Rd., Salina KS 67401
www.landinstitute.org

THE NATIONAL CAMPAIGN FOR SUSTAINABLE AGRICULTURE
PO Box 396, Pine Bush NY 12566
www.sustainableagriculture.net

THE RODALE INSTITUTE FARMING RESOURCES
611 Siegfriedale Rd., Kutztown PA 19530-9749
www.newfarm.org

THE SUSTAINABLE AGRICULTURE RESEARCH AND EDUCATION (SARE) PROGRAM
Waterfront Center, Room 4462, 800 9th St. SW, Washington DC 20024
www.sare.org

Agências governamentais

NATIONAL CENTER FOR GENETIC RESOURCES PRESERVATION
1111 South Mason St., Fort Collins CO 80521-4500
Conserva recursos genéticos de plantios e animais importantes para a agricultura americana.
www.ars-grin.gov/ncgrp/index.htm

THE FOOD AND AGRICULTURE ORGANIZATION OF THE UNITED NATIONS
Viale delle Terme di Caracalla, 00100 Rome, Italy
www.fao.org

THE NATIONAL AGRICULTURAL LIBRARY (NAL)
Abraham Lincoln Building, 10301 Baltimore Ave., Beltsville MD 20705-2351 www.nal.usda.gov

THE NATIONAL AGRICULTURAL STATISTICS SERVICE
1400 Independence Ave. SW, Washington DC 20250
www.nass.usda.gov

THE U.S. DEPARTMENT OF AGRICULTURE
1400 Independence Ave. SW, Washington DC 20250
www.usda.gov

THE U.S. FOOD AND DRUG ADMINISTRATION
5600 Fishers Lane, Rockville MD 20857-0001
www.fda.gov

USDA ECONOMIC RESEARCH SERVICE
1800 M St. NW, Washington DC 20036-5831
www.ers.usda.gov

Organizações políticas, de consumidores e advocacia de alimentos

AMERICAN SOCIETY FOR NUTRITION
9650 Rockville Pike, Suite L-4500, Bethesda MD 20814
www.nutrition.org

CROPCHOICE
PO Box 33811, Washington DC 20033
Fontes de notícias alternativas e informações para fazendeiros e consumidores americanos.
www.cropchoice.com

GRASSROOTS ACTION CENTER FOR THE ENVIRONMENT
The GRACE Factory Farm Project
215 Lexington Ave., Suite 1001, NewYork NY 10016
www.factoryfarm.org

INTERNATIONAL FOOD POLICY RESEARCH INSTITUTE
2033 K St. NW, Washington DC 20006-1002
www.ifpri.org

PESTICIDE ACTION NETWORK NORTH AMERICA
49 Powell St., Suite 500, San Francisco CA 94102
www.panna.org

THE CENTER FOR FOOD SAFETY
660 Pennsylvania Ave. SE, #302, Washington DC 20003
Desafiando a produção danosa de comida e promovendo alternativas sustentáveis.
www.centerforfoodsafety.org

THE FOOD TRUST
1201 Chestnut St., 4th Fl., Philadelphia PA 19107
Trabalha para aumentar o acesso à comida barata e nutritiva.
www.thefoodtrust.org

THE INSTITUTE FOR FOOD AND DEVELOPMENT POLICY/FOOD FIRST
398 60th St., Oakland CA 94618
www.foodfirst.org

THE ORGANIC CONSUMERS ASSOCIATION (OCA)
Organização de interesse público que faz campanha pela saúde, justiça e sustentabilidade.
6771 South Silver Hill Dr., Finland MN 55603
www.organicconsumers.org

THE TRUE FOOD NETWORK
2601 Mission St., Suite 803, San Francisco CA 94110
Dedicada a impedir a engenharia genética em nossos alimentos.
www.truefoodnow.org

Union of Concerned Scientists
2 Brattle Sq., Cambridge MA 02238-9105
www.ucsusa.org

Recursos de interpolações

Outras fontes da internet estão incluídas nas interpolações ao longo do livro. Recursos mais abrangentes podem ser encontrados em nossa página: www.animalvegetablemiracle.com

Comida oleosa

David Pimentel, Marcia Pimentel e Marianne Karpenstein-Machan, "Energy Use in Agriculture: An Overview", dspace.library.cornell.edu/bitstream/1813/118/3/EnergyPDF.

Richard Manning, "The Oil We Eat", *Harper's Magazine,* February 2004, www.harpers.org/TheOilWeEat.html.

U.S. Energy Information Administration: www.eia.doe.gov/

Mundo faminto

Thalif Deen, "Tied Aid Strangling Nations, Says U.N.", Inter Press Service News Agency 2004, www.ipsnews.net/interna.asp?idnews= 24509.

Celia W. Dugger, "Supermarket Giants Crush Central American Farmers", *New York Times,* 28 de dezembro de 2004, www.organicconsumers.org/corp/walmartca122804.cfm.

Sophia Murphy e Kathy McAfee, *U.S. Food Aid: Time to Get It Right,* Institute for Agriculture and Trade Policy: Trade and Global Governance Program, Julho de 2005 www.tradeobservatory.org/library.cfm?refid =73512.

Vandana Shiva, "Force-Feeding GMOs to the Poor", www.organicconsumers.org/ge/poor.cfm.

The Food and Agriculture Organization of the United Nations (FAO): www.fao.org.

Physicians and Scientists for Responsible Application of Science and Technology: www.psrast.org/nowohu.htm.

"Tied Aid — Promoting Donors' Self-Interest", *South Bulletin* 57, www.southcentre.org/info/southbulletin/bulletin57/bulletin57-08.htm.

Como encontrar um agricultor

New Generation Cooperatives on the Northern Plains, "Declining Farm Value Share of the Food Dollar," www.umanitoba.ca/afs/agric_economics/ardi/farm_value.html

Missouri Farmers Union: www.missourifarmersunion.org/coop/ff-center/about.html

O caso estranho de Percy Schmeiser

Gregory M. Lamb, "When Genetically Modified Plants Go Wild", *Christian Science Monitor,* 31 de agosto de 2006, www.organic-consumers.org/2006/article_1992.cfm.

E. Ann Clark, "On the Implications of the Schmeiser Decision", University of Guelph, Guelph, Ontario, Maio de 2001, www.biotech-info.net/implications.html.

Ron Friesen, "Studies Show Gene Flow in GM Canola Likely Widespread", *Manitoba, Co-operator,* 4 de julho de 2002, www.percyschmeiser.com/Gene%20FIow.htm.

"Schmeiser Decision Causes Uproar Around the World", *CNW* (Canada), 21 de maio de 2004, www.mindfully.org/GE/2004/Schmeiser-Uproar-World 2ImayO4.htm. www.percyschmeiser.com.

A equação global

Brian Halweil, "Why No One Wins in the Global Food Fight", *Washington Post Sunday,* 21 de setembro de 2003, www.washingtonpost.com/ac2/wp-dyn/A37770-2003Sep19.

John Otis, "Ruled by Fear, Banana Workers Resist Unions", *Houston Chronicle,* 19 de janeiro de 2004, www.chron.com/disp/story.mpl/special/04/leftbehind/2095828.html.

USDA Department of Agriculture, Cooperative State Research Service, Office for Small-Scale Agriculture, www. sfc.ucdavis.edu/pubs/brochures/Specialtypotatoes.html.

Maior é mesmo melhor?

Gerard D'Souza e John Ikerd, "Small Farms and Sustainable Development: Is Small More Sustainable?", *Journal of Agricultural and Applied Economics* 28 (1996): 73-83.

Peter M. Rosset, *The Multiple Functions and Benefits of Small Farm Agriculture In the Context of Global Trade Negotiations,* Institute for Food and Development Policy Brief no. 4, setembro de 1999, www.foodfirst.org/node/246.

Ronald C. Wimberley et al., *Food from Our Changing World: The Globalization of Food and How Americans Feel About It,* 2004, sasw.chass.ncsu.edu/global-food/foodglobal.html.

The National Family Farm Coalition: www.nffc.net/.

O preço da vida

"Press Release: Consumer Reports Finds 71 Percent of Store-Bought Chicken Contains Harmful Bacteria", *Consumer's Union,* 23 de fevereiro de 1998, www.consumersunion.org/food/chickbacny698.htm.

Economic and Structural Relationships in U.S. Hog Production, AER-818, Economic Research Service/USDA, www.ers.usda.gov/publications/aer818/aer818d.pdf.

Pagando o preço dos preços baixos

Brian Riedl, "Still at the Federal Trough: Farm Subsidies for the Rich and Famous Shattered Records in 2001", Heritage Foundation Backgrounder#1542, www.heritage.org/Research/Agriculture/BG1542.cfm.

Christopher D. Cook, "Thanksgiving's Hidden Costs," AlterNet, 23 de novembro de 2004, www.alternet.org/envirohealth/20556/.

D. Pimentel, "Environmental and Economic Costs of Pesticide Use", Bioscience 42 (1992): 750-60.

D. Pimentel, "Environmental and Economic Costs of Soil Erosion and Conservation Benefits," Science 267 (1995): 1117-23.

D. Pimentel, P. Hepperly, J. Hanson, D. Douds e R. Seidel, "Environmental, Energetic, and Economic Comparisons of Organic and Conventional Farming Systems", Bioscience 55 (2005): 573-82.

J.D. Smolik, T.L. Dobbs e D.H. Rickert, "The Relative Sustainability of Alternative, Conventional, and Reduced-till Farming Systems", American Journal of Alternative Agriculture 16 (1995): 25-35.

K. Delate, M. Duffy, C. Chase, A. Holste, H. Friedrich e N. Wantata, "An Economic Comparison of Organic and Conventional Grain Crops in a Long-Term Agroecological Research (LTAR)" Site in Iowa, American Journal of Alternative Agriculture 18 (2002): 59-69.

The Rural Coalition, "Brief Background and History of the US Farm Bill: 1949 to Present", www.ruralco.org/library/admin/uploadedfiles/Farm bill_Historydoc

USDA Economic Research Service: www.ers.usda.gov/Features/farmbill/ titles/titlelcommodities.htm#a

Y.O. Ogini, D.P. Stonehouse e E.A. Clark, "Comparison of Organic and Conventional Dairy Farms in Ontario", American Journal of Alternative Agriculture 14 (1999): 122-28.

Botando a boca no trombone

The Food Project: www.thefoodproject.org/.

National Sustainable Agriculture Information Service: attra.ncat.org/.

The Community Food Security Coalition: www.foodsecurity.org/.

Perdendo a corrida armamentista contra os insetos

Robert G. Bellinger, *Pest Resistance to Pesticides,* Southern Region Pesticide Impact Assessment Program Report 1996, entweb.clemson.edu/pesticid/Issues/pestrest.pdf.

Pesticide Action Network, lista de pesticidas carcinogênicos: www.panna.org/resources/pestis/PESTIS.burst.357.html.

Weed Science Society of America, lista de ervas daninhas resistentes a herbicidas: www.weedscience.org.

Cultivar em casa

Travis Beck e Martin F. Quigley, *Edible Landscaping,* Ohio State University Extension Factsheet HYG-1255-02, ohioline.osu.edu/hyg-fact/1000/1255.html.

Ben Sharvy, *Edible Landscaping & Gardening,* www.efn.org/rbsharvy/ edible.html.

Ron Scherer, "Farmers Markets Boom Across the USA," *Christian Science Monitor,* 29 de agosto de 2001, www.organicconsumers.org/Organic/FarmersMarket901.cfm.

Center for Integrated Agricultural Systems, *Your Consumer Food Dollar: How Does It Carve Up?* www.cias.wisc.edu/foodshed/pubsntools/ meal2.htm.

Sustentando o insustentável

Douglass Cassel Jr., "The Great Trade Robbery", *Chicago Daily Law Bulletin,* 16 de maio de 2002.

Jim Goodman, "Bush Team Squeezes Farmers Stifles Dissent", *Capital Times* (Madison, WI), 26 de fevereiro de 2006, www.familyfarmdefenders.org/pmwiki.php/Main/BushTeamSqueezesFarmersStiflesDissent.

Anuradha Mittal, *Giving Away the Farm; The 2002 Farm Bill,* www.foodfirst.org/pubs/backgrdrs/2002/s02v8n3.html.

Environmental Working Group, *Bumper Crop: Concentration of Commodity Loan Subsidies,* www.ewg.org/reports/bumpercrop/concentration.html.

National Family Farm Coalition, *Food from Family Farms Act: A Proposal for the* 2007 U.S. *Farm Bill,* www.nffc.net/resources/ factsheets/Food %20From%20Family% 20Farm% 20Act.pdf.

Union of Concerned Scientists, *Industrial Agriculture: Features and Policy,* www.ucsusa.org/food_and_environment/sustainable_food/ industrial-agriculture-features-and-policy.html.

Why Family Farmers Need Help, www.farmaid.org/site/PageServer? pagename=info facts_help.

Na verdade, não somos loucos

Charles Abbott, "Meatpacker Sues US for Right to Do Mad Cow Tests", *Reuters,* 24 de março de 2006, http://www.tradeobservatory.org/showFile.php?RefID=78811.

Libby Quaid, "Government to Scale Back Mad Cow Testing", *Associated Press,* 15 de março de 2006, www.tradeobservatory-org/showFile.php?Ref ID=78811.

Sabin Russell, "USDA Lacks Power to Inform Public, Mandate Returns", *San Francisco Chronicle,* 6 de janeiro de 2004, http://www. organiccon sumers.org/madcow/recall1604.cfm.

"Mad Cow Watch Goes Blind", *USA Today,* 4 de agosto de 2006, www.usatoday.com/printedition/news/20060804/edit04.art.htm.

United States Government Accountability Office, "USDA and FDA Need to Better Ensure Prompt and Complete Recalls of Potentially Unsafe Food", GAO-05-51, outubro de 2004, www.gao.gov/new. items/d0551.pdf.

"Cave! Cave! Cave! E seus músculos crescerão"

Abiola Adeyemi, *Urban Agriculture: An Abbreviated List of References & Resource Guide* 2000, National Agricultural Library, www.nal.usda.gov/afsic/AFSIC_pubs/urbanag.htm.

Rachel Moscovich, "Grow Your Own, Big City", 19/4/2006, www.zerofootprint.net/green_stories/green_stories item.asp?type_ = 50&ID= 5019.

William Thomas, "Victory Gardens Can Save Us Again", *Convergence Weekly*, 28 de abril de 2005, www.willthomas.net/Convergence/Weekly/Gardens.htm.

Online Magazine of Metropolitan Agriculture: www.metrofarm.com/.

O comércio justo e solidário

Russell Greenberg, Peter Bichier, Andrea Cruz Angon e Robert Reitsma, "Bird Populations in Shade and Sun Coffee Plantations in Central Guatemala", *Conservation Biology* 11, no. 2 (1997): 448-59.

Russell Greenberg, Peter Bichier e John Sterling, "Bird Populations in Rustic and Planted Shade Coffee Plantations of Eastern Chiapas, Mexico", *Biotropica* 29, no. 4 (1997): 501-14.

Adriana Valencia, *Birds and Beans: The Changing Face of Coffee Production*, World Resources Institute, maio de 2001, earthtrends.wri.org/ features/view_feature.php?theme=7&fid=35.

Global network of fair trade organizations: www.ifat.org.

Para obter mais informações sobre os pássaros migratórios e o café, visite: nationalzoo.si.edu/ConservationAndScience/MigratoryBirds/Coffee/.

Legislação local

Community Food Security Coalition, *Farm to Cafeteria in 2006: Helping Farmers, Kids, and Communities*, www.foodsecurity.org/policy.html#F2C.

The National Farm to School Network: www.farmtoschool.org/ e www.farmtocollege.org/.

How Local Farmers and School Food Service Buyers Are Building Alliances, www.ams.usda.gov/tmd/MSB/PDFpubList/localfarmsandschool.pdf.

Small Farms/School Meals Initiative: www.fns.usda.gov/cnd/Lunch/Downloadable/small.pdf.

The National Association of Farmers' Market Nutrition Programs: www.nafmnp.org/.

EDITORA RESPONSÁVEL
Izabel Aleixo

PRODUÇÃO EDITORIAL
Daniele Cajueiro
Mariana Elia

REVISÃO DE TRADUÇÃO
Lucas Nunes

REVISÃO
Izabel Cury
Ricardo Freitas

DIAGRAMAÇÃO
Abreu's System

Este livro foi impresso em Guarulhos, em junho de 2008, pela Lis Gráfica e Editora, para a Editora Nova Fronteira. A fonte usada no miolo é Sabon, corpo 11,5/15. O papel do miolo é pólen soft 70g/m², e o da capa é cartão 250g/m².

Visite nosso site: www.novafronteira.com.br